E L JAMES

CINQUANTA SFUMATURE DI NERO

Traduzione di Silvia Zucca

MONDADORI

Copyright © Fifty Shades Ltd, 2011
The author published an earlier serialized version of this story online with different
characters as *Master of Universe* under the pseudonym Snowqueen's Icedragon
Titolo originale dell'opera: *Fifty Shades Darker*
© 2012 Arnoldo Mondadori Editore S.p.A., Milano

Edizione speciale Mondadori settembre 2014

ISBN 978-88-04-64891-8

Questo volume è stato stampato
presso ELCOGRAF S.p.A.
Stabilimento - Cles (TN)
Stampato in Italia. Printed in Italy

Anno 2014 - Ristampa 1 2 3 4 5 6 7

www.librimondadori.it

CINQUANTA SFUMATURE DI NERO

Per Zand e J

Avete il mio amore
incondizionato,
sempre

Ringraziamenti

Ho un enorme debito di gratitudine nei confronti di Sarah, Kay e Jada. Grazie per tutto quello che avete fatto per me.

Un grazie gigantesco a Kathleen e Kristi, che mi hanno sostituita nel momento del bisogno e sono venute a capo di tutto.

Grazie anche a te, Niall, marito, amante e mio migliore amico (quasi sempre).

E un urrà a tutte le donne veramente straordinarie di ogni parte del mondo che ho avuto il piacere di conoscere da quando è iniziata questa avventura e che adesso considero amiche: Ale, Alex, Amy, Andrea, Angela, Azucena, Babs, Bee, Belinda, Betsy, Brandy, Britt, Caroline, Catherine, Dawn, Gwen, Hannah, Janet, Jen, Jenn, Jill, Kathy, Katie, Kellie, Kelly, Liz, Mandy, Margaret, Natalia, Nicole, Nora, Olga, Pam, Pauline, Raina, Raizie, Rajka, Rhian, Ruth, Steph, Susi, Tasha, Taylor e Una. E anche alle molte donne (e uomini) intelligenti, spiritose e amichevoli che ho conosciuto online. Voi sapete chi siete.

Grazie a Morgan e Jenn per tutte le cose relative all'Heathman.

E infine, grazie a Janine, la mia editor. Sei una roccia. Questo è tutto.

Prologo

Lui è tornato. La mamma sta dormendo o sta di nuovo male.

Io mi nascondo, rannicchiandomi sotto il tavolo della cucina. Attraverso le dita riesco a vedere la mamma. Dorme sul divano. Tiene la mano sul tappeto verde appiccicoso. Lui indossa gli stivaloni con la fibbia lucente e si china su di lei urlando.

Picchia la mamma con una cintura. "Alzati! Alzati! Sei una maledetta troia. Sei una maledetta troia. Sei una maledetta troia. Sei una maledetta troia. Sei una maledetta troia. Sei una maledetta troia."

La mamma singhiozza. "Fermati. Per favore, fermati." La mamma non urla. La mamma si raggomitola facendosi piccola piccola.

Io mi metto le dita nelle orecchie e chiudo gli occhi. Il rumore cessa.

Lui si gira e vedo i suoi stivali che entrano in cucina con passo pesante. Mi sta cercando.

Si china e sorride. Ha un odore nauseante. Di sigarette e di liquori. "Eccoti qua, piccolo stronzo."

Un urlo agghiacciante lo sveglia. Cristo! È fradicio di sudore e il cuore gli batte a mille. Balza a sedere sul letto e si prende la testa tra le mani. "Cazzo, sono tornati. Il rumore ero io." Fa un respiro profondo per calmarsi, cercando di liberarsi la mente e le narici dal puzzo di bourbon scadente e di Camel stantie.

1

Sono sopravvissuta al terzo giorno "dopo Christian" e al mio primo di lavoro. È stata una gradita distrazione. Il tempo si è dissolto in una nube di volti nuovi, cose da fare, e Mr Jack Hyde. Mr Jack Hyde... mi sorride, i suoi occhi azzurri luccicano, mentre si china sulla mia scrivania.

«Ottimo lavoro, Ana. Credo che diventeremo una grande squadra.»

Riesco a piegare le labbra in una specie di sorriso.

«Ora me ne vado, se per te va bene» mormoro.

«Certo, sono le cinque e mezzo. Ci vediamo domani.»

«Buona serata, Jack.»

«Buona serata, Ana.»

Fuori, nell'aria del tardo pomeriggio di Seattle, faccio un bel respiro. Non riempie affatto il vuoto che ho dentro e che sento da sabato mattina, un buco doloroso che mi ricorda la mia perdita. Cammino verso la fermata dell'autobus a testa bassa, fissandomi i piedi, e rifletto sul fatto che non ho più la mia adorata Wanda, il vecchio Maggiolino, né l'Audi.

Reprimo subito quel pensiero. No. Non pensare a lui. Certo, posso permettermi una macchina, una bella macchina nuova. Sospetto che sia stato più che generoso nel compilare l'assegno, e il pensiero mi lascia l'amaro in bocca, ma lo caccio via e cerco di tenere la mente più ovattata e vuota possibile. Non posso pensare a lui. Non voglio iniziare a piangere. Non qui, per la strada.

L'appartamento è vuoto. Kate mi manca, e la immagino sdraiata su una spiaggia a Barbados mentre sorseggia un cocktail ghiacciato. Accendo la tivù in modo che un po' di rumore riempia il silenzio e mi dia una parvenza di compagnia, ma non ascolto né guardo. Mi siedo e fisso assente il muro di mattoni. Sono vuota. Non provo altro che dolore. Per quanto tempo riuscirò a sopportarlo?

Il suono del citofono mi fa trasalire, e il mio cuore manca un battito. Chi può essere?

«Una consegna per Miss Steele» dice una voce annoiata e incorporea, e la delusione mi annienta. Scendo fiaccamente le scale e trovo un ragazzo appoggiato al portone che mastica rumorosamente un chewing-gum, reggendo una grande scatola. Firmo la ricevuta e porto il pacco di sopra. È voluminoso, ma sorprendentemente leggero. Dentro ci sono due dozzine di rose bianche a gambo lungo e un biglietto.

> Congratulazioni per il tuo primo giorno di lavoro.
> Spero che sia andato tutto bene.
> E grazie per l'aliante. È stato un pensiero molto carino.
> Ha un posto d'onore sulla mia scrivania.
> *Christian*

Fisso il biglietto scritto al computer, il buco nel mio petto si espande. Senza dubbio è stata la sua assistente a spedirlo. Probabilmente Christian non ha nemmeno visto i fiori. Fa troppo male pensarci. Osservo le rose. Sono bellissime e non riesco a decidermi a buttarle nella pattumiera. Per senso del dovere, vado in cucina e cerco un vaso.

E così si sviluppa uno schema: svegliarsi, lavorare, piangere, dormire. Be', cercare di dormire. Non posso sfuggirgli neanche nei sogni. Ardenti occhi grigi, il suo sguardo smarrito, i suoi capelli ramati, tutto mi perseguita. E la musica...

così tanta musica. Non sopporto di ascoltare alcun tipo di musica. Sto attenta a evitarla a ogni costo. Perfino i jingle pubblicitari mi fanno rabbrividire.

Non ho parlato con nessuno, neppure con mia madre o Ray. Non ho la forza di perdermi in chiacchiere ora. Non voglio saperne. Sono diventata un'isola. Una terra distrutta, devastata, dove non cresce più niente e gli orizzonti sono desolati. Sì, questa sono io. Posso interagire in modo impersonale in ufficio, ma niente di più. Se parlassi con la mamma, so che potrei spezzarmi ancora. E non è rimasto più niente da spezzare.

Trovo difficile mangiare. Mercoledì, a pranzo, sono riuscita a mandare giù uno yogurt ed è stata la prima cosa che ho mangiato da venerdì. Sopravvivo grazie a una ritrovata tolleranza per il caffellatte e per la Diet Coke. È la caffeina che mi tiene in piedi, ma mi rende ansiosa.

Jack ha iniziato a starmi addosso. Mi irrita. Mi fa domande personali. Che cosa vuole? Io sono gentile, ma devo tenerlo a distanza.

Mi siedo e inizio a esaminare una pila di corrispondenza indirizzata a lui, e questo lavoro ripetitivo è una piacevole distrazione. Il segnale sonoro mi avverte dell'arrivo di una mail. Controllo subito chi mi ha scritto.

"Merda." Un messaggio di Christian. "Oh, no, non qui... non al lavoro."

Da: Christian Grey
A: Anastasia Steele
Data: 8 giugno 2011 14.05
Oggetto: Domani

Cara Anastasia,
perdona questa intrusione al lavoro. Spero che stia andando bene.
Hai ricevuto i miei fiori? Ho visto che domani ci sarà l'inaugurazione

13

della mostra del tuo amico alla galleria, e sono sicuro che non hai avuto il tempo di comprare una macchina. La strada è lunga. Sarei più che felice di accompagnartici io, se tu lo volessi.
Fammi sapere.

Christian Grey
Amministratore delegato, Grey Enterprises Holdings Inc.

Gli occhi mi si riempiono di lacrime. Mi alzo precipitosamente dalla scrivania e scappo in bagno. La mostra di José. Me ne ero completamente dimenticata, e avevo promesso di andarci. "Merda, Christian ha ragione: come arrivo fin là?"

Mi sfrego la fronte con una mano. Perché José non ha telefonato? Ora che ci penso… perché nessuno ha telefonato? Sono stata così distratta che non ho notato che il mio cellulare è rimasto muto.

"Merda! Che idiota sono!" Ho lasciato impostata la deviazione delle chiamate sul BlackBerry. Le mie telefonate stanno arrivando a Christian… A meno che lui non abbia buttato via il BlackBerry. Come ha fatto ad avere la mia mail?

Sa che numero di scarpe porto. Un indirizzo di posta elettronica non rappresenta certo un problema per lui.

Posso rivederlo? Riuscirei a sopportarlo? Voglio rivederlo? Chiudo gli occhi e getto indietro la testa mentre il dolore e il desiderio mi trapassano come una lancia. Certo che voglio.

Forse, forse posso dirgli che ho cambiato idea… No, no, no. Non posso stare con qualcuno che prova piacere nell'infliggermi dolore, qualcuno che non può amarmi.

Ricordi strazianti scorrono fulminei nella mia mente: l'aliante, le sue mani che mi tengono, i baci nella vasca da bagno, la sua gentilezza, l'umorismo, e il suo sguardo torbido, cupo e sexy. Mi manca. Sono passati cinque giorni, cinque giorni di agonia che mi sono parsi un'eternità.

Mi stringo forte le braccia intorno al corpo, tenendomi insieme. Lui mi manca. Mi manca davvero... Lo amo. Semplice.

"Anastasia Steele, sei al lavoro!" Devo essere forte, ma voglio andare alla mostra di José e, nel profondo, la masochista che è in me vuole vedere Christian. Faccio un bel respiro e torno alla scrivania.

Da: Anastasia Steele
A: Christian Grey
Data: 8 giugno 2011 14.25
Oggetto: Domani

Ciao, Christian,
grazie per i fiori. Sono bellissimi.
Sì, gradirei un passaggio.
Grazie.

Anastasia Steele
Assistente di Jack Hyde, Direttore editoriale, SIP

Controllo il telefono e scopro che effettivamente è ancora impostato per deviare le chiamate sul BlackBerry. Jack è in riunione, così chiamo velocemente José.

«Ciao, José, sono Ana.»

«Ciao, straniera.» Il suo tono è così caldo e amichevole che quasi mi metto a piangere.

«Non posso parlare molto. A che ora devo essere lì domani per la tua mostra?»

«Vieni?» Sembra eccitato.

«Sì, certo.» Sorrido. È il mio primo sorriso sincero dopo cinque giorni. Mi immagino quello ampio di José.

«Sette e mezzo.»

«Ci vediamo domani. Ciao, José.»

«Ciao, Ana.»

Da: Christian Grey
A: Anastasia Steele
Data: 8 giugno 2011 14.27
Oggetto: Domani

Cara Anastasia,
a che ora passo a prenderti?

Christian Grey
Amministratore delegato, Grey Enterprises Holdings Inc.

Da: Anastasia Steele
A: Christian Grey
Data: 8 giugno 2011 14.32
Oggetto: Domani

L'inaugurazione è alle 19.30. A che ora suggerisci?

Anastasia Steele
Assistente di Jack Hyde, Direttore editoriale, SIP

Da: Christian Grey
A: Anastasia Steele
Data: 8 giugno 2011 14.34
Oggetto: Domani

Cara Anastasia,
Portland è piuttosto lontana. Posso venire a prenderti alle 17.45.
Non vedo l'ora di incontrarti.

Christian Grey
Amministratore delegato, Grey Enterprises Holdings Inc.

Da: Anastasia Steele
A: Christian Grey
Data: 8 giugno 2011 14.38
Oggetto: Domani

Ci vediamo, allora.

Anastasia Steele
Assistente di Jack Hyde, Direttore editoriale, SIP

"Oddio." Vedrò Christian, e per la prima volta in cinque giorni il mio umore migliora impercettibilmente e mi concedo di pensare a come sia stato lui.

Gli sono mancata? Probabilmente non tanto quanto lui è mancato a me. Avrà trovato una nuova Sottomessa? Il pensiero è così penoso che lo abbandono immediatamente. Guardo la pila di corrispondenza che devo esaminare per Jack e l'affronto, mentre cerco di spingere di nuovo Christian fuori dalla mia mente.

Quella notte, a letto, mi giro e mi rigiro. È la prima volta che non piango fino a addormentarmi.

Con gli occhi della mente visualizzo il volto di Christian com'era l'ultima volta che l'ho visto, quando ho lasciato il suo appartamento. La sua espressione tormentata mi perseguita. Ricordo che non voleva che me ne andassi, il che era strano. Come sarei potuta rimanere quando le cose erano arrivate a una tale impasse? Entrambi giravamo intorno ai nostri problemi: alla mia paura delle punizioni, alla sua paura di... di cosa? Dell'amore?

Mi giro sul fianco e abbraccio il cuscino, sopraffatta da una tristezza schiacciante. Pensa di non meritare di essere amato. Perché si sente così? Ha qualcosa a che vedere con la sua infanzia? Con la sua madre naturale, la prostituta drogata? I pensieri mi tormentano fino alle prime ore del mattino, quando finalmente cado in un sonno frammentato ed esausto.

La giornata si trascina lentamente, e Jack è insolitamente premuroso. Sospetto che sia per via dell'abito color prugna e degli stivali neri con il tacco alto che ho preso dall'armadio di Kate, ma non mi soffermo troppo su questo pensiero. Ho deciso che con il primo stipendio andrò a fare shopping. Il vestito mi sta più largo ultimamente, ma faccio finta di niente.

Finalmente arrivano le cinque e mezzo. Prendo la giacca e la borsa, cercando di tenere a freno il nervosismo. "Sto per vederlo!"

«Hai un appuntamento, stasera?» mi chiede Jack, passando davanti alla mia scrivania per uscire.

«Sì. No. Non un vero appuntamento.»

Lui alza un sopracciglio, il suo interesse chiaramente stuzzicato. «Un fidanzato?»

Arrossisco. «No, un amico. Un ex fidanzato.»

«Magari domani ti andrebbe di uscire a bere qualcosa dopo il lavoro… La tua prima settimana è stata formidabile, Ana. Dobbiamo festeggiare.» Sorride e la sua espressione rivela un'emozione che non gli avevo mai visto, facendomi sentire strana.

Si mette le mani in tasca e si allontana. Io aggrotto la fronte. Andare a bere qualcosa con il capo: sarà una buona idea?

Scuoto la testa. Devo affrontare una serata con Christian Grey. Come posso farcela? Corro in bagno per gli ultimi ritocchi.

Fisso a lungo e intensamente il mio viso nel grande specchio. Come al solito sono pallida, con le occhiaie intorno agli occhi troppo grandi. Sembro scarna, tormentata. Vorrei sapermi truccare. Metto un po' di mascara e di eyeliner e mi pizzico le guance, sperando di dar loro un po' di colore. Mi sistemo i capelli in modo che ricadano ad arte sulla schiena. Faccio un respiro profondo. Deve bastare.

Nervosa, attraverso l'ingresso, con un sorriso e un saluto a Claire, alla reception. Credo che lei e io potremmo diventare amiche. Jack sta parlando con Elizabeth. Con un ampio sorriso corre ad aprirmi la porta.

«Dopo di te, Ana» mormora.

«Grazie.» Gli sorrido imbarazzata.

Taylor mi sta aspettando sul marciapiede. Apre la portiera della macchina. Io lancio un'occhiata esitante a Jack, che mi ha seguita fuori. Sta guardando sgomento il SUV Audi.

Mi volto e salgo sul sedile posteriore. Lui è lì. Christian Grey. Indossa il completo grigio, senza cravatta, la camicia bianca aperta sul collo. I suoi occhi grigi brillano.

Mi si secca la bocca. Ha un aspetto magnifico, a parte lo sguardo corrucciato che mi rivolge. "Oh, no!"

«Quand'è stata l'ultima volta che hai mangiato?» mi domanda con durezza, mentre Taylor chiude la portiera dietro di me.

"Merda." «Ciao, Christian. Anche per me è bello vederti.»

«Lascia perdere la tua lingua biforcuta, adesso. Rispondimi.» I suoi occhi ardono.

«Mmh… ho mangiato uno yogurt a pranzo. Ah… anche una banana.»

«Quand'è stata l'ultima volta che hai mangiato un vero pasto?» mi chiede acido.

Taylor mette in moto e si infila nel traffico.

Alzo lo sguardo e Jack mi saluta con la mano, anche se non so come fa a vedermi attraverso il vetro scuro. Gli faccio un cenno di risposta.

«Chi è quello?» ringhia Christian.

«Il mio capo.» Guardo di sottecchi il bellissimo uomo accanto a me. La sua bocca è una linea dura.

«Allora? L'ultimo pasto?»

«Christian, davvero non ti riguarda» mormoro sentendomi straordinariamente coraggiosa.

«Tutto quello che fai mi riguarda. Dimmelo.»

"No, non è vero." Emetto un gemito di frustrazione, alzando gli occhi al cielo, mentre Christian stringe i suoi a fessura. Per la prima volta, dopo tanto tempo, ho voglia di ridere. Cerco in ogni modo di soffocare la risata che minaccia di esplodere. L'espressione di Christian si ammorbidisce mentre io fatico a restare seria, e vedo l'ombra di un sorriso affiorare sulle sue bellissime labbra scolpite.

«Dunque?» mi chiede, la voce più dolce.

«Pasta alle vongole, venerdì scorso» mormoro.

Lui chiude gli occhi mentre la rabbia e forse il rimpianto gli attraversano il viso. «Capisco» dice senza alcuna inflessione nella voce. «Hai l'aria di aver perso almeno tre chili, forse di più. Per favore, Anastasia, devi mangiare» mi rimprovera.

Io fisso le dita che tengo intrecciate in grembo. Perché mi fa sempre sentire come una bambina colta in fallo?

Si volta verso di me. «Come stai?» mi chiede, la voce di nuovo dolce.

"Be', veramente di merda…" Deglutisco. «Se ti dicessi che sto bene, mentirei.»

Lui inspira seccamente. «Anch'io» mormora, poi allunga un braccio e mi prende la mano. «Mi manchi» aggiunge.

"Oh, no." Pelle contro pelle.

«Christian, io…»

«Ana, per favore. Dobbiamo parlare.»

"Sto per mettermi a piangere." No. «Christian… per favore… Ho pianto così tanto» sussurro, cercando di tenere sotto controllo le emozioni.

«Oh, piccola, no.» Lui mi tira per la mano, e prima che me ne accorga sono seduta sulle sue ginocchia. Mi circonda con le braccia e affonda il naso tra i miei capelli. «Mi sei mancata così tanto, Anastasia» sospira.

Vorrei divincolarmi da quella stretta, mantenere una certa distanza, ma le sue braccia mi trattengono. Mi stringe contro il suo petto. Mi sciolgo. "Oh, qui è dove voglio essere."

Appoggio la testa sul suo petto e lui mi bacia i capelli più volte. Sono a casa. Odora di lino, di ammorbidente, di bagnoschiuma, e del mio profumo preferito. Christian. Per un momento, mi concedo l'illusione che tutto andrà bene, e ciò placa la mia anima devastata.

Qualche minuto dopo Taylor accosta, anche se siamo ancora in città.

«Vieni.» Christian mi fa alzare dalle sue ginocchia. «Siamo arrivati.»

"Cosa?"

«L'elisuperficie... sul tetto di questo palazzo.» Christian getta un'occhiata all'edificio a mo' di spiegazione.

Certo. *Charlie Tango*. Taylor mi apre la portiera. Mi rivolge un sorriso caldo, benevolo, che mi fa sentire al sicuro. Gli sorrido a mia volta.

«Dovrei restituirle il fazzoletto.»

«Lo tenga pure, Miss Steele, con i miei migliori auguri.»

Arrossisco mentre Christian fa il giro della macchina e mi prende per mano. Lancia un'occhiata interrogativa a Taylor, che lo fissa impassibile, senza rivelare nulla.

«Nove?» gli chiede Christian.

«Sì, signore.»

Christian annuisce mentre si volta e mi conduce nel grandioso atrio del palazzo. Mi crogiolo nella sensazione della sua mano e delle sue abili dita intorno alle mie. Ecco la ben nota attrazione. Mi sento trascinare, Icaro verso il sole. Sono già rimasta scottata, eppure sono di nuovo qui.

Raggiungiamo l'ascensore e lui preme il pulsante di chiamata. Lo guardo furtivamente, e gli vedo sulle labbra un mezzo sorriso enigmatico. Mentre le porte della cabina si aprono, mi lascia la mano e mi fa entrare.

Le porte si chiudono e azzardo una seconda occhiata furtiva. Lui mi guarda, i suoi occhi grigi brillano, e l'attrazione elettrica è palpabile. Riesco quasi a sentirne il sapore, pulsa, ci spinge l'uno verso l'altra.

«Oddio» ansimo mentre mi abbandono per un attimo all'intensità di questa energia viscerale, primitiva.

«La sento anch'io» mi dice, lo sguardo ombroso e intenso.

Un desiderio, oscuro e mortale, mi si addensa nel basso ventre. Christian mi afferra la mano e mi accarezza le nocche con il pollice, e tutti i miei muscoli si tendono deliziosamente dentro di me.

"Come riesce ancora a farmi questo?"

«Per favore, non morderti il labbro, Anastasia» mi sussurra.

Alzo lo sguardo su di lui, liberando il labbro dai denti. Lo desidero. Qui, adesso, nell'ascensore. Come potrebbe essere altrimenti?

«Sai che effetto mi fa» mormora.

"Oh, ho ancora potere su di lui." La mia dea interiore si riprende dopo cinque giorni di disperazione.

Di colpo, le porte dell'ascensore si aprono, spezzando l'incantesimo, e siamo sul tetto. Tira vento e, nonostante la giacca, ho freddo. Christian mi mette un braccio intorno alla vita, attirandomi contro di sé, mentre camminiamo in fretta verso *Charlie Tango*, al centro della piattaforma, con le pale del rotore che girano lentamente.

Un uomo alto, biondo, con la mascella squadrata, in un completo nero scende e, stando chinato, corre verso di noi. Stringe la mano di Christian e grida al di sopra del frastuono dell'elicottero.

«Pronto a partire, signore. È tutto suo!»

«Fatti i controlli di rito?»

«Sì, signore.»

«Verrà a riprenderlo intorno alle otto e mezzo?»

«Sì, signore.»

«Taylor l'aspetta fuori.»

«Grazie, Mr Grey. Buon viaggio fino a Portland. Signora.»
Mi saluta. Senza lasciarmi, Christian annuisce, si china e
mi guida verso il portellone dell'elicottero.

Una volta dentro, mi lega saldamente al sedile, stringendo
forte le cinghie della cintura di sicurezza. Mi lancia un'occhiata d'intesa e il suo sorriso segreto.

«Queste ti terranno al tuo posto» mormora. «Devo dire
che mi piace vederti legata. Non toccare niente.»

Io arrossisco fino a diventare scarlatta, e lui mi accarezza
una guancia con l'indice prima di passarmi le cuffie. "Piacerebbe anche a me toccarti, ma non me lo lasceresti fare." Lo
guardo arrabbiata. D'altra parte, ha stretto così tanto le cinghie che a stento riesco a muovermi.

Prende posto sul sedile accanto al mio e si allaccia la cintura, poi fa gli ultimi controlli prima del volo. È così competente. E così affascinante. Si infila le cuffie, preme un pulsante e le pale iniziano a girare più veloci, assordandomi.

Voltandosi, mi lancia un'occhiata. «Pronta, piccola?» La
sua voce riecheggia nella cuffia.

«Sì.»

Lui sorride. È il suo sorriso da ragazzino. "Wow, non lo
vedevo da così tanto tempo."

«Sea-Tac torre di controllo, qui *Charlie Tango*, Golf... Golf
Echo Hotel, autorizzato al decollo verso Portland, via PDX.
Confermate, per favore. Passo.»

La voce incorporea del controllore di volo risponde, im-
partendo istruzioni.

«Ricevuto, torre di controllo, *Charlie Tango* pronto. Passo e
chiudo.» Christian preme due pulsanti, afferra la leva, e l'elicottero si innalza lentamente e dolcemente nel cielo serale.

Seattle e il mio stomaco si staccano da noi, e c'è così tanto da vedere.

«Abbiamo inseguito l'alba, Anastasia, e ora inseguiamo
il crepuscolo.» La sua voce mi arriva attraverso le cuffie.
Mi giro e lo fisso a bocca aperta, sorpresa.

Che cosa significa? Come fa a dire le cose più romantiche? Sorride e io non posso che ricambiare, timidamente.

«Così come il sole di sera, c'è molto di più da vedere stavolta» dice.

L'ultima volta che abbiamo volato su Seattle era buio, ma stasera la vista è spettacolare, letteralmente fuori dal mondo. Voliamo tra i palazzi più alti, salendo sempre di più.

«L'Escala è laggiù.» Mi indica un edificio. «Il Boeing è là, e lì puoi vedere lo Space Needle.»

Chino la testa. «Non ci sono mai stata.»

«Ti ci porterò. Possiamo andarci a mangiare.»

«Christian, noi abbiamo rotto.»

«Lo so. Ma posso sempre portarti lì per nutrirti.» Mi lancia un'occhiata.

Scuoto la testa e decido di non contrastarlo. «È bellissimo quassù, grazie.»

«Impressionante, vero?»

«È impressionante che tu riesca a fare questo.»

«Mi stai adulando, Miss Steele? Io sono un uomo dai molti talenti.»

«Ne sono pienamente consapevole, Mr Grey.»

Si volta e mi fa un sorrisetto compiaciuto, e per la prima volta in cinque giorni mi rilasso un po'. Forse non sarà così male.

«Come va il nuovo lavoro?»

«Bene, grazie. È interessante.»

«Com'è il tuo capo?»

«Oh, lui è okay.» Come faccio a dire a Christian che Jack mi mette a disagio? Lui si volta e mi guarda.

«Cosa c'è che non va?» mi chiede.

«A parte l'ovvio, niente.»

«L'ovvio?»

«Oh, Christian, a volte sei veramente molto ottuso.»

«Ottuso? Io? Non sono sicuro di gradire il tuo tono, Miss Steele.»

«Be', allora non farlo.»

Le sue labbra si piegano in un sorriso. «Mi è mancata la tua lingua biforcuta.»

Io sospiro e vorrei gridare: "Tu mi sei mancato. Tutto di te. Non solo la tua lingua!". Ma rimango in silenzio e guardo fuori da quella boccia di vetro che è il parabrezza di *Charlie Tango*, mentre proseguiamo verso sud. Il crepuscolo è sulla nostra destra, il sole è basso all'orizzonte – grande, di un arancione fiero e fiammeggiante – e io sono di nuovo Icaro, che ci vola troppo vicino.

Il crepuscolo ci segue da Seattle, e il cielo è inondato di sfumature opale, rosa e acquamarina intrecciate come solo Madre Natura sa fare. È una serata limpida e fresca, e le luci di Portland scintillano e ammiccano, dandoci il benvenuto mentre Christian fa scendere l'elicottero sull'elisuperficie. Siamo sul tetto dello stesso edificio di Portland da cui siamo decollati meno di tre settimane fa.

Accidenti, è passato pochissimo tempo, eppure mi sembra di conoscere Christian da una vita. Lui spegne *Charlie Tango*, e alla fine riesco a sentire il mio respiro attraverso le cuffie. "Mmh…" Mi torna in mente in un flash la notte con la musica di Thomas Tallis. Impallidisco. Non voglio pensarci adesso.

Christian si slaccia la cintura e si protende per liberare anche me.

«Piaciuto il viaggio, Miss Steele?» La sua voce è dolce, i suoi occhi grigi ardono.

«Sì, grazie, Mr Grey» replico educatamente.

«Bene, andiamo a vedere le foto del ragazzo.» Mi tende la mano e io la prendo. Scendo dall'elicottero.

Un uomo con i capelli grigi e la barba ci viene incontro, sorridendo calorosamente, e riconosco in lui la persona che ci ha accolti l'ultima volta che siamo stati qui.

«Joe.» Christian sorride e lascia la mia mano per stringere con calore quella dell'uomo.

«Tienilo al sicuro per Stephan. Verrà a prenderlo tra le otto e le nove.»

«Sarà fatto, Mr Grey. Signora» dice, salutandomi con un cenno della testa. «La macchina l'aspetta di sotto, signore. Oh, l'ascensore è fuori servizio. Dovrete usare le scale.»

«Grazie, Joe.»

Christian mi prende la mano, e ci dirigiamo verso le scale di emergenza.

«Sei fortunata che questo edificio ha solo tre piani, visti i tacchi» borbotta in tono di disapprovazione.

Non sta scherzando.

«Non ti piacciono gli stivali?»

«Mi piacciono molto, Anastasia.» Il suo sguardo si incupisce e penso che stia per dire qualcos'altro, ma si ferma. «Vieni. Andremo piano. Non voglio che tu cada e ti rompa l'osso del collo.»

Sediamo in macchina in silenzio, mentre l'autista ci porta alla galleria. La mia ansia è tornata, forte come non mai, e mi rendo conto che il tempo passato su *Charlie Tango* è stato una momentanea tregua. Christian è silenzioso e pensieroso… persino apprensivo. Il nostro umore più leggero di poco fa si è dissolto. Ci sono tante cose che vorrei dire, ma questo viaggio è troppo breve. Christian guarda fuori dal finestrino.

«José è solo un amico» mormoro.

Christian si volta e mi guarda, i suoi occhi sono cupi e attenti, non si lasciano sfuggire niente. La sua bocca… oh, la sua bocca è una fonte di distrazione così irresistibile. La ricordo su di me. Dappertutto. La mia pelle brucia. Lui si muove sul sedile e aggrotta la fronte.

«Quei bellissimi occhi sono troppo grandi per il tuo viso, Anastasia. Per favore, dimmi che mangerai.»

«Sì, Christian. Mangerò» replico automaticamente.

«Dico sul serio.»

«Ah, sì?» Non riesco a trattenere lo sdegno nella mia voce. Onestamente, l'audacia di quest'uomo… Quest'uomo che mi ha fatto passare l'inferno negli ultimi giorni. No, non è esatto. Sono stata io a ficcarmi in un inferno. No. È stato lui. Scuoto la testa, confusa.

«Non voglio litigare con te, Anastasia. Ti rivoglio, e voglio che tu sia in salute» mi dice dolcemente.

«Ma non è cambiato niente.» "Ci sono ancora le tue cinquanta sfumature di tenebra."

«Ne parleremo al ritorno. Siamo arrivati.»

La macchina si ferma davanti alla galleria. Christian scende, lasciandomi senza parole. Mi apre la portiera, e io esco.

«Perché fai questo?» La mia voce è più alta di quanto mi aspettassi.

«Faccio cosa?» Christian è preso alla sprovvista.

«Perché dici una cosa come quella e poi ti fermi.»

«Anastasia, siamo arrivati. Siamo dove volevi essere. Facciamo questa cosa e poi parliamo. Non ho proprio voglia di fare una scenata in mezzo alla strada.»

Mi guardo intorno. Ha ragione. È un luogo pubblico, troppo. Stringo le labbra, mentre lui mi osserva con aria truce.

«Okay» borbotto imbronciata. Christian mi prende la mano e mi guida dentro l'edificio.

Si tratta di un magazzino riconvertito: muri di mattoni, pavimenti di legno scuro, soffitti e tubature a vista bianchi. È spazioso e moderno, e c'è molta gente che si aggira, sorseggiando vino e ammirando il lavoro di José. Per un attimo i miei problemi si dissolvono mentre mi rendo conto che lui ha realizzato il suo sogno. "Vai così, José!"

«Buonasera e benvenuti alla mostra di José Rodriguez.» Una giovane donna vestita di nero con i capelli castani corti, il rossetto rosso e grossi orecchini a cerchio ci dà il benvenuto. Lancia una rapida occhiata a me, poi una molto più lunga del necessario a Christian, quindi torna a guardare me, sbattendo le palpebre mentre arrossisce.

Aggrotto la fronte. "Lui è mio." O lo era. Mi trattengo dal fulminarla con lo sguardo. Lei mi fissa, poi sbatte di nuovo le palpebre.

«Oh, sei tu, Ana. Ci farà piacere conoscere la tua opinione su tutto questo.» Sorridendo, mi passa una brochure e mi fa strada verso un tavolo pieno di bevande e stuzzichini.

Come fa a sapere il mio nome?

«La conosci?» chiede Christian stupito.

Scuoto la testa, ugualmente confusa.

Lui si stringe nelle spalle, distratto. «Che cosa vuoi da bere?»

«Un bicchiere di vino bianco, grazie.»

Lui si acciglia, ma tiene a freno la lingua.

«Ana!»

José arriva facendosi largo tra la folla.

"Accidenti!" Indossa un completo. Sta molto bene e mi sorride raggiante. Mi abbraccia, stringendomi forte. E tutto quello che riesco a fare è non scoppiare a piangere. Il mio amico. Lui è il mio unico amico mentre Kate è via. Gli occhi mi si riempiono di lacrime.

«Ana, sono così felice che tu ce l'abbia fatta» mi sussurra nell'orecchio. All'improvviso mi scosta da sé e mi fissa.

«Cosa c'è?»

«Ehi, stai bene? Mi sembri… be'… strana. *Dios mío*, sei dimagrita?»

Ricaccio indietro le lacrime… "No, anche tu!" «José, sto benissimo. Sono solo molto felice per te. Congratulazioni per la mostra.» Mi trema la voce nel vedere la preoccupazione sul suo volto così familiare, ma devo trattenermi.

«Come sei arrivata qui?» mi chiede.

«Mi ha portata Christian» dico, improvvisamente in apprensione.

«Oh.» José si rabbuia e mi lascia. «Dov'è?»

«Laggiù, a prendere da bere.» Indico Christian con un cenno della testa e noto che si sta intrattenendo con qualcuno, mentre aspetta in coda. In quel momento lui alza gli occhi e i nostri sguardi si incrociano. Mi sento paralizzata, mentre fisso quell'uomo di una bellezza impossibile che mi guarda con un'emozione imperscrutabile. Il suo sguardo è ardente, mi brucia dentro, e per un momento ci perdiamo l'uno nell'altra.

"Oddio…" Quest'uomo mi rivuole, e nel profondo della mia anima sboccia lentamente una gioia dolce, come una campanula nell'alba appena sorta.

«Ana!» José mi distoglie da questi pensieri, e mi riporta al presente. «Sono così contento che tu sia venuta. Senti, devo avvertirti…»

L'arrivo di Miss Capelli Cortissimi e Rossetto Rosso gli impedisce di finire la frase. «José, la giornalista del "Portland Printz" è qui per parlarti. Vieni.» Mi rivolge un sorriso educato.

«Fico, vero? La fama.» José sorride e io non posso fare a meno di contraccambiare. È così felice. «Ci vediamo dopo, Ana.» Mi bacia sulla guancia e io lo guardo allontanarsi verso una giovane donna in piedi accanto a un fotografo alto e allampanato.

Le fotografie di José sono ovunque e, in alcuni casi, montate su grandi pannelli. Sono sia in bianco e nero sia a colori. Molti dei paesaggi sono pervasi di una bellezza eterea. In uno di essi, scattato vicino al lago di Vancouver, è quasi sera e nuvole rosa si riflettono sulla fissità dell'acqua. Per un attimo mi sento in pace, tranquilla. È incredibile.

Christian mi raggiunge e mi porge un bicchiere di vino bianco.

«È all'altezza?» La mia voce suona più normale.

Lui mi guarda con aria interrogativa.

«Il vino.»

«No. Raramente lo è a eventi come questo. Il ragazzo ha talento, vero?» Christian ammira la foto del lago.

«Perché pensi che gli avrei chiesto di farti un ritratto, altrimenti?» Non riesco a trattenere l'orgoglio nella voce. I suoi occhi scivolano impassibili dalle fotografie a me.

«Christian Grey?» Il fotografo del "Portland Printz" si avvicina. «Posso scattarle una foto?»

«Certo.» Christian nasconde il suo sguardo severo. Io faccio un passo indietro, ma lui mi afferra la mano e mi attira al suo fianco. Il fotografo ci guarda entrambi, senza riuscire a trattenere lo stupore.

«Grazie, Mr Grey.» Scatta un paio di foto. «Miss…?» chiede.

«Ana Steele» dico.

«Grazie, Miss Steele.» Scappa via.

«Ho cercato tue foto con altre donne su Internet. Non ce ne sono. Ecco perché Kate pensava che fossi gay.»

La bocca di Christian si piega in un sorriso. «Questo spiega la tua domanda inopportuna. No, io non do mai appuntamenti a donne, Anastasia. Solo a te. Ma questo lo sai.» I suoi occhi bruciano di sincerità.

«Così non porti mai le tue…» mi guardo intorno per controllare che nessuno ci ascolti «… le tue Sottomesse fuori?»

«Qualche volta. Ma non per un appuntamento. Per fare shopping, sai.» Si stringe nelle spalle, senza staccare gli occhi dai miei.

Oh, così solo nella sua stanza dei giochi. La sua Stanza Rossa delle Torture e il suo appartamento. Non so che cosa provare al riguardo.

«Solo a te, Anastasia» ripete, in un sussurro.

Io arrossisco e mi fisso le dita. A suo modo, Christian ci tiene a me.

«Il tuo amico sembra più un fotografo di paesaggi che di ritratti. Facciamo un giro.» Mi prende per mano.

Ci soffermiamo davanti ad altre stampe, e noto una coppia che annuisce verso di me, sorridendo come se mi conoscesse. Dev'essere perché sono con Christian, ma il ragazzo mi sta fissando apertamente. "Strano."

Giriamo l'angolo, e capisco perché sto ricevendo tante

occhiate strane. Appesi sulla parete di fronte ci sono sette ritratti enormi. Miei.

Li fisso sconcertata, stupefatta, mentre il colore sparisce dal mio viso. Io: imbronciata, sorridente, corrucciata, seria, divertita. Tutti primi piani, tutti in bianco e nero.

"Accidenti!" Ricordo José che armeggiava con la macchina fotografica in un paio di occasioni, quando era venuto a trovarmi e quando l'avevo accompagnato come autista e assistente fotografa. Mi aveva scattato alcune istantanee, o così pensavo. Non queste foto invadenti.

Guardo Christian, che sta fissando, ammaliato, ognuno dei ritratti.

«A quanto pare, non sono l'unico» mormora criptico, la bocca serrata in una linea severa.

Penso che sia arrabbiato.

«Scusami» dice, inchiodandomi con il suo luminoso sguardo grigio. Si dirige verso il banco della reception.

Qual è il problema, adesso? Lo guardo ipnotizzata mentre parla con Miss Capelli Cortissimi e Rossetto Rosso. Tira fuori il portafoglio e ne estrae la carta di credito.

"Merda." Deve aver comprato un ritratto.

«Ehi. Tu sei la musa. Queste fotografie sono fantastiche.» Un ragazzo con un incredibile ciuffo biondo mi fa trasalire. Sento una mano sotto il gomito. Christian è tornato.

«Sei un tipo fortunato.» Ciuffo Biondo fa un sorrisetto a Christian, che gli rivolge un'occhiata fredda.

«Lo sono» borbotta cupo, mentre mi trascina in disparte.

«Hai comprato un ritratto?»

«Uno?» sbuffa lui, senza staccare gli occhi dalle foto.

«Ne hai comprato più di uno?»

Lui alza gli occhi al cielo. «Li ho comprati tutti, Anastasia. Non voglio che qualche sconosciuto sbavi sulla tua foto nell'intimità di casa sua.»

La mia prima reazione è quella di ridere. «Meglio che sia tu a farlo?» lo prendo in giro.

Lui mi fissa, colto in contropiede dalla mia audacia, penso. In realtà sta cercando di nascondere che la cosa lo diverte.

«Francamente sì.»

«Pervertito» gli dico e mi mordo il labbro per impedirmi di sorridere.

Lui rimane a bocca aperta. Adesso è evidente che è divertito. Si strofina il mento, pensieroso.

«Non posso ribattere a quest'affermazione, Anastasia.» Scuote la testa, e il suo sguardo si addolcisce.

«Potrei discuterne più approfonditamente con te, ma ho firmato un accordo di riservatezza.»

Lui sospira, e si incupisce. «Che cosa mi piacerebbe fare a quella lingua biforcuta!» mormora.

Rimango senza fiato, sapendo benissimo cosa vuole dire. «Sei molto volgare.» Cerco di sembrare scioccata e ci riesco. Non ha proprio limiti?

Lui mi sorride, poi aggrotta la fronte.

«Sembri rilassata in queste fotografie, Anastasia. Non ti vedo spesso così.»

"Cosa?" Alt! Cambio di argomento. Senza soluzione di continuità. Da scherzoso a serio.

Abbasso lo sguardo. Lui mi solleva il mento, e io respiro a fondo al contatto con le sue dita.

«Voglio che tu sia altrettanto rilassata con me» sussurra. Ogni traccia di umorismo è scomparsa.

Nel profondo del mio cuore si risveglia la gioia di prima. "Ma com'è possibile?" Abbiamo dei problemi.

«Devi smetterla di intimidirmi, se vuoi che lo sia» replico.

«Devi imparare a comunicare e a dirmi come ti senti» ribatte lui, gli occhi che brillano.

Respiro a fondo di nuovo. «Christian, tu mi vuoi come tua Sottomessa. Il problema è proprio qui, nella definizione di sottomesso. Una volta me l'hai mandata via mail.» Mi fermo cercando di ricordare le parole. «Credo che i sinonimi fossero: "compiacente, adattabile, condiscendente, passivo, accomodante, rassegnato, paziente, docile, domato, soggiogato". Non era previsto che ti guardassi, né che ti parlassi a meno che tu non mi avessi dato il permesso di farlo. Che cosa ti aspetti?» gli sibilo.

Si acciglia, mentre proseguo.

«Stare con te mi confonde. Non vuoi che io ti sfidi, ma poi ti piace la mia "lingua biforcuta". Vuoi obbedienza, eccetto quando non la vuoi, così puoi punirmi. È solo che non so mai che cosa succederà quando sono con te.»

Lui stringe gli occhi. «Ottima analisi, come sempre, Miss Steele.» La sua voce è fredda. «Vieni, andiamo a mangiare.»

«Siamo qui soltanto da mezz'ora.»

«Abbiamo visto le foto. E tu hai parlato con il ragazzo.»

«Si chiama José.»

«Hai parlato con José. L'uomo che, l'ultima volta che l'ho visto, stava cercando di infilarti la lingua in bocca, sebbene tu non volessi e fossi ubriaca e stessi per vomitare» ringhia.

«Lui non mi ha mai picchiata» ribatto, tagliente.

Christian mi guarda, fumante di rabbia. «Questo è un colpo basso, Anastasia» sibila minaccioso.

Arrossisco, e lui si passa una mano tra i capelli arruffati, l'ira trattenuta a stento. Lo fisso.

«Ti porto a mangiare qualcosa. Mi stai sparendo davanti. Trova il ragazzo e salutalo.»

«Per favore, possiamo rimanere un altro po'?»

«No. Vai. Salutalo.»

Gli lancio un'occhiata di traverso, con il sangue che mi ribolle. Mr Dannatamente Maniaco del Controllo. La rabbia è un bene. La rabbia è meglio delle lacrime.

Stacco gli occhi da lui e mi guardo intorno in cerca di José. Sta parlando con un gruppo di ragazze. Mi dirigo verso di lui, allontanandomi da Christian. "Solo perché mi ha portato qui lui devo fare quello che mi dice? Chi diavolo si crede di essere?"

Le ragazze pendono dalle labbra di José. Una di loro tra-

salisce nel vedermi sopraggiungere, senza dubbio ricono-
scendomi dai ritratti.

«José.»

«Ana. Scusatemi, ragazze.» José sorride loro e mi mette
un braccio intorno alle spalle. In un certo senso sono divertita: José che fa lo sdolcinato per impressionare delle donne.

«Sembri furiosa» dice.

«Devo andare» brontolo.

«Sei appena arrivata.»

«Lo so, ma Christian deve rientrare. Le fotografie sono
fantastiche, José. Hai molto talento.»

Lui s'illumina. «È stato bello vederti.»

Mi stringe in un abbraccio caloroso, facendomi girare, cosicché riesco a vedere Christian dall'altra parte della galleria. Si è rabbuiato, e capisco che è così perché sono
stretta a José. Perciò, in una mossa studiata, avvolgo le braccia intorno al collo del mio amico. Penso che Christian potrebbe morirne. Il suo sguardo si fa più cupo, quasi sinistro, e lui avanza lentamente verso di noi.

«Grazie di avermi avvertito riguardo ai miei ritratti»
borbotto.

«Merda. Scusa, Ana. Avrei dovuto dirtelo. Ti piacciono?»

«Mmh… non lo so» rispondo con sincerità, presa in contropiede dalla sua domanda.

«Be', sono stati venduti tutti, perciò a qualcuno piacciono.
Non è grandioso? Sei una ragazza da poster.» Mi stringe ancora più forte mentre Christian ci raggiunge guardandomi
minaccioso, e fortunatamente José non lo vede.

José mi lascia andare. «Non sparire, Ana. Oh, Mr Grey,
buonasera.»

«Mr Rodriguez, sono molto colpito.» Christian è di una
cortesia glaciale. «Mi dispiace che non possiamo rimanere di
più, ma dobbiamo tornare a Seattle. Anastasia?» Sottolinea
impercettibilmente il plurale e nel farlo mi prende la mano.

«Ciao, José. Ancora complimenti.» Gli do un rapido bacio

sulla guancia e, prima che possa rendermene conto, Christian mi sta trascinando fuori dall'edificio. So che sta silenziosamente ribollendo di rabbia, ma lo stesso vale per me.

Una volta in strada si guarda velocemente intorno, poi prende a sinistra e all'improvviso mi spinge in un vicolo laterale, premendomi con brutalità contro il muro. Mi afferra il viso con entrambe le mani, forzandomi a guardarlo in quei suoi occhi ardenti e determinati.

Io sussulto. Le sue labbra si avventano sulle mie. Mi bacia, con violenza. Per un istante i nostri denti si scontrano, poi la sua lingua è nella mia bocca.

Il desiderio esplode in tutto il mio corpo come i fuochi d'artificio. Lo bacio a mia volta, condividendo il suo fervore, le mani che affondano nei suoi capelli, tirandoli forte. Lui geme, un suono basso e sensuale dal fondo della gola che si riverbera dentro di me, e la sua mano scende lungo il mio corpo, fino alle cosce, le dita che mi affondano nella carne attraverso il vestito color prugna. plum

Riverso tutta l'angoscia e il dolore degli ultimi giorni nel nostro bacio, legandolo a me. E mi colpisce, in questo momento di passione cieca, che lui faccia lo stesso, che si senta nello stesso modo.

Interrompe il bacio ansimando. I suoi occhi, accesi di desiderio, infiammano il sangue già ardente che pulsa nel mio corpo. La mia bocca è debole mentre cerco di introdurre aria preziosa nei polmoni.

«Tu. Sei. Mia» ringhia, enfatizzando ogni parola. Si stacca da me e si piega, le mani sulle ginocchia, come se avesse corso la maratona. «Per l'amor di Dio, Ana.»

Mi abbandono contro il muro, ansimando e cercando di controllare la reazione tumultuosa del mio corpo, di riguadagnare l'equilibrio.

«Mi dispiace» sussurro quando riprendo fiato.

«Sì, fai bene. So cosa stavi facendo. Vuoi il fotografo, Anastasia? È evidente che lui prova dei sentimenti per te.»

Arrossisco e scuoto la testa.

«No, è solo un amico.»

«Ho passato tutta la mia vita di adulto cercando di evitare ogni emozione estrema. Eppure tu... tu scateni in me sentimenti che mi sono completamente sconosciuti. È molto...» aggrotta la fronte, cercando di trovare la parola «... sconcertante. Mi piace avere il controllo, Ana, e vicino a te questo...» si alza, il suo sguardo è intenso «... evapora.» Fa un gesto vago con le dita, poi se le passa tra i capelli e respira a fondo. Mi prende per mano.

«Vieni, dobbiamo mangiare, e dobbiamo parlare.»

2

Christian mi porta in un ristorante piccolo e intimo.

«Questo posto andrà bene» mormora. «Non abbiamo molto tempo.»

Il locale mi sembra bello. Sedie di legno, tovaglie di lino e pareti dello stesso colore della stanza dei giochi di Christian, un rosso intenso, sanguigno, con piccoli specchi dorati sparsi a caso, candele e vasetti di rose bianche. Ella Fitzgerald canta dolcemente in sottofondo di quella cosa chiamata amore. È molto romantico.

Il cameriere ci conduce a un tavolo in una piccola nicchia. Mi siedo, in apprensione, domandandomi che cosa mi dirà Christian.

«Non abbiamo molto tempo» comunica al cameriere mentre ci accomodiamo. «Perciò prendiamo tutti e due una bistecca di manzo, media cottura, con salsa bernese, se l'avete, patatine fritte e verdure, di qualunque tipo. E mi porti la lista dei vini.»

«Certo, signore.» Il cameriere, colto alla sprovvista dalla fredda efficienza di Christian, corre via. Christian appoggia il BlackBerry sul tavolo. Accidenti, non ho proprio alcuna facoltà di scegliere?

«E se a me la bistecca non piacesse?»

Lui sospira. «Non cominciare, Anastasia.»

«Non sono una bambina, Christian.»

«Bene, allora smettila di comportarti come se lo fossi.»

È come se mi avesse dato uno schiaffo. Sbatto le palpebre. Quindi è questo che avremo: una conversazione agitata, carica di tensione, seppure in un posto molto romantico, ma certamente senza cuori e fiori.

«Sono una bambina perché non mi piace la bistecca?» brontolo, cercando di nascondere che mi sento offesa.

«Perché hai tentato deliberatamente di farmi ingelosire. È una cosa infantile. Non hai alcuna considerazione per i sentimenti del tuo amico, provocandolo in quel modo?» Christian stringe le labbra in una linea dura e mi guarda severo mentre il cameriere torna con la lista dei vini.

Io arrossisco. Non ci avevo pensato. Povero José. Di certo non voglio incoraggiarlo. All'improvviso mi sento mortificata. Christian ha ragione. È stata una cosa stupida da fare. Lui guarda la lista dei vini.

«Vuoi scegliere il vino?» mi chiede, alzando un sopracciglio verso di me, con l'aria di chi si aspetta qualcosa, l'arroganza personificata. Sa che non capisco niente di vini.

«Scegli tu» rispondo, imbronciata ma trattenuta.

«Due bicchieri di Shiraz della Barossa Valley, per favore.»

«Ehm... quel vino lo serviamo solo in bottiglia, signore.»

«Una bottiglia, allora» ribatte Christian.

«Signore.» Il cameriere si ritira, con aria sottomessa, e non lo biasimo. Guardo corrucciata Christian. Che cosa lo divora? Oh, sono io probabilmente, e da qualche parte nel profondo della mia psiche la mia dea interiore si sveglia, si stiracchia e sorride assonnata. È rimasta assopita per un po'.

«Sei molto scontroso.»

Mi guarda impassibile. «Mi domando perché.»

«Be', sarebbe il caso di assumere il tono giusto per un'intima e onesta discussione sul futuro, non sei d'accordo?» Gli sorrido dolcemente.

La sua bocca si stringe di nuovo in una linea dura, ma

poi, quasi riluttanti, le labbra si sollevano. Sta cercando di reprimere un sorriso, lo so.

«Mi dispiace» dice.

«Scuse accettate, e sono lieta di informarti che non ho deciso di diventare vegetariana dall'ultima volta che ci siamo visti.»

«Dato che quella è stata anche l'ultima volta in cui hai mangiato, credo che la questione sia opinabile.»

«Ancora quella parola, "opinabile".»

«Opinabile.» La sua bocca e i suoi occhi si addolciscono alla battuta, poi si passa una mano tra i capelli e si fa di nuovo serio. «Ana, l'ultima volta in cui ci siamo parlati, tu mi hai lasciato. Sono un po' nervoso. Ti ho detto che ti rivoglio, e tu... non hai replicato.» Il suo sguardo è intenso e pieno d'attesa, mentre il suo candore è disarmante. "Che diavolo gli dico?"

«Mi sei mancato... sul serio, Christian. Gli ultimi giorni sono stati... difficili.» Deglutisco, e sento un nodo in gola mentre ricordo l'ansia disperata che ho provato dopo che l'ho lasciato.

Quest'ultima settimana è stata la peggiore della mia vita, il dolore quasi indescrivibile. Non paragonabile a nient'altro. Ma la realtà colpisce nel segno, lasciandomi senza fiato.

«Non è cambiato niente. Non posso essere quella che tu vuoi che io sia» dico, riuscendo a stento a forzare il nodo che ho in gola.

«Tu sei quella che voglio che tu sia» ribatte lui, con enfasi.

«No, Christian, non lo sono.»

«Sei turbata per via di quello che è successo l'ultima volta. Mi sono comportato da stupido e tu... anche tu. Perché non hai pronunciato la *safeword*, Anastasia?» Il suo tono diventa accusatorio.

"Cosa? Alt! Cambio di direzione."

«Rispondimi.»

«Non lo so. Ero sopraffatta. Stavo cercando di essere quella che volevi che io fossi, cercavo di gestire il dolore, e la cosa mi è sfuggita di mente. Capisci... me ne sono dimenticata» sussurro vergognandomi, e mi stringo nelle spalle con aria di scuse.

"Forse potevamo risparmiarci tutto questo dolore."

«Te ne sei dimenticata!» esclama lui con orrore, afferrando l'estremità del tavolo e fissandomi truce. Io mi rimpicciolisco sotto il suo sguardo.

"Oh, no!" È di nuovo furioso.

«Come posso fidarmi di te?» dice a bassa voce. «Come potrò mai fidarmi?»

Il cameriere arriva con il vino e noi restiamo seduti a fissarci, occhi azzurri negli occhi grigi. Entrambi pieni di recriminazioni inespresse, mentre il cameriere stappa la bottiglia con un gesto plateale e versa un po' di vino nel bicchiere di Christian. Automaticamente, Christian lo afferra e ne beve un sorso.

«Va benissimo.» Il suo tono è brusco.

Il cameriere ci riempie i bicchieri cautamente e poi posa la bottiglia sul tavolo, prima di battere in ritirata. Christian non mi ha tolto gli occhi di dosso per tutto il tempo. Sono io la prima a interrompere il contatto visivo, prendendo il mio bicchiere e trangugiando un abbondante sorso di vino. Quasi non ne sento il sapore.

«Mi dispiace» sussurro, sentendomi improvvisamente una stupida. "Me ne sono andata perché pensavo che fossimo incompatibili, ma lui mi sta dicendo che avrei potuto fermarlo?"

«Ti dispiace per cosa?» chiede allarmato.

«Per non aver usato la *safeword*.»

Lui chiude gli occhi, come se fosse sollevato.

«Avremo potuto risparmiarci tutta questa sofferenza» mormora.

«Tu hai un bell'aspetto.» "Più che bello. Il tuo."

«Le apparenze possono ingannare» ribatte con tranquillità. «Sto tutt'altro che bene. Mi sento come se il sole fosse tramontato e non sorgesse più da cinque giorni, Ana. Vivo in una notte perpetua.»

Sono sbalordita dalla sua ammissione. "Oddio, come me."

«Hai detto che non te ne saresti mai andata, poi le cose sono peggiorate e tu eri fuori dalla porta.»

«Quando ho detto che non me ne sarei mai andata?»

«Mentre dormivi. È stata la cosa più confortante che abbia mai sentito da lungo tempo. Mi ha fatto sentire rilassato.»

Mi si stringe il cuore e prendo un altro sorso di vino.

«Hai detto che mi ami» sussurra. «Ora è una frase al passato?» La sua voce è bassa, venata d'ansia.

«No, Christian, non lo è.»

Lui sospira e sembra così vulnerabile. «Bene» mormora. Sono scioccata dalla sua ammissione. Il suo cuore è cambiato. Quando, prima di stasera, gli ho detto che l'amavo, lui è inorridito. Arriva il cameriere. Ci mette di fronte i nostri piatti e si affretta a scappare via.

"Porca miseria. Cibo."

«Mangia» ordina Christian.

Dentro di me so di avere fame, ma in questo momento ho lo stomaco chiuso. Stare seduta di fronte all'unico uomo che abbia mai amato a discutere del nostro futuro incerto non stimola l'appetito. Guardo dubbiosa il piatto.

«Per l'amor di Dio, Anastasia, se non mangi ti metterò sulle mie ginocchia, qui al ristorante, e la cosa non avrà niente a che vedere con il mio piacere sessuale. Mangia!»

"Calmati, Grey." La mia vocina è totalmente d'accordo con Christian.

«Okay, mangerò. Tieni a freno le mani che prudono, per favore.»

Christian non sorride, ma continua a fissarmi. Riluttante, prendo coltello e forchetta e taglio un pezzo di bistecca. È squisita. Sono affamata. Davvero affamata. Mentre mangio, lui si rilassa visibilmente.

Ceniamo in silenzio. La musica è cambiata. La voce dolce di una donna canta in sottofondo, le sue parole riecheggiano i miei pensieri. Non sarò mai più la stessa dopo che lui è entrato nella mia vita.

Guardo Christian. Mangia e mi osserva. Fame, desiderio e ansia in un unico sguardo ardente.

«Sai chi canta?» Cerco di avviare una conversazione normale.

Lui si ferma ad ascoltare. «No... ma è brava, chiunque sia.»

«Anche a me piace.»

Finalmente mi sorride. Il suo sorriso segreto ed enigmatico. Che cosa sta architettando?

«Cosa c'è?» chiedo.

Lui scuote la testa. «Mangia» mi dice gentilmente.

Ho mangiato metà del cibo che ho nel piatto. Non riesco ad andare oltre. Come posso negoziare?

«Non ce la faccio più. Ho mangiato abbastanza, signore?»

Lui mi fissa impassibile, senza rispondere, poi guarda il suo orologio.

«Sono davvero sazia» aggiungo, bevendo un sorso del vino delizioso.

«Tra poco dobbiamo partire. Taylor è qui. Domani devi svegliarti presto per andare al lavoro.»

«Anche tu.»

«Io ho bisogno di molto meno sonno di te, Anastasia. Perlomeno hai mangiato qualcosa.»

«Non torniamo con *Charlie Tango*?»

«No, ho pensato che avremmo bevuto un po'. Ci riporterà Taylor. Inoltre, in questo modo ti avrò tutta per me in macchina per qualche ora. Cos'altro possiamo fare se non parlare?»

"Oh, questo è il suo piano."

Christian chiama il cameriere e chiede il conto, poi prende il BlackBerry e fa una telefonata.

«Siamo al Le Picotin, Southwest Third Avenue.» Riaggancia.

È sbrigativo come sempre al telefono.

«Sei molto brusco con Taylor. In realtà lo sei con molte persone.»

«Arrivo al dunque velocemente, Anastasia.»

«Stasera non sei arrivato al dunque. Non è cambiato niente, Christian.»

«Ho una proposta da farti.»

«Tutto questo è cominciato con una proposta.»

«Una proposta diversa.»

Il cameriere ritorna e Christian gli consegna la sua carta di credito senza controllare il conto. Mi osserva, mentre l'altro passa la carta nel lettore. Il telefono di Christian fa un solo squillo e lui lo guarda.

"Vuole farmi una proposta? Cos'è questa storia?" Mi vengono in mente un paio di scenari diversi: rapimento e lavorare per lui. No, nessuno dei due ha senso. Christian riprende la carta di credito.

«Vieni. Taylor è qui fuori.»

Ci alziamo e lui mi prende per mano.

«Non voglio perderti, Anastasia.» Mi bacia le nocche teneramente, e il tocco delle sue labbra sulla mia pelle mi si ripercuote in tutto il corpo.

L'Audi ci sta aspettando. Christian mi apre la portiera. Sedendomi, affondo nella pelle pregiata. Lui si dirige verso il lato del conducente, Taylor esce dalla macchina e scambiano qualche parola. Questo non è il loro solito protocollo. Sono curiosa. Di cosa stanno parlando? Qualche minuto dopo salgono entrambi sull'auto, e io lancio un'occhiata a Christian, che ha un'espressione impassibile mentre guarda davanti a sé.

Mi concedo un breve momento per esaminare il suo profilo: naso dritto, labbra scolpite, capelli che gli ricadono deliziosamente sulla fronte. Quest'uomo divino non è sicuramente fatto per me.

Una musica dolce riempie l'abitacolo della macchina, un

brano orchestrale che non conosco, e Taylor si immerge nel traffico, puntando verso la I-5 e Seattle.

Christian si sposta sul sedile per guardarmi. «Come stavo dicendo, Anastasia, ho una proposta da farti.»

Osservo nervosamente Taylor.

«Taylor non può sentirti» mi rassicura.

«Come?»

«Taylor?» chiama Christian. Taylor non risponde. Lo chiama di nuovo. Nessuna risposta. Christian si protende verso di lui e gli batte sulla spalla. Taylor si toglie un auricolare che non avevo notato.

«Sì, signore?»

«Grazie, Taylor. Va tutto bene. Riprendi pure ad ascoltare la musica.»

«Sì, signore.»

«Contenta, adesso? Sta ascoltando il suo iPod. Puccini. Dimenticati della sua presenza. Come faccio io.»

«Gli hai chiesto tu di mettersi gli auricolari?»

«Sì.»

«Okay. La tua proposta?»

All'improvviso Christian assume un'aria determinata e professionale. "Porca miseria. Stiamo negoziando un accordo." Ascolto attentamente.

«Prima desidero chiederti una cosa. Vuoi una regolare relazione vaniglia senza alcun tipo di sesso estremo?»

Rimango a bocca aperta. «Sesso estremo?» gemo.

«Sesso estremo.»

«Non posso credere che tu l'abbia detto.» Lancio un'occhiata nervosa a Taylor.

«Be', l'ho fatto. Rispondimi» dice calmo.

Arrossisco. La mia dea interiore è in ginocchio, con le mani giunte in segno di supplica.

«Mi piace il tuo sesso estremo» sussurro.

«È quello che pensavo. Perciò che cosa non ti piace?»

"Non poterti toccare. Il fatto che tu goda del mio dolore. Il morso della cinghia."

«La minaccia di punizioni crudeli e insolite.»

«Che cosa significa?»

«Be', tutte quelle verghe, quelle fruste e quella roba che hai nella stanza dei giochi... mi spaventano a morte. Non voglio che le usi su di me.»

«Okay, niente fruste né verghe... né cinture, per quel che importa» dice sardonico.

Lo guardo stupita. «Stai tentando di ridefinire i limiti assoluti?»

«Non in quanto tali. Sto solo cercando di capirti, di avere un quadro più chiaro di ciò che ti piace e di ciò che non ti piace.»

«Fondamentalmente, Christian, è la tua gioia nell'infliggermi dolore che mi risulta difficile da gestire. E l'idea che tu me lo infliggerai perché ho oltrepassato un limite arbitrario.»

«Ma non è arbitrario. Le regole sono scritte.»

«Io non voglio una serie di regole.»

«Non ne vuoi affatto?»

«Niente regole.» Scuoto la testa, ma ho il cuore in gola. Dove vuole arrivare?

«Ma non ti dà fastidio se ti sculaccio?»

«Se mi sculacci con cosa?»

«Questa.» Alza la mano.

Mi agito, a disagio. «No. Non veramente. Soprattutto con quelle sfere d'argento...» Grazie a Dio è buio. Ho il volto in fiamme e la voce mi viene a mancare, mentre ricordo quella notte. "Sì... potrei farlo ancora."

Lui mi fa un sorrisetto. «Sì, è stato divertente.»

«Più che divertente» mormoro.

«Quindi riesci a sopportare un po' di dolore.»

Mi stringo nelle spalle. «Suppongo di sì.» Dove sta andando a parare? Il mio livello d'ansia è salito parecchio.

Lui si massaggia il mento, immerso nei pensieri. «Anastasia, voglio ricominciare tutto daccapo. Limitarci al sesso vaniglia e poi forse, quando tu ti fiderai di più di me e io confiderò che tu sia sincera e comunichi con me, potremo andare oltre e fare alcune delle cose che mi piacciono.»

Lo fisso stupita, senza alcun pensiero nella testa, come un computer in tilt. Lui mi guarda ansioso, ma io non riesco a vederlo bene, dal momento che siamo avvolti dall'oscurità dell'Oregon. Alla fine, capisco che qui sta il punto.

Lui vuole la luce, ma io posso chiedergli di far questo per me? E a me non piace il buio? Un po' di buio, ogni tanto. I ricordi della notte con la musica di Thomas Tallis vagano, seducenti, nella mia mente.

«Ma le punizioni?»

«Nessuna punizione.» Scuote la testa. «Nessuna.»

«E le regole?»

«Nessuna regola.»

«Nessuna? Ma tu hai dei bisogni.»

«Ho più bisogno di te, Anastasia. Questi ultimi giorni sono stati un inferno. Il mio istinto mi diceva di lasciarti andare, mi diceva che non ti meritavo. «Quelle foto che il ragazzo ti ha fatto… Riesco a capire come lui ti vede. Sembri serena e bellissima. Non che tu non sia bellissima ora, ma sei seduta qui e io vedo la tua pena. Ed è dura, sapendo che sono io quello che ti fa sentire così.

«Sono un uomo egoista. Ti ho desiderata fin da quando sei capitata nel mio ufficio. Sei raffinata, onesta, entusiasta, forte, arguta, incantevolmente innocente. L'elenco è infinito. Provo un timore reverenziale di fronte a te. Ti voglio, e il pensiero che un altro possa averti è come un coltello che lacera la mia anima oscura.»

Rimango a bocca aperta. "Porca miseria." La mia vocina interiore esprime una certa soddisfazione. Se questa non è una dichiarazione d'amore, non so cosa sia. E le parole mi escono come un fiotto impetuoso…

«Christian, perché pensi di avere un'anima oscura? Io

non lo direi mai. Triste forse... Sei generoso, sei gentile, e non mi hai mai mentito. Io non mi sono impegnata molto.

«Sabato scorso è stato uno shock per me. È stato una specie di risveglio. Ho capito che ci eri andato leggero con me e che non potevo essere la persona che volevi che io fossi. Poi, quando ti ho lasciato, mi sono resa conto che il dolore fisico che mi infliggevi non era niente in confronto a quello che provavo avendoti perso. Io voglio compiacerti, ma è difficile.»

«Tu mi compiaci tutto il tempo» sussurra lui. «Quante volte te lo devo dire?»

«Non ho mai saputo quello che pensi. Qualche volta sei così chiuso... come un'isola. Mi intimidisci. È per questo che rimango zitta. Non so quale direzione prenderà il tuo umore. Passa da un estremo all'altro in un istante. Mi confonde. E non mi permetti di toccarti, mentre io desidero così tanto mostrarti quanto ti amo.»

Lui sbatte le palpebre verso di me, nel buio – con diffidenza, penso – e io non posso resistergli più a lungo. Mi slaccio la cintura di sicurezza e vado a sedermi sulle sue ginocchia, cogliendolo di sorpresa. Gli prendo il volto tra le mani.

«Io ti amo, Christian Grey. E tu sei pronto a fare tutto questo per me. Sono io quella che non ti merita, e mi dispiace di non poter fare tutte quelle cose per te. Forse con il tempo... non lo so... ma sì, accetto la tua proposta. Dove devo firmare?»

Lui mi abbraccia, stringendomi a sé.

«Oh, Ana» sospira, affondando il naso nei miei capelli.

Stiamo seduti abbracciati ad ascoltare la musica – un confortante brano per pianoforte – che riflette le nostre emozioni, la dolce e tranquilla calma dopo la tempesta. Mi rannicchio tra le sue braccia, appoggiando la testa nell'incavo del suo collo. Lui mi accarezza dolcemente la schiena.

«Il toccare è un limite assoluto per me, Anastasia» sussurra.

«Lo so. Vorrei capire perché.»

Dopo un po', lui sospira, e con dolcezza dice: «Ho avuto un'infanzia terribile. Uno dei protettori della puttana drogata...». La voce gli viene a mancare e il suo corpo si tende mentre rievoca qualche inimmaginabile orrore. «Ricordo tutto» mormora rabbrividendo.

Mi si stringe il cuore al ricordo delle cicatrici di bruciature che gli marchiano la pelle. "Oh, Christian." Lo abbraccio ancora più forte.

«E lei era violenta? Tua madre?» La mia voce è bassa, addolcita dalle lacrime non versate.

«Non che io ricordi. Era indifferente. Non mi proteggeva dal suo magnaccia.» Sospira. «Penso di essere stato io a prendermi cura di lei. Quando alla fine si è ammazzata, sono passati quattro giorni prima che qualcuno desse l'allarme e ci trovasse... Me lo ricordo.»

Non riesco a contenere un sussulto di orrore. "Gesù!" La bile mi sale in gola.

«È veramente un gran casino» sussurro.

«In cinquanta sfumature» aggiunge lui.

Gli do un bacio sul collo, cercando e offrendo conforto, mentre immagino un bambino piccolo, sporco e con gli occhi grigi, solo accanto al corpo della madre morta.

"Oh, Christian." Respiro il suo profumo. È divino. La fragranza che preferisco al mondo. Lui mi stringe e mi bacia i capelli, e io mi accoccolo nel suo abbraccio mentre Taylor sfreccia nella notte.

Quando mi sveglio, stiamo attraversando Seattle.

«Ciao» dice Christian dolcemente.

«Scusa» mormoro mentre mi tiro su, sbattendo le palpebre e stirandomi. Sono ancora tra le sue braccia, sulle sue ginocchia.

«Potrei guardarti dormire per sempre, Ana.»

«Ho detto qualcosa?»

«No. Siamo quasi arrivati al tuo appartamento.»

"Eh?" «Non andiamo da te?»

«No.»

Io mi tiro su a sedere e lo guardo. «Perché no?»

«Perché domani devi lavorare.»

«Ah.» Faccio il broncio.

«Perché, hai in mente qualcosa?»

Mi vergogno. «Be', forse.»

Lui ridacchia. «Anastasia, non ti toccherò di nuovo, non finché non mi supplicherai di farlo.»

«Cosa?»

«Così inizierai a comunicare con me. La prossima volta che faremo l'amore mi dirai esattamente quello che vuoi, nei dettagli.»

«Oh…» Mi fa spostare dalle sue ginocchia, mentre Taylor accosta davanti a casa mia. Christian scende e mi apre la portiera.

«Ho qualcosa per te.» Si dirige al retro della macchina, apre il bagagliaio e ne tira fuori una grossa scatola avvolta nella carta da regalo. Che diavolo è?

«Aprila quando sarai dentro.»

«Tu non vieni?»

«No, Anastasia.»

«Allora quando ti rivedrò?»

«Domani.»

«Il mio capo vuole che esca a bere qualcosa con lui domani.»

Il volto di Christian s'indurisce. «Ah, sì?» Nella sua voce c'è una minaccia latente.

«Per festeggiare la mia prima settimana» mi affretto ad aggiungere.

«Dove?»

«Non lo so.»

«Potrei venire a prenderti.»

«Okay… Ti scriverò una mail o un messaggio.»

«Bene.»

Mi accompagna al portone e aspetta che io trovi le chiavi nella borsa. Mentre apro la porta, si avvicina e mi prende il mento, facendomi piegare la testa all'indietro. Le sue labbra si posano sulle mie, poi, socchiudendo gli occhi, mi copre di baci dall'angolo dell'occhio a quello della bocca.

Mi sfugge un lieve gemito, e mi sciolgo del tutto.

«A domani» sussurra.

«Buonanotte, Christian.» Sento il bisogno di lui nella mia voce.

Mi sorride.

«Entra» mi ordina, e io attraverso l'atrio con il misterioso regalo tra le braccia.

«A più tardi, piccola» mi dice, poi si volta e torna alla macchina.

Entrata nel mio appartamento, apro il pacco e ci trovo il portatile MacBook Pro, il BlackBerry, e un'altra scatola rettangolare. Che cos'è? Strappo la carta argentea. Dentro c'è una custodia di sottile pelle nera.

La apro. "Accidenti... un iPad." C'è un biglietto bianco sullo schermo, con un messaggio scritto nella calligrafia di Christian:

Anastasia, questo è per te.
So quello che vuoi sentirti dire.
La musica qui dentro lo dice per me.
Christian

Ho una compilation di Christian Grey in un lussuoso iPad. Scuoto la testa in segno di disapprovazione per quella spesa, ma dentro di me lo adoro. Jack in ufficio ne ha uno, perciò so come funziona.

Lo accendo e sussulto quando appare l'immagine salvaschermo: un modellino di aliante. "Oddio." È il Blanik L-23 che gli ho regalato. Montato su un piedistallo di vetro e posato su quella che penso sia la scrivania di Christian in ufficio. Lo fisso a bocca aperta.

Lo ha costruito! Lo ha costruito davvero. Ora ricordo che l'aveva citato nel biglietto che accompagnava i fiori. Vacillo, e mi rendo conto in quel momento che Christian ha pensato molto a questo regalo.

Faccio scorrere la freccia alla base dello schermo per sbloccarlo e sussulto di nuovo. La foto sullo sfondo ritrae Christian e me alla mia cerimonia di laurea. È quella che è apparsa sul "Seattle Times". Christian è così bello che non riesco a trattenere un ampio sorriso. "Sì, è mio!"

Con il dito faccio scorrere le icone e sullo schermo ne appaiono diverse. Le app di Kindle, iBook, Words...

"La British Library?" Tocco l'icona e appare il menu. "Collezione storica." Faccio scorrere i titoli. Scelgo "Romanzi del Diciottesimo e Diciannovesimo secolo". Un altro menu. Picchietto sul titolo: *L'americano* di Henry James. Si apre una nuova finestra, offrendomi una copia scannerizzata del libro. "Porca miseria, è una delle prime edizioni, pubblicata nel 1879, ed è sul mio iPad!" Christian ci ha messo l'intera British Library.

Esco velocemente dall'applicazione, sapendo che potrei perdermici per l'eternità. Noto l'app Buon cibo, che mi fa alzare gli occhi al cielo e sorridere allo stesso tempo, l'app Notizie, l'app Meteo, ma Christian nel suo biglietto parla di musica.

Torno alla schermata principale, tocco l'icona dell'iPod e appare una playlist. Faccio scorrere i titoli, e l'elenco mi fa sorridere. Thomas Tallis non me lo dimenticherò tanto in fretta. L'ho ascoltato due volte, dopotutto, mentre lui mi fustigava e mi scopava.

«*Witchcraft*.» Il mio sorriso si allarga, volteggiando nel salone. La trascrizione di Bach del concerto di Alessandro Marcello. "Oh, no, questo è troppo triste per il mio umore attuale. Mmh…" Jeff Buckley. "Sì, l'ho sentito." Snow Patrol, la mia band preferita. Una canzone che si intitola *Principles of Lust*, degli Enigma. Molto da Christian. Sorrido. Un'altra intitolata *Possession*… "Oh, sì, fa molto Mr Cinquanta Sfumature." E altre che non ho mai sentito.

Seleziono una canzone che attira la mia attenzione e sfioro il tasto PLAY. Si intitola *Try*. Nelly Furtado inizia a cantare, e la sua voce è come una sciarpa di seta che mi avvolge. Mi stendo sul letto.

Significa che Christian ci proverà? Proverà questa nuova relazione? Mi immergo nelle parole della canzone, guardando il soffitto e cercando di capire il suo cambiamento. Gli sono mancata. Lui è mancato a me. Deve provare dei sentimenti per me. Deve. Questo iPad, queste canzoni, queste app. Gli importa di me. Gli importa davvero. Il mio cuore si gonfia di speranza.

Try finisce e le lacrime mi riempiono gli occhi. Passo in fretta a un'altra canzone, *The Scientist* dei Coldplay, uno dei gruppi preferiti di Kate. La conosco, ma non ho mai ascoltato il testo prima. Chiudo gli occhi e lascio che le parole mi sommergano, mi attraversino.

Le lacrime iniziano a scorrere. Non riesco ad arginarle. Se queste non sono delle scuse, che cosa sono? "Oh, Christian."

Oppure è un invito? Risponderà alle mie domande? Sto leggendo troppo tra le righe? Sì, probabilmente è così.

Asciugo le lacrime. Devo scrivere una mail a Christian per ringraziarlo. Vado a prendere la macchina infernale.

Mentre i Coldplay continuano a cantare, mi siedo a gambe incrociate sul letto. Il Mac si accende e io effettuo il login.

Da: Anastasia Steele
A: Christian Grey
Data: 9 giugno 2011 23.56
Oggetto: iPad

Mi hai fatta piangere di nuovo.
Amo l'iPad.
Amo le canzoni.
Amo l'app della British Library.
Amo te.
Grazie.
Buonanotte
Ana xx

Da: Christian Grey
A: Anastasia Steele
Data: 10 giugno 2011 00.03
Oggetto: iPad

Sono contento che ti sia piaciuto. Ne ho
comprato uno anche per me.
Ora, se fossi lì, asciugherei le tue lacrime
con i miei baci.
Ma non ci sono… perciò va' a dormire.

Christian Grey
Amministratore delegato, Grey Enterprises Holdings Inc.

La sua risposta mi fa sorridere: sempre così prepotente, sempre così Christian. Cambierà mai? E in quel momento mi rendo conto che spero di no. Mi piace che sia così – autoritario – finché riesco a sopportarlo senza paura delle punizioni.

Da: Anastasia Steele
A: Christian Grey
Data: 10 giugno 2011 00.07
Oggetto: Mr Scontroso

Come al solito, sembri autoritario e forse
difficile, forse scontroso, Mr Grey.
Io conosco qualcosa che potrebbe addolcirti.
Ma non sei qui, e non mi lasceresti fare,
e ti aspetti che ti supplichi…
Sogna pure, signore.
Ana xx

PS: Ho notato anche che hai incluso l'inno dello
stalker, *Every Breath You Take*. Mi diverte il tuo senso
dell'umorismo, ma il dottor Flynn lo sa?

Da: Christian Grey
A: Anastasia Steele
Data: 10 giugno 2011 00.10
Oggetto: Calma zen

Mia carissima Miss Steele,
le sculacciate sono ammesse anche nelle relazioni
vaniglia, lo sai. Di solito consensualmente e in un contesto
erotico… ma sono più che felice di fare un'eccezione.
Sarai sollevata di sapere che anche al dottor
Flynn piace il mio senso dell'umorismo.
Adesso, per favore, va' a dormire o domani mattina
non ti alzerai.
A proposito… mi supplicherai, fidati. E io non vedo l'ora.

Christian Grey
Amministratore delegato, Grey Enterprises Holdings Inc.

Da: Anastasia Steele
A: Christian Grey
Data: 10 giugno 2011 00.12
Oggetto: Buonanotte e sogni d'oro

Be', visto che me lo chiedi gentilmente e mi piacciono le
tue deliziose minacce, mi accoccolerò con l'iPad che mi
hai regalato e mi addormenterò navigando nella British
Library, ascoltando la musica che lo dice per te.
A xxx

Da: Christian Grey
A: Anastasia Steele
Data: 10 giugno 2011 00.15
Oggetto: Un'ultima richiesta

Sognami.
X

Christian Grey
Amministratore delegato, Grey Enterprises Holdings Inc.

Sognarti, Christian Grey? Sempre.

Indosso velocemente il pigiama, mi lavo i denti e corro a
letto. Mentre mi infilo gli auricolari, tiro fuori il palloncino
sgonfio di *Charlie Tango* da sotto il cuscino e me lo stringo
al petto.

Sono felice. Uno sciocco sorriso mi si allarga sul viso.
Che differenza può fare un giorno! Riuscirò mai a dormire?

José González inizia a cantare una melodia rilassante su
un riff di chitarra ipnotico, e io scivolo lentamente nel sonno, meravigliandomi di come il mondo abbia ritrovato il
suo equilibrio in una sera e domandandomi oziosamente
se dovrei fare anch'io una playlist per Christian.

3

L'aspetto positivo dell'essere senza macchina è che sull'autobus, mentre vado al lavoro, posso inserire le cuffie nel mio iPad, al sicuro nella borsa, e ascoltare le meravigliose canzoni di Christian.

Quando arrivo in ufficio, sul mio viso aleggia il sorriso più ebete che si sia mai visto.

Jack alza lo sguardo e reagisce a scoppio ritardato.

«Buongiorno, Ana. Sembri... radiosa.» Il suo commento mi confonde. "Molto inappropriato!"

«Ho dormito bene. Grazie, Jack. Buongiorno.»

Aggrotta la fronte.

«Puoi leggere questi per me e prepararmi delle schede entro l'ora di pranzo, per favore?»

Mi passa quattro manoscritti. Di fronte alla mia espressione preoccupata, aggiunge: «Solo i primi capitoli».

«Certo.» Sorrido per il sollievo e lui contraccambia con un altro sorriso.

Accendo il computer e inizio a lavorare, bevendo il mio latte macchiato e mangiando una banana. C'è una mail di Christian.

Da: Christian Grey
A: Anastasia Steele
Data: 10 giugno 2011 08.05
Oggetto: Perciò aiutami…

Spero che tu abbia fatto colazione.
Mi sei mancata stanotte.

Christian Grey
Amministratore delegato, Grey Enterprises Holdings Inc.

Da: Anastasia Steele
A: Christian Grey
Data: 10 giugno 2011 08.33
Oggetto: Vecchi libri…

Mentre ti scrivo, sto mangiando una banana. Non ho
fatto colazione per diversi giorni, perciò è un passo
avanti. Adoro l'app della British Library. Ho iniziato
a rileggere *Robinson Crusoe*… E ovviamente, ti amo.
Ora lasciami in pace, sto cercando di lavorare.

Anastasia Steele
Assistente di Jack Hyde, Direttore editoriale, SIP

Da: Christian Grey
A: Anastasia Steele
Data: 10 giugno 2011 08.36
Oggetto: Tutto qui quello che hai mangiato?

Puoi fare meglio di così. Hai bisogno di energie per supplicarmi.

Christian Grey
Amministratore delegato, Grey Enterprises Holdings Inc.

Da: Anastasia Steele
A: Christian Grey
Data: 10 giugno 2011 08.39
Oggetto: Rompiscatole

Mr Grey, sto cercando di lavorare per guadagnarmi da vivere, e sei tu quello che supplicherà.

Anastasia Steele
Assistente di Jack Hyde, Direttore editoriale, SIP

Da: Christian Grey
A: Anastasia Steele
Data: 10 giugno 2011 08.40
Oggetto: Fatti sotto!

Certo, Miss Steele, io adoro le sfide...

Christian Grey
Amministratore delegato, Grey Enterprises Holdings Inc.

Me ne sto seduta davanti allo schermo a sorridere come un'idiota. Ma devo leggere i capitoli per Jack e scrivere una scheda per ognuno di essi. Dispongo i manoscritti sulla scrivania e inizio.

All'ora di pranzo vado a mangiare un sandwich al pastrami in una rosticceria e ascolto la playlist sull'iPad. Il primo è un brano di world music intitolato *Homelands*, di Nitin Sawhney. È bello. Mr Grey ha gusti eclettici in fatto di musica. Torno in ufficio ascoltando un pezzo classico, *Fantasia su un tema di Thomas Tallis* di Vaughan Williams. Oh, Christian ha senso dell'umorismo, e io lo amo per questo. Il sorriso stupido abbandonerà mai la mia faccia?

Il pomeriggio trascorre lentamente. Decido, in un momento di debolezza, di scrivere una mail a Christian.

Da: Anastasia Steele
A: Christian Grey
Data: 10 giugno 2011 16.05
Oggetto: Annoiata...

Mi giro i pollici.
Come stai?
Che cosa stai facendo?

Anastasia Steele
Assistente di Jack Hyde, Direttore editoriale, SIP

Da: Christian Grey
A: Anastasia Steele
Data: 10 giugno 2011 16.15
Oggetto: I tuoi pollici

Saresti dovuta venire a lavorare per me.
Non ti staresti girando i pollici.
Sono certo che per loro avrei trovato un uso migliore.
Infatti sto pensando a un certo numero di opzioni...
Sono immerso nella solita routine degli affari.
È tutto molto noioso.
Le tue mail alla SIP sono monitorate.

Christian Grey
Amministratore delegato, Grey Enterprises Holdings Inc.

"Oh, merda. Non ne avevo idea. Come diavolo fa a saperlo?" Guardo torva lo schermo e velocemente controllo le mail che ci siamo mandati, cancellandole.

Alle cinque e mezzo in punto Jack è davanti alla mia scrivania. È vestito casual, come si fa di solito il venerdì: un paio di jeans e una maglietta nera.

«Vieni a bere qualcosa, Ana? Di solito per un drink veloce noi andiamo al bar dall'altra parte della strada.»

«Noi?» chiedo, speranzosa.

«Sì, la maggior parte di noi ci va... Vieni?»

Per qualche ragione sconosciuta, che non voglio esaminare troppo approfonditamente, mi sento sollevata.

«Certo. Come si chiama il bar?»

«Fifty.» "Cinquanta."

«Stai scherzando?»

Lui mi guarda stranito. «No. Significa qualcosa per te?»

«No, scusa. Vi raggiungo lì.»

«Che cosa prendi da bere?»

«Una birra.»

«Perfetto.»

Vado in bagno a sistemarmi e mando una mail a Christian dal BlackBerry.

Da: Anastasia Steele
A: Christian Grey
Data: 10 giugno 2011 17.36
Oggetto: Ti sentirai a casa

Stiamo andando in un bar che si chiama Fifty.
L'ironia che se ne evince è senza fine.
Non vedo l'ora di vederti lì, Mr Grey.
A x

Da: Christian Grey
A: Anastasia Steele
Data: 10 giugno 2011 17.38
Oggetto: Rischi

Evincere è un'occupazione molto pericolosa.

Christian Grey
Amministratore delegato, Grey Enterprises Holdings Inc.

Da: Anastasia Steele
A: Christian Grey
Data: 10 giugno 2011 17.40
Oggetto: Rischi?

Qual è il punto?

Da: Christian Grey
A: Anastasia Steele
Data: 10 giugno 2011 17.38
Oggetto: Solamente...

Facevo un'osservazione, Miss Steele.
Ci vediamo tra poco.
Prima di quanto tu creda, piccola.

Christian Grey
Amministratore delegato, Grey Enterprises Holdings Inc.

Mi do una controllata allo specchio. Come si può cambiare in un giorno! Le mie guance sono più colorite e i miei occhi brillano. È l'effetto Christian Grey. Un breve scambio di mail per battibeccare con lui può fare questo a una ragazza. Sorrido allo specchio e mi aggiusto la camicetta azzurra, quella che mi ha comprato Taylor. Oggi indosso anche i miei jeans preferiti. La maggior parte delle donne dell'ufficio porta o jeans o gonne ampie. Devo comprarmi una o due gonne. Forse lo farò questo weekend e devo depositare l'assegno che Christian mi ha dato per Wanda, il mio Maggiolino.

Mentre esco in strada, sento chiamare il mio nome.

«Miss Steele?»

Mi volto, e una giovane donna dal colorito cinereo mi si avvicina cauta. Sembra un fantasma, pallida com'è e con lo sguardo stranamente assente.

«Miss Anastasia Steele?» chiede, e il suo volto rimane impassibile.

«Sì?»

La giovane mi fissa, a quattro o cinque passi da me sul marciapiede, e io la fisso a mia volta. "Chi è? Che cosa vuole?"

«Posso aiutarla?» domando. "Come fa a conoscere il mio nome?"

«No… Volevo solo vederla.» La sua voce è di una dolcezza inquietante. Come me, ha i capelli scuri, che contrastano nettamente con la pelle chiara. Gli occhi sono castani, del colore del bourbon, ma inespressivi, privi di vita. Il suo bel viso è pallido, segnato dal dolore.

«Mi dispiace, mi prende alla sprovvista» dico gentilmente, cercando di ignorare il brivido d'allarme che mi percorre la schiena. Osservandola meglio, ha un aspetto strano, trasandato e in disordine. I suoi abiti sono di due taglie più grandi, compreso il trench firmato.

Ride, una risata strana, dissonante, che riesce solo ad accrescere la mia inquietudine.

«Cos'ha che io non ho?» mi chiede, triste.

L'inquietudine si trasforma in paura. «Mi scusi… Chi è lei?»

«Io? Io sono nessuno.» Alza un braccio e si passa una mano nei capelli, lunghi fino alle spalle. Nel farlo, la manica del trench scivola, rivelando una benda sporca intorno al polso. "Oddio."

«Buona giornata, Miss Steele.» Si gira e si avvia lungo il marciapiede, mentre io rimango lì, quasi paralizzata. La osservo finché non scompare dalla mia vista, in mezzo alla gente che si riversa in strada dai vari uffici.

"Che cosa significa?"

Confusa, attraverso la strada verso il bar, cercando di assimilare ciò che è appena successo, mentre la mia vocina interiore mi sibila: "Ha qualcosa a che fare con Christian".

Il Fifty è un locale cupo e impersonale, con gagliardetti di baseball e poster appesi alle pareti. Jack è al bancone con Elizabeth, Courtney, l'altro direttore editoriale, due ragazzi del reparto commerciale e Claire della reception. Quest'ultima indossa gli orecchini a cerchio che sono il suo tratto distintivo.

«Ciao, Ana!» Jack mi passa una bottiglia di Budweiser.

«Alla salute… Grazie» mormoro, ancora scossa dall'incontro con la Ragazza Fantasma.

«Alla salute.» Facciamo tintinnare le bottiglie in un brindisi, e Jack riprende a parlare con Elizabeth. Claire mi sorride dolcemente.

«Allora, com'è andata la tua prima settimana?» mi chiede.

«Bene, grazie. Sembrano tutti molto cordiali.»

«Hai un'aria più felice oggi.»

Arrossisco. «È venerdì» mormoro in fretta. «Che programmi hai per il weekend?»

La mia ormai collaudata tattica diversiva funziona e sono salva. Risulta che Claire ha sei fratelli e sta per andare a un grande raduno di famiglia a Tacoma. Si anima nel racconto, e io mi rendo conto che non scambio una parola con una donna della mia età da quando Kate è partita per Barbados.

Di sfuggita mi chiedo come stiano Kate… e Elliot. Devo ricordarmi di domandare a Christian se ha notizie di suo fratello. Oh, Ethan, il fratello di Kate, sarà di ritorno il prossimo martedì e verrà a stare nel nostro appartamento. Non credo che Christian ne sarà contento. L'incontro di poco fa con la Ragazza Fantasma passa in secondo piano nella mia mente.

Mentre chiacchiero con Claire, Elizabeth mi allunga un'altra birra.

«Grazie.» Le sorrido.

Claire è un tipo che ama chiacchierare e, prima di accorgermene, sono alla terza birra, offertami gentilmente da uno dei ragazzi del commerciale.

Quando Elizabeth e Courtney se ne vanno, Jack si unisce

a Claire e me. Dov'è Christian? Uno dei ragazzi si mette a parlare con Claire.

«Ana, credi di aver preso la decisione giusta venendo qui?» La voce di Jack è gentile e lui è in piedi, un po' troppo vicino a me. Ma ho notato che ha la tendenza a farlo con tutti, anche in ufficio. "Stai leggendo un po' troppo tra le righe" mi ammonisce la vocina.

«Mi sono divertita questa settimana, grazie, Jack. Sì, penso di aver preso la decisione giusta.»

«Sei una ragazza molto brillante, Ana. Farai strada.»

Arrossisco. «Grazie» mormoro, perché non so cos'altro dire.

«Abiti lontano?»

«Nella zona del Pike Place Market.»

«Non lontano da me.» Mi sorride, si fa ancora più vicino e si appoggia al bancone, intrappolandomi. «Hai programmi per questo weekend?»

«Be'... ehm...»

Lo sento prima ancora di vederlo. È come se tutto il mio corpo reagisse alla sua presenza. Si rilassa e si infiamma al tempo stesso – uno strano dualismo interno – e avverto quella particolare attrazione elettrica.

Christian mi mette un braccio intorno alle spalle, in quella che sembra una dimostrazione d'affetto casuale, ma io so che è qualcosa di ben diverso. Sta marcando il territorio e, in questa circostanza, ne sono contenta. Mi bacia dolcemente i capelli.

«Ciao, piccola» mormora.

Non posso che sentirmi sollevata, al sicuro, ed eccitata per quel suo braccio intorno a me. Lui mi attira a sé, e io lo guardo mentre fissa Jack con un'espressione impassibile. Poi, rivolgendo la sua attenzione a me, mi fa un sorriso d'intesa, seguito da un bacio veloce. Indossa una giacca gessata blu sopra un paio di jeans e una camicia bianca con il colletto aperto. Lo mangerei.

Jack si ritrae, imbarazzato.

«Jack, lui è Christian» mormoro con aria di scuse. Perché dovrei scusarmi, poi? «Christian, lui è Jack.»

«Sono il suo fidanzato» aggiunge Christian con l'ombra di un sorriso freddo, che non coinvolge gli occhi, mentre stringe la mano di Jack. Guardo Jack, che sta mentalmente prendendo le misure all'uomo che ha di fronte.

«E io sono il suo capo» replica Jack in tono arrogante. «Ana mi ha parlato di un ex fidanzato.»

"Oh, merda. No, non vuoi giocare a questo gioco con lui."

«Be', non più ex» replica Christian con calma. «Vieni, piccola, è ora di andare.»

«Per favore, rimani e bevi qualcosa con noi» dice Jack in tono mellifluo.

Non penso che sia una buona idea. Perché è tutto così imbarazzante? Lancio un'occhiata a Claire che, ovviamente, ci fissa a bocca aperta, con un chiaro apprezzamento sessuale nei confronti di Christian. Quando finirò di preoccuparmi dell'effetto che ha sulle altre donne?

«Abbiamo dei programmi» replica Christian con un sorriso enigmatico.

Ah, sì? Un brivido d'eccitazione mi attraversa il corpo.

«Un'altra volta, forse» aggiunge. «Vieni» dice e mi prende per mano.

«Ci vediamo lunedì.» Sorrido a Jack, Claire e ai ragazzi del commerciale, cercando di ignorare l'espressione tutt'altro che compiaciuta del mio capo, e seguo Christian fuori dalla porta.

Taylor è al volante dell'Audi, parcheggiata accanto al marciapiede.

«Perché mi è sembrata una gara a chi fa pipì più lontano?» chiedo mentre Christian mi apre la portiera.

«Perché lo era» mormora e mi rivolge il suo sorriso enigmatico.

«Salve, Taylor» dico, e i nostri occhi si incontrano nello specchietto.

«Miss Steele.» Taylor mi saluta con un sorriso gioviale.

Christian si siede sul sedile accanto a me, mi afferra la mano e mi bacia delicatamente le nocche. «Ciao» dice dolcemente.

Le mie guance diventano di un rosa intenso, sapendo che Taylor può sentirci, grata che non possa vedere lo sguardo rovente, brucia-mutandine che Christian mi lancia. Devo fare appello a tutte le mie forze per non saltargli addosso proprio qui, sul sedile posteriore della macchina.

«Ciao» sospiro, la bocca arida.

«Che cosa ti piacerebbe fare stasera?»

«Pensavo che avessi detto che avevamo dei programmi.»

«Oh, io so cosa mi piacerebbe fare, Anastasia. Sto chiedendo cosa piacerebbe fare a te.»

Gli faccio un ampio sorriso.

«Capisco» dice con un ghigno lascivo e malizioso. «Quindi… supplicami. Preferisci farlo nel mio appartamento o nel tuo?» Piega la testa di lato e mi rivolge il suo sorriso sensuale.

«Penso che tu sia molto presuntuoso, Mr Grey. Ma tanto per cambiare, potremmo andare nel mio appartamento.» Mi mordo il labbro deliberatamente, e il suo sguardo si fa più intenso.

«Taylor, da Miss Steele, per favore.»

«Sì, signore.» Taylor annuisce e si immerge nel traffico.

«Allora dimmi, com'è andata oggi?» mi chiede.

«Bene. E a te?»

«Bene, grazie.»

Il suo sorriso esageratamente ampio riflette il mio, e lui mi bacia la mano di nuovo.

«Sei incantevole» dice.

«Anche tu.»

«Il tuo capo, Jack Hyde, è bravo nel suo lavoro?»

"Alt! Questo è un improvviso cambio di direzione, no?" Aggrotto la fronte. «Perché? Non c'entra con la gara della pipì, no?»

Christian mi fa un sorrisetto. «Quell'uomo vuole entrare nelle tue mutandine, Anastasia» risponde, secco.

Io resto a bocca aperta e divento scarlatta. Lancio un'occhiata nervosa a Taylor.

«Be', può volere quel che gli pare... Perché stiamo parlando di questo? Sai che non nutro alcun interesse per lui. È solo il mio capo.»

«È questo il punto. Lui vuole ciò che è mio. Ho bisogno di sapere se è bravo nel suo lavoro.»

Mi stringo nelle spalle. «Penso di sì.» Dove vuole andare a parare?

«Be', sarà meglio che ti lasci in pace, oppure si troverà con il culo sul marciapiede.»

«Oh, Christian, di cosa stai parlando? Non ha fatto niente di male.» ... Ancora. Mi è solo venuto troppo vicino.

«Se fa una sola mossa, tu dimmelo. Si chiama condotta gravemente immorale. O molestie sessuali.»

«Era solo un drink dopo il lavoro.»

«Te lo ripeto. Una mossa ed è spacciato.»

«Non hai questo tipo di potere.» "Ma insomma!" E prima che io alzi gli occhi al cielo, un pensiero mi colpisce con la forza e la velocità di un TIR. «Oppure ce l'hai, Christian?»

Lui mi risponde con il suo sorriso enigmatico.

«Stai comprando la casa editrice» sussurro con orrore.

Il suo sorriso si eclissa, in reazione al panico nella mia voce. «Non esattamente» dice.

«L'hai comprata. La SIP. Di già.»

Lui sbatte le palpebre, diffidente. «È possibile.»

«L'hai fatto o non l'hai fatto?»

«L'ho fatto.»

"Ma che diavolo...?" «Perché?» esclamo, sgomenta. Oh, questo è troppo.

«Perché posso farlo, Anastasia. Ho bisogno di saperti al sicuro.»

«Avevi detto che non avresti interferito nella mia carriera!»

«E non lo farò.»

Strappo via la mano dalla sua. «Christian...» Non ho parole. «Sei arrabbiata con me?»

«Sì, certo che sono arrabbiata con te» sibilo. «Che razza di manager di alto livello prende decisioni basate su chi si sta scopando al momento?» Sbianco e ancora una volta lancio un'occhiata nervosa verso Taylor, che ci sta stoicamente ignorando.

"Merda. Non è il momento per un guasto del filtro bocca-cervello."

Christian apre la bocca e poi la richiude e mi guarda accigliato. Io lo fisso furiosa. Mentre ci lanciamo occhiate torve, l'atmosfera in macchina scende in picchiata, da calda a glaciale.

Per fortuna, il nostro sgradevole viaggio non dura tanto, e Taylor si ferma fuori dal mio appartamento.

Esco in fretta dall'auto, senza aspettare che qualcuno mi apra la portiera.

Sento Christian mormorare a Taylor: «Credo che sia meglio che aspetti qui».

Percepisco la sua presenza dietro di me, mentre cerco affannosamente le chiavi nella borsetta.

«Anastasia» mi dice calmo, come se avesse a che fare con un animale selvatico.

Sospiro e mi volto verso di lui. Sono così fuori di me che la mia rabbia è palpabile, un'oscura entità minacciosa che rischia di strozzarmi.

«Primo, è un po' che non ti scopo. Un bel po', mi pare. Secondo, volevo entrare nel settore dell'editoria. Delle quattro case editrici qui a Seattle, la SIP è quella più redditizia, ma si trova a un bivio e rischia di fossilizzarsi. Ha bisogno di espandersi.»

Io lo fisso gelida. Il suo sguardo è intenso, persino minaccioso, ma sexy da morire. Potrei perdermi nelle sue profondità d'acciaio.

«E così adesso sei il mio capo» dico secca.

«Tecnicamente, sono il capo del capo del tuo capo.»

«E, tecnicamente, questa è grave condotta immorale... il fatto che mi stia scopando il capo del capo del mio capo.»

«In questo preciso momento ci stai litigando.» Christian si acciglia.

«Perché è un tale coglione» sibilo.

Christian fa un passo indietro, sbalordito. "Oddio. Ho esagerato?"

«Un coglione?» mormora, mentre la sua espressione si fa divertita.

"Accidenti! Sono arrabbiata con te, non farmi ridere!"

«Sì.» Mi sforzo di mantenere un'espressione offesa.

«Un coglione?» chiede di nuovo Christian. Stavolta le sue labbra si increspano in un sorriso trattenuto.

«Non farmi ridere quando sono arrabbiata con te!» grido.

E lui sorride, un abbagliante sorriso da ragazzone, e io non posso farci niente. Sto sorridendo anch'io, addirittura ridendo. Come posso evitare di farmi contagiare dalla sua gioia?

«Solo perché ho un sorriso cretino sulla faccia non significa che non ce l'abbia a morte con te» mormoro senza fiato, cercando di reprimere il mio risolino da sciocca cheerleader. "Anche se non sono mai stata una cheerleader." Il pensiero amaro mi attraversa la mente.

Lui si piega su di me e penso che stia per baciarmi, ma non lo fa. Strofina il naso tra i miei capelli e inspira a fondo.

«Come sempre, Miss Steele, sei imprevedibile.» Si scosta e mi guarda, gli occhi luminosi per il buonumore. «Allora, mi inviterai a salire o dovrò appellarmi al mio diritto democratico di cittadino americano, imprenditore e consumatore di comprare qualunque accidenti di cosa mi faccia piacere?»

«Hai parlato di questo con il dottor Flynn?»

Lui ride. «Vuoi farmi entrare o no, Anastasia?»

Cerco ancora di guardarlo con rancore – mordermi il labbro aiuta – ma sto sorridendo mentre apro la porta. Christian si volta e congeda Taylor con un gesto della mano, quindi l'Audi se ne va.

È strano avere Christian Grey nel mio appartamento. Sembra troppo piccolo per lui.

Sono ancora arrabbiata: il suo atteggiamento da stalker non conosce limiti, e mi viene in mente che proprio per questo sa che le mie mail alla SIP sono monitorate. Probabilmente sa della SIP più di quanto ne sappia io. Il pensiero è sgradevole.

Cosa posso fare? Perché Christian sente questo bisogno di tenermi al sicuro? Sono un'adulta – più o meno – per l'amor del cielo. Cosa posso fare per rassicurarlo?

Lo guardo, mentre passeggia per la stanza come un predatore in gabbia, e la mia rabbia si placa. Vederlo qui, nel mio spazio, quando pensavo che avessimo rotto, è confortante. Più che confortante. Lo amo, e il mio cuore si gonfia di un'esultanza che mi innervosisce e mi inebria. Lui si guarda intorno, valutando ciò che lo circonda.

«Bell'appartamento» dice.

«Lo hanno comprato i genitori di Kate per lei.»

Lui annuisce distrattamente, e i suoi occhi grigi e sfrontati si fermano su di me, fissandomi.

«Ehm… vuoi qualcosa da bere?» mormoro, arrossendo nervosamente.

«No, grazie, Anastasia.» Il suo sguardo si incupisce.

Perché sono così agitata?

«Che cosa vuoi fare, Anastasia?» mi chiede dolcemente, muovendosi verso di me, selvaggio e ardente. «Io so cosa vorrei fare» aggiunge a bassa voce.

Io indietreggio finché non sbatto contro l'isola di cemento della cucina.

«Sono ancora arrabbiata con te.»

«Lo so.» Lui mi fa un sorrisetto di scuse, e io mi sciolgo… "Be', forse non così arrabbiata."

«Vuoi mangiare qualcosa?» chiedo.

Lui annuisce lentamente. «Sì, te» mormora. Tutto, al di sotto del mio girovita, si contrae. Basta la sua voce a sedurmi, ma quello sguardo, quello sguardo famelico da ti-voglio-qui-e-ora…

Mi sta di fronte, senza quasi toccarmi, e mi guarda negli occhi, inondandomi del calore emanato dal suo corpo. Mi sento soffocare, mi sento confusa, e le mie gambe sono simili a gelatina, mentre un oscuro desiderio mi attraversa. Lo voglio.

«Hai mangiato oggi?» mormora.

«Un sandwich a pranzo» mormoro. Non voglio parlare di cibo.

Lui stringe gli occhi. «Hai bisogno di mangiare.»

«In questo momento non ho fame… di cibo.»

«E di cosa sei affamata, Miss Steele?»

«Penso che tu lo sappia, Mr Grey.»

Lui si protende verso di me, e ancora una volta penso che stia per baciarmi, ma non lo fa.

«Vuoi che ti baci, Anastasia?» mi sussurra dolcemente all'orecchio.

«Sì» sospiro.

«Dove?»

«Dappertutto.»

«Dovrai essere un po' più specifica di così. Ti ho detto che non ti toccherò finché non mi supplicherai e non mi dirai che cosa fare.»

Sono perduta. Non sta giocando lealmente.

«Per favore» sussurro.

«Per favore cosa?»

«Toccami.»

«Dove, piccola?»

Lui è così provocantemente vicino, il suo profumo è così inebriante. Allungo una mano, e lui fa subito un passo indietro.

«No, no» mi rimprovera, gli occhi improvvisamente spalancati e allarmati.

«Cosa?» "No... Torna qui."

«No.» Scuote la testa.

«No del tutto?» Non riesco a trattenere il desiderio nella mia voce.

Christian mi guarda indeciso, e io mi sento incoraggiata dalla sua esitazione. Faccio un passo verso di lui. Indietreggia ancora, le mani sollevate come per difendersi, ma sta sorridendo.

«Stai attenta, Ana.» È un avvertimento, e si passa una mano tra i capelli, esasperato.

«Qualche volta non t'importa» osservo lamentosa. «Magari potremmo prendere un evidenziatore, e tracciare la mappa delle zone off-limits.»

Lui alza un sopracciglio. «Non è una cattiva idea. Dov'è la tua camera da letto?»

Gliela indico con un cenno della testa. Sta deliberatamente cambiando argomento?

«Stai prendendo la pillola?»

"Oh, merda. La pillola."

Lui si incupisce di fronte alla mia espressione.

«No» gemo.

«Capisco» dice, e le sue labbra si stringono in una linea sottile. «Vieni, mangiamo qualcosa.»

"Oh, no!"

«Pensavo che stessimo andando a letto! Io voglio venire a letto con te.»

«Lo so, piccola.» Sorride, e all'improvviso si lancia su di me, mi afferra i polsi e mi attira tra le sue braccia, in modo che il suo corpo prema contro il mio.

«Hai bisogno di mangiare e anch'io» mormora, gli occhi grigi che ardono nei miei. «D'altra parte... l'attesa è la chiave della seduzione, e in questo momento sto ritardando l'appagamento.»

"Ah... fino a quando?"

«Sono già sedotta e voglio l'appagamento ora. Ti supplico, per favore.» Il mio sembra un piagnucolio.

Lui mi sorride affettuosamente. «Mangia. Sei troppo magra.» Mi bacia la fronte e mi lascia andare.

Questo è un gioco, fa parte del suo piano diabolico. Lo guardo torva.

«Sono ancora arrabbiata perché hai comprato la SIP, e ora sono arrabbiata perché mi stai facendo aspettare» dico, imbronciata.

«Sei una signorina arrabbiata, vero? Ti sentirai molto meglio dopo un buon pasto.»

«So dopo cosa mi sentirei molto meglio.»

«Anastasia Steele, sono scioccato.» Il suo tono è dolcemente canzonatorio.

«Smettila di prendermi in giro. Non stai giocando lealmente.»

Lui soffoca un sorriso mordendosi il labbro inferiore. Ha un aspetto semplicemente adorabile... il Christian giocoso che si trastulla con la mia libido. Se solo fossi più abile nella seduzione... Ma non so cosa fare. E il fatto di non poterlo toccare mi inibisce.

La mia dea interiore stringe gli occhi a fessura e mi guarda pensierosa. Dobbiamo lavorare su questo.

Mentre ci guardiamo, io eccitata, preoccupata e bramosa, lui rilassato e divertito a mie spese, mi rendo conto che nel mio appartamento non c'è niente da mangiare.

«Potrei cucinare qualcosa... solo che dobbiamo andare a fare la spesa.»

«La spesa?»

«Per comprare qualcosa da mangiare.»

«Non hai cibo qui?» La sua espressione si indurisce.

Scuoto la testa. Accidenti, sembra proprio arrabbiato.

«Andiamo a fare la spesa, allora» dice severo mentre si volta e si dirige alla porta, aprendola per farmi passare.

«Quand'è stata l'ultima volta che sei entrato in un supermercato?»

Christian sembra fuori posto, ma mi segue diligente, reggendo il cestello della spesa.

«Non me lo ricordo.»

«È Mrs Jones a fare la spesa?»

«Credo che Taylor l'aiuti. Non ne sono sicuro.»

«Ti andrebbe bene qualcosa da saltare in padella? È veloce da preparare.»

«Una cosa saltata in padella suona bene.» Christian sorride, senza dubbio immaginando i motivi per cui voglio un pasto veloce.

«È tanto che lavorano per te?»

«Taylor, quattro anni, penso. Mrs Jones più o meno lo stesso. Perché non hai cibo in casa?»

«Lo sai perché» borbotto arrossendo.

«Sei stata tu a lasciarmi» mormora con disapprovazione.

«Lo so» replico piano. Non voglio ricordare.

Raggiungiamo la cassa e, in silenzio, ci mettiamo in fila.

"Se non me ne fossi andata, mi avrebbe offerto l'alternativa della relazione vaniglia?" mi domando oziosamente.

«Hai qualcosa da bere?» Christian mi riporta al presente.

«Birra... credo.»

«Prendo del vino.»

Oddio. Non so che vino possa esserci in questo supermercato. Christian torna a mani vuote, con una smorfia e uno sguardo disgustato.

«C'è un buon negozio di alcolici qui accanto» mi affretto a dire.

«Vado a vedere quel che hanno.»

Forse saremmo dovuti andare nel suo appartamento, così non avremmo fatto tutto questo casino. Lo osservo mentre si avvia verso la porta, con passo deciso ed elegante. Due donne che stanno entrando si fermano e lo fissano. "Oh, sì, guardate il mio Christian."

Vorrei pensare a lui nel mio letto, ma Christian sta giocando duro. Forse dovrei farlo anch'io. La mia dea interiore annuisce con vigore, convenendo con me. E mentre aspetto in fila, mi viene in mente una cosa...

Christian entra nell'appartamento con le borse della spesa. Le ha portate per tutto il tragitto dal supermercato a casa. Mi sembra strano. Non ha il suo solito comportamento da amministratore delegato.

«Sembri molto... casalingo.»

«Nessuno mi ha mai accusato di ciò prima d'ora» ribatte secco. Appoggia le borse sul bancone della cucina. Mentre io inizio a tirare fuori gli acquisti, lui prende una bottiglia di vino bianco e cerca un cavatappi.

«Questo posto non mi è ancora familiare. Credo che il cavatappi sia nel cassetto.» Glielo indico con il mento.

Tutto sembra così... normale. Due persone che si stanno conoscendo, che mangiano insieme. Eppure è così strano. La paura che ho sempre provato in sua presenza se n'è andata. Abbiamo già fatto così tanto insieme, arrossisco al solo pensiero, eppure lo conosco appena.

«A cosa stai pensando?» Christian interrompe le mie fantasticherie mentre si toglie la giacca e la sistema sul divano.

«A quanto poco ti conosco veramente.»

Lui mi guarda e i suoi occhi si addolciscono. «Tu mi conosci meglio di chiunque altro.»

«Non credo.» Senza volerlo, mi viene in mente Mrs Robinson. Un pensiero indesiderato.

«È così, Anastasia. Sono una persona molto riservata.»

Mi porge un bicchiere di vino.

«Alla salute» dice.

«Alla salute» rispondo e bevo un sorso di vino, mentre lui mette la bottiglia nel frigorifero.

«Posso aiutarti?» mi chiede.

«No, va bene così... Siediti.»

«Mi piacerebbe aiutarti.» Sembra sincero.

«Puoi tagliare le verdure.»

«Io non cucino» dice, guardando con sospetto il coltello che gli porgo.

«Immagino che tu non ne abbia bisogno.» Gli metto davanti un tagliere e alcuni peperoni rossi. Christian li fissa confuso.

«Non hai mai tagliato le verdure?»

«No.»

Gli faccio un sorrisetto.

«È un sorriso condiscendente quello?»

«A quanto pare, questa è una cosa che io so fare e tu no. Vediamo di affrontarla, Christian. Credo che questa sia una prima volta. Ecco, ti faccio vedere.»

Lo sfioro avvicinandomi e lui fa un paio di passi indietro. La mia dea interiore si fa attenta e prende nota.

«Così.» Taglio a fette il peperone rosso, facendo attenzione a togliere i semi.

«Sembra abbastanza semplice.»

«Non dovresti avere problemi» mormoro ironica.

Lui mi guarda impassibile per un momento, poi si mette all'opera, mentre io riprendo a tagliare il pollo a dadini. Inizia ad affettare con cura, lentamente. "Oddio, staremo qui tutta la notte."

Mi lavo le mani e cerco il wok, l'olio e gli altri ingredienti di cui ho bisogno, passandogli ripetutamente accanto e sfiorandolo, con i fianchi, il braccio, la schiena, le mani. Piccoli tocchi che sembrano innocenti. Lui si irrigidisce ogni volta che lo faccio.

«So cosa stai facendo, Anastasia» mormora cupo, mentre sta ancora affettando il primo peperone.

«Credo che lo chiamino cucinare» dico sbattendo le palpebre. Prendo un coltello, e lo raggiungo davanti al tagliere, pelando e tagliando l'aglio, lo scalogno, i fagiolini, e continuando a urtarlo.

«Sei piuttosto brava in questo» dice mentre attacca un secondo peperone.

«A tagliare?» Sbatto di nuovo le palpebre verso di lui. «Anni di pratica.» Lo sfioro ancora, stavolta con il sedere. Lui si irrigidisce.

«Se lo fai un'altra volta, Anastasia, ti prendo sul pavimento della cucina.»

"Wow." Sta funzionando. «Prima dovrai supplicarmi.»

«È una sfida?»

«Forse.»

Christian posa il coltello e mi si avvicina lentamente, gli occhi ardenti. Si protende per spegnere il fornello. L'olio nel wok smette di sfrigolare quasi all'istante.

«Credo che mangeremo più tardi» dice. «Metti il pollo nel frigo.»

Questa è una frase che non avrei mai pensato di sentire da Christian Grey, e solo lui sa renderla sensuale, davvero sensuale. Con mani tremanti prendo la ciotola del pollo a dadini, la copro con un piatto e la ripongo nel frigorifero. Quando mi volto, lui è di fianco a me.

«E così, stai supplicando?» sussurro, guardandolo coraggiosamente negli occhi.

«No, Anastasia.» Scuote la testa. «Niente suppliche.» La sua voce è dolce, seducente.

E ci fissiamo, intendendoci a vicenda, in un'atmosfera elettrica, quasi crepitante, senza dire nulla, solo guardandoci. Mi mordo il labbro mentre il desiderio per quest'uomo mi prende, infiammandomi il sangue, inghiottendomi il respiro, accumulandosi nel basso ventre. Vedo le mie reazioni riflesse in lui, nei suoi occhi.

In un attimo Christian mi prende per i fianchi e mi attira a sé. Le mie mani cercano i suoi capelli, la sua bocca mi reclama. Mi spinge contro il frigo, e sento la vaga protesta delle bottiglie e dei barattoli che sbattono all'interno, mentre la sua lingua trova la mia. Gemo nella sua bocca, e una delle sue mani si immerge nei miei capelli, tirandomi indietro la testa. Ci baciamo selvaggiamente.

«Che cosa vuoi, Anastasia?» sospira.

«Te» ansimo.

«Dove?»

«A letto.»

Lui si libera, mi solleva tra le braccia e mi trasporta, in fretta e apparentemente senza sforzo, nella mia stanza. Mi rimette in piedi accanto al letto, si china e accende l'abat-jour sul comodino. Si guarda rapidamente intorno e chiude le tende color crema.

«E adesso?» mi chiede piano.

«Fa' l'amore con me.»

«Come?»

"Oddio."

«Devi dirmelo, piccola.»

«Svestimi.» Ho già il fiato corto.

Lui sorride e con l'indice aggancia la mia camicetta aperta, attirandomi a sé.

«Brava ragazza» mormora, e senza togliere i suoi occhi infuocati dai miei, inizia lentamente a sbottonarmi la camicetta.

Esitante, appoggio le mani sulle sue braccia, per restare in equilibrio. Lui non si lamenta. Le sue braccia sono una zona accessibile. Quando ha finito di sbottonarla, mi sfila la camicetta, e io lascio che la faccia cadere sul pavimento. Poi allunga le mani verso la cintura dei jeans, slaccia il bottone e tira giù la cerniera.

«Dimmi che cosa vuoi, Anastasia.» I suoi occhi ardono, le sue labbra sono aperte, il suo respiro è rapido e superficiale.

«Baciami da qui a qui» gli sussurro disegnando con il dito una linea dalla base dell'orecchio fin sotto la gola. Lui mi scosta i capelli, scoprendo la linea di tiro, e si china, lasciando dolci e teneri baci lungo il percorso che il mio dito ha tracciato e tornando indietro.

«I miei jeans e le mutandine» mormoro, e lui sorride, con

la bocca sulla mia gola, prima di lasciarsi cadere in ginocchio di fronte a me. Oh, mi sento così potente. Infilando i pollici nei jeans, con movimenti gentili li fa scendere lungo le gambe, insieme alle mutandine. Io mi tolgo le ballerine e mi libero dei vestiti, rimanendo solo con il reggiseno. Lui si ferma, mi guarda, in attesa, ma non si alza.

«E adesso, Anastasia?»

«Baciami» gli sussurro.

«Dove?»

«Lo sai dove.»

«Dove?»

Oh, Christian è inflessibile. Imbarazzata gli indico velocemente l'apice delle cosce, e lui fa un sorriso malizioso. Chiudo gli occhi, mortificata, ma al tempo stesso molto eccitata.

«Con piacere» ridacchia. Mi bacia e allunga la lingua, la sua lingua esperta ed eccitante. Io gemo e stringo i pugni afferrandogli i capelli. Lui non si ferma, la sua lingua disegna cerchi intorno al clitoride, facendomi impazzire. "Ah... è solo... quanto tempo...? Oh..."

«Christian, per favore» lo supplico. Non voglio venire in piedi. Non ne ho la forza.

«"Per favore" cosa, Anastasia?»

«Fa' l'amore con me.»

«Lo sto facendo» mormora, e il suo fiato mi accarezza gentilmente.

«No. Ti voglio dentro di me.»

«Sei sicura?»

«Per favore.»

Lui non smette di infliggermi la sua dolce, meravigliosa tortura. Io gemo forte.

«Christian... per favore.»

Lui si alza e mi guarda. Sulle sue labbra c'è il segno evidente della mia eccitazione.

"È così erotico..."

«Allora?» mi chiede.

«Allora cosa?» sospiro senza fiato, guardandolo con desiderio disperato.

«Sono ancora vestito.»

Lo fisso confusa.

Devo spogliarlo? Sì, posso farlo. Allungo la mano verso la sua camicia, ma lui si tira indietro.

«Oh, no» mi ammonisce. "Merda, intende i jeans."

Questo mi fa venire un'idea. La mia dea interiore ride forte, con la testa buttata all'indietro, e io cado in ginocchio di fronte a lui. Lo faccio piuttosto goffamente e con le mani tremanti gli slaccio la cintura e i jeans, che poi tiro giù insieme ai boxer, e lo libero. "Wow."

Alzo lo sguardo su di lui, con le palpebre socchiuse, e lui mi sta fissando con... cosa? Trepidazione? Soggezione? Sorpresa?

Esce dai jeans e si toglie i calzini, io glielo prendo in mano e lo stringo forte, facendo scorrere il palmo come mi ha mostrato una volta. Lui geme e si irrigidisce, il suo respiro è un sibilo che esce dai denti serrati. Molto esitante, lo prendo in bocca e succhio. Forte. Mmh... Ha un buon sapore.

«Aah. Ana... ferma. Piano.»

Mi accarezza la testa gentilmente, e io lo spingo più a fondo in bocca, stringendo le labbra il più possibile, senza usare i denti, e succhio forte.

«Oh, sì» sibila lui.

Questo sì che è un suono esaltante e sensuale. Ripeto il gesto, spingendo la sua erezione più in profondità e accarezzandola tutt'intorno alla base con la lingua. Mmh... Mi sento Afrodite.

«Ana, basta. Fermati.»

Proseguo – "Supplicami, Grey, supplicami" – e non mi fermo.

«Okay, hai vinto» sbuffa attraverso i denti. «Non voglio venirti in bocca.»

Ripeto il gesto ancora una volta, e lui si china su di me, mi prende per le spalle, mi fa alzare in piedi e mi butta sul letto. Si sfila la camicia da sopra la testa, poi si china sui jeans abbandonati a terra e, come un diligente boy scout, tira fuori una bustina argentea. È senza fiato, come me.

«Togliti il reggiseno» mi ordina.

Io mi metto a sedere e obbedisco.

«Sdraiati. Voglio guardarti.»

Obbedisco, osservandolo mentre si infila lentamente il preservativo. Lo desidero disperatamente. Lui mi guarda e si passa la lingua sulle labbra.

«Sei una visione meravigliosa, Anastasia Steele.» Si piega sul letto e lentamente si arrampica sopra di me, baciandomi mentre avanza. Mi bacia i seni, gioca con i miei capezzoli, mentre io gemo e mi contorco sotto di lui, e non si ferma.

"No… fermati. Ti voglio."

«Christian, per favore.»

«Per favore cosa?» mormora tra i miei seni.

«Ti voglio dentro di me.»

«Mi vuoi adesso?»

«Per favore.»

Guardandomi, mi allarga le gambe, poi, senza distogliere gli occhi dai miei, mi penetra con una lentezza deliziosa.

Chiudo gli occhi, gustandomi quella pienezza, la squisita sensazione di essere posseduta da lui. Istintivamente sollevo il bacino per andargli incontro, per unirmi a lui, gemendo forte. Lui scivola via e poi, molto lentamente, mi riempie di nuovo. Le mie dita trovano la strada tra i suoi capelli di seta, e lui… Oh!… Si muove piano dentro e fuori di nuovo.

«Più veloce, Christian, più veloce… per favore.»

Lui mi guarda trionfante e mi bacia con prepotenza, poi inizia a muoversi sul serio. "Estenuante, implacabile… Oh, cazzo." So che non resisterò a lungo. Lui prende un ritmo costante. Io inizio ad accelerare, le gambe che si tendono sotto di lui.

«Avanti, piccola» ansima. «Vieni.»

Le sue parole sono la mia disfatta, ed esplodo, magnificamente, dimentica di tutto, in un milione di frammenti intorno a lui, e lui mi segue gridando forte il mio nome.

«Ana! Oh, cazzo, Ana!» Crolla su di me, la testa abbandonata contro il mio collo.

4

Quando recupero le mie facoltà mentali, apro gli occhi e vedo l'uomo che amo. L'espressione di Christian è dolce, tenera. Strofina il naso contro il mio, sorreggendosi sui gomiti, le mani strette alle mie ai lati della mia testa. Penso con tristezza che così non lo sto toccando. Mi dà un bacio lieve sulle labbra mentre scivola fuori da me.

«Tutto questo mi è mancato» dice in un sospiro.

«Anche a me» sussurro.

Mi prende il mento e mi bacia con ardore. Un bacio appassionato, supplichevole, con il quale mi chiede... cosa? Non lo so. Rimango senza fiato.

«Non lasciarmi più» mi implora, guardandomi profondamente negli occhi, il volto serio.

«Okay» mormoro e gli sorrido. Il sorriso con cui mi risponde è abbagliante. Sollievo, esultanza, piacere fanciullesco combinati in uno sguardo incantevole che scioglierebbe il più freddo dei cuori. «Grazie per l'iPad.»

«Di niente, Anastasia.»

«Qual è la tua canzone preferita tra quelle?»

«Ora vuoi sapere troppo.» Sorride. «Vieni, cucinami qualcosa, donzella. Sono affamato» aggiunge, tirandosi su a sedere e trascinandomi con lui.

«Donzella?» ridacchio.

«Donzella. Cibo, ora, per piacere.»

«Visto che me lo chiedete gentilmente, sire, mi ci applico subito.»

Scendendo dal letto, faccio cadere il cuscino, scoprendo il palloncino sgonfio a forma di elicottero che tengo sotto. Christian lo prende e mi guarda con aria interrogativa.

«Quello è il mio palloncino» dico con tono possessivo, mentre prendo l'accappatoio e me lo infilo. "Oh, accidenti… perché l'ha trovato?"

«Nel tuo letto?» mormora.

«Sì.» Arrossisco. «Mi tiene compagnia.»

«Beato *Charlie Tango*» commenta, sorpreso.

"Sì, sono sentimentale, Grey, perché ti amo."

«È il mio palloncino» dico di nuovo e mi volto per andare in cucina, lasciandolo con un sorriso da un orecchio all'altro.

Christian e io siamo seduti sul tappeto persiano di Kate. Mangiamo con le bacchette pollo saltato e spaghettini cinesi in ciotole di porcellana bianca e sorseggiamo pinot grigio fresco. Christian è appoggiato con la schiena al divano, le lunghe gambe distese davanti a sé e la chioma postcoito. Indossa i jeans e la camicia. I Buena Vista Social Club cantilenano dolcemente in sottofondo dall'iPod di Christian.

«È buono» dice con ammirazione mentre immerge le bacchette nel cibo.

Io sono seduta a gambe incrociate accanto a lui. Mangio con gusto, molto affamata, e ammiro i suoi piedi nudi.

«Di solito sono io che cucino. Kate non è una gran cuoca.»

«È stata tua madre a insegnarti?»

«No davvero!» esclamo sarcastica. «Quando ho iniziato a interessarmi alla cucina, mia madre era andata a vivere con il Marito Numero Tre a Mansfield, in Texas. E Ray, be', lui sarebbe andato avanti a toast e cibo da asporto, se non fosse stato per me.»

Christian mi guarda. «Perché non sei andata in Texas con tua madre?»

«Steve, suo marito, e io... non andavamo d'accordo. E mi mancava Ray. Il matrimonio con Steve non è durato molto. Lei è rinsavita, credo. Non ha mai più parlato di lui» aggiungo tranquillamente. Credo che quella sia un lato oscuro della vita di mia madre, di cui non abbiamo mai discusso.

«Perciò sei rimasta a vivere con il tuo patrigno.»

«Sì.»

«Sembra che tu ti sia presa cura di lui» mi dice dolcemente.

«Suppongo di sì.» Mi stringo nelle spalle.

«Sei abituata a prenderti cura delle persone.»

Il tono della sua voce attira la mia attenzione e lo guardo.

«Cosa c'è?» gli chiedo, spaventata dalla sua strana espressione.

«Io voglio prendermi cura di te.» I suoi occhi brillano di un'emozione senza nome.

La velocità dei battiti del mio cuore mi soffoca.

«L'ho notato» sussurro. «Solo che lo fai in un modo bizzarro.»

Aggrotta la fronte. «È il solo modo che conosco» dice.

«Sono ancora arrabbiata con te per aver comprato la SIP.»

Lui sorride. «Lo so, ma la tua rabbia, piccola, non mi avrebbe fermato.»

«Cosa dirò ai miei colleghi? A Jack?»

Lui stringe gli occhi. «Quello stronzo fa meglio a stare attento.»

«Christian!» lo ammonisco. «È il mio capo.»

Lui ha lo sguardo ostinato di un ragazzino.

«Non dirglielo» dice.

«Non devo dirgli cosa?»

«Che possiedo la SIP. I termini del contratto sono stati approvati ieri. C'è il divieto di divulgare la notizia per quattro settimane, mentre il management della SIP fa alcuni cambiamenti.»

«Oh... perderò il lavoro?» chiedo allarmata.

«Sinceramente ne dubito» dice lui sarcastico, cercando di trattenere un sorriso.

Gli rivolgo uno sguardo di rimprovero. «Se dovessi andarmene e trovare lavoro in un'altra azienda, comprerai anche quella?»

«Non stai pensando di andartene, vero?» La sua espressione cambia, diventando diffidente.

«Forse. Non sono sicura che tu mi stia dando molta scelta.»

«Sì, comprerò anche quell'azienda» dice categorico.

Lo guardo torva. La situazione è senza via d'uscita.

«Non pensi di essere un tantino iperprotettivo?»

«Sì. Sono pienamente consapevole di dare quest'impressione.»

«Chiama il dottor Flynn» mormoro.

Lui posa la ciotola vuota e mi guarda impassibile. Sospiro. Non voglio litigare. Mi alzo e prendo la sua ciotola.

«Vuoi il dolce?»

«Ora sì che ragioniamo!» dice, con un sorriso lascivo.

«Non me.» "Perché non me?" «Abbiamo il gelato. Vaniglia» ridacchio, maliziosa.

«Davvero?» Il sorriso di Christian si allarga. «Credo che possiamo inventarci qualcosa con quello.»

"Cosa?" Lo fisso senza parole mentre lui si alza.

«Posso restare?» mi chiede.

«Che cosa intendi?»

«Stanotte.»

«Avevo dato per scontato che lo facessi.»

«Bene. Dov'è il gelato?»

«Nel forno.» Gli sorrido dolcemente.

Lui sospira e scuote la testa. «Il sarcasmo è la forma più bassa d'ironia, Miss Steele.» Gli brillano gli occhi.

"Oh, merda. Che cos'ha in mente?"

«Potrei sempre rovesciarti sulle mie ginocchia.»

Metto le ciotole nel lavello. «Hai quelle sfere d'argento?»

Lui si tasta il petto, l'addome, e poi le tasche dei jeans. «Stranamente, non le porto sempre con me. Non ci faccio molto con quelle in ufficio.»

«Sono lieta di sentirlo, Mr Grey. Pensavo che avessi detto che il sarcasmo è la forma più bassa d'ironia.»

«Be', Anastasia, il mio nuovo motto è: "Se non puoi batterli, unisciti a loro".»

Lo guardo a bocca aperta. "Non posso credere che l'abbia detto." E lui sembra compiaciuto in modo quasi nauseante mentre mi sorride. Si volta e apre il freezer, prendendo il barattolo della miglior vaniglia Ben & Jerry's.

«Questo andrà benissimo.» Mi guarda, gli occhi fiammeggianti. «Ben & Jerry's & Ana.» Pronuncia lentamente ogni parola, scandendo le sillabe.

"Porca miseria." Credo che la mascella mi sia cascata. Lui apre il cassetto delle posate e prende un cucchiaio. Quando alza lo sguardo, ha gli occhi socchiusi e si sta passando la lingua sui denti. Oh, quella lingua!

Sono senza fiato. Il desiderio, oscuro, strisciante e lascivo mi scorre nelle vene. Stiamo per divertirci. Con il cibo.

«Spero che tu abbia caldo» mi sussurra. «Ti raffredderò con questo. Vieni.» Mi tende la mano, e io gliela prendo.

Andiamo in camera. Lui appoggia il barattolo del gelato sul comodino, scosta la trapunta dal letto, toglie i cuscini e li impila sul pavimento.

«Hai lenzuola di ricambio, vero?»

Annuisco, continuando a guardarlo affascinata. Lui afferra *Charlie Tango*.

«Non impiastricciarmi il palloncino» lo metto in guardia.

Le sue labbra si piegano in un mezzo sorriso. «Non mi sognerei mai, piccola, ma voglio impiastricciare te e queste lenzuola.»

Il mio corpo freme.

«Voglio legarti.»

"Oh." «Okay» sussurro.

«Solo le mani. Al letto. Ho bisogno che tu stia ferma.»

«Okay» sussurro di nuovo, incapace di dire altro.

Lui mi si avvicina, senza staccare gli occhi dai miei.

«Useremo questa.» Afferra la cintura del mio accappatoio e, con deliziosa e provocante lentezza, la sfila.

L'accappatoio si apre, mentre io sono paralizzata dal suo sguardo ardente. Dopo un attimo lo spinge giù dalle spalle, facendolo scivolare a terra, ai miei piedi. Rimango nuda di fronte a lui. Mi sfiora il viso con le nocche, e il suo tocco si propaga nelle profondità del mio ventre. Si china su di me e mi dà un rapido bacio sulle labbra.

«Sdraiati sul letto, supina» mormora. I suoi occhi sempre più intensi bruciano nei miei.

Obbedisco. La stanza è immersa nell'oscurità a parte la luce tenue dell'abat-jour.

Di solito odio le lampadine a risparmio energetico, sono così fioche, ma qui nuda, con Christian, apprezzo questa fievole luce. Lui è in piedi e mi fissa.

«Potrei rimanere a guardarti tutto il giorno, Anastasia» dice e sale sul letto, mettendosi a cavalcioni sul mio corpo.

«Alza le braccia sopra la testa» mi ordina.

Io lo asseccondo e lui mi lega il polso sinistro con la cintura, di cui poi assicura un'estremità alle sbarre di ferro del letto. Tira forte, in modo che il mio braccio sinistro sia piegato su di me. Poi lega la mia mano destra, stringendo la cintura.

Quando ha finito, mi guarda, visibilmente rilassato. Gli piace legarmi. In questo modo, non posso toccarlo. Mi viene in mente che nemmeno le altre sue Sottomesse devono averlo toccato e, cosa ancora più importante, che lui non deve aver mai dato loro la possibilità di farlo. Deve aver sempre mantenuto il controllo e la distanza. Ecco perché gli piacciono le sue regole.

Scende dal letto e si china per darmi un rapido bacio sulle labbra, poi si sfila la camicia dalla testa. Si slaccia i jeans e li lascia cadere a terra.

È meravigliosamente nudo. La mia dea interiore sta facendo un triplo volteggio sulle parallele asimmetriche, e io ho improvvisamente la bocca secca. Ha un corpo dalle linee classiche: spalle larghe e muscolose, fianchi stretti, il triangolo rovesciato. È ovvio che si tiene allenato. Si sposta in fondo al letto e mi afferra le caviglie, tirandomi verso il basso con uno strattone veloce e vigoroso. Adesso ho le braccia tese e mi è impossibile muovermi.

«Così va meglio» mormora.

Afferra il barattolo del gelato e risale sul letto, mettendosi di nuovo a cavalcioni del mio corpo. Molto lentamente, toglie il coperchio dalla confezione e infila il cucchiaio.

«Mmh… è ancora piuttosto duro» dice alzando un sopracciglio, poi prende una cucchiaiata di gelato e se la infila in bocca. «Delizioso» mormora, leccandosi le labbra. «È sorprendente come la buona e semplice vaniglia possa essere gustosa.» Mi guarda e mi fa l'occhiolino. «Ne vuoi un po'?» scherza.

Ha un'aria spaventosamente sexy, giovane e spensierata, mentre sta seduto su di me a mangiare il gelato: gli occhi brillano, il viso è luminoso. Che diavolo intende farmi? Ah, se lo sapessi! Annuisco timidamente.

Lui prende un'altra cucchiaiata di gelato e me la porge. Io apro la bocca, ma lui l'infila nella propria.

«È troppo buono per dividerlo» dice, sorridendo malizioso.

«Ehi» inizio a protestare.

«Perché, Miss Steele, ti piace la vaniglia?»

«Sì» dico con più forza del previsto e cerco invano di disarcionarlo.

Lui ride. «Diventiamo irritabili, eh? Io non lo farei se fossi in te.»

«Gelato» supplico.

«Be', visto che oggi mi hai compiaciuto così tanto, Miss Steele…» Si ammorbidisce e mi offre di nuovo una cucchiaiata di gelato. Stavolta lascia che la mangi.

Mi viene da ridere. Si sta davvero divertendo, e il suo buonumore è contagioso. Prende un'altra cucchiaiata e me la mette in bocca, poi lo fa di nuovo. "Okay, ora basta."

«Mmh. Be', questo è un modo per assicurarmi che mangi. Alimentazione forzata. Potrei abituarmici.»

Mi offre l'ennesima cucchiaiata di gelato. Stavolta tengo la bocca chiusa e scuoto la testa, e lui lascia che il gelato si sciolga e mi goccioli sulla gola e sul petto. Si china e, molto lentamente, lo lecca via. Il mio corpo si accende di desiderio.

«Mmh. È ancora più gustoso su di te, Miss Steele.»

Io do uno strattone ai legacci e il letto cigola in modo sinistro, ma non ci bado: il desiderio ardente mi sta consumando. Christian prende dell'altro gelato e me lo fa sgocciolare sul petto. Poi con il retro del cucchiaio me lo spalma sui seni e sui capezzoli.

"Oh... è freddo." I capezzoli si induriscono.

«Freddo?» mi chiede dolcemente Christian e si china di nuovo per leccare e succhiare il gelato. La sua bocca è calda.

"Oddio." È una tortura. Mentre inizia a sciogliersi, il gelato scorre su di me in rivoli, colando sul letto. Le sue labbra continuano il lento supplizio, succhiando forte, stuzzicando dolcemente. "Oh, per favore." Sto ansimando.

«Vuoi qualcosa?» E prima che io possa accettare o rifiutare la sua offerta, la sua lingua è nella mia bocca: è fredda, esperta e sa di Christian e di vaniglia. Deliziosa.

E proprio quando mi sto abituando a questa sensazione, lui si ritrae e con il cucchiaio colmo traccia una linea al centro del mio corpo, lungo il mio addome e dentro l'ombelico, dove si deposita una bella quantità di gelato. "Oh, questo è ancora più freddo di prima, ma stranamente brucia."

«L'hai già fatto prima.» Gli occhi di Christian brillano. «Devi stare ferma, o ci sarà gelato dappertutto, sul letto.» Mi bacia i seni e succhia forte i capezzoli, poi segue la linea del gelato giù per il mio corpo, succhiando e leccando.

E io ci provo. Provo a stare ferma nonostante l'esaltante sensazione del freddo combinato con l'ardente tocco di Christian.

Ma i miei fianchi iniziano a muoversi involontariamente, roteando a un loro ritmo, avvinti dalla magia della vaniglia. Lui scivola ancora più giù e comincia a mangiare il gelato dalla mia pancia, facendo girare la lingua dentro e intorno al mio ombelico.

Gemo. "Mio Dio." È freddo, è caldo, è stuzzicante. Lui non si ferma. Traccia un'altra linea con il gelato, ancora più giù, sul pube, sul clitoride. Grido forte.

«Zitta adesso» dice Christian in tono gentile mentre la sua magica lingua si mette al lavoro leccando la vaniglia. Gemo sommessamente.

«Oh… per favore… Christian.»

«Lo so, piccola, lo so» sospira, mentre la sua lingua compie la magia. Non si ferma. E il mio corpo si tende sempre di più. Lui fa scivolare un dito dentro di me, poi un altro e li muove con agonizzante lentezza, dentro e fuori.

«Ecco qui» mormora, e colpisce ripetutamente la parete interna della mia vagina senza mai smettere di leccare e succhiare con voluttà.

Inaspettatamente raggiungo un incredibile orgasmo che mi stordisce, facendo sparire tutto quello che sta succedendo al di fuori del mio corpo, mentre io mi contraggo e gemo. Accidenti, è stato così veloce.

Mi rendo vagamente conto che lui ha smesso di leccarmi. È sospeso su di me, in ginocchio, e si sta infilando un preservativo. Poi è dentro di me, duro e veloce.

«Oh, sì!» Geme mentre me lo spinge dentro. È appiccicoso, ci sono residui di gelato sciolto tra noi. È una sensazione strana, che quasi mi distrae, ma non ci penso più di qualche secondo, quando Christian all'improvviso esce da me e mi gira.

«Così» mormora e rientra bruscamente dentro di me, ma non inizia a muoversi al suo solito ritmo frenetico. Si china in avanti, mi libera le mani e mi tira su, in modo che praticamente io stia seduta su di lui. Muove le mani sui miei seni, afferrandoli entrambi e titillando gentilmente i miei capezzoli. Gemo, gettando la testa contro la sua spalla. Lui strofina il naso sul mio collo, mi morde, mentre solleva le anche, riempiendomi ancora e ancora, con dolce lentezza.

«Hai idea di quello che significhi per me?» mi dice in un sospiro.

«No» ansimo.

Lui sorride, con la bocca sul mio collo, le dita che si stringono intorno al mio volto, tenendomi forte per un momento.

«Sì che lo sai. Non ti lascerò andare via.»

Io gemo, mentre lui inizia ad aumentare la velocità.

«Tu sei mia, Anastasia.»

«Sì, tua» dico senza fiato.

«Mi prendo cura di ciò che è mio» sibila e mi morde l'orecchio.

Io grido.

«Ecco, così, bambina, voglio sentirti.» Mi fa scivolare una mano intorno alla vita, mentre con l'altra mi afferra il fianco e si spinge dentro di me con più forza, facendomi gridare ancora. E attacca il suo ritmo sfiancante. Il suo respiro si fa sempre più ruvido, spezzato, armonizzandosi con il mio. Sento il familiare calore che mi sale dentro. "Ancora!"

Sono tutta sensazioni. Questo è ciò che Christian mi fa: prende il mio corpo e lo possiede totalmente, tanto che non riesco più a pensare a nient'altro se non a lui. La sua magia è potente, inebriante. Sono una farfalla intrappolata nella sua rete, non ho più né la capacità né la volontà di scappare. "Sono sua... completamente sua."

«Avanti, piccola» ringhia tra i denti e al suo segnale, da brava apprendista stregone quale sono, mi lascio andare, e veniamo insieme.

Sono accoccolata tra le sue braccia sulle lenzuola appiccicose. Lui mi preme la fronte sulla schiena, il naso tra i miei capelli.

«Quello che sento per te mi spaventa» sussurro.

Lui si irrigidisce. «È lo stesso anche per me, piccola» dice piano.

«Cosa farei se mi lasciassi?» Il pensiero è orribile.

«Non vado da nessuna parte. Non penso che potrei mai stancarmi di te, Anastasia.»

Io mi volto e lo guardo. La sua espressione è seria, sincera. Mi protendo e lo bacio delicatamente. Lui sorride e mi sposta una ciocca di capelli dietro l'orecchio.

«Non avevo mai provato ciò che ho provato quando mi hai lasciato, Anastasia. Farei qualsiasi cosa pur di non sentirmi mai più in quel modo.» Sembra triste, persino sconvolto.

Lo bacio di nuovo. Vorrei far qualcosa per risollevare il morale a entrambi, ma è Christian a farlo per me.

«Vieni alla festa d'estate di mio padre, domani? È un appuntamento annuale a scopo benefico. Ho detto che ci sarei andato.»

Sorrido, improvvisamente intimidita.

«Certo che ci vengo.» "Cavolo. Non ho niente da mettermi."

«Cosa c'è?»

«Niente.»

«Dimmelo» insiste.

«Non so cosa mettermi.»

Christian sembra momentaneamente a disagio.

«Non ti arrabbiare, ma ho ancora tutti quei vestiti per te a casa mia. Sono certo che ci sono un paio di abiti adatti.»

Faccio una smorfia. «Ah, sì?» mormoro in tono sarcastico. Non voglio litigare stanotte. Ho bisogno di una doccia.

La ragazza che mi assomiglia sta di fronte a me, fuori dalla SIP. Aspetta... Sono io. Sono pallida, sporca, e i vestiti mi stanno troppo larghi. La fisso. Lei indossa i miei abiti. Felice, in salute.

"Cos'hai che io non ho?" le chiedo.

"Chi sei tu?"

"Io sono nessuno. E tu chi sei? / Sei nessuno anche tu?"

"Allora siamo in due. Non dirlo! / Si saprebbe in giro, poi!" Mi sorride, una smorfia lenta e diabolica che si allarga sul suo volto, ed è talmente agghiacciante che mi metto a urlare.

«Ana!» Christian mi sta scuotendo per svegliarmi.

Sono così disorientata. "Sono a casa… al buio… a letto con Christian." Scuoto la testa nel tentativo di schiarirmi le idee.

«Piccola, va tutto bene? Stavi facendo un brutto sogno.»

«Oh.»

Accende l'abat-jour, che ci inonda della sua luce fioca. Mi guarda, il volto incupito dalla preoccupazione.

«La ragazza» mormoro.

«Cosa c'è? Quale ragazza?» mi chiede in tono rassicurante.

«C'era una ragazza fuori dalla SIP, quando sono uscita ieri. Sembrava me… ma non proprio.»

Christian si irrigidisce e, a mano a mano che la luce sul comodino si scalda e si fa più viva, vedo che il suo volto è diventato livido.

«Quando è successo?» sussurra sgomento. Si tira su a sedere e mi fissa.

«Quando sono uscita dal lavoro, ieri pomeriggio. Sai chi è?»

«Sì.» Si passa una mano tra i capelli.

«Chi è?»

Lui stringe le labbra, ma non dice nulla.

«Chi è?» lo incalzo.

«È Leila.»

Deglutisco. La sua ex Sottomessa! Christian me ne ha parlato prima che facessimo il giro in aliante. All'improvviso diventa teso. Sta succedendo qualcosa.

«La ragazza che ha messo *Toxic* sul tuo iPod?»

Lui mi guarda con ansia.

«Sì» risponde. «Ti ha detto qualcosa?»

«Ha detto: "Cos'ha che io non ho?". E quando le ho chiesto chi fosse, lei ha risposto: "Io sono nessuno".»

Christian chiude gli occhi, come se stesse provando dolore. Cos'è successo? Cosa significa quella ragazza per lui?

Mi viene la pelle d'oca, mentre una scarica di adrenalina mi percorre il corpo. "E se significasse molto per lui? Se le mancasse? Conosco così poco del suo passato... delle sue relazioni." Leila deve aver avuto un contratto, dovrebbe aver fatto ciò che lui voleva, dandogli con piacere ciò di cui lui aveva bisogno.

"Oh, no... quando io non posso." Il pensiero mi dà la nausea.

Christian scende dal letto, si infila i jeans e va nel soggiorno. Un'occhiata alla sveglia mi dice che sono le cinque del mattino. Scendo dal letto anch'io, mi metto la sua camicia bianca e lo seguo.

"Porca miseria, è al telefono."

«Sì, fuori dalla SIP, ieri... tardo pomeriggio» dice pacato. Si volta verso di me, mentre raggiungo la cucina, e mi chiede: «A che ora esattamente?».

«Verso le sei meno dieci?» mormoro. Chi diavolo sta chiamando a quest'ora? Che cos'ha fatto Leila? Christian passa l'informazione a chiunque sia all'altro capo della linea, senza distogliere gli occhi da me. La sua espressione è cupa e seria.

«Scopri come... Sì... Non l'avrei detto, ma non avrei neppure pensato che lei potesse fare questo.» Chiude gli occhi, l'espressione dolente. «Non so come calmarla... Sì, le parlerò... Lo so... Segui la faccenda e fammi sapere. Devi solo trovarla, Welch... È nei guai. Trovala.» Chiude la comunicazione.

«Vuoi un tè?» chiedo. Tè, la risposta di Ray a tutte le crisi e l'unica cosa che lui sappia fare bene in cucina. Riempio d'acqua il bollitore.

«A dire il vero, vorrei tornare a letto.» Ma la sua faccia mi dice che non è per dormire.

«Be', io ho bisogno di un po' di tè. Vuoi farmi compagnia?» Voglio sapere cosa sta succedendo. Non voglio farmi distrarre dal sesso.

Lui si passa una mano tra i capelli esasperato. «Sì, grazie» dice, ma si vede che è irritato.

Metto il bollitore sul fuoco e comincio a trafficare con le tazze e la teiera. La mia ansia ha superato il livello di guardia. Christian mi parlerà del problema? Oppure dovrò cavargli le parole di bocca?

Sento i suoi occhi su di me, percepisco la sua incertezza. La sua rabbia è palpabile. Alzo lo sguardo: i suoi occhi sono lucidi di apprensione.

«Cosa succede?» chiedo.

Lui scuote la testa.

«Non me lo dirai?»

Lui sospira e chiude gli occhi. «No.»

«Perché?»

«Perché non dovrebbe riguardarti. Non voglio che tu sia coinvolta in questa cosa.»

«Non dovrebbe riguardarmi, ma mi riguarda. Leila mi ha trovata e mi ha avvicinata fuori dal mio ufficio. Come sa di me? Come sa dove lavoro? Credo di avere il diritto di sapere cosa sta succedendo.»

Lui si passa di nuovo la mano tra i capelli, frustrato. È come se stesse combattendo una battaglia interiore.

«Per favore» lo prego dolcemente.

La sua bocca diventa una linea dura e lui alza gli occhi al cielo.

«Okay» dice rassegnato. «Non ho idea di come abbia fatto Leila a trovarti. Forse ha visto la foto di noi due a Portland, non lo so.» Sospira, e sento che la sua frustrazione è diretta a se stesso.

Aspetto pazientemente, versando l'acqua bollente nella

teiera, mentre lui cammina avanti e indietro nella stanza. Dopo un attimo riprende a parlare.

«Quando ero con te in Georgia, Leila si è presentata nel mio appartamento senza avvertire e ha fatto una scenata davanti a Gail.»

«Gail?»

«Mrs Jones.»

«Cosa intendi dire con "ha fatto una scenata"?»

Lui mi fissa torvo, valutando le mie parole.

«Dimmelo. Mi stai nascondendo qualcosa.» Il mio tono è più energico del dovuto.

Sbatte le palpebre sorpreso. «Ana, io...» si ferma.

«Per favore.»

Sospira, sconfitto. «Ha fatto un goffo tentativo di tagliarsi le vene.»

«Oh, no!» Questo spiega la benda intorno al polso.

«Gail l'ha portata all'ospedale. Ma Leila si è fatta dimettere prima che io arrivassi.»

"Oddio. Che cosa significa? Suicidio? Perché?"

«Lo strizzacervelli che l'ha visitata ha detto che il suo è stato un tipico grido d'aiuto. Non crede che lei sia davvero a rischio. A un passo dall'ideazione suicidaria, così ha detto. Ma io non sono convinto. Sto cercando di rintracciarla da allora per aiutarla.»

«Ha detto niente a Mrs Jones?»

Lui mi guarda. Sembra davvero a disagio.

«Non molto» risponde infine, ma so che non mi sta dicendo tutto.

Mi distraggo versando il tè nelle tazze. E così Leila vuole tornare nella vita di Christian e ha scelto un tentativo di suicidio per attirare la sua attenzione? Accidenti... terribile. Ma efficace. Christian ha lasciato la Georgia per andare da lei, ma Leila è scomparsa prima che lui arrivasse? Che strano.

«Non riesci a trovarla? E i suoi familiari?»

«Non sanno dove sia. Neppure suo marito.»

«Marito?»

«Sì» mi risponde distrattamente. «È sposata da circa due anni.»

"Cosa?" «Veniva con te mentre era sposata?» "Porca miseria." Davvero Christian non ha limiti.

«No! Buon Dio, no. Stava con me più o meno tre anni fa. Poi se n'è andata e di lì a poco si è sposata.»

"Oh." «Allora perché sta cercando di attirare la tua attenzione adesso?»

Lui scuote la testa tristemente. «Non lo so. Tutto quello che siamo riusciti a scoprire è che è scappata dal marito circa tre mesi fa.»

«Fammi capire. Lei non è più la tua Sottomessa da tre anni, vero?»

«Due anni e mezzo.»

«E voleva di più.»

«Sì.»

«Ma tu no.»

«Questo lo sai.»

«Così ti ha lasciato.»

«Sì.»

«Allora perché viene da te adesso?»

«Non lo so.» E dal tono della sua voce capisco che deve avere almeno una teoria.

«Ma sospetti che…»

Lui socchiude gli occhi, con rabbia percettibile. «Sospetto che abbia qualcosa a che fare con te.»

Me? Che cosa può volere da me quella donna? "Cos'ha che io non ho?"

Fisso Christian, magnificamente nudo dalla vita in su. Io ho lui. È mio. Ecco quello che ho, eppure lei mi assomiglia: ha i miei stessi capelli scuri e la pelle chiara. Aggrotto la fronte al pensiero. "Sì… che cos'ho io che lei non ha?"

«Perché non me l'hai detto ieri?» mi chiede lui piano.

«Me ne sono dimenticata.» Mi stringo nelle spalle con aria di scuse. «Sai, il drink dopo il lavoro, la fine della mia prima settimana, tu che arrivi al bar con la tua... scarica di testosterone contro Jack, e poi siamo venuti qui. Mi è uscito di mente. Hai l'abitudine di farmi dimenticare le cose.»

«Scarica di testosterone?» Storce la bocca.

«Sì, la gara a chi fa pipì più lontano.»

«Ti faccio vedere io una scarica di testosterone.»

«Non vuoi piuttosto una tazza di tè?»

«No, Anastasia, non la voglio.»

I suoi occhi ardono nei miei, bruciandomi con quello sguardo da voglio-te-e-ti-voglio-ora. "Dio, se è eccitante."

«Dimenticati di lei. Vieni.» Mi tende la mano.

Mi sveglio, e sono avvinghiata al corpo nudo di Christian Grey. Anche se è profondamente addormentato, mi tiene stretta. La luce morbida del mattino filtra attraverso le tende. Io ho la testa sul suo petto, una gamba intrecciata alla sua e un braccio sul suo addome.

Sollevo leggermente la testa, timorosa di svegliarlo. Sembra giovane e rilassato nel sonno, ed è mio.

"Mmh..." Alzo la mano, e con una certa esitazione gli accarezzo il torace facendo scorrere le dita sui peli. Lui non si sveglia. Quasi non posso crederci. È davvero mio, per alcuni preziosi momenti. Mi chino e gli bacio teneramente una delle cicatrici. Lui emette un lieve gemito, ma non si sveglia, e io sorrido. Gliene bacio un'altra e lui apre gli occhi.

«Ciao.» Gli sorrido, con aria colpevole.

«Ciao.» La sua risposta è guardinga. «Cosa stai facendo?»

«Ti sto guardando.» Faccio scorrere il dito sulla peluria dell'addome. Lui mi afferra la mano, stringe gli occhi, poi fa un bel sorriso da Christian-a-suo-agio, e io mi rilasso. Le mie carezze segrete rimangono segrete.

"Oh... perché non vuoi che ti tocchi?"

All'improvviso, lui si sposta sopra di me, premendomi

contro il materasso, le mani sulle mie, come un avvertimento. Strofina il naso sul mio.

«Credo che tu stia combinando qualcosa, Miss Steele» mi accusa, ma il suo sorriso rimane.

«Mi piace combinare qualcosa, quando ti sono vicina.»

«Davvero?» mi chiede e mi dà un bacio leggero sulle labbra. «Sesso o colazione?» domanda, con lo sguardo intenso, ma pieno di buonumore. La sua erezione sta sprofondando dentro di me, allora io sollevo il bacino per andargli incontro.

«Ottima scelta» mormora contro il mio collo, mentre traccia un sentiero di baci fino al mio seno.

Sono in piedi davanti al cassettone, e mi guardo allo specchio mentre tento di convincere i miei capelli ad assumere un aspetto decente. Sono troppo lunghi. Indosso jeans e maglietta, e Christian, fresco di doccia, si sta vestendo dietro di me. Fisso il suo corpo con aria famelica.

«Quanto spesso ti alleni?» gli chiedo.

«Ogni giorno feriale» mi dice, tirandosi su la cerniera.

«Che cosa fai?»

«Corsa, pesi, kick boxing.» Si stringe nelle spalle.

«Kick boxing?»

«Sì, ho un personal trainer, un ex campione che mi insegna. Si chiama Claude. È molto bravo. Ti piacerebbe.»

Mi giro a guardarlo, mentre comincia ad abbottonarsi la camicia bianca.

«Che cosa vuoi dire?»

«Che ti piacerebbe come personal trainer.»

«Perché avrei bisogno di un personal trainer? Ho già te per tenermi in forma.»

Lui fa un passo avanti e mi avvolge con le sue braccia. I suoi occhi diventano più scuri incontrando i miei nello specchio.

«Ma io ti voglio in forma, piccola, per quello che ho in mente. Ho bisogno che tu stia al passo.»

Io arrossisco nel ricordare la sua stanza dei giochi. Sì… La Stanza Rossa delle Torture è sfibrante. Mi ci farà entrare ancora? E io voglio tornarci?

"Certo che vuoi!" urla la mia dea interiore.

Fisso quei suoi occhi misteriosi e ipnotici.

«Lo so che lo vuoi» dice muovendo appena la bocca.

Arrossisco, e lo sgradevole pensiero che Leila probabilmente terrebbe il passo scivola insidioso e inopportuno nella mia mente. Stringo le labbra e Christian mi guarda.

«Cosa c'è?» mi chiede preoccupato.

«Niente.» Scuoto la testa. «Okay, incontrerò Claude.»

«Davvero?» Il volto gli si illumina per la sorpresa e l'incredulità. La sua espressione mi fa sorridere. Ha l'aria di chi ha appena vinto alla lotteria, anche se Christian probabilmente non ha neppure mai comprato un biglietto. Non ne ha bisogno.

«Sì, accidenti. Se questo ti fa felice» dico in tono ironico.

Lui mi stringe in un abbraccio e mi bacia sul collo. «Non sai quanto» sussurra. «Allora, che cosa ti piacerebbe fare oggi?» Strofina il naso contro di me, provocandomi brividi deliziosi in tutto il corpo.

«Vorrei andare a tagliarmi i capelli, e mmh… ho bisogno di depositare un assegno e comprare una macchina.»

«Ah» dice annuendo e si morde il labbro. Si fruga nella tasca dei jeans ed estrae la chiave della mia piccola Audi.

«È qui» dice piano, l'espressione incerta.

«Cosa significa che è qui?» Sembro arrabbiata. Accidenti. *Sono* arrabbiata. "Come osa!"

«Taylor l'ha riportata ieri.»

Apro la bocca e poi la chiudo, per due volte. Mi ha lasciata senza parole. Mi sta restituendo la macchina. "Merda. Perché non l'ho previsto?" Be', questo è un gioco a cui si può giocare in due. Infilo la mano nella tasca posteriore dei jeans e tiro fuori la busta con l'assegno.

«Ecco, questo è tuo.»

Christian mi guarda interrogativo, poi riconosce la busta e alza entrambe le mani facendo un passo indietro.

«Oh, no. Quello è il tuo denaro.»

«No, non lo è. Vorrei comprare la macchina da te.»

La sua espressione cambia completamente. La furia – sì, la furia – gli attraversa il volto.

«No, Anastasia. I tuoi soldi, la tua macchina» ribatte secco.

«No, Christian. I miei soldi, la tua macchina. La comprerò da te.»

«Ti ho dato quella macchina come regalo di laurea.»

«Se mi avessi dato una penna, sarebbe stato un regalo di laurea opportuno. Invece mi hai dato un'Audi.»

«Vuoi davvero litigare su questa cosa?»

«No.»

«Bene. Eccoti le chiavi.» Le appoggia sul cassettone.

«Non è quello che intendevo!»

«Fine della discussione, Anastasia. Non mi provocare.»

Mi acciglio, poi mi viene un'ispirazione. Prendo la busta, la strappo in due, poi ancora in due e quindi lascio cadere i pezzettini nel cestino dei rifiuti. Oh, come mi sento bene!

Christian mi fissa impassibile, ma so che ho appena acceso la miccia e che dovrei allontanarmi in fretta. Lui si gratta il mento.

«Sei polemica, come sempre, Miss Steele» dice secco. Si gira e se ne va nell'altra stanza. Non è la reazione che mi aspettavo. Prevedevo uno scontro catastrofico. Mi guardo nello specchio e mi stringo nelle spalle, decidendo di farmi la coda.

Sono incuriosita. Che cosa sta facendo Christian? Lo seguo nel soggiorno. È al telefono.

«Sì, ventiquattromila dollari. Direttamente.»

Mi guarda, sempre impassibile.

«Bene… lunedì? Eccellente… No, è tutto, Andrea.»

Chiude il telefono con un colpo secco.

«Depositati sul tuo conto corrente lunedì. Non fare giochetti con me.» È arrabbiato, ma non m'importa.

«Ventiquattromila dollari!» Sto praticamente urlando. «E come fai a sapere il mio numero di conto?»

La mia ira coglie Christian di sorpresa.

«So tutto di te, Anastasia» dice pacato.

«La mia macchina non valeva certo ventiquattromila dollari.»

«L'avrei detto anch'io, ma bisogna conoscere il mercato, quando si vende o si acquista. Qualche pazzo là fuori voleva quella trappola mortale ed era disposto a pagarla quella cifra enorme. A quanto pare è un classico. Chiedilo a Taylor, se non mi credi.»

Gli lancio uno sguardo torvo e lui fa altrettanto con me: due pazzi testardi che si fissano in cagnesco.

E sento l'elettricità tra noi... è tangibile e ci attrae l'uno verso l'altra. Poi, all'improvviso, lui mi afferra e mi spinge contro la porta. La sua bocca mi reclama famelica, una mano sul mio sedere mi preme contro il suo inguine e l'altra sulla mia nuca mi tira indietro la testa. Le mie dita sono nei suoi capelli e li tirano forte, per tenerlo stretto a me. Christian preme con decisione il suo corpo contro il mio, imprigionandomi. Adesso respira affannosamente, e io lo sento. Mi vuole, e io sono stordita e barcollante per l'eccitazione mentre mi rendo conto del suo bisogno impellente di me.

«Perché, perché mi sfidi?» mormora tra un bacio ardente e l'altro.

Il sangue mi freme nelle vene. Lui mi farà sempre questo effetto? E io a lui?

«Perché posso.» Sono senza fiato. Più che vederlo, riesco a sentire il suo sorriso contro il mio collo. Poi lui preme la fronte sulla mia.

«Dio, quanto vorrei prenderti adesso, ma ho finito i preservativi. Non sono mai sazio di te. Mi fai impazzire, letteralmente impazzire, donna.»

«E tu mi fai diventare matta» sussurro io. «In tutti i sensi.»

Lui scuote la testa. «Vieni. Andiamo a fare colazione fuori. E conosco un posto dove puoi tagliarti i capelli.»

«Okay» acconsento e, come se niente fosse, la nostra discussione finisce.

«Questo lo prendo io.» Afferro il conto della colazione prima che lo faccia lui.

Mi guarda torvo.

«Devi essere veloce da queste parti, Grey.»

«Hai ragione, devo» ribatte acido, ma penso che stia scherzando.

«Non fare quella faccia. Sono più ricca di ventiquattromila dollari rispetto a stamattina. Me lo posso permettere.» Lancio un'occhiata al conto. «Ventidue dollari e sessantasette centesimi di colazione.»

«Grazie» mi dice a malincuore. Oh, il ragazzino scontroso è tornato.

«Dove andiamo adesso?»

«Vuoi davvero tagliarti i capelli?»

«Sì, guardali.»

«Per me sei adorabile. Come sempre.»

Arrossisco e abbasso lo sguardo sulle dita intrecciate in grembo. «C'è la festa di tuo padre stasera.»

«Me lo ricordo. È in abito da sera.»

"Oh, accidenti." «Dov'è?»

«A casa dei miei genitori. Hanno installato un tendone. Sai com'è.»

«A chi va la beneficenza?»

Christian si sfrega le mani sulle cosce, visibilmente a disagio.

«A un programma di recupero dalla droga per genitori con figli piccoli. Si chiama Affrontiamolo Insieme.»

«Mi sembra una buona causa» dico dolcemente.

«Vieni, andiamo.» Si alza, chiudendo l'argomento, e mi tende la mano. Quando la prendo, lui stringe le dita intorno alle mie.

Che strano. È così espansivo in alcuni casi e così chiuso in altri. Mi porta fuori dal ristorante, e ci avviamo lungo il marciapiede. È una mattinata piacevolmente tiepida. Il sole brilla, l'aria profuma di caffè e di pane appena sfornato.

«Dove stiamo andando?»

«Sorpresa.»

"Ah, okay." In realtà non amo molto le sorprese.

Camminiamo per due isolati, e i negozi diventano decisamente più esclusivi. Non ho ancora avuto la possibilità di esplorare la zona, ma è proprio dietro l'angolo rispetto a dove abito. Kate ne sarà felice: ci sono un sacco di piccole boutique per soddisfare la sua passione per la moda. In realtà, avrei bisogno di comprare qualche gonna ampia per l'ufficio.

Christian si ferma davanti a un grande salone di bellezza dall'aspetto elegante e apre la porta, facendosi da parte per lasciarmi entrare. Si chiama Esclava. L'interno è tutto bianco e pelle. Al bancone della reception, bianco ed essenziale, è seduta una giovane donna bionda con un'uniforme bianca inamidata. Alza gli occhi non appena entriamo.

«Buongiorno, Mr Grey» dice vivace, arrossendo e sbattendo le palpebre. È l'effetto Grey. Conosce Christian! Come mai?

«Ciao, Greta.»

E lui conosce lei. Cosa vuol dire?

«Il solito, signore?» chiede lei gentile. Ha un rossetto rosa acceso.

«No» si affretta a rispondere lui, lanciandomi un'occhiata nervosa.

Il solito? Che significa?

"Ah, sì! È la Regola numero sei, il maledetto salone di bellezza. Tutte quelle idiozie sulla ceretta…"

È qui che porta tutte le sue Sottomesse? Forse anche Leila? Che diavolo dovrei fare?

«Miss Steele ti dirà che cosa vuole.»

Gli lancio un'occhiataccia. Sta applicando le Regole di nascosto. Ho acconsentito al personal trainer... e ora questo?

«Perché qui?» sibilo verso di lui.

«Questo posto è mio, e per di più mi piace.»

«È tuo?» esclamo sorpresa. Be', questo non me l'aspettavo.

«Sì. È un'attività extra. Comunque, qualsiasi cosa tu voglia, qui la puoi fare, offre la casa. Tutti i tipi di massaggio: svedese, shiatsu; pietre calde, riflessologia, bagni di alghe, trattamenti per il viso, tutta quella roba da donna tipo... tutto. Qui lo fanno.» Liquida la questione con un cenno della mano.

«Ceretta?»

Lui ride. «Sì, anche la ceretta. Dappertutto» sussurra con fare cospiratorio.

«Vorrei tagliarmi i capelli, per favore.»

«Certo, Miss Steele.»

Greta è tutta rossetto rosa ed efficienza teutonica mentre controlla il computer.

«Franco è libero tra cinque minuti.»

«Franco è fantastico» mi dice Christian, rassicurante. Sto cercando di farmene una ragione. Christian Grey, amministratore delegato della Grey Enterprises Holdings Inc., possiede una catena di saloni di bellezza.

Gli lancio un'occhiata di sottecchi, e all'improvviso lui sbianca: qualcosa, o qualcuno, ha attirato la sua attenzione. Mi volto per capire dov'è diretto il suo sguardo, e vedo che sul fondo del salone è apparsa un'elegante donna bionda platinata, che chiude una porta dietro di sé e parla con uno dei parrucchieri.

Biondo Platino è alta, abbronzata, bella, e deve avere trenta o quarant'anni. È difficile dirlo. Indossa la stessa uniforme di Greta, ma nera. Ha un'aspetto favoloso. I capelli, tagliati a caschetto, brillano come un'aureola. Quando si gira, vede Christian e gli sorride, un sorriso abbagliante, di affettuoso riconoscimento.

«Scusami» bofonchia Christian in fretta.

Attraversa veloce il salone, oltrepassando i parrucchieri vestiti di bianco e i lavoranti al lavaggio dei capelli, e la raggiunge, troppo distante da me perché possa sentire la loro conversazione. Biondo Platino lo saluta con evidente affetto, baciandolo su entrambe le guance e posandogli le mani sugli avambracci. I due parlano animatamente.

«Miss Steele?»

Greta sta cercando di ottenere la mia attenzione.

«Aspetti un momento, per favore.» Osservo Christian, incantata.

Biondo Platino si volta e mi guarda, e rivolge anche a me il sorriso abbagliante, come se mi conoscesse. Sorrido a mia volta, educatamente.

Christian sembra turbato da qualcosa. Stanno discutendo, e lei annuisce, alza le mani e gli sorride. Lui le sorride di rimando. È chiaro che si conoscono bene. Forse hanno lavorato insieme per tanto tempo? Magari è lei che dirige questo posto. Dopotutto, ha un'aria autorevole.

Poi vengo colpita come da un maglio demolitore e, nel profondo delle mie viscere, so chi è. È lei. "Favolosa, più grande, bellissima."

È Mrs Robinson.

5

«Greta, con chi sta parlando Mr Grey?» La mia testa, con i capelli ritti per l'inquietudine, sta cercando di fuggire dal salone e la vocina interiore mi sta urlando di seguirla. Ciò nonostante, il mio tono suona abbastanza noncurante.

«Oh, quella è Mrs Lincoln. È la proprietaria del salone insieme a Mr Grey.» Greta sembra più che lieta di condividere l'informazione.

«Mrs Lincoln?» Pensavo che Mrs Robinson fosse divorziata. Forse si è risposata con qualche povero fesso.

«Sì. Di solito non viene, ma uno dei nostri parrucchieri è malato oggi, così lei lo sostituisce.»

«Sa come si chiama di nome Mrs Lincoln?»

Greta mi guarda, aggrotta la fronte, e poi fa il broncio con le sue labbra rosa, dubbiosa di fronte alla mia curiosità. "Merda, forse mi sono spinta troppo oltre."

«Elena» risponde, quasi riluttante.

Il mio sesto senso per le disgrazie non mi ha abbandonata, e la cosa mi dà uno strano sollievo.

"Sesto senso per le disgrazie?" La mia vocina interiore è contrariata. "Radar pedofilia."

Christian ed Elena stanno ancora discutendo. Lui le parla concitatamente, e lei sembra preoccupata, annuisce, fa delle smorfie, e scuote la testa. Allungando una mano, gli massaggia il braccio come per confortarlo e si morde il labbro. Annuisce ancora, poi mi guarda e mi fa un sorriso rassicurante.

Io riesco solo a fissarla impassibile. Penso di essere sotto shock. Come ha potuto portarmi qui?

Lei mormora qualcosa a Christian, e lui lancia una rapida occhiata verso di me, quindi si gira e le risponde. Lei annuisce, e credo che gli stia augurando buona fortuna, ma non sono molto brava a leggere il labiale.

Lui torna verso di me, con il volto teso per l'ansia. "Ma bene!" Mrs Robinson torna sul retro, chiudendosi la porta alle spalle.

Christian mi guarda accigliato. «Stai bene?» mi chiede, ma la sua voce è tesa, diffidente.

«Veramente no. Perché non mi hai presentata?» La mia voce è fredda, dura.

Lui rimane a bocca aperta. È come se gli mancasse la terra sotto i piedi.

«Ma io pensavo…»

«Per essere un uomo intelligente, a volte…» Mi mancano le parole. «Vorrei andarmene, per favore.»

«Perché?»

«Lo sai perché.» Alzo gli occhi al cielo.

Lui mi fissa, lo sguardo ardente.

«Mi dispiace, Ana. Non sapevo che lei fosse qui. Non c'è mai. Sta aprendo un nuovo salone al Bravern Center, ed è lì che va di solito. Ma oggi qui c'è qualcuno malato.»

Io mi volto e mi dirigo verso la porta.

«Non avremo bisogno di Franco, Greta» dice Christian mentre usciamo. Devo trattenere l'impulso di mettermi a correre. Vorrei scappare via veloce, lontano. Ho un disperato bisogno di piangere. Devo assolutamente allontanarmi da tutte queste stronzate.

Christian cammina accanto a me in silenzio, mentre io rimugino. Mi stringo le braccia intorno al corpo, come per proteggermi. Tengo la testa bassa, schivando gli alberi della Second Avenue. Saggiamente, non tenta di toccarmi. La mia mente ribolle di domande senza risposta. Confesserà mai, Mr Evasivo?

«Portavi lì le tue Sottomesse?» chiedo a bruciapelo.

«Qualcuna sì» mi risponde piano, il tono pacato.

«Leila?»

«Sì.»

«Il posto sembra nuovo.»

«È stato ristrutturato recentemente.»

«Ah, ecco. Quindi Mrs Robinson ha conosciuto tutte le tue Sottomesse.»

«Sì.»

«E loro sapevano di lei?»

«No. Nessuna di loro. Solo tu.»

«Ma io non sono una tua Sottomessa.»

«No, chiaramente no.»

Mi fermo e lo guardo. Ha gli occhi spalancati, impauriti. Stringe forte le labbra.

«Capisci che gran casino è questo?» Lo fisso, la mia voce è bassa.

«Sì. Mi dispiace.» Quantomeno si degna di sembrare mortificato.

«Voglio tagliarmi i capelli, preferibilmente in un posto dove tu non ti sia scopato lo staff o la clientela.»

Lui sussulta.

«Ora, se vuoi scusarmi…»

«Non stai scappando, vero?» mi chiede.

«No, voglio solo tagliarmi questi dannatissimi capelli. Da qualche parte dove io possa chiudere gli occhi, mentre qualcuno mi lava la testa, e dimenticarmi tutto il fardello che ti porti sempre dietro.»

Lui si passa una mano tra i capelli. «Farò venire Franco nel mio appartamento, o nel tuo» dice, pacato.

«È una donna molto attraente.»

Lui sbatte le palpebre. «Sì, lo è.»

«È ancora sposata?»

«No. Ha divorziato cinque anni fa.»

«Perché non sei con lei?»

«Perché tra noi è finita. Te l'ho detto.» All'improvviso aggrotta la fronte. Alza l'indice, poi estrae il BlackBerry dalla tasca della giacca. Deve avere la modalità vibrazione perché non l'ho sentito suonare.

«Welch!» esclama secco, poi rimane in ascolto. Siamo fermi sulla Second Avenue, e io guardo il giovane larice che ho di fronte, le foglie nuove di un verde brillante.

La gente va e viene intorno a noi, presa dalle faccende del sabato mattina, senza dubbio immersa nei propri drammi personali. Mi domando se includano stalker, ex Sottomesse, stupende ex dominatrici, e un uomo cui manca il concetto di privacy.

«Morto in un incidente d'auto? Quando?» Christian interrompe i miei pensieri.

"Oh, no. Chi?" Ascolto più attentamente.

«È la seconda volta che quel bastardo non è disponibile. Deve saperlo. Non prova proprio nessun sentimento per lei?» Christian scuote la testa disgustato. «Tutto questo inizia ad avere un senso... no... spiega perché, ma non dove.» Si guarda intorno, come per cercare qualcosa, e io mi ritrovo a fare lo stesso. Non c'è nulla che attiri la mia attenzione. Ci sono solo le persone che fanno shopping, il traffico e gli alberi.

«Lei è qui» continua Christian. «Ci sta guardando... sì... no. Due o quattro, ventiquattr'ore su ventiquattro, sette giorni su sette... Non ho ancora affrontato l'argomento.» Christian mi guarda negli occhi.

"Affrontato cosa?" Aggrotto la fronte e lui mi guarda diffidente.

«Cosa...?» sussurra e impallidisce, spalancando gli occhi. «Capisco. Quando?... Così recente? Ma come?... nessuna ricerca sul territorio?... okay. Mandami una mail con il nome, l'indirizzo e le foto, se le hai… ventiquattr'ore su ventiquattro, sette giorni su sette, da oggi pomeriggio. Tieniti in contatto con Taylor.» Christian riaggancia e mette via il telefono.

«Allora?» chiedo esasperata. Me lo dirà?

«Era Welch.»

«Chi è Welch?»

«Il mio consulente per la sicurezza.»

«Ah. E cos'è successo?»

«Leila ha lasciato il marito circa tre mesi fa ed è scappata con un tizio, che è morto in un incidente stradale quattro settimane fa.»

«Oh.»

«Quel coglione di strizzacervelli avrebbe dovuto scoprirlo» dice rabbioso. «Una seccatura, ecco cos'è. Vieni.» Mi tende la mano e io la prendo automaticamente, prima di strapparla via di nuovo.

«Aspetta un attimo. Eravamo nel mezzo di una discussione su di noi. Su di lei, la tua Mrs Robinson.»

Il volto di Christian si indurisce. «Non è la mia Mrs Robinson. Possiamo parlarne nel mio appartamento.»

«Non voglio venire nel tuo appartamento. Voglio tagliarmi i capelli!» grido. Se riuscissi a concentrarmi su questa sola cosa…

Lui estrae di nuovo il BlackBerry dalla tasca e compone un numero. «Greta, Christian Grey. Voglio Franco nel mio appartamento tra un'ora. Chiedi a Mrs Lincoln… Bene.» Rimette via il telefono. «Arriva subito.»

«Christian…!» esclamo, esasperata.

«Anastasia, è chiaro che Leila ha un esaurimento nervoso. Non so se sia a me o a te che sta dietro, o quanto oltre è disposta a spingersi. Adesso andremo a casa tua, e tu prenderai le tue cose. Potrai stare da me finché non l'avremo rintracciata.»

«Perché dovrei voler fare una cosa del genere?»

«Perché così potrò proteggerti.»

«Ma...»

Lui mi guarda severo. «Verrai a stare da me, a costo di trascinartici per i capelli.»

Lo fisso a bocca aperta... È una cosa da non credersi. Cinquanta Sfumature in Splendido Technicolor.

«Penso che tu stia esagerando.»

«No. Possiamo continuare la discussione nel mio appartamento. Vieni.»

Incrocio le braccia sul petto e lo guardo torva. Adesso esagera.

«No» dichiaro testarda. Devo opporre resistenza.

«Puoi camminare, oppure posso caricarti in spalla. Scegli tu, Anastasia.»

«Non oseresti.» Lo fisso corrucciata. Di certo non farà una scenata sulla Second Avenue, no?

Lui mi fa un mezzo sorriso, che però non coinvolge gli occhi.

«Oh, piccola, sappiamo entrambi che se lanci il guanto della sfida, io sarò più che felice di raccoglierlo.»

Ci fissiamo. Poi, all'improvviso, lui si piega, mi afferra all'altezza delle cosce e mi solleva. Prima che me ne renda conto, sono sulla sua spalla.

«Mettimi giù!» grido. Oh, mi fa così bene gridare.

Lui allunga il passo, ignorandomi. Tenendomi ben stretta con una mano, mi sculaccia con l'altra.

«Christian!» urlo. La gente ci fissa. Potrebbe essere più umiliante? «Cammino! Cammino!»

Mi mette giù, e prima che riesca a rialzarsi io corro via in direzione di casa mia, in preda alla rabbia, cercando di ignorarlo. Ovviamente, lui mi raggiunge in un attimo, ma io continuo a ignorarlo. Che cosa devo fare? Sono così arrabbiata, ma non sono neppure sicura della ragione per cui lo sono così tanto. Ce ne sono un'infinità.

Faccio mentalmente l'elenco:

1. Mi ha presa in spalla. Inaccettabile per chiunque abbia più di sei anni.

2. Mi ha portata al salone di bellezza di cui è proprietario insieme alla sua ex amante... Ma quanto può essere stupido?

3. Lo stesso posto dove portava tutte le sue Sottomesse... Stessa stupidità all'opera.

4. Non si è neppure reso conto che era una cattiva idea. E lo si direbbe un ragazzo intelligente!

5. Ha ex fidanzate pazze. Posso biasimarlo per questo? Sono così furiosa. Sì, posso.

6. Conosce il mio numero di conto corrente. Basterebbe la metà di una cosa del genere per gridare allo stalking.

7. Ha comprato la SIP: di certo ha più denaro che buonsenso.

8. Insiste perché stia con lui: la minaccia di Leila dev'essere peggiore di quanto temesse... Non ne aveva parlato ieri.

La consapevolezza si fa strada nella mia mente. Qualcosa è cambiato. Cosa può essere? Mi fermo, e Christian si ferma con me. «Cos'è successo?» chiedo.

Lui aggrotta le sopracciglia. «Cosa intendi?»

«Con Leila.»

«Te l'ho detto.»

«No, non l'hai fatto. C'è qualcos'altro. Ieri non insistevi perché venissi a stare da te. Perciò, cos'è successo?»

Lui si sposta da un piede all'altro, a disagio.

«Christian! Dimmelo!» grido.

«Ieri è riuscita a ottenere il permesso di circolare con un'arma.»

"Oddio." Lo guardo, sbatto le palpebre, e mi sento sbiancare, mentre assimilo quella notizia. Potrei svenire. E se lei volesse ucciderlo? No.

«Significa solo che può comprare una pistola» mormoro.

«Ana» dice lui, la voce preoccupata. Mi mette le mani sulle spalle, attirandomi a sé. «Non penso che farà una sciocchezza, ma... è solo che non voglio correre questo rischio con te.»

«Non con me... E tu?» dico sottovoce.

Lui mi guarda accigliato e io lo stringo in un abbraccio, premendo il viso contro il suo petto. Lui non sembra preoccuparsene.

«Torniamo a casa» mormora, si china e mi dà un bacio sui capelli. Proprio così. Tutta la mia rabbia è sparita, ma non dimenticata. Si è dissolta sotto la minaccia del pericolo che incombe su Christian. Il pensiero è insopportabile.

Preparo una valigia piccola e metto il Mac, il BlackBerry, l'iPad e *Charlie Tango* nello zaino.

«Viene anche *Charlie Tango*?» mi chiede Christian.

Io annuisco e lui mi fa un sorrisetto indulgente.

«Ethan torna giovedì» borbotto.

«Ethan?»

«Il fratello di Kate. Starà qui finché non troverà un altro appartamento a Seattle.»

Christian ha lo sguardo assente, ma noto il gelo insinuarsi nei suoi occhi.

«È un bene che tu venga a stare da me, allora. Così lui avrà più spazio» dice pacatamente.

«Non so se ha le chiavi. Dovrò tornare qui.»

Christian non dice niente.

«È tutto.»

Lui afferra la mia valigia e usciamo. Mentre ci dirigiamo al parcheggio, sul retro del condominio, mi rendo conto che mi sto guardando alle spalle. Non so se è la mia paranoia oppure qualcuno mi sta osservando davvero. Christian apre la portiera del passeggero dell'Audi e mi guarda con l'aria di chi aspetta qualcosa.

«Vuoi entrare?» mi chiede.

«Pensavo che avrei guidato io.»

«No, guido io.»

«C'è qualcosa che non va nella mia guida? Non dirmi che conosci il punteggio del mio esame per la patente... Non mi sorprenderebbe, viste le tue tendenze da stalker.» Forse sa che ho passato lo scritto per il rotto della cuffia.

«Entra in macchina, Anastasia» taglia corto, stizzito.

«Okay.» Mi affretto a salire. "Francamente gelido, no?"

Forse anche lui ha la mia stessa brutta sensazione. Un'oscura sentinella che ci osserva. Be', una pallida brunetta con gli occhi castani, che ti assomiglia in modo inquietante e probabilmente ha una pistola nascosta.

Christian si infila nel traffico.

«Le tue Sottomesse erano tutte castane?»

Lui mi lancia un'occhiata. «Sì» borbotta. Sembra incerto, e io me lo immagino che pensa: "Dove vuole andare a parare ora?".

«Me lo stavo solo domandando.»

«Te l'ho detto. Preferisco le brune.»

«Mrs Robinson non è bruna.»

«Probabilmente è questo il motivo» ringhia. «Mi ha fatto perdere l'interesse per le bionde.»

«Stai scherzando» esclamo.

«Sì, sto scherzando» replica, esasperato.

Io fisso impassibile fuori dal finestrino, scorgendo brune dappertutto. Nessuna di loro è Leila, però.

E così a lui piacciono solo le brune. Mi domando perché. È stata davvero Mrs Straordinariamente-Affascinante-Invece-di-Essere-Vecchia Robinson a fargli rinunciare alle bionde? Scuoto la testa. Christian Rompicapo Grey.

«Parlami di lei.»

«Che cosa vuoi sapere?» Christian aggrotta la fronte. Il suo tono di voce dovrebbe mettermi in guardia.

«Parlami del vostro accordo commerciale.»

Lui si rilassa visibilmente, contento di parlare di lavoro. «Sono un socio accomandante. Non ho un interesse particolare per il business della bellezza, ma lei ne ha fatto un'impresa di successo. Io mi sono limitato a metterci i soldi per aiutarla a iniziare.»

«Perché?»

«Glielo dovevo.»

«Oh!»

«Quando mi sono ritirato da Harvard, lei mi ha prestato centomila dollari per iniziare l'attività.»

"Accidenti… è anche ricca."

«Ti sei ritirato dall'università?»

«Non faceva per me. Ho fatto due anni. Sfortunatamente, i miei genitori non sono stati così comprensivi.»

Mr Grey e la dottoressa Grace Trevelyan che disapprovano, non riesco a immaginarmelo.

«Non mi sembra che tu abbia fatto poi tanto male a lasciare. Che cosa studiavi?»

«Politica ed economia.»

"Mmh… numeri."

«E così lei è ricca?» mormoro.

«Era un'annoiata moglie trofeo, Anastasia. Suo marito era facoltoso, un magnate del legno.» Fa un ghigno crudele. «Non le permetteva di lavorare, la controllava sempre. Alcuni uomini sono così.» Mi lancia un rapido sorriso di traverso.

«Davvero? Un uomo che vuole controllare tutto! È di sicuro una creatura mitologica!» Non potrei essere più sarcastica.

Il ghigno di Christian si fa più ampio.

«Ti ha prestato il denaro di suo marito?»

Lui annuisce e un sorrisetto malizioso gli compare sulle labbra.

«È terribile.»

«Lui si è rifatto» dice Christian cupo, mentre entra nel garage sotterraneo dell'Escala.

"Oh?" «Come?»

Christian scuote la testa, come se il ricordo fosse particolarmente amaro, e parcheggia accanto al SUV Audi. «Vieni. Franco sarà qui a momenti.»

In ascensore Christian mi guarda. «Sei ancora arrabbiata con me?» mi chiede con naturalezza.

«Molto.»

Lui annuisce. «Okay» dice e guarda davanti a sé.

Quando arriviamo nell'atrio, Taylor ci sta aspettando. Come fa a essere sempre nel posto giusto al momento giusto? Mi prende la borsa.

«Welch si è messo in contatto con te?» gli chiede Christian.

«Sì, signore.»

«E?»

«È tutto pronto.»

«Ottimo. Come sta tua figlia?»

«Bene, grazie, signore.»

«Perfetto. Tra poco arriverà un parrucchiere. Franco De Luca.»

«Miss Steele» Taylor mi fa un cenno di saluto con la testa.

«Salve, Taylor. Ha una figlia?»

«Sì, signora.»

«Quanti anni ha?»

«Sette.»

Christian mi guarda impaziente.

«Vive con sua madre» chiarisce Taylor.

«Oh, capisco.»

Taylor mi sorride. Questo non me l'aspettavo. Taylor è padre? Seguo Christian nel salone, incuriosita da quell'informazione.

«Hai fame?»

Scuoto la testa. Christian mi guarda per un attimo e decide di non litigare.

«Devo fare qualche telefonata. Fa' come se fossi a casa tua.»

«Okay.»

Scompare nel suo studio, lasciandomi lì impalata in quella grande galleria d'arte che chiama casa, a domandarmi cosa fare di me stessa.

"Vestiti!" Prendo lo zaino e salgo al piano di sopra, nella mia camera, per dare un'occhiata alla cabina armadio. È sempre piena di vestiti: tutti nuovi di zecca, con il cartellino del prezzo ancora attaccato. Tre vestiti da sera lunghi, tre abiti da cocktail, e tre per tutti i giorni. Il tutto deve essergli costato una fortuna.

Guardo il prezzo di uno degli abiti da sera: 2998 dollari. "Accidenti!" Crollo a sedere sul pavimento.

Questa non sono io. Mi prendo la testa tra le mani e cerco di ragionare sulle ultime ore. È stancante. Perché, oh, perché mi sono innamorata di qualcuno che è evidentemente bellissimo, terribilmente sexy, più ricco di Creso e matto come un cavallo?

Estraggo il BlackBerry dallo zaino e chiamo mia madre.

«Ana, cara! Quanto tempo. Come stai, tesoro?»

«Oh, sai…»

«Cosa c'è che non va? Ancora non funziona con Christian?»

«Mamma, è complicato. Credo che sia pazzo. Questo è il problema.»

«Raccontami. Gli uomini… A volte è impossibile capirli. Bob si sta chiedendo se il nostro trasferimento in Georgia sia stato un bene.»

«Cosa?»

«Sì, parla di tornare a Las Vegas.»

Oh, qualcun altro ha dei problemi. Non sono l'unica.

Christian appare sulla porta. «Eccoti. Pensavo che fossi scappata.» Il suo sollievo è evidente.

Alzo la mano per indicargli che sono al telefono. «Scusa, mamma. Devo andare. Ti richiamo presto.»

«Okay, tesoro. Abbi cura di te. Ti voglio bene!»

«Anch'io ti voglio bene, mamma.»

Riaggancio e guardo Christian. Lui aggrotta la fronte, con l'aria stranamente imbarazzata.

«Perché ti stai nascondendo qui dentro?» mi chiede.

«Non mi sto nascondendo. Mi sto disperando.»

«Disperando?»

«Per tutto questo, Christian.» Con la mano gli indico i vestiti.

«Posso entrare?»

«È la tua cabina armadio.»

Lui aggrotta ancora la fronte e si siede incrociando le gambe, davanti a me.

«Sono solo vestiti. Se non ti piacciono, li riporterò indietro.»

«Sei un peso considerevole da sopportare, lo sai?»

Lui si gratta il mento... Il suo mento ispido. Le mie dita smaniano di poterlo toccare.

«Lo so. Sono insopportabile» bofonchia.

«Sì, davvero.»

«Come te, Miss Steele.»

«Perché fai tutto questo?»

Il suo sguardo si fa diffidente. «Lo sai il perché.»

«No, non lo so.»

Lui si passa una mano tra i capelli. «Sei una donna frustrante.»

«Potresti avere una bella bruna Sottomessa. Una che dice: "Quanto in alto?" ogni volta che tu le chiedi di saltare, sempre, ovviamente, che abbia il permesso di parlare. Allora perché io, Christian? Non riesco a capire.»

Lui mi guarda per un momento, e io non ho idea di cosa gli passi per la testa.

«Mi hai fatto vedere il mondo in modo diverso, Anastasia. Tu non mi vuoi per i miei soldi. Tu mi hai dato... speranza» mi dice piano.

Cosa? Mr Criptico è tornato. «Speranza per cosa?»

Lui si stringe nelle spalle. «Di più.» La sua voce è bassa e tranquilla. «E hai ragione: sono abituato al fatto che le donne facciano esattamente quello che dico e quando lo dico, e facciano sempre quello che voglio. Si invecchia in fretta. C'è qualcosa in te, Anastasia, che mi attrae a un livello profondo, che non riesco a capire. È il canto di una sirena. Non posso resisterti, e non voglio perderti.» Mi prende la mano. «Non scappare, ti prego. Abbi un po' di fiducia in me e un po' di pazienza. Per favore.»

Sembra così vulnerabile… "È inquietante." Mi metto in ginocchio e mi protendo per baciarlo dolcemente sulle labbra.

«Okay. Fiducia e pazienza, posso sopportarlo.»

«Bene. Perché Franco è qui.»

Franco è piccolo, scuro e gay. Lo adoro dal primo istante.

«Che magnifici capelli!» esclama in un bizzarro, e probabilmente falso, accento italiano. Scommetto che è di Baltimora o giù di lì, ma il suo entusiasmo è contagioso. Christian ci guida verso il bagno, esce in fretta e ritorna con una sedia.

«Ora vi lascio» mormora.

«Grazie, Mr Grey.» Franco si volta verso di me. «Bene, Anastasia, cosa possiamo fare per te?»

Christian è seduto sul divano, a spulciare quelli che sembrano fogli di calcolo. Musica classica, dolce e melodiosa, si diffonde nel salone. Una donna canta appassionatamente, mettendo l'anima nella canzone. Toglie il fiato. Christian alza gli occhi e sorride, distraendomi dall'ascolto.

«Vedi? Te lo dicevo, gli piace» dice Franco, entusiasta.

«Sei adorabile, Ana» dice Christian, con l'aria di apprezzare.

«Il mio lavoro è finito» esclama Franco.

Christian si alza e viene verso di noi. «Grazie, Franco.»

Franco si gira, mi afferra e mi stringe in un abbraccio travolgente, baciandomi su entrambe le guance. «Non lasciare mai che nessun altro ti tagli i capelli, bellissima Ana!»

Rido, leggermente imbarazzata per la familiarità dei suoi modi. Christian lo accompagna nell'atrio, alla porta, e ritorna qualche momento dopo.

«Sono contento che tu li abbia tenuti lunghi» dice camminando verso di me, gli occhi luminosi. Prende una cioc-ca tra le dita.

«Sono così morbidi» mormora, guardandomi. «Sei anco-ra arrabbiata con me?»

Io annuisco e lui sorride.

«Per quale motivo di preciso sei arrabbiata con me?»

Alzo gli occhi al soffitto. «Vuoi l'elenco?»

«C'è un elenco?»

«Un lungo elenco.»

«Ne possiamo discutere a letto?»

«No.» Gli faccio il broncio come una bambina.

«A pranzo, allora. Sono affamato, e non solo di cibo.» Mi rivolge un sorriso lascivo.

«Non mi lascerò abbindolare dalle tue abilità sessuali.»

Lui trattiene un sorriso. «Che cosa ti dà fastidio nello spe-cifico, Miss Steele? Sputa il rospo.»

"Okay."

«Cosa mi dà fastidio? Be', la tua clamorosa invasione della mia privacy e il fatto che mi porti nel salone di bel-lezza dove lavora la tua ex padrona e dove portavi tutte le tue amanti per farsi fare la ceretta; inoltre mi hai maltratta-ta per la strada, come se avessi sei anni. E, soprattutto, hai lasciato che la tua Mrs Robinson ti toccasse!» La mia voce sale in un crescendo.

Lui inarca le sopracciglia, e il suo buonumore svanisce.

«È un bell'elenco. Ma, giusto per chiarire un punto: lei non è la mia Mrs Robinson.»

«Può toccarti» ripeto.

Lui fa una smorfia. «Sa dove farlo.»

«Che cosa significa?»

Lui si passa entrambe le mani tra i capelli e chiude gli occhi un istante, come se cercasse una sorta di aiuto divi-no. Deglutisce.

«Tu e io non abbiamo regole. Non ho mai avuto una rela-zione senza regole, e non so mai dove mi toccherai. Mi rende nervoso. Il tuo tocco completamente…» Si ferma, cercando le parole. «È solo che significa di più… così tanto di più.»

"Di più?" La sua risposta, completamente inaspettata, mi stende, e ci sono di nuovo quelle parole, semplici ma ricche di significato, sospese tra noi.

Il mio tocco significa… di più. "Accidenti." Come posso resistergli quando parla così? I suoi occhi grigi cercano i miei, mi scrutano in apprensione.

Esitante, allungo un braccio e l'apprensione diventa allarme. Christian si tira indietro e io lascio cadere il braccio.

«Limiti assoluti» sussurra in fretta, lo sguardo dolente e allarmato.

Non posso fare a meno di provare una forte delusione. «Come ti sentiresti se non potessi toccarmi?»

«Devastato e defraudato» risponde senza esitazione.

"Oh, il mio Mr Cinquanta Sfumature." Scuoto la testa e gli offro un piccolo sorriso rassicurante. Lui si rilassa.

«Un giorno devi dirmi esattamente perché c'è questo limite assoluto, per favore.»

«Un giorno» dice piano e sembra liberarsi della propria vulnerabilità in una frazione di secondo.

Come può cambiare così repentinamente? È la persona più volubile che conosca.

«Allora, il resto del tuo elenco. Invasione della privacy…» Le sue labbra si incurvano mentre ci riflette. «Perché conosco il tuo numero di conto corrente?»

«Sì, è inammissibile.»

«Faccio ricerche sulla vita privata di tutte le mie Sottomesse. Ti farò vedere.» Si gira e va verso il suo studio.

Io lo seguo diligente, sbalordita. Da uno schedario estrae una cartelletta. Stampato sull'etichetta c'è: ANASTASIA ROSE STEELE.

"Porca miseria." Lo fisso torva.

Lui si stringe nelle spalle, come per scusarsi. «Puoi tenerla» dice piano.

«Be', accidenti, grazie» replico seccamente. Do una scorsa al contenuto. Ci sono una copia del mio certificato di nascita, oddio, i miei limiti assoluti, il mio accordo di riservatezza, il contratto – accidenti – il mio numero di previdenza sociale, il curriculum, le esperienze di lavoro.

«Perciò sapevi che lavoravo da Clayton?»

«Sì.»

«Non è stata una coincidenza. Non sei capitato lì per caso, vero?»

«No.»

Non so se essere arrabbiata o lusingata.

«Questa è una stronzata. Lo sai, vero?»

«Io non la vedo in questo modo. Con quello che faccio, devo essere cauto.»

«Ma queste sono cose private.»

«Non faccio mai un uso improprio delle informazioni. Sono dati che tutti possono ottenere se si applicano un po', Anastasia. Per avere il controllo, ho bisogno di informazioni. È così che ho sempre fatto.» Mi guarda, la sua espressione è cauta e imperscrutabile.

«Tu fai un uso improprio delle informazioni. Hai depositato ventiquattromila dollari che non volevo sul mio conto.»

La sua bocca si stringe in una linea dura. «Te l'ho detto. È quanto Taylor ha ricavato dalla tua macchina. È incredibile, lo so, ma è così.»

«Ma l'Audi...»

«Anastasia, hai idea di quanti soldi guadagno?»

Arrossisco. Ovviamente no. «Perché dovrei? Non ho bisogno di sapere il saldo del tuo conto corrente, Christian.»

Il suo sguardo si addolcisce. «Lo so. È una delle cose che amo di te.»

Io lo guardo scioccata. "Che ama di me?"

«Anastasia, io guadagno circa centomila dollari all'ora.»

Rimango a bocca aperta. È una quantità mostruosa di soldi.

«Ventiquattromila dollari non sono niente. La macchina,

i volumi di *Tess dei d'Urberville*, i vestiti, non sono niente.»
La sua voce è vellutata.

Lo guardo. Lui davvero non capisce. Straordinario.

«Se fossi in me, come ti sentiresti di fronte a tutta questa munificenza che ti viene imposta?» gli domando.

Lui mi rivolge uno sguardo vacuo, ed ecco il suo problema in una parola: empatia, o la mancanza di essa. Silenzio tra noi.

Alla fine lui scrolla le spalle. «Non lo so» dice, e sembra genuinamente divertito.

Il mio cuore si gonfia. Ci siamo. Qui sta il punto cruciale delle sue Cinquanta Sfumature. Non riesce a mettersi nei miei panni. Bene, ora lo so.

«Non mi fa sentire bene. Voglio dire, tu sei molto generoso, ma mi fai sentire a disagio. Te l'ho già detto.»

Lui sospira. «Io voglio darti il mondo, Anastasia.»

«Io voglio solo te, Christian. Non mi interessano gli accessori.»

«Sono inclusi nel pacchetto. Fanno parte di quello che sono.»

"Oh, qui non se ne esce."

«Possiamo mangiare?» chiedo. La tensione tra noi è sfibrante.

Lui si acciglia. «Certo.»

«Cucino io.»

«Bene. Altrimenti c'è del cibo nel frigo.»

«Mrs Jones non viene nel weekend? Perciò tu mangi soprattutto cose fredde nel fine settimana?»

«No.»

«Non capisco.»

Lui sospira. «Le mie Sottomesse cucinano, Anastasia.»

«Ah, già.» Arrossisco. Come posso essere così stupida? Gli sorrido dolcemente. «Cosa gradisce mangiare, signore?»

Lui mi fa un sorrisetto. «Qualunque cosa la signora riesca a trovare» dice cupamente.

Ispeziono l'impressionante contenuto del frigo, e decido per un'omelette alla spagnola. Ci sono anche delle patate fredde. Perfetto. È veloce e facile. Christian è ancora nel suo studio, senza dubbio a invadere la privacy di qualche ignaro poveraccio per compilarne il dossier. Il pensiero è spiacevole e mi lascia l'amaro in bocca. Non so cosa pensare. Davvero non conosce limiti.

Ho bisogno di un po' di musica, se devo cucinare, e cucinerò in modo non sottomesso! Vado verso il camino dove si trova l'iPod di Christian e lo prendo. Scommetto che contiene molte canzoni scelte da Leila. La sola idea mi terrorizza.

"Lei dov'è?" mi domando. "Che cosa vuole?"

Rabbrividisco. Che brutta storia! Non riesco a capacitarmene.

Faccio scorrere la lunga lista. Voglio qualcosa di positivo. "Mmh... Beyoncé. Non mi sembra che rientri nei gusti di Christian. *Crazy in Love*. Oh, sì! Molto adatta." Schiaccio il pulsante per riprodurre il brano e alzo il volume.

Torno in cucina ancheggiando, tiro fuori una terrina, apro il frigo e prendo le uova. Le rompo e inizio a sbatterle con il frullino, mentre ballo.

Con una nuova incursione nel frigo, prendo patate, prosciutto, e... sì!, piselli dal freezer. Fa tutto al caso mio. Sistemo una padella sul fornello, ci verso dentro un po' di olio d'oliva e riprendo a sbattere le uova.

"Nessuna empatia" rifletto. Vale solo per Christian? Forse tutti gli uomini sono così, sconcertati dalle donne. Non lo so. Forse non è poi una grande rivelazione.

Vorrei che Kate fosse qui. Lei lo saprebbe. È stata fin troppo a Barbados. Dovrebbe tornare a casa alla fine della settimana, dopo l'ulteriore vacanza con Elliot. Mi domando se sia ancora libidine a prima vista tra loro.

"Una delle cose che amo di te."

Smetto di sbattere le uova. L'ha detto. Significa che ci sono altre cose? Sorrido per la prima volta da quando ho visto Mrs Robinson: un sorriso sincero, sentito, totale.

Christian mi avvolge tra le sue braccia, facendomi sussultare.

«Interessante scelta musicale» mi sussurra dietro l'orecchio, come un gatto che fa le fusa. «Sai di buono.» Strofina il naso contro i miei capelli, inspirando a fondo.

Il desiderio si irradia nel mio ventre. "No." Mi libero dal suo abbraccio.

«Sono ancora arrabbiata con te.»

Lui aggrotta la fronte. «Per quanto tempo hai intenzione di continuare?» mi chiede, passandosi una mano tra i capelli.

Mi stringo nelle spalle. «Almeno finché avremo mangiato.»

Increspa le labbra, divertito. Voltandosi, prende il telecomando dal bancone e spegne la musica.

«Hai messo tu quella canzone sul tuo iPod?» chiedo.

Lui scuote la testa, la sua espressione si rabbuia, e so che è stata lei. La Ragazza Fantasma.

«Non credi che stesse cercando di dirti qualcosa?»

«Be', con il senno di poi, probabilmente sì» risponde calmo.

Come volevasi dimostrare. Niente empatia.

«Perché è ancora nell'iPod?»

«È una canzone che mi piace abbastanza. Ma se ti infastidisce la tolgo.»

«No, va bene. Mi piace ascoltare musica quando cucino.»

«Che cosa ti piacerebbe ascoltare?»

«Sorprendimi.»

Lui si dirige verso l'iPod, mentre io torno al frullino.

Qualche momento dopo la voce morbida e appassionata di Nina Simone riempie la stanza. È una delle preferite di Ray: *I Put a Spell on You*.

Avvampo e mi volto per guardare Christian. Cosa sta cercando di dirmi? Mi ha stregata molto tempo fa. Oddio... il suo sguardo è cambiato, la leggerezza se n'è andata, i suoi occhi sono più cupi, intensi.

Lo guardo ammaliata mentre lentamente, come il predatore che è in lui, viene verso di me al ritmo voluttuoso della musica. È scalzo, indossa una camicia bianca aperta, i jeans e il suo sguardo è ardente.

Nina canta "Sei mio" quando Christian mi raggiunge: le sue intenzioni sono chiare.

«Christian, per favore» sussurro, il frullino è di troppo nelle mie mani.

«Per favore cosa?»

«Non farlo.»

«Fare cosa?»

«Questo.»

Mi sta di fronte e mi guarda.

«Sei sicura?» mormora, poi si china e mi toglie il frullino di mano, mettendolo nella ciotola con le uova. Ho il cuore in gola. Non voglio questo… sì, lo voglio… disperatamente. Lui è così irritante, così sensuale e desiderabile. Distolgo lo sguardo dai suoi occhi ammaliatori.

«Ti voglio, Anastasia» mormora. «Amo e odio, e amo discutere con te. È una cosa del tutto nuova. Ho bisogno di sapere che stiamo bene. È il solo modo che conosco.»

«I miei sentimenti per te non sono cambiati» sussurro.

La sua vicinanza è travolgente, inebriante. La familiare attrazione è lì, tutte le mie sinapsi mi spingono verso di lui, la mia dea interiore è al massimo della libidine. Fisso il ciuffo di peli che sporge dalla sua camicia aperta, mi mordo il labbro, impotente, trascinata dal desiderio. Voglio assaggiarlo in quel punto.

Lui è così vicino, ma non mi tocca. Il suo calore mi riscalda la pelle.

«Non ti toccherò finché non mi dirai di sì» dice piano. «Ma ora come ora, dopo una mattinata davvero schifosa, vorrei soltanto sprofondare dentro di te e dimenticare tutto a parte noi.»

"Oddio... Noi." Una combinazione magica, un pronome piccolo ma potente che conclude l'affare. Alzo la testa per fissare il suo volto bellissimo ma serio.

«Ti toccherò la faccia» sussurro, e vedo la sorpresa riflettersi per un attimo nel suo sguardo, prima che lui approvi.

Alzo la mano, gli accarezzo la guancia, faccio scorrere le dita sui peli del mento. Lui chiude gli occhi e sospira, appoggiando il viso al mio palmo.

Lentamente, si china, e le mie labbra automaticamente si sollevano per incontrare le sue. È sopra di me.

«Sì o no, Anastasia?» sussurra.

«Sì.»

La sua bocca si chiude dolcemente sulla mia, blandendola, inducendo le labbra ad aprirsi mentre le sue braccia mi stringono, attirandomi verso di lui. Una mano mi accarezza, le sue dita si immergono nei capelli e li tirano gentilmente sulla nuca, mentre l'altra è aperta sulla mia schiena e mi spinge contro di lui. Gemo sommessamente.

«Mr Grey.» Taylor fa un paio di colpi di tosse, e Christian mi lascia immediatamente.

«Taylor» dice, la sua voce è gelida.

Io mi giro e vedo un Taylor a disagio, sulla soglia del salone. Lui e Christian si guardano, una comunicazione silenziosa passa tra loro.

«Nel mio studio» ordina Christian, secco, e Taylor attraversa la stanza a passo svelto.

«Lo spettacolo è solo rimandato» mormora Christian verso di me prima di seguire Taylor fuori.

Io faccio un respiro profondo, per riprendere l'equilibrio. Non posso resistergli nemmeno un minuto? Scuoto la testa, disgustata di me stessa, e grata a Taylor per l'interruzione, nonostante l'imbarazzo.

Mi domando che cosa quell'uomo abbia dovuto interrompere in passato. Cos'ha visto? Non voglio pensarci. Pranzo. Preparerò il pranzo. Mi tengo occupata tagliando le patate. Che cosa voleva Taylor? La mia mente gira a vuoto. Che si tratti di Leila?

Dieci minuti più tardi, loro due riemergono, l'omelette è pronta. Christian sembra preoccupato, quando mi guarda.

«Darò loro istruzioni tra dieci minuti» dice a Taylor.

«Saremo pronti» replica lui uscendo dal salone.

Io prendo due piatti riscaldati e li poso sul bancone della cucina.

«Mangi?»

«Sì, grazie» dice lui, mentre si siede su uno degli sgabelli. Adesso mi osserva con attenzione.

«Problemi?»

«No.»

Lo guardo torva. C'è qualcosa che non mi sta dicendo. Porto in tavola il pranzo e mi siedo accanto a lui, rassegnata a rimanere all'oscuro.

«È buona» mormora Christian con apprezzamento, dopo aver assaggiato un boccone di omelette. «Ti va un bicchiere di vino?»

«No, grazie.» "Ho bisogno di rimanere lucida, quando sei nei paraggi, Grey."

Il cibo è appetitoso, anche se non ho molta fame. Tuttavia mangio, sapendo che Christian mi darebbe il tormento se non lo facessi. A un tratto, è lui a interrompere il nostro silenzio carico di pensieri, facendo partire un brano classico sull'iPod.

«Cos'è?» chiedo.

«Canteloube. *Chants d'Auvergne*. Questa si chiama *Bailero*.»

«È bella. In che lingua è?»

«Francese antico. Occitano, per essere precisi.»

«Tu parli francese, lo capisci?» Mi ritorna in mente quando l'ho sentito parlare in un fluente francese alla cena con i suoi genitori...

«Qualche parola, sì.» Christian sorride, visibilmente rilassato. «Mia madre aveva delle fisse: strumenti musicali, lingue straniere, arti marziali. Elliot parla spagnolo. Mia e io francese. Elliot suona la chitarra, io il pianoforte e Mia il violoncello.»

«Wow. E le arti marziali?»

«Elliot fa judo. Mia si è impuntata quando aveva dodici anni e si è rifiutata.» Fa un sorrisetto nel ricordare.

«Magari mia madre fosse stata così organizzata.»

«La dottoressa Grace è formidabile quando si tratta dei talenti dei suoi figli.»

«Deve essere molto orgogliosa di te. Io lo sarei.»

Un'ombra passa sul viso di Christian, e per un momento mi sembra a disagio. Mi guarda circospetto, come se si trovasse su un terreno inesplorato.

«Hai deciso cosa ti metterai stasera? O devo scegliere qualcosa per te?» Il suo tono è diventato improvvisamente brusco.

Sembra arrabbiato. "Perché? Che cos'ho detto?"

«Uhm... non ancora. Hai scelto tu tutti quei vestiti?»

«No, Anastasia. Non li ho scelti io. Ho dato una lista e la tua taglia a una personal shopper di Neiman Marcus. Ti andranno bene. A titolo informativo, ho chiesto di potenziare il servizio di sicurezza per stasera e i prossimi giorni. Con Leila imprevedibile e introvabile per le strade di Seattle, credo che sia una precauzione saggia. Non voglio che tu esca senza scorta, okay?»

Sbatto le palpebre. «Okay.» Cos'è successo a Devo-Averti-Ora Grey?

«Bene. Vado a dare istruzioni agli uomini della sicurezza. Non dovrei metterci molto.»

«Sono qui?»

«Sì.»

"Dove?"

Christian mette il suo piatto nel lavello e scompare. Che

cosa significa tutto questo? È come se ci fossero diverse persone dentro di lui. Non è un sintomo di schizofrenia? Devo cercare su Google.

Finisco quello che ho nel piatto, lavo tutto velocemente, e vado nella mia stanza portando con me il dossier Anastasia Rose Steele. Tiro fuori dalla cabina armadio i tre vestiti da sera lunghi. E adesso quale scelgo?

Sdraiata sul letto, osservo il Mac, l'iPad e il BlackBerry. Sono travolta dalla tecnologia. Mi accingo a trasferire la playlist di Christian dall'iPad al Mac, poi apro Google per navigare un po'.

Sono ancora sdraiata sul letto con il Mac davanti a me, quando Christian entra.

«Che cosa stai facendo?» si informa dolcemente.

Nel panico per un attimo, mi domando se dovrei lasciargli vedere il sito su cui mi trovo. "Disturbo della personalità multipla: i sintomi."

Lui si stende di fianco a me e osserva la pagina web, divertito.

«Sei su questo sito per una ragione particolare?» mi domanda con nonchalance.

Il Christian brusco se n'è andato e il Christian giocoso è tornato. Come diavolo faccio a stargli dietro?

«Ricerche. Su una personalità difficile.» Gli rivolgo il mio sguardo più impassibile.

Le sue labbra si piegano in un sorriso trattenuto. «Una personalità difficile?»

«È il mio pallino.»

«Io sono un pallino, adesso? Un'attività extra. Un esperimento scientifico, forse. E io che pensavo di essere tutto. Miss Steele, tu mi ferisci.»

«Come sai che sei tu?»

«Intuito.»

«È vero che sei l'unico uomo incasinato, lunatico, maniaco del controllo che conosca intimamente.»

«Pensavo di essere l'unica persona che conoscevi intimamente.»

Arrossisco. «Sì. Anche quello.»

«Sei già arrivata a qualche conclusione?»

Mi volto e lo guardo. È sdraiato sul fianco, vicino a me, con la testa appoggiata al gomito, l'espressione dolce, divertita.

«Credo che tu abbia bisogno di un'intensa terapia.»

Alza una mano e mi sposta delicatamente i capelli dietro le orecchie.

«Io penso di avere bisogno di te. Qui.» Mi passa un rossetto.

Aggrotto la fronte, perplessa. È di un rosso da donnaccia, per niente adatto a me.

«Vuoi che mi metta questo?» squittisco.

Lui ride. «No, Anastasia, a meno che tu non lo voglia. Non sono sicuro che sia il tuo colore» dice seccamente.

Si tira su a sedere, mettendosi a gambe incrociate, e si sfila la camicia dalla testa. "Oddio." «Mi piace la tua idea della mappa.»

Lo fisso perplessa. Mappa?

«Le zone off-limits» mi dice a mo' di spiegazione.

«Oh. Stavo scherzando.»

«Io no.»

«Vuoi che disegni su di te con il rossetto?»

«Si lava. Dopo.»

Questo significa che posso toccarlo liberamente. Un piccolo sorriso meravigliato mi aleggia sulle labbra.

«Che ne dici di usare qualcosa di più permanente come un pennarello indelebile?»

«Potrei farmi un tatuaggio.» I suoi occhi luccicano divertiti.

Christian Grey con un tatuaggio? Rovinare il suo meraviglioso corpo, quando è già così tanto segnato? Non sia mai!

«No, il tatuaggio no!» Rido per nascondere l'orrore.

«Rossetto, dunque.» Sogghigna.

Chiudo il Mac e lo metto da parte. La cosa può essere divertente.

«Vieni.» Mi porge la mano. «Siediti su di me.»

Scalcio via le ballerine, mi tiro su a sedere e gattono su di lui. Christian si è sdraiato sul letto, ma con le ginocchia piegate.

«Appoggiati alle mie gambe.»

Mi arrampico su di lui e mi siedo a cavalcioni come mi ha detto. Ha gli occhi spalancati e circospetti. Ma è anche divertito.

«Mi sembri… entusiasta della cosa» commenta sarcastico.

«Sono sempre avida di informazioni, Mr Grey. Ciò significa che ti rilasserai, perché io saprò fin dove spingermi.»

Lui scuote la testa, come se quasi non potesse credere che sta per permettermi di disegnare su tutto il suo corpo.

«Apri il rossetto» mi ordina.

Oh, è entrato in modalità iperautoritaria, ma non me ne preoccupo.

«Dammi la mano.»

Gli do l'altra.

«Quella con il rossetto.» Alza gli occhi al cielo.

«Stai alzando gli occhi al cielo con me?»

«Sì.»

«Sei molto scortese, Mr Grey. Conosco alcune persone che diventano violente di fronte a un'alzata di occhi al cielo.»

«Davvero?» Il suo tono è ironico.

Gli do la mano con il rossetto, e improvvisamente lui si tira su, per cui ci troviamo faccia a faccia.

«Pronta?» mi chiede in un sussurro basso e dolce, che mi fa fremere tutta. "Wow."

«Sì» mormoro. La sua vicinanza è sensuale, i suoi muscoli scolpiti, il suo caratteristico profumo mescolato all'odore del mio corpo. Guida la mia mano sulla curva della sua spalla.

«Premi» sussurra, e la bocca mi si inaridisce mentre lui guida giù la mia mano, dalla sommità della spalla, intorno all'incavo del braccio, poi giù, lungo il fianco. Il rossetto lascia una scia larga, di un colore rosso scuro. Si ferma sotto la cassa toracica, poi mi dirige verso lo stomaco. Si tende e mi fissa impassibile negli occhi, ma dietro c'è il suo sguardo cauto e perplesso; vedo il suo riserbo.

Tiene a freno il suo disgusto, la linea della mascella è dura, e c'è tensione intorno ai suoi occhi. A metà dello stomaco mormora: «Lo stesso dall'altra parte». Mi lascia la mano.

Copio la linea che ho tracciato sul lato sinistro. La fiducia che lui mi sta dando è inebriante, ma la sensazione è mitigata dal fatto che posso contare il suo dolore. Sette piccole cicatrici, rotonde e bianche, gli punteggiano il petto, ed è un inferno profondo e scuro vedere questa orrenda, malvagia profanazione del suo bellissimo corpo. Chi mai farebbe una cosa simile a un bambino?

«Ecco fatto» sussurro, contenendo l'emozione.

«No, non è finito» ribatte lui e traccia con l'indice una linea intorno alla base del collo. Seguo il percorso del suo dito con il rossetto. Quando ho finito, guardo le grigie profondità dei suoi occhi.

«Ora la schiena» mormora. Scendo da lui, per consentirgli di muoversi. Si gira sul letto, a gambe incrociate, dandomi le spalle.

«Riprendi la linea tracciata davanti, tutt'intorno dall'altra parte.» La sua voce è bassa e roca.

Faccio come mi dice e, mentre traccio una linea rossa che gli corre attraverso la schiena, conto altre cicatrici che gli deturpano il corpo. Nove in tutto.

Devo combattere il desiderio travolgente di baciargliele a una a una, e respingere le lacrime che mi salgono agli occhi. Che razza di animale può fare questo? Lui tiene la testa piegata, il corpo teso mentre io completo il percorso intorno alla sua schiena.

«Anche intorno al collo?» sussurro.

Lui annuisce, e io traccio la linea unendola a quella davanti, sotto i capelli.

«Finito» mormoro. Adesso è come se lui indossasse una bizzarra vestaglia color pelle, con le cuciture rosso vivo.

Le sue spalle si afflosciano mentre si rilassa, poi si gira lentamente, e mi guarda.

«Questi sono i confini» dice pacato, i suoi occhi sono scuri, le pupille dilatate... dalla paura? Dal desiderio? Vorrei gettarmi contro di lui, ma mi trattengo e lo fisso, in attesa.

«Posso farcela. Proprio ora vorrei lanciarmi su di te» sussurro.

Lui mi sorride malizioso e mi tende le mani, in un gesto di consenso.

«Bene, Miss Steele, sono tutto tuo.»

Con un gridolino di infantile entusiasmo mi catapulto tra le sue braccia, mandandolo lungo disteso. Lui si contorce, facendo una risata fanciullesca, piena di sollievo per aver superato quella prova difficile. Non si sa come, finisco sotto di lui sul letto.

«Ora, riguardo a quello spettacolo rimandato...» mormora e la sua bocca reclama la mia.

6

Stringo forte i suoi capelli tra le mani, mentre premo febbrilmente la bocca sulla sua, consumandolo e gustando la sensazione della sua lingua contro la mia. Lui fa lo stesso, divorandomi. È divino.

All'improvviso mi tira su e prende l'orlo della mia maglietta, sfilandomela dalla testa e gettandola sul pavimento.

«Voglio sentirti» dice avidamente contro la mia bocca mentre le sue mani mi slacciano il reggiseno. Con un movimento fluido me lo toglie e lo lancia via.

Mi fa sdraiare sul letto, premendomi contro il materasso, la sua bocca e la sua mano si muovono sui miei seni. Le mie dita si intrecciano ai suoi capelli, poi lui mi prende un capezzolo tra i denti e tira forte.

Io grido mentre la sensazione mi trapassa il corpo, punge e tende tutti i muscoli intorno all'inguine.

«Sì, piccola, fatti sentire» mormora contro la mia pelle ardente.

Oddio, lo voglio dentro di me, ora. Gioca con il mio capezzolo, tirandolo con la bocca, facendomi contorcere, dimenare e smaniare per lui. Sento il suo desiderio misto a... cosa? Venerazione. È come se mi stesse adorando.

Mi solletica con le dita, il mio capezzolo si indurisce e si appuntisce sotto il suo tocco esperto. Poi si sposta sui miei jeans, e abilmente li sbottona, tira giù la cerniera, e infila la mano nelle mutandine, facendola scivolare proprio *lì*.

Il fiato gli si accorcia mentre le sue dita entrano. Spingo il bacino verso l'alto, contro il palmo della sua mano, e lui risponde sfregandolo su di me.

«Oh, piccola» sospira, guardandomi intensamente negli occhi. «Sei così bagnata.» La sua voce è piena di desiderio.

«Ti voglio» mormoro.

La sua bocca si unisce di nuovo alla mia, e sento la sua fame disperata, il suo bisogno di me.

Questa è una novità. Non è mai stato così, eccetto forse quando sono tornata dalla Georgia, e le sue parole di poco prima mi riportano alla deriva. "Ho bisogno di sapere che stiamo bene. È il solo modo che conosco."

Il pensiero si svela dentro di me. Sapere che ho un tale effetto su di lui, che posso offrirgli così tanto conforto... Si tira su a sedere, afferra l'orlo dei miei jeans e me li toglie. Poi sfila anche le mutandine.

Tenendo gli occhi fissi su di me, si alza, prende un preservativo dalla tasca, e me lo tira, quindi si toglie i jeans e i boxer in un unico movimento.

Apro la bustina con impazienza, e quando lui si sdraia di nuovo accanto a me, srotolo lentamente il preservativo sulla sua erezione. Christian mi afferra entrambe le mani.

«Tu. Sopra» ordina tirandomi a cavalcioni sopra di sé. «Voglio vederti.»

"Oh."

Mi guida e io, esitante, mi metto comoda su di lui. Chiude gli occhi e solleva il bacino per venirmi incontro, riempiendomi, mentre espira, disegnando una perfetta O con le labbra.

Oh, è così bello. Possederlo. Lasciarmi possedere.

Mi tiene le mani, e io non so se è per non farmi scivolare o per evitare che lo tocchi, anche se ho la mia mappa.

«Sto così bene con te» mormora.

Mi sollevo, inebriata dal potere che ho su Christian Grey, mentre lo guardo perdere lentamente il controllo sotto di me. Mi lascia le mani e mi afferra i fianchi, e io mi appoggio alle sue braccia. Poi si spinge con forza dentro di me, facendomi gridare.

«Va bene, piccola, sentimi» dice, con la voce tesa.

Reclino la testa all'indietro e mi muovo, in perfetta sintonia con il suo ritmo, indifferente a tutti i pensieri e tutte le ragioni. Sono persa in questo vuoto di piacere. "Su e giù... ancora... Oh, sì..." Lo guardo, ho il fiato corto. Lui mi sta osservando, lo sguardo ardente.

«Sei mia, Ana» dice muovendo appena la bocca.

«Sì» ansimo. «Per sempre.»

Lui geme forte, chiudendo gli occhi, reclinando la testa. "Oddio..." Vedere Christian perdere il controllo è sufficiente per decidere la mia sorte. Vengo gridando, estenuata, mentre diminuisco la velocità e crollo su di lui.

«Oh, piccola» sussurra mentre raggiunge l'orgasmo, tenendomi stretta e lasciandosi andare.

Ho la testa posata sul suo petto, nella zona off-limits. Ansimo, tutta rossa in faccia, e resisto al bisogno di baciarlo.

Rimango distesa su di lui, trattenendo il fiato. Mi liscia i capelli e fa scorrere una mano sulla mia schiena, accarezzandomi mentre il suo respiro si calma.

«Sei bellissima.»

Alzo la testa e lo guardo con aria scettica. Lui aggrotta la fronte in risposta e si tira su a sedere, veloce, cogliendomi di sorpresa, le braccia che si avvolgono intorno a me per tenermi ferma. Io mi aggrappo ai suoi bicipiti. Siamo uno di fronte all'altra.

«Tu. Sei. Bellissima» ripete.

«E tu sei sorprendentemente dolce, a volte.» Lo bacio delicatamente.

Lui mi solleva ed esce da me. Io sussulto, mentre lo fa.

«Non hai idea di quanto sei attraente, vero?»

Arrossisco. Perché insiste su questo argomento?

«Tutti quei ragazzi che ti vengono dietro. Non è un indizio abbastanza chiaro?»

«Ragazzi? Quali ragazzi?»

«Vuoi l'elenco?» Christian aggrotta la fronte. «Il fotografo è pazzo di te, quel ragazzo al negozio di ferramenta, il fratello maggiore della tua coinquilina, il tuo capo» dice amaramente.

«Oh, Christian, non è vero.»

«Fidati. Ti vogliono. Vogliono ciò che è mio.» Mi tira contro di sé e io alzo le braccia all'altezza delle sue spalle, passandogli le mani tra i capelli e guardandolo divertita.

«Sei mia» ripete, gli occhi che brillano, possessivi.

«Sì, tua» gli assicuro, sorridendo. Lui sembra placarsi, e mi sento perfettamente a mio agio nuda contro di lui, su un letto, nella piena luce del sabato pomeriggio. Chi l'avrebbe mai detto? I segni del rossetto sono ancora sul suo corpo. Noto però che ha lasciato delle tracce sul copriletto, e mi domando fugacemente come farà Mrs Jones a toglierle.

«La linea è ancora intatta» mormoro e la seguo arditamente con l'indice lungo la sua spalla. Lui si irrigidisce, sbattendo le palpebre all'improvviso. «Voglio andare in esplorazione.»

Mi guarda scettico.

«Nell'appartamento?»

«No, stavo pensando a questa mappa del tesoro che ho disegnato su di te.» Le mie dita rimangono sulla sua pelle.

Lui alza un sopracciglio, poi sbatte le palpebre, incerto. Sfrego il naso contro il suo.

«E questo cosa implica esattamente, Miss Steele?»

Faccio scorrere le dita sul suo volto.

«Voglio solo toccarti ovunque mi sia permesso.»

Christian mi prende l'indice e se lo porta tra i denti, mordicchiandolo delicatamente.

«Ahi.» Protesto e lui sogghigna, mentre un ringhio sommesso gli esce dalla gola.

«Okay» dice, lasciandomi il dito, ma nella sua voce c'è apprensione. «Aspetta.» Si piega in avanti, mi solleva di nuovo, e si sfila il preservativo, lasciandolo cadere disinvoltamente sul pavimento di fianco al letto.

«Odio questi aggeggi. Ho intenzione di chiamare la dottoressa Greene perché ti dia un'occhiata.»

«Credi che il miglior ginecologo di Seattle verrà di corsa?»

«So essere molto persuasivo» mormora, spostandomi una ciocca dietro l'orecchio. «Franco ha fatto un ottimo lavoro con i tuoi capelli. Mi piace come te li ha scalati.»

"Cosa?"

«Smettila di cambiare argomento.»

Mi sposta indietro, in modo che stia a cavalcioni sulle sue ginocchia flesse, i miei piedi ai lati delle sue anche. Si appoggia sui gomiti.

«Un rapido tocco» dice senza ironia. Sembra nervoso, ma sta cercando di nasconderlo.

Tenendo gli occhi nei suoi, mi chino e passo il dito sotto la linea rossa del rossetto, sui muscoli finemente scolpiti dei suoi addominali. Lui sussulta e io mi fermo.

«Non devo» sussurro.

«No, va benissimo. Solo accetta qualche... messa a punto da parte mia. Nessuno mi tocca da tanto tempo» mormora.

«Mrs Robinson?» Le parole mi escono dalla bocca senza volerlo, e, stranamente, riesco a non lasciar trapelare rancore e amarezza dalla mia voce.

Lui annuisce, il suo disagio è palese. «Non voglio parlare di lei. Guasterebbe il tuo umore.»

«Posso gestirlo.»

«No, non puoi, Ana. Vedi rosso ogni volta che la nomino. Il mio passato è il mio passato. È un fatto. Non posso cambiarlo. Sono fortunato che tu non ne abbia uno, perché impazzirei se l'avessi.»

Lo guardo corrucciata, ma non voglio litigare. «Impazziresti? Più di quanto tu sia già?» Sorrido, sperando di alleggerire l'atmosfera tra noi.

Le sue labbra s'increspano. «Sono pazzo di te» sussurra. Il mio cuore si gonfia di gioia.

«Devo chiamare il dottor Flynn?»

«Non credo che sarà necessario» dice secco.

Si sposta indietro e distende le gambe. Io appoggio le dita sul suo torace e le lascio scorrere sulla sua pelle. Si irrigidisce.

«Mi piace toccarti.» Le mie dita scivolano verso il suo ombelico, poi ancora più giù, verso il pube. Lui schiude le labbra e il suo respiro cambia, i suoi occhi si scuriscono e la sua erezione si anima sotto di me. "Porca miseria. Secondo round."

«Ancora?» mormoro.

Lui sorride. «Oh, sì, Miss Steele, ancora.»

Che modo delizioso di trascorrere il sabato pomeriggio. Me ne sto sotto la doccia e mi lavo con aria assente, facendo attenzione a non bagnarmi i capelli che ho tirato indietro. Mentalmente passo in rassegna le ultime due ore. Christian e la vaniglia sembrano andare bene.

Oggi mi ha fatto molte rivelazioni. È sconvolgente cercare di assimilare tutte le informazioni e riflettere su ciò che ho appreso: i dettagli dei suoi guadagni – accidenti, è ricco da far schifo, e per un uomo così giovane è semplicemente straordinario – e il dossier che ha su di me e sulle sue Sottomesse brune. Mi domando se in quello schedario ci siano tutte.

La mia vocina, imbronciata, cerca di dissuadermi: "Non pensare neanche di andare là". Aggrotto la fronte. "Solo una sbirciatina?"

E poi ci sono Leila – da qualche parte, potenzialmente con una pistola – e i suoi schifosi gusti musicali ancora sull'iPod di Christian. Ma, cosa ancor peggiore, c'è Mrs "Pedofila" Robinson, di cui non riesco proprio a farmi una ragione, e non voglio farmela. Non voglio che sia uno spettro dai capelli scintillanti nella nostra relazione. Christian ha ragione, mi lascio coinvolgere emotivamente quando penso a lei, perciò è meglio che non lo faccia.

Esco dalla doccia e mi asciugo; vengo colta da una rabbia improvvisa. Ma chi non sarebbe coinvolto emotivamente? Quale persona sana di mente farebbe quello che lei ha fatto a un ragazzino di quindici anni? Quanto ha contribuito alla sua deviazione? Non capisco quella donna. E la cosa peggiore è che lui sostiene che lei lo ha aiutato. Come?

Penso alle sue cicatrici, la desolante incarnazione fisica degli orrori dell'infanzia e un orribile promemoria delle cicatrici mentali che deve avere. Il mio dolce, triste Christian. Ha detto cose così carine oggi. "È pazzo di me."

Guardo la mia immagine riflessa nello specchio, sorrido al ricordo delle sue parole, il mio cuore si gonfia di nuovo, e sul mio viso si allarga un sorriso ridicolo, che lo trasforma. Forse possiamo riuscire a far funzionare tutto questo. Ma quanto tempo ci vorrà per farlo senza che lui mi voglia picchiare perché ho oltrepassato qualche limite stabilito?

Il sorriso svanisce. Questo è ciò che non so. Questa è l'ombra che incombe su di noi. Sesso estremo, sì, posso farlo, ma di più?

La mia vocina interiore, per una volta, resta in silenzio: non vuole offrirmi nessuna parola saggia. Vado in camera a vestirmi.

Christian è al piano di sotto, a fare non si sa cosa, quindi ho la stanza tutta per me, così come tutti i vestiti nella cabina armadio. Ho cassetti pieni di biancheria nuova. Scelgo un bustier nero che, da cartellino, costa 540 dollari. Ha una bordura argentata e mutandine striminzite in abbinamento. Calze lunghe, di un colore naturale, finissime, in pura seta. "Come sono... morbide... e persino sensuali... sì."

Sto prendendo il vestito quando Christian entra senza avvertire. "Ehi, potrebbe bussare!" Rimane immobile a fissarmi, gli occhi grigi che luccicano avidamente. Divento rossa dappertutto, temo. Indossa pantaloni della tuta neri e una camicia bianca con il colletto aperto. Riesco a intravedere la riga del rossetto sulla sua pelle. Lui continua a fissarmi.

«Posso aiutarti, Mr Grey? Immagino che ci sia un motivo per la tua visita, a parte fissarmi inebetito.»

«Mi piace abbastanza fissarti inebetito, grazie, Miss Steele» mormora serio, facendo un passo avanti e mangiandomi con gli occhi. «Ricordami di mandare un biglietto di ringraziamento a Caroline Acton.»

"Chi diavolo è questa?"

«La personal shopper di Neiman» dice, rispondendo in tono sinistro alla mia domanda non formulata.

«Oh.»

«Sono piuttosto distratto.»

«Lo vedo. Che cosa vuoi, Christian?» Lo guardo con aria seria.

Lui si vendica con un mezzo sorriso e tira fuori dalla tasca le sfere d'argento, cogliendomi di sorpresa. Porca miseria! Mi vuole sculacciare? Ora? Perché?

«Non è come pensi» si affretta a dire.

«Illuminami» mormoro.

«Pensavo che potresti mettertele stasera.»

Le implicazioni di quella frase rimangono sospese tra di noi mentre l'idea prende corpo.

«A questo evento?» Sono scioccata.

Lui annuisce lentamente, i suoi occhi sempre più scuri.

"Oddio."

«Dopo mi sculaccerai?»

«No.»

Per un attimo, sento una leggera punta di delusione.

Lui ride. «Vorresti che lo facessi?»

Deglutisco. Non lo so.

144

«Be', sta' sicura che io non ti toccherò in quel modo, neppure se mi preghi.»

"Oh, questa è nuova."

«Vuoi giocare a questo gioco?» continua reggendo le sfere. «Le puoi sempre togliere, se ti sembra troppo.»

Lo guardo. Ha un aspetto così maliziosamente tentatore: i capelli spettinati dopo la recente scopata, gli occhi animati da pensieri erotici, la bellissima bocca scolpita, le labbra sollevate in un sorriso sexy e divertito.

«Okay» acconsento. "Dannazione, sì!" La mia dea interiore ha trovato la voce e sta urlando.

«Brava ragazza.» Christian sorride. «Vieni qui, te le infilo dentro, dopo che ti sei messa le scarpe.»

Le scarpe? Mi volto verso i tacchi a spillo grigio tortora che si abbinano al vestito che ho scelto.

"Assecondalo!"

Christian mi porge la mano per aiutarmi mentre salgo sulle Louboutin, un furto da 3295 dollari. Devo essere più alta di almeno quindici centimetri.

Mi guida verso il letto e non si siede, ma va a prendere l'unica sedia che c'è nella stanza. Me la mette di fronte.

«Al mio cenno, ti pieghi e ti tieni alla sedia. Capito?» La sua voce è roca.

«Sì.»

«Bene. Ora apri la bocca» mi ordina, la voce sempre bassa.

Obbedisco, pensando che mi metterà di nuovo le sfere in bocca per lubrificarle. No, ci infila l'indice.

"Oh…"

«Succhia» dice. Io gli prendo la mano, per tenerla ferma, ed eseguo. "Vedi, so essere obbediente, quando voglio."

"Sa di sapone… mmh…" Succhio forte, e vengo ricompensata dai suoi occhi che si allargano e dalle sue labbra che si schiudono, mentre lui inspira profondamente. Non avrò bisogno di alcun lubrificante stavolta. Lui si mette le sfere in bocca, mentre io mimo una fellatio sul suo dito, girandoci intorno la lingua. Quando prova a sfilarlo, lo afferro con i denti.

Sorride e scuote la testa, come per ammonirmi, perciò lo lascio andare. Mi fa un cenno e io mi piego, reggendomi alla sedia. Lui mi scosta le mutandine di lato, molto lentamente, e infila un dito dentro di me, disegnando lenti cerchi, perciò lo sento, ovunque. Un gemito mi sfugge dalle labbra.

Lui sfila il dito e, con estrema cura, inserisce le sfere, una alla volta, spingendole dentro. Dopo che le ha sistemate, mi rimette a posto le mutandine e mi bacia il sedere. Fa scorrere le mani sulle mie gambe, dalla caviglia alla coscia, e bacia dolcemente entrambe le cosce, dove finiscono le calze autoreggenti.

«Hai delle gambe bellissime, Miss Steele» sussurra.

Poi mi afferra per i fianchi e mi attira contro di sé, in modo che io senta la sua erezione.

«Magari ti prenderò in questo modo, quando torneremo a casa, Anastasia. Ora puoi rialzarti.»

Mi sento stordita, e molto eccitata, mentre le sfere spingono e tirano dentro di me. Christian, dietro, si china a baciarmi una spalla.

«Ti avevo comprato questi da indossare al galà di sabato scorso.» Mi passa un braccio intorno e allunga verso di me la mano aperta. Nel palmo c'è una scatoletta rossa con la scritta CARTIER incisa sul coperchio. «Ma poi mi hai lasciato, così non ho avuto l'opportunità di darteli.»

"Oh!"

«Questa è la mia seconda chance» mormora, la voce irrigidita da qualche emozione senza nome. È nervoso.

Esitante, prendo la scatoletta e la apro. Dentro brilla un paio di orecchini. Ognuno ha quattro diamanti: uno alla base e tre pendenti, con al centro uno spazio vuoto. Sono splendidi, semplici e classici. Avrei potuto sceglierli io, se avessi avuto l'opportunità di fare acquisti da Cartier.

«Sono bellissimi» sussurro e, visto che sono gli orecchini della seconda chance, li adoro. «Grazie.»

Lui si rilassa contro di me e la tensione abbandona il mio corpo. Mi bacia di nuovo la spalla.

«Indosserai il vestito di raso argento?» mi chiede.

«Sì. Va bene?»

«Certo. Ti lascio preparare.» Esce, senza voltarsi a guardare.

Sono entrata in un universo parallelo. La giovane donna che mi fissa dallo specchio è degna di un tappeto rosso. L'abito di raso, senza spalline e lungo fino al pavimento, è semplicemente favoloso. Forse scriverò io stessa a Caroline Acton. Mi sta alla perfezione ed esalta le poche curve che ho.

I miei capelli ricadono in morbide onde intorno al viso, riversandosi sulle spalle e sul seno. Sposto una ciocca dietro l'orecchio, rivelando gli orecchini della seconda chance. Mi sono truccata pochissimo, un look naturale. Eyeliner, mascara, un po' di fondotinta rosa e un rossetto rosa pallido.

In realtà non avrei bisogno del fondotinta. Sono piuttosto arrossata per il costante movimento delle sfere d'argento. Sì, mi garantiranno un po' di colore sulle guance per tutta la sera. Scuoto la testa per l'audacia delle idee erotiche di Christian, mi piego per prendere lo scialle di raso e la pochette argentata, e vado in cerca del mio Mr Cinquanta Sfumature.

È di spalle e sta parlando con Taylor e altri tre uomini nel corridoio. L'espressione sorpresa e di apprezzamento degli altri lo rende consapevole della mia presenza. Si gira e io mi fermo, imbarazzata, in attesa.

Rimango senza parole. Lui è favoloso… Smoking, papillon nero. La sua espressione mentre mi guarda è di quelle che incute soggezione. Si avvicina lentamente e mi dà un bacio sui capelli.

«Anastasia, sei strepitosa.»

Arrossisco a quel complimento fatto di fronte a Taylor e agli altri uomini.

«Un po' di champagne prima di andare?»

«Grazie» mormoro, forse troppo in fretta.

Christian fa un cenno a Taylor, che si dirige verso l'atrio con gli altri tre colleghi.

Nel salone Christian prende una bottiglia di champagne dal frigo.

«La squadra della sicurezza?» gli chiedo.

«Guardie del corpo. Sono sotto il controllo di Taylor. È addestrato anche per questo.» Christian mi passa una flûte di champagne.

«È molto versatile.»

«Sì, lo è.» Christian sorride. «Sei adorabile, Anastasia. Salute.» Alza il suo bicchiere e lo fa tintinnare contro il mio. Lo champagne è rosato. Ha un gusto deliziosamente fresco e leggero.

«Come ti senti?» chiede, con lo sguardo ardente.

«Bene, grazie.» Sorrido dolcemente, senza lasciar trapelare nulla. So benissimo che si riferisce alle sfere d'argento.

Lui sogghigna.

«Ecco, avrai bisogno di questo.» Mi passa un grosso sacchetto di velluto, prendendolo dal bancone della cucina. «Aprilo» dice mentre sorseggia lo champagne. Incuriosita, lo apro e ne estraggo una complicata maschera argentata con piume color cobalto sulla cima.

«È un ballo in maschera» mi spiega in tono pragmatico.

«Capisco.» La maschera è bellissima. Un nastro d'argento è intrecciato lungo i bordi e una raffinata filigrana circonda i buchi per gli occhi.

«Farà risaltare i tuoi bellissimi occhi, Anastasia.»

Gli sorrido timidamente.

«Ne indosserai una anche tu?»

«Certo. Sono liberatorie, in un certo senso» aggiunge, sorridendo.

"Oh. Sarà divertente."

«Vieni. Voglio farti vedere una cosa.» Mi prende per mano e mi conduce lungo il corridoio, a una porta vicino alle scale. La apre, rivelando un ambiente più o meno delle stesse dimensioni della stanza dei giochi, che deve trovarsi proprio sopra di noi. Questa è piena di libri fino al soffitto. "Wow, una biblioteca!" Al centro c'è un grande tavolo da biliardo, illuminato da una lampada Tiffany.

«Hai una biblioteca!» esclamo impressionata, sopraffatta dall'eccitazione.

«Sì, la "stanza pallosa", come la chiama Elliot. L'appartamento è molto grande. Oggi mi è venuto in mente, quando hai parlato di andare in esplorazione, che non te l'ho mai mostrato tutto. Non abbiamo tempo adesso, ma ho pensato di farti vedere questa stanza, e magari di sfidarti a una partita a biliardo, in un futuro non troppo lontano.»

Gli sorrido.

«Fatti sotto.» Segretamente, faccio i salti di gioia. José e io ci sfidavamo a pool. Ci abbiamo giocato per tre anni. Sono un asso con la stecca. José è stato un ottimo maestro.

«Cosa?» dice Christian, divertito.

"Oh! Devo davvero smetterla di esprimere ogni emozione che provo nell'istante in cui la provo" mi rimprovero.

«Niente» rispondo in fretta.

Christian strizza gli occhi.

«Be', forse il dottor Flynn saprà svelare il tuo segreto. Lo incontreremo stasera.»

«Il ciarlatano costoso?» "Accidenti."

«Lui in persona. Muore dalla voglia di conoscerti.»

Christian mi prende la mano e ne accarezza delicatamente le nocche con il pollice, mentre siamo seduti sul sedile posteriore dell'Audi, diretti a nord. Mi sento a disagio per la sensazione all'inguine. Resisto all'impellente bisogno di gemere, visto che Taylor è davanti a noi – e senza le cuffie del suo iPod – insieme a uno dei ragazzi della sicurezza, che credo si chiami Sawyer.

Inizio a sentire una specie di indolenzimento tenue, piacevole, nel basso ventre, a causa delle sfere. Mi chiedo per quanto sarò in grado di gestire questa cosa senza… uhm… sollievo? Incrocio le gambe. Mentre lo faccio, una specie di tarlo, che se n'era rimasto buono nei meandri della mia mente, riaffiora all'improvviso in superficie.

«Dove hai preso il rossetto?» chiedo a Christian, pacatamente.

Lui sogghigna e punta l'indice davanti a sé. «Taylor» mi dice muovendo appena le labbra.

Io scoppio a ridere. «Oh.» Mi fermo subito. Le sfere.

Mi mordo il labbro. Christian mi sorride, gli occhi che brillano maliziosi. Sa esattamente cosa sta facendo, da quel mostro di sensualità che è.

«Rilassati» mi sussurra. «Se diventa troppo…» La sua voce sfuma, e lui mi bacia dolcemente le nocche di entrambe le mani, a turno, poi mi succhia leggermente la punta del mignolo.

Ora so che lo sta facendo apposta. Chiudo gli occhi mentre l'oscuro desiderio invade il mio corpo. Mi abbandono per un attimo alla sensazione, i muscoli si tendono. "Oddio."

Quando apro di nuovo gli occhi, Christian mi sta guardando attentamente, come un principe delle tenebre. Dev'essere l'effetto dello smoking e del papillon, ma mi sembra più vecchio, sofisticato, un libertino incredibilmente bello, con intenti lussuriosi. Mi toglie il fiato. Sessualmente sono alla sua mercé e, se devo credergli, lui è mio. Il pensiero mi fa sorridere, e il sorriso che lui rivolge a me di rimando è abbagliante.

«Quindi cosa dobbiamo aspettarci da questo evento?»

«Oh, le solite cose» risponde Christian con disinvoltura.

«Non solite per me» gli ricordo.

Mi guarda affettuosamente e mi bacia ancora la mano.

«Un sacco di gente che fa sfoggio del proprio denaro. Asta, lotteria, cena, ballo... Mia madre sa come si dà un party.» Per la prima volta in tutto il giorno, sento un po' di eccitazione per il ricevimento.

C'è una fila di auto lussuose lungo il vialetto d'accesso che porta alla villa dei Grey. Grandi lanterne di carta rosa pallido sono appese lungo il percorso e, mentre avanziamo in macchina a passo d'uomo, noto che ce ne sono dappertutto. Nelle prime luci della sera sembrano magiche, come se stessimo entrando in un regno incantato. Lancio uno sguardo a Christian. È perfetto: sembra davvero un principe! E il mio entusiasmo infantile esplode, eclissando ogni altro sentimento.

«Mettiti la maschera» mi dice sorridendo, mentre lui indossa la sua, semplice e nera. Il mio principe diventa ancora più tenebroso, più sensuale.

Tutto quello che posso vedere del suo volto sono la bellissima bocca e la mascella forte. Il mio cuore fa una capriola nel petto a quella vista. Mi allaccio la maschera e gli sorrido, ignorando la fame che sento dentro di me.

Taylor si ferma davanti all'ingresso, e un addetto al posteggio apre la portiera a Christian. Sawyer scende per aprire la mia.

«Pronta?» mi chiede Christian.

«Come sempre.»

«Sei bellissima, Anastasia.» Mi bacia la mano ed esce dalla macchina.

Un tappeto verde scuro corre lungo il prato, conducendo agli impressionanti terreni sul retro. Christian si stringe a me, protettivo, e mi posa la mano sul fianco, mentre avanziamo insieme all'élite di Seattle in abiti sfarzosi e con maschere di tutte le fogge. Le lanterne illuminano la via. Due fotografi fanno mettere gli ospiti in posa per le foto sullo sfondo di un pergolato d'edera.

«Mr Grey!» Uno dei fotografi lo chiama. Christian an-

nuisce e mi attira più vicino a sé mentre posiamo velocemente per la foto. Come sanno che è lui? Il suo marchio di
fabbrica, senza dubbio: la capigliatura ribelle color rame.

«Due fotografi?» chiedo a Christian.

«Uno è del "Seattle Times" e l'altro è per le foto ricordo.
Potremo comprarne una copia dopo.»

Oh, la mia foto sui giornali, di nuovo. Per un attimo mi
ritorna in mente Leila. È così che mi ha trovata, secondo
Christian. Il pensiero mi mette a disagio, anche se mi con-
forta il fatto di indossare una maschera che mi rende irriconoscibile.

Alla fine del percorso, camerieri in livrea bianca reggo-
no vassoi con calici pieni fino all'orlo di champagne, e io
sono grata quando Christian me ne offre uno, distraendomi dai miei pensieri cupi.

Ci avviciniamo a una grande tensostruttura bianca, con
appese lanterne di carta più piccole. Il pavimento, a scacchi
bianchi e neri, è circondato da una bassa recinzione con in-
gressi su tre lati. A ogni ingresso ci sono due cigni di marmo.
Il quarto lato della tensostruttura è occupato da un palco
dove un quartetto d'archi sta suonando un brano ossessi-
vo ed etereo, che non riconosco. Il palco sembra appron-
tato per un'orchestra più grande, ma non c'è ancora alcun
segno degli altri musicisti. Immagino che arriveranno più
tardi. Prendendomi per mano, Christian mi conduce sulla pista da ballo, dove gli altri ospiti si stanno radunando,
conversando tra i bicchieri di champagne.

Più in là è stato installato un enorme tendone, aperto sul
lato più vicino a noi, così posso intravedere i tavoli e le sedie disposti in modo formale. "Ce ne sono così tanti!"

«Quante persone verranno?» chiedo a Christian, sconcertata dall'ampiezza del tendone.

«Circa trecento, credo. Devi chiederlo a mia madre.» Mi
sorride.

«Christian!»

Una giovane donna si materializza tra la folla e gli getta le braccia al collo. Capisco subito che si tratta di Mia. Indossa un abito lungo rosa pallido di chiffon, elegantissimo, con una maschera veneziana favolosa, delicatamente intagliata. Ha un aspetto incantevole. Mai come in questo momento sono grata a Christian per aver acquistato il vestito che indosso.

«Ana! Oh, cara, sei meravigliosa!» Mi abbraccia velocemente. «Devi venire a conoscere le mie amiche. Nessuna di loro crede che Christian abbia finalmente una fidanzata.»

Lancio una rapida occhiata a Christian, nel panico, ma lui si stringe nelle spalle in un rassegnato so-che-è-impossibile-ho-dovuto-vivere-con-lei-per-anni, e lascia che Mia mi conduca verso un gruppo di quattro ragazze, tutte in abiti costosi e accompagnate da fidanzati impeccabili.

Mia ci presenta rapidamente. Tre di loro sono dolci e gentili, ma Lily, credo che si chiami così, mi guarda acida da dietro la sua maschera rossa.

«Certo, tutte noi pensavamo che Christian fosse gay» dice maligna, nascondendo il suo rancore dietro un sorriso ampio e finto.

Mia la guarda di traverso.

«Lily, comportati bene. È ovvio che Christian ha un gusto eccellente in fatto di donne. Stava aspettando che arrivasse quella giusta, e non eri tu!»

Lily diventa dello stesso colore della sua maschera, e io pure. Potrebbe essere più imbarazzante?

«Signore, se volete scusarmi, vorrei riavere indietro la mia compagna.» Facendomi scivolare un braccio intorno alla vita, Christian mi attira a sé. Tutte e quattro le ragazze arrossiscono, sorridono e fremono: il suo sorriso ammaliante fa sempre lo stesso effetto. Mia mi guarda e alza gli occhi al cielo, e io posso solo ridere.

«È stato un piacere conoscervi» dico, mentre lui mi trascina via.

«Grazie» mormoro, poi, a Christian, quando siamo abbastanza lontani.

«Ho visto che c'era Lily con Mia. È una persona sgradevole.»

«Tu le piaci» borbotto seccamente.

Lui rabbrividisce. «Be', il sentimento non è reciproco. Vieni, ti presento alcune persone.»

Passo la successiva mezz'ora in una girandola di presentazioni. Incontro due attori hollywoodiani, altri due amministratori delegati e diversi medici famosi. "È impossibile che mi ricordi i nomi di tutti."

Christian mi tiene vicino a sé, e io gliene sono grata. Francamente, il lusso, il prestigio e la sontuosità dell'evento mi frastornano. Non ho mai partecipato a una festa del genere in vita mia.

I camerieri in livrea bianca si muovono disinvoltamente attraverso la folla crescente degli ospiti, con bottiglie di champagne, e mi riempiono il bicchiere con allarmante regolarità. "Non devo bere troppo. Non devo bere troppo" mi ripeto, ma inizio a sentirmi la testa leggera, e non so se sia un effetto dello champagne, dell'atmosfera carica di mistero ed eccitazione creata dalle maschere o delle mie sfere d'argento segrete. La dolorosa smania nel basso ventre sta diventando impossibile da ignorare.

«E così lei lavora alla SIP?» mi chiede un gentiluomo stempiato con una maschera da orso. O da cane? «Ho sentito voci di un'acquisizione ostile.»

Avvampo. C'è un'acquisizione ostile da parte di un uomo che ha più denaro che buonsenso... lo stalker per eccellenza.

«Sono una semplice assistente, Mr Eccles. Non sono al corrente di queste cose.»

Christian non dice niente e sorride gentilmente a Eccles.

«Signore e signori!» Il maestro di cerimonie, che indossa una scenografica maschera di Arlecchino in bianco e nero, ci interrompe. «Prego, accomodatevi. La cena è servita.»

Christian mi prende per mano, e seguiamo la folla vociante verso il tendone.

L'interno è strabiliante. Tre enormi lampadari gettano bagliori colorati sulla seta avorio del soffitto e delle pareti. Devono esserci almeno trenta tavoli, e mi ricordano la sala da pranzo privata dell'Heathman: bicchieri di cristallo, fruscianti tovaglie di lino e coperture per sedie e, al centro, una magnifica composizione di peonie rosa pallido, raccolte intorno a un candeliere d'argento, accanto al quale c'è un cestino di leccornie avvolto nella seta.

Christian consulta la disposizione dei tavoli e mi guida verso quello al centro. Mia e Grace Trevelyan-Grey sono già lì, immerse in una fitta conversazione con un giovane uomo che non conosco. Grace indossa un luccicante abito verde menta, abbinato a una maschera veneziana. È radiosa, nient'affatto tesa, e mi saluta con calore.

«Ana, che piacere vederti di nuovo! Sei bellissima!»

«Mamma.» Christian la saluta rigido e la bacia sulle guance.

«Oh, Christian, così formale!» lo rimprovera lei, scherzando.

I genitori di Grace, Mr e Mrs Trevelyan, ci raggiungono al tavolo. Sembrano esuberanti e giovanili, anche se è difficile dirlo dietro le loro maschere color bronzo. Sono felici di vedere Christian.

«Nonna, nonno, posso presentarvi Anastasia Steele?»

Mrs Trevelyan mi travolge subito. «Oh, finalmente ha trovato qualcuno... che meraviglia, e così carina! Speriamo che tu faccia di lui un uomo onesto» dice, stringendomi la mano.

"Accidenti." Ringrazio il cielo per la maschera.

«Mamma, non mettere in imbarazzo Ana.» Grace mi viene in soccorso.

«Ignora questa vecchia sciocca e brontolona, mia cara.» Mr Trevelyan mi stringe la mano. «Siccome è così anziana, pensa di avere il sacrosanto diritto di dire qualsiasi sciocchezza le passi per quella sua testa matta.»

«Ana, questo è il mio fidanzato, Sean.» Timidamente, Mia mi presenta il giovane. Lui mi fa un sorriso malizioso, e i suoi occhi castani danzano divertiti mentre ci stringiamo la mano.

«Piacere di conoscerti, Sean.»

Christian stringe la mano di Sean, guardandolo con aria seria. "Non ditemi che anche la povera Mia deve sopportare l'iperprotettività del fratello!" Le sorrido comprensiva.

Lance e Janine, gli amici di Grace, sono l'ultima coppia al nostro tavolo, mentre non c'è ancora traccia di Mr Grey.

All'improvviso, si sente sibilare un microfono, e la voce di Mr Grey rimbomba dal sistema di amplificazione, facendo sfumare il brusio. È in piedi su un palco in fondo al tendone, con indosso un'impressionante maschera dorata di Pulcinella.

«Benvenuti, signore e signori, al nostro annuale ballo di beneficenza. Spero che gradirete quello che vi abbiamo preparato stasera e che frugherete a fondo nelle vostre tasche per dare supporto al fantastico lavoro che la nostra squadra porta avanti con Affrontiamolo Insieme. Come sapete, è una causa che sta molto a cuore a mia moglie e a me.»

Lancio un'occhiata nervosa a Christian, che sta fissando impassibile – credo – il palco. Mi guarda e mi fa un rapido sorriso.

«Ora vi lascio nelle mani del nostro maestro di cerimonie. Prego, accomodatevi e divertitevi» conclude Carrick.

Segue un applauso educato, poi il brusio ricomincia. Sono seduta tra Christian e suo nonno. Ammiro il segnaposto bianco con la fine scritta in argento che reca il mio nome, mentre un cameriere accende il candeliere. Carrick ci raggiunge, e mi bacia su entrambe le guance, cogliendomi di sorpresa.

«Che bello rivederti, Ana» mormora. Ha davvero un aspetto notevole con la sua straordinaria maschera dorata.

«Signore e signori, vi prego di nominare un capotavola» dice il maestro di cerimonie.

«Oh, io, io!» dice subito Mia, saltellando entusiasta sulla sedia.

«Al centro del tavolo troverete una busta» prosegue il maestro di cerimonie. «Ognuno dovrà trovare, elemosinare, farsi prestare o rubare una banconota del valore più alto possibile, scrivervi sopra il suo nome e metterlo nella busta. I capitavola, per cortesia, devono avere cura delle buste. Ne avremo bisogno più tardi.»

"Accidenti." Non ho portato denaro con me. "Che stupida! È una serata di beneficenza!"

Dal suo portafoglio Christian estrae due biglietti da cento dollari.

«Ecco» dice.

"Cosa?"

«Te li ridarò» sussurro.

La sua bocca si piega leggermente, e so che non è contento, ma non fa commenti. Scrivo il mio nome usando la sua stilografica, nera, con un motivo floreale sul cappuccio, e Mia fa girare la busta.

Di fronte a me c'è un altro biglietto scritto con l'inchiostro argentato, il nostro menu.

Ballo in maschera di beneficenza per Affrontiamolo Insieme

Menu

Tartare di salmone con panna acida e cetrioli
su un letto di pane tostato
Alban Estate Roussanne 2006

Petto d'anatra arrosto
Purè cremoso di topinambur
Composta di ciliegie al timo
Foie Gras
Châteauneuf-du-Pape Vieilles Vignes 2006,
Domaine de la Janasse

Torta morbida di nocciole in crosta di zucchero

Fichi canditi, zabaione, gelato d'acero
Vin de Constance 2004, Klein Constantia

Selezione di formaggi locali e pane
Alban Estate Grenache 2006
Caffè e pasticcini

Be', così si spiega il massiccio schieramento di bicchieri di cristallo di ogni dimensione davanti a ogni posto. Il nostro cameriere ritorna, offrendo vino e acqua. Dietro di me, i lembi del tendone da cui siamo entrati sono stati chiusi, mentre quelli di fronte sono stati aperti, rivelando il tramonto su Seattle e la baia di Meydenbauer.

È una vista mozzafiato, con le luci di Seattle che brillano in lontananza e la cupa quiete arancione della baia che riflette il colore opale del cielo. "Wow." Infonde calma e pace.

Dieci camerieri, ognuno con un vassoio, vengono accanto a noi. In fila silenziosa, ci servono gli antipasti in perfetta sincronia, poi svaniscono di nuovo. Il salmone sembra delizioso, e mi rendo conto di essere affamata.

«Fame?» mormora Christian in modo che possa sentirlo solo io. Ma non si sta riferendo al cibo, e i muscoli nel profondo del mio ventre rispondono.

«Molta» sussurro, incontrando con audacia il suo sguardo, e le sue labbra si schiudono, mentre lui inspira.

"Ah! Capisco... allora siamo in due a giocare a questo gioco."

Il nonno di Christian mi coinvolge in una conversazione. È un meraviglioso anziano signore, così orgoglioso di sua figlia e dei tre nipoti.

È strano pensare a Christian da bambino. Il ricordo delle sue bruciature mi affiora alla mente spontaneo, ma lo reprimo in fretta. Non voglio pensarci adesso, anche se, ironia della sorte, è la ragione che sta dietro a questa festa.

Vorrei che Kate fosse qui con Elliot. Si troverebbe a suo agio. Il vertiginoso dispiegamento di forchette e coltelli davanti a ogni posto non la spaventerebbe. Me la immagino rivaleggiare con Mia per il ruolo di capotavola. Il pensiero mi fa sorridere.

La conversazione prosegue con alti e bassi. Mia è divertente come al solito, e praticamente eclissa il povero Sean, che per la maggior parte del tempo rimane in silenzio come me. La nonna di Christian è la più loquace. Anche lei ha un senso dell'umorismo mordace, e di solito è suo marito a farne le spese. Comincio a sentirmi un po' in imbarazzo per Mr Trevelyan.

Christian e Lance parlano animatamente di un apparecchio che la società di Christian sta sviluppando, ispirato dal principio di Ernst Friedrich Schumacher del "piccolo è bello". È difficile stargli dietro. Christian sembra intenzionato a rendere autonome e responsabili comunità impoverite di tutto il mondo con una tecnologia ricaricabile manualmente: dispositivi che non necessitano di elettricità o batterie e richiedono una manutenzione minima.

Osservarlo mentre parla del suo lavoro come un fiume in piena è sorprendente. È appassionato e impegnato a migliorare la vita dei meno fortunati attraverso la sua società di telecomunicazioni, e vuole essere il primo a mettere sul mercato questo telefono cellulare che si ricarica manualmente.

"Wow." Non ne avevo idea. Voglio dire, sapevo della sua ossessione di sfamare il mondo, ma questo…

Lance sembra non capacitarsi del progetto di Christian di regalare la sua tecnologia invece di brevettarla. Mi domando oziosamente come abbia fatto a fare tutti quei soldi se è così disponibile a darli via.

Mentre ceniamo, un flusso costante di persone vestite elegantemente e mascherate si ferma presso il tavolo, desideroso di incontrare Christian, stringergli la mano e scambiare convenevoli. Lui mi presenta a qualcuno, ma non a tutti. Sono curiosa di sapere sulla base di quale criterio faccia questa scelta.

A un certo punto Mia si protende verso di me e sorride. «Ana, mi aiuterai con l'asta?»

«Certo» rispondo, un po' troppo sollecita.

Quando viene servito il dessert, è ormai scesa la sera, e io mi sento davvero a disagio. Devo liberarmi delle sfere. Prima che possa scusarmi e alzarmi, però, il maestro di cerimonie appare al nostro tavolo e, con lui, Miss Codini.

"Come si chiamava? Hansel, Gretel... Gretchen."

Indossa la maschera, ovviamente, ma capisco che è lei quando il suo sguardo si fissa su Christian. Arrossisce, ed egoisticamente sono molto compiaciuta che Christian non la riconosca affatto.

Il maestro di cerimonie si fa dare la nostra busta e con gesto plateale, esperto ed eloquente, chiede a Grace di estrarre la banconota vincente. È quella di Sean, che vince il cestino avvolto nella seta.

Applaudo cortesemente, ma mi sta diventando impossibile concentrarmi su quello che succede.

«Se volete scusarmi» mormoro verso Christian.

Lui mi guarda attentamente.

«Hai bisogno della toilette?»

Annuisco.

«Te la mostro» mi dice, cupo.

Quando mi alzo, tutti gli uomini si alzano con me. "Oh, che galanteria."

«No, Christian! Non andare tu con Ana. L'accompagno io.»

Mia è già in piedi prima che Christian possa protestare. Lui serra la mandibola, e so che non è contento. A dirla tutta, nemmeno io. "Ho... delle necessità." Mi stringo nelle spalle con aria di scuse, e lui si affretta a sedersi di nuovo, rassegnato.

Al nostro ritorno, mi sento un po' meglio, anche se il sollievo nel togliere le sfere non è stato istantaneo come avevo sperato. Adesso sono al sicuro nella mia pochette.

Come ho fatto a pensare di poterle tenere per l'intera serata? Sono ancora smaniosa... Forse posso indurre Christian a portarmi nella sua rimessa delle barche, più tardi. Arrossisco al pensiero e lo guardo mentre mi siedo. Anche lui mi guarda, l'ombra di un sorriso sulle labbra.

"Meno male... Non è più arrabbiato per l'occasione persa, anche se forse lo sono io." Mi sento frustrata, e anche irritata. Christian mi stringe la mano, ed entrambi ascoltiamo con attenzione Carrick, che è tornato sul palco e parla di Affrontiamolo Insieme. Christian mi passa un biglietto, una lista degli oggetti messi all'asta. La leggo velocemente.

Beni all'asta e gentili donatori per Affrontiamolo Insieme

Mazza da baseball firmata dai Mariners
Dott. Emily Mainwaring

Borsa, portafoglio e portachiavi Gucci
Andrea Washington

Voucher per una giornata, per due persone al Bravern Center dell'Esclava – Elena Lincoln

Progetto per paesaggio e giardino – Gia Matteo

Selezione di profumi Coco De Mer Coffret & Perfume Beauty – Elizabeth Austin

Specchio veneziano – Mr e Mrs J. Bailey

Due casse di vino di vostra scelta della Tenuta Alban
Tenuta Alban

Due biglietti VIP per il concerto degli XTY
EMC Britt Inc.

Orgoglio e pregiudizio di Jane Austen, prima edizione
Dott. A.F.M. Lace-Field

Una giornata alla guida di una Aston Martin DB7
Mr & Mrs L.W. Nora

Dipinto a olio *Nel blu*, di J. Trouton – Kelly Trouton

Lezione di volo in aliante – Seattle Area Soaring Society

Weekend per due all'Heathman Hotel, Portland
The Heathman Hotel

Una settimana (sei notti) ad Aspen, Colorado
Mr C. Grey

Una settimana (sei notti) a bordo dello SusieCue Yacht
ormeggiato a St Lucia – Dott. e Mrs Larin

Una settimana (otto notti) al lago Adriana, Montana
Mr & Dott. Grey

"Accidenti." Sbatto le palpebre verso Christian.

«Hai una proprietà ad Aspen?» sibilo. L'asta ha inizio, e devo tenere la voce bassa.

Lui annuisce, sorpreso della mia uscita e irritato, credo. Si porta l'indice alle labbra per zittirmi.

«Hai altre proprietà in giro?» sussurro.

Lui annuisce di nuovo e piega la testa di lato, a mo' di avvertimento.

L'intera sala prorompe in un applauso: uno dei beni all'asta è stato aggiudicato per dodicimila dollari.

«Te lo dico dopo» mi risponde Christian, pacato. «Sarei voluto venire con te» aggiunge piuttosto imbronciato.

"Be', non l'hai fatto." Mi mostro contrariata e mi rendo conto di essere lagnosa; senza dubbio è l'effetto frustrante delle sfere. Il mio umore si è rabbuiato dopo aver visto Mrs Robinson sulla lista dei generosi donatori.

Mi guardo intorno, per vedere se riesco a scorgerla, ma non vedo la sua chioma rivelatrice. Di certo Christian mi avrebbe avvisata se lei fosse stata tra gli invitati di questa serata. Rimango seduta e in ansia, applaudendo quando è necessario, mentre ogni lotto viene venduto per cifre esorbitanti.

L'asta prosegue e la settimana ad Aspen di Christian arriva a ventimila dollari.

«Ventimila dollari e uno, ventimila dollari e due...» dice il maestro di cerimonie.

Non so cosa mi prenda, ma all'improvviso sento la mia voce risuonare chiaramente su quella degli altri.

«Ventiquattromila dollari!»

Tutte le maschere ai tavoli si girano verso di me stupite e divertite, la reazione più grande però proviene dal posto accanto al mio. Christian sussulta, trattenendo il fiato, e sento la sua rabbia attraversarmi come un'onda.

«Ventiquattromila dollari per la bella signorina con il vestito argentato. Ventiquattromila dollari e uno, ventiquattromila dollari e due... Aggiudicato!»

"Accidenti, l'ho fatto davvero? Dev'essere stato l'alcol."
Ho bevuto lo champagne e poi quattro bicchieri di quattro vini diversi. Alzo lo sguardo su Christian, che è occupato ad applaudire.

"Oh, no, si arrabbierà moltissimo, e stavamo andando così bene." La mia vocina ha finalmente deciso di farsi sentire: io la ignoro, ma se avesse un volto sarebbe quello dell'*Urlo* di Edvard Munch.

Christian si protende verso di me, un sorriso falso in viso. Mi bacia la guancia e si avvicina di più per sussurrarmi all'orecchio, in un tono di voce molto freddo e controllato.

«Non so se gettarmi ai tuoi piedi oppure sculacciarti fino a farti passare la voglia.»

"Oh, io so cosa vorrei proprio adesso." Lo guardo, sbattendo le ciglia attraverso la maschera. Vorrei solo riuscire a leggere quello che c'è nei suoi occhi.

«Opterò per la seconda possibilità» sussurro in fretta mentre gli applausi sfumano. Lui schiude le labbra e inspira forte. "Oh, quelle labbra cesellate. Le voglio su di me, ora." Lo desidero da morire. Lui mi lancia un sorriso radioso e sincero che mi lascia senza fiato.

«Stai soffrendo, vero? Vedremo cosa posso fare per te» mormora, facendomi scorrere le dita sulla guancia.

La sua carezza si propaga dentro di me, nel profondo, dove quella smania dolorosa è stata generata ed è cresciuta. Vorrei saltargli addosso proprio qui, ora, ma rimaniamo seduti a guardare l'asta del prossimo pezzo.

Io riesco a stento a stare ferma. Christian mi mette un braccio intorno alle spalle, il pollice che mi accarezza ritmico la schiena, trasmettendomi deliziosi brividi lungo tutta la spina dorsale. La mano libera stringe la mia, portandosela alle labbra e poi posandosela in grembo.

In modo lento e furtivo, facendo sì che non mi accorga del gioco che sta facendo finché non è troppo tardi, mi posa la mano sulla parte alta della sua coscia, sopra l'erezione. Io sussulto, e i miei occhi schizzano, in preda al panico, intorno al tavolo, ma gli sguardi degli altri sono fissi sul palco. "Grazie a Dio ho la maschera."

Ne approfitto e lentamente comincio ad accarezzarlo, lasciando che le mie dita vadano in esplorazione. Christian tiene la mano sulla mia, nascondendo le mie dita audaci, mentre il suo pollice scivola dolcemente sul mio collo. Schiude la bocca mentre geme piano, ed è la sola reazione che riesco a notare per le mie carezze inesperte. Ma significa tanto. Lui mi desidera. Tutto ciò che sta sotto il mio ombelico si contrae. Questo gioco sta diventando insopportabile.

La settimana al lago Adriana nel Montana è l'ultimo lotto all'asta. Ovviamente, Mr Grey e la dottoressa Trevelyan possiedono una casa nel Montana, e le offerte si alzano rapidamente, ma io me ne accorgo appena. Lo sento ingrossarsi sotto le mie dita, e la cosa mi fa sentire potente.

«Aggiudicato, per centodiecimila dollari!» dichiara il maestro di cerimonie con aria vittoriosa. Tutta la sala scoppia in un applauso, e riluttante applaudo come Christian, rovinando il nostro divertimento.

Lui si volta verso di me, incurvando le labbra. «Pronta?» dice al di sopra delle grida festose.

«Sì» mormoro.

«Ana!» chiama Mia. «È ora!»

"Cosa? No. Non di nuovo!" «Ora di cosa?»

«Dell'asta per il primo ballo. Vieni!» Si alza e mi porge la mano.

Guardo Christian che, credo, rivolge a Mia uno sguardo rancoroso, e non so se ridere o piangere, ma il riso vince. Mi lascio andare a una risata fragorosa e catartica da quindicenne, mentre veniamo separati ancora una volta da quell'alto vulcano rosa che è Mia Grey. Christian mi lancia un'occhiata e, dopo un attimo, l'ombra di un sorriso gli sfiora le labbra.

«Il primo ballo sarà con me, okay? E non sarà sulla pista» mi mormora all'orecchio, lascivo. Io smetto di ridacchiare mentre la trepidazione attizza le fiamme del mio desiderio. "Oh, sì!"

«Non vedo l'ora.» Mi chino verso di lui e gli do un bacio sulla bocca, dolce e casto. Guardandomi intorno, capisco che gli altri ospiti al tavolo sono sbalorditi. Certo, non hanno mai visto Christian con una ragazza prima d'ora.

Lui mi fa un gran sorriso. E ha l'aria… felice.

«Vieni, Ana» insiste Mia. Prendo la sua mano tesa e la seguo sul palco, dove altre dieci ragazze si sono radunate, e noto con un vago disagio che Lily è tra loro.

«Signori, il momento clou della serata!» prorompe il maestro di cerimonie al di sopra del chiacchiericcio. «Il momento che tutti voi stavate aspettando! Queste dodici adorabili signorine hanno acconsentito a mettere in palio il loro primo ballo al migliore offerente!»

"Oh, no." Arrossisco dalla testa ai piedi. Non avevo capito che cosa significava. Che umiliazione!

«È per una buona causa» sibila Mia, percependo il mio sconforto. «E poi, ti vincerà Christian.» Alza gli occhi al cielo. «Non riesco a immaginare che lasci a un altro il tuo primo ballo. Non ti ha levato gli occhi di dosso per tutta la sera.»

Sì, è per una buona causa, e Christian vincerà sicuramente. Affrontiamo questa cosa, dopotutto non è a corto di spiccioli.

"Ma significa spendere altro denaro per te!" ringhia la mia vocina interiore. Io non voglio ballare con nessun altro. Non posso ballare con nessun altro. E poi non spende denaro per me, lo sta donando in beneficenza. "Come i ventiquattromila dollari che ha già speso?"

A quanto pare l'ho fatta franca con la mia offerta impulsiva. Perché sto litigando con me stessa?

«Ora, signori, per favore avvicinatevi, e date una bella occhiata a ciò che può essere vostro per il primo ballo. Dodici attraenti e compiacenti ragazze.»

Oh, no! Mi sento come al mercato della carne. Guardo, orripilata, almeno una ventina di uomini avvicinarsi al palco, Christian incluso, che cammina con grazia disinvolta tra i tavoli, fermandosi per salutare qualche amico lungo il percorso. Una volta che gli offerenti si sono radunati, il maestro di cerimonie incomincia.

«Signore e signori, com'è tradizione di questo ballo, manterremo il mistero, le dame terranno la maschera e noi useremo solo i loro nomi di battesimo. Per prima abbiamo l'adorabile Jada.»

Anche Jada sta ridacchiando come una scolaretta. Forse non sarò così fuori posto. Indossa un lungo abito di taffetà blu, con una maschera abbinata. Due giovanotti si fanno avanti per lei. Fortunata Jada.

«Jada parla fluentemente giapponese, è pilota di caccia qualificata e ginnasta olimpica... mmh.» Il maestro di cerimonie strizza l'occhio. «Signori, quanto offrite?»

Jada sussulta, sorpresa dalla presentazione del maestro di cerimonie: è ovvio che sta dicendo solo sciocchezze. Lei sorride timidamente ai due contendenti.

«Mille dollari!» grida uno.

Rapidamente le offerte salgono fino a cinquemila dollari.

«Cinquemila dollari e uno, cinquemila dollari e due...

aggiudicata!» dichiara il maestro di cerimonie a gran voce. «Al gentiluomo con la maschera!» Tutti gli uomini indossano maschere, per cui, ovviamente, ci sono fischi e risate, applausi e schiamazzi. Jada sorride radiosa al suo acquirente e scende velocemente dal palco.

«Visto? È divertente!» dice Mia. «Spero che Christian ti vinca, visto che... non vogliamo una rissa» aggiunge.

«Una rissa?» esclamo con orrore.

«Oh, sì. Era una vera testa calda quando era più giovane.» Rabbrividisce.

Christian in una rissa? Il mio raffinato, sofisticato, amante della musica sinfonica Christian? Non me lo vedo. Il maestro di cerimonie mi distrae con la sua nuova presentazione. Una giovane in rosso, con lunghi capelli corvini.

«Signori, vi presento la meravigliosa Mariah. Cosa ne facciamo di Mariah? È un'esperta torera, suona il violoncello ed è una campionessa di salto in alto... Cosa ne pensate, signori? Da quanto partiamo per un ballo con la deliziosa Mariah?»

Mariah scocca un'occhiataccia al maestro di cerimonie e qualcuno grida, molto forte: «Tremila dollari!». È un uomo con la maschera, biondo e con la barba.

Qualcuno fa una controfferta, e Mariah viene aggiudicata per quattromila dollari.

Christian mi punta come un aquila. Il rissoso Trevelyan-Grey, chi lo avrebbe detto?

«Quanto tempo fa?» chiedo a Mia.

Lei mi guarda perplessa.

«Quanto tempo fa Christian si azzuffava?»

«Da adolescente. Faceva impazzire i miei genitori, tornava a casa con le labbra spaccate e gli occhi neri. È stato espulso da due scuole. Riusciva a fare davvero male ai suoi avversari.»

Resto a bocca aperta.

«Non te l'ha detto?» Sospira. «Aveva una reputazione

piuttosto brutta tra i miei amici. Per diversi anni è stato una presenza non gradita. Ma poi ha smesso, tra i quindici e i diciassette anni.» Scrolla le spalle.

"Porca miseria." Un altro pezzo del puzzle trova posto.

«Allora, quanto offrite per la formidabile Jill?»

«Quattromila dollari» una voce profonda grida da sinistra. Jill squittisce deliziata.

Smetto di prestare attenzione all'asta. E così Christian si metteva in quel genere di guai. Risse. Mi domando il perché. Lo fisso. Lily ci sta studiando.

«E ora permettetemi di presentarvi la bellissima Ana.»

"Oh, merda, sono io." Guardo nervosamente Mia, e lei mi fa cenno di andare al centro del palco. Per fortuna, non inciampo, ma rimango in piedi, imbarazzatissima, davanti a tutti. Guardo Christian, e lui mi lancia un'occhiatina maliziosa. Il bastardo.

«La bellissima Ana suona sei diversi strumenti, parla fluentemente il mandarino ed è un'esperta di yoga… Ebbene, signori…» Prima che finisca la frase, Christian lo interrompe, fissando il maestro di cerimonie attraverso la maschera.

«Diecimila dollari.» Dietro di me, sento Lily che sussulta per l'incredulità.

"Accidenti."

«Quindicimila.»

Cosa? Tutti ci voltiamo verso un uomo alto, vestito impeccabilmente, in piedi sulla sinistra del palco. Io sbatto le palpebre in direzione di Christian. E adesso? Ma lui si sta grattando il mento e lancia allo sconosciuto un sorriso ironico. È ovvio che lo conosce. Lo sconosciuto fa un cenno con la testa verso Christian.

«Bene, signori! Abbiamo delle offerte alte questa sera.» L'eccitazione del maestro di cerimonie è palpabile attraverso la maschera di Arlecchino, mentre si volta con un sorriso verso Christian. È un grande spettacolo, ma a mie spese. Vorrei svenire.

«Venti» ribatte Christian con tranquillità.

Il chiacchiericcio della folla è scemato. Tutti guardano me, Christian e Mr Misterioso accanto al palco.

«Venticinque» dice lo sconosciuto.

Potrebbe essere più imbarazzante?

Christian lo guarda impassibile, ma è divertito. Tutti gli occhi sono su di lui. Che cosa farà? Ho il cuore in gola. E mi viene da vomitare.

«Centomila dollari» dice. La sua voce risuona chiara e forte nel tendone.

«Ma che cazzo...?» sibila Lily dietro di me, e il sussulto per lo stupore e il divertimento è generale. Lo sconosciuto alza le mani in segno di resa, ridendo, e Christian gli lancia un'occhiata divertita. Con la coda dell'occhio, vedo Mia che saltella su e giù per la gioia.

«Centomila dollari per la dolce Ana! Centomila dollari e uno... centomila dollari e due...» Il maestro di cerimonie guarda lo sconosciuto, che scuote la testa con una smorfia di simulato rammarico e fa un inchino cavalleresco.

«Aggiudicata!» grida il maestro di cerimonie trionfante.

Tra gli applausi e le grida assordanti, Christian viene avanti e mi prende per mano, aiutandomi a scendere dal palco. Mi guarda con un sorriso divertito e mi bacia la mano per poi infilare il mio braccio sotto il suo, e condurmi verso l'uscita del tendone.

«Chi era quello?» chiedo.

Lui mi guarda. «Qualcuno che conoscerai più tardi. Ora, voglio mostrarti qualcosa. Abbiamo circa mezz'ora prima che l'asta del primo ballo sia finita. Poi dovremo essere di ritorno sulla pista, in modo che io possa godermi il ballo per cui ho pagato.»

«Un ballo molto costoso» mormoro con disapprovazione.

«Sono sicuro che vale ogni singolo centesimo.» Mi sorride maliziosamente. Oh, ha uno splendido sorriso, e la dolorosa voglia ritorna, sbocciando dentro di me.

Siamo fuori, sul prato. Pensavo che ci saremmo diretti alla rimessa delle barche, ma rimango delusa nel vedere che, a quanto pare, stiamo andando verso la pista da ballo, dove la grande orchestra si sta sistemando. Ci sono almeno venti musicisti, e qualche ospite sta vagando nei dintorni, fumando furtivamente. Tuttavia, visto che le cose più importanti stanno avvenendo nel tendone, non attiriamo molta attenzione.

Christian mi porta sul retro della casa e apre una portafinestra che dà su un grande e confortevole salotto che non ho mai visto prima. Attraversa la stanza deserta e punta verso lo scalone con un'elegante ringhiera di legno lucido. Tolgo il braccio dal suo, mentre mi conduce al primo piano e poi su per un'altra rampa di scale, fino al secondo. Apre una porta bianca e mi fa entrare in una delle camere da letto.

«Questa era la mia stanza» dice piano, rimanendo sulla porta e chiudendosela alle spalle.

È grande, semplice, scarsamente arredata. Le pareti sono bianche, come i mobili. Un grande letto matrimoniale, una scrivania e una sedia, scaffali pieni di libri e una sfilza di trofei, per il kick boxing, a quanto pare. Sulle pareti sono appese locandine di film: *Matrix*, *Fight Club*, *The Truman Show*, e due poster incorniciati che rappresentano campioni di kick boxing. Uno si chiama Giuseppe DeNatale. Non ho mai sentito parlare di lui.

Ma quello che mi colpisce è una bacheca bianca sopra la scrivania, punteggiata da una valanga di foto, gagliardetti dei Mariners e matrici di biglietti. È uno scorcio del giovane Christian. Torno con lo sguardo al bellissimo uomo in piedi nel centro della stanza. Mi guarda con i suoi occhi cupi, intensi e sensuali.

«Non ho mai portato qui una ragazza» mormora.

«Mai?» sussurro.

Lui scuote la testa.

Io deglutisco freneticamente, e la smania che mi tormenta da almeno un paio d'ore adesso strepita, cruda e famelica. Vedere Christian lì in piedi sul tappeto blu scuro, con la maschera... è più che erotico. Lo voglio. Ora. Dev'esserci un modo per averlo. Devo resistere all'impulso di lanciarmi su di lui e strappargli i vestiti di dosso. Lui avanza verso di me lentamente.

«Non abbiamo molto tempo, Anastasia, e da come mi sento in questo momento, non ci occorrerà tanto. Voltati. Lascia che ti tolga quel vestito.»

Io mi giro e fisso la porta, contenta che lui l'abbia chiusa. Si china e mi sussurra all'orecchio: «Tieni su la maschera».

Gemo, mentre in risposta il mio corpo si contrae. Non mi ha ancora toccata.

Afferra la parte alta del mio vestito, le dita che scorrono sulla mia pelle, e la sua carezza si riverbera in tutto il mio corpo. Con un movimento rapido mi tira giù la cerniera. Reggendomi l'abito, mi aiuta a uscirne, poi si gira e lo appoggia ad arte sullo schienale di una sedia. Si toglie la giacca e la posa sul mio vestito. Si ferma e mi fissa per un momento, come se bevesse la mia immagine. Rimango con il corsetto e le mutandine, e mi crogiolo in quello sguardo sensuale.

«Lo sai, Anastasia.» I suoi occhi sono dolci mentre mi si avvicina, sciogliendosi il papillon e lasciandolo pendere ai lati del collo. Poi si slaccia i primi tre bottoni della camicia. «Ero così arrabbiato quando hai vinto il mio lotto d'asta. Mi sono passati per la testa un milione di pensieri. Ho dovuto ricordare a me stesso che le punizioni sono fuori dal nostro accordo. Ma poi ti sei offerta volontaria.» Mi guarda attraverso la maschera. «Perché lo hai fatto?» sussurra.

«Volontaria? Non lo so. Frustrazione... troppo alcol... una buona causa» mormoro docile, stringendomi nelle spalle. Forse per attirare la sua attenzione?

Ho bisogno di lui. Ho bisogno di lui adesso. La smania si

è fatta insopportabile, e so che lui la può placare, può calmare la bestia che ruggisce e sbava dentro di me con la bestia che è in lui. La sua bocca si stringe in una linea. Lentamente si passa la lingua sul labbro superiore. Voglio quella lingua su di me.

«Ho giurato a me stesso che non ti avrei più sculacciata, nemmeno se mi avessi supplicato.»

«Per favore» lo prego.

«Ma poi mi sono reso conto che probabilmente sei molto a disagio in questo momento e che è una cosa a cui non sei abituata.» Mi fa un piccolo ghigno d'intesa, da bastardo arrogante, ma a me non importa, perché ha ragione.

«Sì» dico in un sospiro.

«Perciò, potrebbe esserci un certo… spazio di manovra. Se lo faccio, devi promettermi una cosa.»

«Qualsiasi cosa.»

«Userai la *safeword*, se ne avrai bisogno, e io farò solo l'amore con te, okay?»

«Sì.» Sono senza fiato. Voglio le sue mani su di me.

Lui deglutisce, poi mi prende per mano e mi porta verso il letto. Getta da una parte il copriletto, si siede, afferra il cuscino e lo mette vicino a sé. Mi guarda, in piedi di fianco a lui, e all'improvviso tira forte la mia mano, cosicché gli cado in grembo. Lui si accomoda meglio, in modo che il mio corpo sia disteso sul letto, il mio petto sul cuscino, il volto di lato. Si china, mi toglie i capelli dalla spalla e fa scorrere le dita attraverso le piume della mia maschera.

«Metti le mani dietro la schiena» mormora.

"Oh!" Si toglie il papillon e lo usa per legarmi velocemente i polsi.

«Lo vuoi davvero, Anastasia?»

Chiudo gli occhi. Questa è la prima volta da quando l'ho incontrato che voglio davvero una cosa del genere. Ne ho bisogno.

«Sì» sussurro.

«Perché?» mi chiede dolcemente mentre mi accarezza il sedere.

Gemo non appena la sua mano viene a contatto con la mia pelle. "Non so perché... Mi hai detto di non pensare troppo. Dopo una giornata come oggi... dopo che abbiamo litigato per i soldi, Leila, Mrs Robinson, il dossier su di me, per la mappa, questo ricevimento sontuoso, le maschere, l'alcol, le sfere d'argento, l'asta... voglio questo."

«C'è bisogno di una ragione?»

«No, piccola» risponde. «Sto solo cercando di capirti.» La sua mano sinistra si stringe intorno al mio polso, tenendomi ferma, mentre la destra si solleva dal mio sedere e poi lo colpisce con forza. Il dolore si collega direttamente alla smania nel mio ventre.

"Oddio..." Gemo forte. Lui mi colpisce ancora, esattamente nello stesso punto. Gemo ancora.

«Due» mormora. «Arriveremo a dodici.»

"Oddio!" Mi sembra diverso dall'ultima volta, così carnale, così... necessario. Lui mi accarezza il sedere con le sue dita affusolate, e io sono impotente, legata e premuta sul materasso, alla sua mercé, e per mia volontà. Mi colpisce ancora, leggermente di lato, e ancora, dall'altra parte, poi si ferma e lentamente mi fa scivolare giù le mutandine e me le toglie. Gentilmente, fa scorrere il palmo sulle mie natiche, prima di continuare a sculacciarmi. Ogni sculacciata pungente placa il mio bisogno, oppure lo alimenta, non lo so. Mi arrendo al ritmo dei colpi, assorbendoli a uno a uno, assaporandoli a uno a uno.

«Dodici» mormora, la voce bassa e roca. Mi accarezza di nuovo il sedere, facendo scorrere il dito sotto, in mezzo alle cosce, e lentamente affonda due dita dentro di me, muovendole ripetutamente in circolo, torturandomi.

Gemo forte mentre lo desidero con tutta me stessa, e vengo... vengo di nuovo, convulsamente intorno alle sue dita. È così intenso, inaspettato, e veloce.

«Così va bene, piccola» mormora contento. Mi slega i polsi, continuando a tenere le dita dentro di me, mentre giaccio esausta e senza fiato sopra di lui.

«Non ho ancora finito con te, Anastasia» dice mentre si sposta, senza togliere le dita. Mi fa appoggiare a terra le ginocchia, cosicché ora sono chinata sul letto. Poi si inginocchia dietro di me e si abbassa la cerniera. Fa scivolare le dita fuori da me, e sento il familiare rumore della bustina del preservativo che viene aperta. «Apri le gambe» ringhia e io lo soddisfo. Lui mi accarezza il sedere e mi entra dentro.

«Sarà veloce, piccola» mormora. Afferrandomi i fianchi, esce ed entra con forza di nuovo.

«Ah!» grido, ma questa pienezza è divina. Lui colpisce esattamente il punto del ventre che mi doleva, più volte, sradicando il male a ogni colpo duro e dolce. È una sensazione incredibile, proprio ciò di cui ho bisogno. Spingo all'indietro per andargli incontro. Colpo su colpo.

«Ana, no!» mormora cercando di fermarmi. Ma io lo voglio così tanto, e mi premo contro di lui.

«Merda!» sibila mentre viene, e questo suono mi fa esplodere di nuovo, in un crescendo vertiginoso fino a un orgasmo liberatorio che mi lascia sconvolta e senza fiato.

Christian si china e mi bacia una spalla, poi scivola fuori da me. Mi avvolge con le braccia, e appoggia la testa sulla mia schiena. Rimaniamo così, inginocchiati davanti al letto. Per quanto? Secondi? Minuti forse, mentre i nostri respiri si calmano. La dolorosa smania dentro di me è scomparsa, e tutto quello che sento è una serenità confortante e soddisfatta.

Christian si muove e mi bacia la schiena. «Credo che tu mi debba un ballo, Miss Steele» mormora.

«Mmh...» gli rispondo, assaporando l'assenza di dolore e crogiolandomi in quella piacevole sensazione.

Lui si siede sui talloni e mi scosta dal letto, prendendomi in grembo. «Non abbiamo molto tempo. Andiamo.» Mi bacia sui capelli e mi costringe ad alzarmi.

Protestando, mi siedo sul letto, raccolgo le mutandine da terra e me le infilo. Poi raggiungo pigramente la sedia e afferro il vestito. Noto con vago interesse che non mi sono tolta le scarpe per il nostro illecito incontro galante. Christian si sta riannodando il papillon, dopo aver finito di rimettere in ordine se stesso e il letto.

Mentre mi infilo il vestito, esamino le fotografie attaccate alla bacheca. Christian era bello anche allora, da teenager imbronciato: con Elliot e Mia sulle piste da sci; da solo a Parigi, con l'Arco di Trionfo alle spalle; a Londra; a New York; nel Grand Canyon; alla Sydney Opera House; persino davanti alla Grande Muraglia cinese. Il Padrone Grey ha viaggiato tanto da ragazzo.

Ci sono le matrici dei biglietti di vari concerti: U2, Metallica, Verve, Sheryl Crow, la New York Philharmonic Orchestra che esegue il *Romeo e Giulietta* di Prokofiev. Che mix eclettico! E in un angolo, c'è la fototessera di una ragazza. È in bianco e nero. Mi sembra familiare, ma per quanto ci provi, non riesco a collocarla. Non è Mrs Robinson, grazie a Dio.

«Chi è questa?» chiedo.

«Nessuno di importante» borbotta lui mentre si infila la giacca e si sistema il papillon. «Posso tirarti su la cerniera?»

«Grazie. Allora perché è nella tua bacheca?»

«Una dimenticanza. Com'è il papillon?» Alza il mento come un ragazzino, e io sorrido raddrizzandoglielo.

«Adesso è perfetto.»

«Come te» mormora e mi afferra, baciandomi appassionatamente.

«Ti senti meglio?»

«Molto meglio, grazie, Mr Grey.»

«Il piacere è stato tutto mio, Miss Steele.»

Gli ospiti si stanno radunando sulla pista da ballo. Christian mi sorride. Abbiamo fatto appena in tempo.

«E ora, signore e signori, è il momento del primo ballo. Mr Grey, dottoressa, siete pronti?» Carrick annuisce, le braccia intorno a Grace.

«Signore e signori dell'asta del primo ballo, ci siete?» Tutti rispondiamo con un cenno d'assenso. Mia è con qualcuno che non riconosco. Mi domando che fine abbia fatto Sean.

«Allora possiamo incominciare. Attacca pure, Sam!»

Un giovane sale sul palco tra gli applausi calorosi, si volta verso l'orchestra e schiocca le dita. Le note familiari di *I've Got You Under My Skin* riempiono l'aria.

Christian mi sorride, mi prende tra le braccia e inizia a muoversi. Oh, balla così bene, è così facile seguirlo. Ci sorridiamo a vicenda come idioti, mentre volteggiamo sulla pista.

«Adoro questa canzone» mormora guardandomi negli occhi. «Mi sembra appropriata.» Non sorride più. È serio.

«Anche tu mi sei entrato sotto la pelle, come dice la canzone» gli rispondo. «O, perlomeno, così è stato nella tua camera da letto.»

Lui fa una smorfia, ma non riesce a nascondere di essere divertito.

«Miss Steele» mi ammonisce scherzoso «non avevo idea che potessi essere tanto volgare.»

«Nemmeno io, Mr Grey. Credo che sia per via di tutte le mie recenti esperienze. Ho ricevuto una certa educazione.»

«Vale per entrambi.» Christian è di nuovo serio, e potremmo benissimo esserci solo noi due e l'orchestra. È come se fossimo in una specie di bolla privata.

Quando la canzone finisce, entrambi applaudiamo. Il cantante, Sam, fa un inchino e presenta la sua orchestra.

«Posso intromettermi?»

Riconosco l'uomo che ha fatto l'offerta per me durante l'asta. A malincuore, Christian mi lascia andare, ma è divertito.

«Prego. Anastasia, lui è John Flynn. John, lei è Anastasia.»

"Oh!"

Christian mi fa un sorrisetto e si allontana verso un angolo della pista.

«Come va, Anastasia?» dice il dottor Flynn mellifluo, e dal suo accento capisco che è inglese.

«Salve» balbetto.

L'orchestra attacca un'altra canzone, e il dottor Flynn mi attira tra le sue braccia. È molto più giovane di quanto immaginassi, anche se non lo posso vedere in volto. Indossa una maschera simile a quella di Christian. È alto, ma non quanto lui, e non si muove con la stessa grazia naturale.

Che cosa gli dico? Perché Christian è così incasinato? Perché ha fatto un'offerta per me? Sono le sole cose che vorrei chiedergli, ma chissà perché, mi sembra sfacciato.

«Sono contento di conoscerti, finalmente, Anastasia. Ti stai divertendo?» mi chiede.

«Lo stavo facendo» sussurro.

«Oh. Spero di non essere responsabile di questo cambiamento.» Mi fa un rapido, caloroso sorriso, che mi mette un po' più a mio agio.

«Dottor Flynn, chi è lo strizzacervelli? Me lo dica lei.»

Il suo sorriso diventa un ghigno malizioso. «È questo il problema, vero? La storia dello strizzacervelli.»

Io ridacchio. «Sono preoccupata per quello che potrei rivelare, perciò mi sento un po' intimidita e a disagio. E le uniche domande che davvero vorrei rivolgerle riguardano Christian.»

Lui sorride. «Primo: questa è una festa, perciò non sono in servizio» mi sussurra con fare cospiratorio. «Secondo: non posso parlarti di Christian. D'altra parte» aggiunge in tono scherzoso «dovremo aspettare solo fino a Natale.»

Sussulto, scioccata.

«È una battuta da medici, Anastasia.»

Arrossisco, imbarazzata, poi mi sento un po' contrariata.

Sta facendo dell'umorismo alle spalle di Christian. «Ha appena confermato quello che dicevo a Christian... che lei è un ciarlatano costoso» lo ammonisco.

Il dottor Flynn sbotta in una risata. «Potresti esserci vicina.»

«È inglese?»

«Sì. Di Londra.»

«Com'è arrivato qui?»

«Circostanze fortunate.»

«Non rivela molto di sé, vero?»

«Non c'è molto da rivelare. Sono una persona noiosa.»

«Questa è autocommiserazione.»

«È un tratto britannico. Fa parte del nostro carattere nazionale.»

«Oh.»

«E potrei accusarti della stessa cosa, Anastasia.»

«Nel senso che sono anch'io una persona noiosa, dottor Flynn?»

Lui sbuffa. «No, Anastasia. Nel senso che non riveli molto di te.»

«Non c'è molto da rivelare.» Gli sorrido.

«Sinceramente ne dubito.» Inaspettatamente, aggrotta la fronte.

Arrossisco di nuovo, ma la musica finisce e Christian è ricomparso al mio fianco. Il dottor Flynn mi lascia andare.

«È stato un piacere conoscerti, Anastasia.» Mi rivolge un altro sorriso caloroso e ho la sensazione di aver passato una specie di test.

«John.» Christian gli fa un cenno di saluto con la testa.

«Christian.» Il dottor Flynn contraccambia il saluto, poi si volta e sparisce in mezzo alla folla.

Christian mi attira tra le sue braccia per il ballo successivo.

«È più giovane di quanto mi aspettassi» mormoro. «E terribilmente indiscreto.»

Christian piega il capo di lato. «Indiscreto?»

«Oh, sì, mi ha detto tutto» dico, prendendolo in giro.

Christian si irrigidisce. «Be', in questo caso, vado a prenderti la borsetta. Sono sicuro che non vorrai avere più niente a che fare con me» mi dice.

Mi fermo. «Non mi ha detto niente!» La mia voce è piena di panico.

Christian sbatte le palpebre prima che il sollievo gli inondi il volto. Mi stringe di nuovo tra le braccia. «Allora godiamoci il ballo.» Sorride rassicurante, e poi mi fa volteggiare.

Perché pensa che vorrei andarmene? Non ha senso.

Facciamo altri due balli, poi mi rendo conto di aver bisogno del bagno.

«Non ci metterò molto.»

Mentre mi dirigo verso la toilette, ricordo di aver lasciato la pochette sul tavolo, quindi torno nel tendone. Quando entro, lo trovo ancora illuminato, ma praticamente deserto, a parte una coppia che dovrebbe davvero prendersi una stanza! Recupero la pochette.

«Anastasia?»

Una voce dolce mi fa trasalire. Mi giro e vedo una donna con un lungo abito attillato di velluto nero. La sua maschera è straordinaria. Non solo le copre il volto fino al naso, ma le nasconde anche i capelli e ha sorprendenti ed elaborati disegni in filigrana d'oro.

«Sono così felice di trovarti da sola» mi dice piano. «Aspettavo di poter parlare con te da tutta la sera.»

«Mi dispiace, non so chi sia lei.»

La donna si toglie la maschera e libera i capelli.

"Merda!" È Mrs Robinson.

«Mi dispiace, ti ho spaventata.»

La guardo a bocca aperta. "Accidenti! Che cosa vuole questa donna?"

Non so cosa prevedano le convenzioni sociali quando si incontra un noto molestatore di ragazzini. Lei sorride dolcemente e mi fa cenno di sedermi al tavolo. E io, non sapendo cos'altro fare, obbedisco, ammaliata dalla sua cortesia e contenta di indossare ancora la mia maschera.

«Sarò breve, Anastasia. So quello che pensi di me... Christian me l'ha detto.»

La guardo impassibile, senza tradire alcuna emozione, ma sono contenta che sappia. Mi risparmia di doverglielo dire e la indurrà ad arrivare in fretta al punto. Una parte di me è estremamente curiosa di sapere che cos'ha da dirmi.

Si ferma, lanciando un'occhiata oltre la mia spalla. «Taylor ci sta osservando.»

Mi volto e lo vedo: è in piedi sulla soglia e sta controllando il tendone. Sawyer è con lui. Sembrano guardare dappertutto tranne che verso di noi.

«Senti, non abbiamo molto tempo» mi dice in fretta. «Sembrerà chiaro anche a te che Christian ti ama. Non l'ho mai visto così prima d'ora, *mai*.» Mette enfasi sull'ultima parola.

Cosa? Mi ama? No. Perché me lo sta dicendo? Per rassicurarmi? Non capisco.

«Lui non te lo dice perché probabilmente non se n'è ancora reso conto, nonostante quello che gli ho detto, ma Christian è così. Non è molto abituato a riconoscere le emozioni e i sentimenti positivi che può provare. È troppo impegnato a combattere quelli negativi. Ma questo probabilmente lo hai capito da sola. Lui non pensa di essere degno.»

La mia mente vacilla. Christian mi ama? Non me l'ha detto, e questa donna gli ha confidato che è questo che sente per me? Bizzarro.

Un centinaio di immagini mi danzano nella testa: l'iPad, l'aliante, il volo per vedermi, tutte le sue azioni, la sua possessività, centomila dollari per un ballo. È questo l'amore?

Il sentirlo da questa donna, il fatto che sia lei a confermarmelo, francamente mi infastidisce. Avrei preferito che me lo dicesse lui.

Mi si stringe il cuore. Non si sente degno. Perché?

«Non l'ho mai visto così felice, ed è ovvio che anche tu

nutri dei sentimenti per lui.» L'ombra di un sorriso le passa sulle labbra. «È meraviglioso, e vi auguro tutto il meglio. Ma quello che volevo dirti è che se lo fai ancora soffrire, io ti troverò, signorina, e non sarà molto piacevole.»

Mi fissa, e i suoi occhi azzurri come il ghiaccio mi perforano, cercando di andare oltre la mia maschera. La sua minaccia è così sorprendente e pazzesca che involontariamente mi scappa una risata incredula. Di tutte le cose che avrebbe potuto dirmi, questa era l'ultima che mi aspettavo.

«Credi che sia divertente, Anastasia?» farfuglia, sgomenta. «Non l'hai visto sabato scorso.»

La mia espressione si fa seria e cupa. Il pensiero di Christian infelice non è gradevole; sabato scorso è stato il giorno in cui l'ho lasciato. Dev'essere andato da lei. L'idea mi rende inquieta. Perché me ne sto seduta qui ad ascoltare le stronzate che questa donna mi dice? Mi alzo, fissandola intensamente.

«Rido per la sua audacia, Mrs Lincoln. Christian e io non abbiamo nulla a che fare con lei. E se io dovessi lasciarlo e lei mi venisse a cercare, stia certa che l'aspetterò. Non ne dubiti. E magari le farò assaggiare la sua stessa medicina, per conto del ragazzino di quindici anni che lei ha molestato e probabilmente incasinato più di quanto non fosse già.»

Lei rimane a bocca aperta.

«Ora, se vuole scusarmi, ho di meglio da fare che perdere il mio tempo con lei.» Le volto le spalle, l'adrenalina e la rabbia che mi scorrono nel corpo, e mi dirigo verso l'uscita del tendone, dove Taylor aspetta. Christian ci raggiunge in quel momento, accaldato e preoccupato.

«Eccoti» mormora, poi aggrotta la fronte quando vede Elena.

Io gli passo accanto, senza dire niente, dandogli la possibilità di scegliere. O lei o me. Lui fa la scelta giusta.

«Ana» mi chiama. Mi fermo e aspetto che mi raggiunga. «Cos'è successo?» Mi guarda, preoccupato.

«Perché non lo chiedi alla tua ex?» sibilo acida.

Le sue labbra si piegano in una smorfia. Il suo sguardo diventa gelido. «Lo sto chiedendo a te» ribatte, con dolcezza, ma con una sfumatura di minaccia.

Ci fissiamo.

Okay, capisco che finirà in un litigio se non glielo dico. «Lei mi ha minacciata di venirmi a cercare, se ti farò soffrire ancora. Probabilmente con un frustino» rispondo secca.

Il sollievo gli si dipinge sul volto. Sulla sua bocca aleggia un sorriso divertito. «Non ti sarà certo sfuggita l'ironia di tutto ciò, vero?» dice, e capisco che si trattiene a stento dal ridere.

«Non è divertente, Christian!»

«No, hai ragione. Le parlerò.» Assume un'espressione seria, pur non riuscendo a nascondere che è divertito.

«No, non lo farai.» Incrocio le braccia, la rabbia mi punge ancora.

Lui sbatte le palpebre, sorpreso della mia uscita.

«So che sei legato a lei dagli affari ma...» Che cosa gli sto chiedendo? Di lasciarla? Di smettere di vederla? Posso farlo? «Ho bisogno della toilette.» Lo guardo torva, con la bocca irrigidita in una smorfia.

Lui sospira e piega la testa di lato. Potrebbe essere più sexy di così? È la maschera oppure è proprio lui?

«Per favore, non essere arrabbiata. Non sapevo che lei fosse qui. Mi aveva detto che non sarebbe venuta.» Cerca di blandirmi con il suo tono, come se parlasse a un bambino. Alza una mano e mi accarezza il labbro inferiore, imbronciato. «Non lasciare che Elena ci rovini la serata, per favore, Anastasia. Lei è una storia vecchia, davvero.»

"Vecchia" è la parola giusta, penso crudelmente. Lui mi solleva il mento e mi accarezza dolcemente le labbra con le sue. Sospiro, in segno di assenso, e lo guardo sbattendo le palpebre. Lui mi prende per un braccio.

«Ti accompagno a incipriarti il naso, così nessuno ti disturberà ancora.»

Mi conduce attraverso il prato verso il lussuoso prefabbricato che ospita le toilette. Mia ha detto che sono state installate per l'occasione, ma non avevo idea che fossero così sontuose.

«Ti aspetto qui fuori, piccola» mormora Christian.

Quando esco, il malumore è quasi del tutto sparito. Ho deciso di non lasciare che Mrs Robinson mi rovini la serata, perché probabilmente è questo che vuole. Christian è al telefono, un po' in disparte, in modo da non essere disturbato da un gruppetto di persone che ride e chiacchiera nei paraggi. Mentre lo raggiungo, riesco a sentirlo. È molto brusco.

«Perché hai cambiato idea? Pensavo che fossimo d'accordo. Be', lasciala in pace... Questa è la prima relazione vera che ho e non voglio che tu comprometta tutto per qualche infondata preoccupazione nei miei confronti. Lasciala. In. Pace. Te lo dico per l'ultima volta, Elena.» Fa una pausa, per ascoltare. «No, certo che no.» Aggrotta la fronte mentre lo dice. Alza lo sguardo e mi vede. «Devo andare. Buonanotte.» Chiude la comunicazione.

Io piego la testa di lato e alzo un sopracciglio. Perché le stava telefonando?

«Come sta la storia vecchia?»

«Scontrosa» risponde, sardonico. «Vuoi ballare ancora? Oppure preferisci andare via?» Dà un'occhiata all'orologio. «I fuochi d'artificio iniziano tra cinque minuti.»

«Adoro i fuochi d'artificio.»

«Rimarremo a guardarli, allora.» Mi passa un braccio intorno alla vita e mi stringe a sé. «Non lasciare che lei si metta tra noi, per favore.»

«Ci tiene a te» mormoro.

«Sì, e io a lei... come amica.»

«Credo che per lei sia più di un'amicizia.»

Aggrotta la fronte di nuovo. «Anastasia, Elena e io... è complicato. Abbiamo condiviso una storia. Ma è solo questo:

una storia finita. Come ti ho detto e ripetuto, è una buona amica. Tutto qui. Per favore, dimenticati di lei.» Mi bacia sui capelli e, per non rovinare la serata, decido di abbozzare. Sto solo cercando di capire.

Torniamo verso la pista da ballo mano nella mano. L'orchestra sta ancora suonando.

«Anastasia.»

Mi giro. Carrick è dietro di noi.

«Mi domandavo se vorresti concedermi l'onore del prossimo ballo.» Mi porge la mano. Christian si stringe nelle spalle e sorride, e io mi lascio portare sulla pista. Sam comincia a cantare *Come Fly with Me*, e Carrick mi circonda la vita con un braccio e mi fa volteggiare tra la folla.

«Volevo ringraziarti per il generoso contributo alla nostra causa, Anastasia.»

Dal suo tono, sospetto che sia un giro di parole per chiedermi se me lo posso permettere.

«Mr Grey…»

«Chiamami Carrick, per favore, Ana.»

«Sono felice di aver potuto contribuire. Ho inaspettatamente ricevuto del denaro di cui non ho bisogno. E questa è una causa importante.»

Lui mi sorride, e io intravedo l'opportunità di rivolgergli qualche domanda innocente. "Carpe diem" sibila la mia vocina.

«Christian mi ha raccontato qualcosa del suo passato. Perciò ho pensato che fosse giusto supportare il vostro lavoro» aggiungo, sperando che questo incoraggi Carrick a darmi qualche piccolo indizio di quel mistero che è suo figlio.

Carrick è sorpreso. «Davvero? È insolito. Di certo hai un effetto molto positivo su di lui, Anastasia. Non penso di averlo mai visto così, così… felice.»

Arrossisco.

«Mi dispiace, non era mia intenzione metterti in imbarazzo.»

«Be', per quanto la mia esperienza sia limitata, direi che è un uomo davvero insolito» mormoro.

«Lo è» conviene Carrick pacatamente.

«L'infanzia di Christian sembra essere stata drammatica, da quello che mi ha raccontato.»

Lui si incupisce e io temo di aver oltrepassato il limite.

«Mia moglie era il medico di turno quando la polizia l'ha portato in ospedale. Era pelle e ossa, e orribilmente disidratato. Non parlava.» Nonostante il ritmo allegro della musica, Carrick si fa ancora più cupo, in preda a quel brutto ricordo. «In effetti, non ha parlato per quasi due anni. Il pianoforte, alla fine, lo ha fatto riconciliare con se stesso. Oltre all'arrivo di Mia, ovviamente.» Mi sorride con calore.

«Suona magnificamente. È talmente bravo che lei dev'essere molto orgoglioso di lui.» Sembro distratta. "Porca miseria. Non ha parlato per due anni!"

«Lo sono immensamente. È un ragazzo molto determinato, molto capace e molto intelligente. Ma, detto tra me e te, Anastasia, quello che davvero riempie di gioia me e sua madre è vederlo come questa sera: spensierato, con il comportamento adatto a un ragazzo della sua età. Ne parlavamo proprio oggi. Credo che dobbiamo ringraziare te per questo.»

Arrossisco fino alla radice dei capelli. Che cosa devo dire?

«È sempre stato un tipo così solitario, ed eravamo convinti che non lo avremmo mai visto con qualcuno. Qualsiasi cosa tu gli stia facendo, per favore, non smettere. Ci piace vederlo felice.» Si ferma all'improvviso, come se stavolta fosse stato lui a oltrepassare il limite. «Mi dispiace, non intendevo metterti a disagio.»

Io scuoto la testa. «Piace anche a me vederlo felice» mormoro non sapendo cos'altro dire.

«Be', sono molto contento che tu sia venuta stasera. È stato un piacere vedervi insieme.»

Mentre le note finali della canzone si spengono, Carrick

mi lascia andare e mi fa un inchino. Io rispondo alla sua galanteria con una riverenza.

«Ora basta ballare con i vecchietti.» Christian è al mio fianco. Carrick ride.

«Stai bene attento al vecchietto, figliolo. Ero piuttosto famoso ai miei tempi.» Carrick mi strizza l'occhio scherzosamente e sparisce tra la folla.

«Credo che tu piaccia a mio padre» dice Christian mentre lo osserva allontanarsi.

«Perché non dovrei piacergli?» Lo guardo civettuola, sbattendo le palpebre.

«Ben detto, Miss Steele.» Mi attira a sé, mentre l'orchestra inizia a suonare *It Had to Be You*.

«Balla con me» sussurra, seducente.

«Con piacere, Mr Grey.» Gli sorrido, e lui mi fa volteggiare di nuovo sulla pista.

A mezzanotte ci avviamo verso la spiaggia tra il tendone e la rimessa delle barche, dove altri ospiti si sono radunati per guardare i fuochi d'artificio. Il maestro di cerimonie, di nuovo in azione, ha dato il permesso di togliersi le maschere per vedere meglio lo spettacolo. Christian mi stringe la vita con un braccio, ma sono consapevole della vicinanza di Taylor e Sawyer, probabilmente per via della folla. Guardano dappertutto tranne che verso la riva, dove due esperti pirotecnici vestiti di nero stanno ultimando i preparativi. La vista di Taylor mi ricorda Leila. Forse lei è qui. "Merda." Il pensiero mi raggela, e mi rannicchio contro Christian. Lui mi guarda e mi stringe ancor di più a sé.

«Stai bene, piccola? Hai freddo?»

«Sto benissimo.» Lancio una rapida occhiata alle mie spalle e vedo gli altri due addetti alla sicurezza di cui ho dimenticato i nomi. Sono molto vicini. Mi sposto davanti a Christian e lui mi mette entrambe le braccia sulle spalle.

All'improvviso, su un sottofondo di musica classica, due

razzi schizzano in aria, esplodendo fragorosamente sulla baia in una miriade di scintille arancioni e bianche, che si riflettono in una pioggia luccicante sulla calma piatta dell'acqua. Rimango a bocca aperta, mentre molti altri razzi solcano il cielo ed esplodono in un caleidoscopio di colori.

Non ricordo di aver mai visto uno spettacolo così impressionante, se non forse in televisione, dove peraltro i fuochi d'artificio non mi sono mai sembrati così belli. Tutto avviene a tempo di musica: un lancio dopo l'altro, uno scoppio dopo l'altro, un'esplosione di luce dopo l'altra, mentre la folla risponde con sussulti ed esclamazioni di sorpresa e ammirazione. È una cosa fuori dal mondo.

Sul ponte galleggiante della baia vengono accese diverse fontane di luce argentea che si proiettano in aria per alcuni metri, cambiando colore: dal blu all'arancio al rosso, per tornare all'argento. Poi esplodono altri razzi e la musica raggiunge il suo apice.

Comincia a farmi male la faccia a forza di sorridere per lo stupore. Guardo Christian e vedo che anche lui è meravigliato come un bambino di fronte a uno spettacolo così sensazionale. Per finire, sei razzi esplodono in simultanea, immergendoci in una meravigliosa luce dorata, mentre la folla prorompe in un applauso frenetico ed entusiasta.

«Signore e signori» dice il maestro di cerimonie sovrastando le grida e i fischi di giubilo. «Una nota per concludere questa magnifica serata: la vostra generosità ammonta a un totale di un milione e ottocentocinquantatremila dollari.»

Scoppia un altro applauso e sul ponte galleggiante appare una scritta luminosa argentea – GRAZIE DA AFFRONTIAMOLO INSIEME – che brilla e luccica sull'acqua.

«Oh, Christian… è stupendo.» Gli sorrido e lui si china su di me e mi bacia.

«È ora di andare» mormora, con un largo sorriso. E le sue parole sono cariche di promesse.

All'improvviso mi sento molto stanca.

188

Christian lancia un'occhiata alle sue spalle: Taylor è vicino; la folla intorno a noi si sta disperdendo. Loro due non parlano, ma si scambiano un messaggio silenzioso con gli occhi.

«Rimani un attimo qui con me. Taylor vuole che aspettiamo che la folla si disperda.»

"Oh."

«Credo che questi fuochi d'artificio gli abbiano fatto perdere una decina d'anni» aggiunge.

«Non gli piacciono i fuochi d'artificio?»

Christian mi guarda con tenerezza e scuote la testa, ma non mi dà spiegazioni.

«E così, Aspen» dice, e so che sta cercando di distrarmi da qualcosa. Ci riesce.

«Oh... non ho pagato per il mio acquisto» sussulto.

«Puoi mandare un assegno. Ho l'indirizzo.»

«Eri davvero arrabbiato.»

«Sì, lo ero.»

Sorrido. «È colpa tua e dei tuoi giocattoli.»

«Eri piuttosto su di giri, Miss Steele. E il risultato è stato più che soddisfacente, se ricordo bene.» Mi sorride con malizia. «A proposito, dove sono?»

«Le sfere d'argento? Nella mia pochette.»

«Le rivorrei indietro. Sono un dispositivo troppo potente perché io le lasci nelle tue mani innocenti.»

«Sei preoccupato che possa andare ancora su di giri, magari con qualcun altro?»

I suoi occhi luccicano pericolosamente. «Spero che non succeda» dice, con una nota fredda nella voce. «Voglio tutto il tuo piacere, Ana.»

"Ehi!" «Non ti fidi di me?»

«Nel modo più assoluto. Ora, posso averle indietro?»

«Ci penserò.»

C'è ancora musica sulla pista da ballo, ma si tratta di un pezzo da discoteca, con i bassi che martellano a un ritmo implacabile.

«Vuoi ballare?»

«Sono davvero stanca, Christian. Vorrei andare, se per te va bene.»

Christian lancia un'occhiata a Taylor, che annuisce, e ci incamminiamo verso la casa, seguendo una coppia di ospiti ubriachi. Christian mi prende per mano: mi fanno male i piedi per le scarpe strette e i tacchi vertiginosi.

Mia si materializza accanto a noi. «Non ve ne starete andando, vero? La festa inizia adesso. Avanti, Ana.» Mi afferra la mano.

«Mia» l'ammonisce Christian. «Anastasia è stanca. Stiamo andando a casa. E poi, domani abbiamo una giornata pesante.»

"Ah, sì?"

Mia fa il broncio, ma sorprendentemente non forza la mano con Christian.

«Devi venire qualche volta, la prossima settimana. Potremmo andare a fare shopping...»

«Certo, Mia.» Le sorrido, anche se mi domando come farò, visto che devo lavorare.

Mia mi bacia velocemente sulle guance, poi abbraccia Christian con forza, prendendoci entrambi di sorpresa. Mi stupisco ancor di più quando lei gli appoggia le mani sul bavero della giacca, e lui la guarda indulgente.

«Mi piace vederti felice» gli dice dandogli un bacio sulla guancia. «Ciao. Divertitevi.» Scappa via verso il gruppo di amici che l'aspetta. Tra loro c'è Lily, che sembra ancora più antipatica senza la maschera.

Mi domando per un attimo che fine abbia fatto Sean.

«Andiamo a dare la buonanotte ai miei genitori prima di andarcene. Vieni.» Christian mi guida attraverso un capannello di ospiti, verso Grace e Carrick, che ci salutano con affetto e calore.

«Per favore, torna a trovarci, Anastasia. È stato davvero bello averti qui» mi dice Grace, gentile.

Mi sento un po' sopraffatta sia dalla reazione di Grace sia da quella di Carrick. Per fortuna, i genitori di Grace si sono già ritirati per la notte, così perlomeno mi viene risparmiato il loro entusiasmo.

Senza fretta, Christian e io ci incamminiamo mano nella mano verso l'uscita, dove è allineata una sfilza di macchine, in attesa degli ospiti. Alzo lo sguardo verso di lui. Mi sembra felice e rilassato. È un vero piacere vederlo così, e ho il sospetto che sia insolito dopo una giornata tanto fuori dal comune.

«Hai abbastanza caldo?» mi chiede.

«Sì, grazie.» Mi stringo addosso lo scialle di raso.

«Mi sono divertito tanto stasera, Anastasia. Grazie.»

«Anch'io, in alcuni momenti più che in altri.» Ammicco.

Lui risponde con un sorriso malizioso e un cenno della testa, poi aggrotta la fronte. «Non ti mordere il labbro» mi dice, in un modo che mi fa scorrere il sangue più veloce nelle vene.

«Perché domani avremmo una giornata impegnativa?» gli chiedo per distrarmi.

«La dottoressa Greene verrà a visitarti. E poi ho una sorpresa per te.»

«La dottoressa Greene!» Mi fermo.

«Sì.»

«Perché?»

«Perché odio i preservativi» mi dice pacato. I suoi occhi brillano alla luce morbida delle lanterne di carta, valutando la mia reazione.

«È il mio corpo» mormoro, risentita per il fatto che non me lo abbia chiesto.

«È anche il mio» sussurra.

Lo guardo, mentre diversi ospiti ci oltrepassano, ignorandoci. Il suo sguardo è convinto. Sì, il mio corpo è suo... lo sa meglio di me.

Alzo una mano, e lui stringe impercettibilmente la mascella, ma rimane fermo. Afferro un angolo del suo papillon e lo tiro, tanto da disfarglielo, rivelando il primo bottone della camicia. Delicatamente, glielo slaccio.

«Sei sexy così» sussurro. A dire il vero, lui è sexy sempre, ma così lo è davvero tanto.

Mi sorride. «Ho bisogno di portarti a casa. Vieni.»

Arrivati alla macchina, Sawyer allunga una busta a Christian. Lui si acciglia e mi guarda, mentre Taylor mi fa salire a bordo. Per qualche ragione, Taylor sembra sollevato. Christian entra e mi passa la busta, ancora chiusa, mentre Taylor e Sawyer prendono posto sui sedili davanti.

«È per te. Uno dei camerieri l'ha data a Sawyer. Senza dubbio hai infranto un altro cuore.» Le labbra di Christian si incurvano. Ovviamente l'idea gli risulta sgradevole.

Fisso la busta. Da chi arriva? La apro e leggo velocemente il biglietto, nella luce fioca. Accidenti, lo manda *lei*! Perché non mi lascia in pace?

Posso averti mal giudicata. E tu hai senz'altro mal giudicato me. Chiamami se hai bisogno di colmare le lacune. Potremmo pranzare insieme. Christian non vuole che ti parli, ma io sarei più che felice di contribuire. Non fraintendermi, io approvo, credimi... Ma lo giuro, se gli fai del male... Ha già sofferto abbastanza.
Chiamami: (206) 279-6261

Mrs Robinson

"Non ci credo, si è firmata Mrs Robinson. Glielo ha detto. Il bastardo."

«Glielo hai detto?»

«Detto cosa?»

«Che la chiamo Mrs Robinson» sbotto.

«È di Elena?» Christian è sbalordito. «Questo è ridicolo» borbotta, passandosi una mano tra i capelli, e capisco che è irritato. «Me ne occuperò domani. O lunedì» ringhia.

Per quanto mi vergogni di ammetterlo, una piccola parte

di me è compiaciuta. Elena lo sta facendo arrabbiare, e questo può essere solo un bene. Sicuramente. Decido di non dire niente per adesso, ma infilo il biglietto nella pochette e, con l'intenzione di risollevargli l'umore, gli restituisco le sfere.

«Alla prossima» mormoro.

Lui mi guarda: è difficile vedere il suo viso al buio, ma penso che stia sorridendo. Mi prende la mano e me la stringe.

Guardo fuori dal finestrino, nell'oscurità, riflettendo su questa lunga giornata.

Ho imparato così tanto su di lui, recuperato così tanti dettagli mancanti: il salone di bellezza, la mappa, la sua infanzia. Ma c'è ancora parecchio da scoprire. E Mrs Robinson? Sì, lei ci tiene a lui, profondamente, a quanto pare. Questo lo vedo, e lui tiene a lei... ma non nello stesso modo. Non so più che cosa pensare. Tutte queste informazioni mi stanno facendo girare la testa.

Christian mi sveglia quando arriviamo all'Escala. «Devo portarti dentro in braccio?» mi chiede dolcemente.

Scuoto la testa con aria assonnata. Non se ne parla nemmeno.

Mentre siamo nell'ascensore, mi appoggio a lui, posandogli la testa sulla spalla. Sawyer, di fronte a noi, abbassa gli occhi, imbarazzato.

«La giornata è stata lunga, eh, Anastasia?»

Annuisco.

«Stanca?»

Annuisco.

«Non sei molto loquace.»

Annuisco e lui sorride.

«Vieni. Ti metto a letto.» Mi prende per mano mentre usciamo dall'ascensore, ma ci fermiamo nell'atrio, quando Sawyer alza la mano. Nel giro di un secondo, sono del tutto sveglia. Sawyer parla dentro la sua manica. Non avevo idea che indossasse una ricetrasmittente.

«Lo faremo, T» dice e si volta verso di noi. «Mr Grey, le gomme dell'Audi di Miss Steele sono state squarciate e sull'auto è stata gettata della vernice.»

"No! La mia macchina nuova!" Chi potrebbe averlo fatto? E nel momento in cui formulo mentalmente la domanda, conosco la risposta. Leila. Alzo gli occhi su Christian. Lui sbianca.

«Taylor è preoccupato che il colpevole possa essere entrato nell'appartamento e possa trovarsi ancora qui. Vuole controllare.»

«Capisco» sussurra Christian. «Qual è il piano di Taylor?»

«Sta salendo con l'ascensore di servizio, insieme a Ryan e Reynolds. Faranno un sopralluogo e poi ci daranno il via libera. Io aspetterò qui fuori con lei, signore.»

«Grazie, Sawyer.» Christian stringe il braccio intorno a me. «Questa giornata non fa che migliorare.» Sospira, strofinando il naso nei miei capelli. «Senti, non posso stare qui ad aspettare. Sawyer, occupati di Miss Steele. Non lasciarla entrare prima che io abbia verificato che è tutto a posto. Sono sicuro che Taylor si sta preoccupando troppo. Lei non può entrare nell'appartamento.»

"Cosa?" «No, Christian… devi rimanere con me» lo supplico.

Christian mi lascia. «Fa' quello che ti dico, Anastasia. Aspetta qui.»

"No!"

«Sawyer?» dice Christian.

Sawyer apre la porta e lascia che Christian entri in casa, poi la richiude e vi si piazza davanti, fissandomi impassibile.

"Merda. Christian!" Tutte le parolacce possibili e immaginabili mi passano per la testa, ma non posso fare altro che starmene buona ad aspettare.

8

Sawyer parla di nuovo nella sua manica.

«Taylor, Mr Grey è entrato nell'appartamento.» Fa una smorfia e tira fuori l'auricolare che ha nell'orecchio, presumibilmente per non sentire le imprecazioni di Taylor.

"Oh, no... Se Taylor è preoccupato..."

«Per favore, mi lasci entrare.»

«Mi dispiace, Miss Steele. Non ci vorrà molto.» Sawyer alza entrambe le mani in un gesto di difesa. «Taylor e i ragazzi stanno entrando nell'appartamento proprio in questo momento.»

Mi sento così impotente. Tendo avidamente l'orecchio verso ogni minimo suono, ma tutto ciò che sento è il mio respiro corto. Mi viene la pelle d'oca, ho la bocca riarsa e mi sento svenire. "Per favore, fa' che Christian stia bene" prego silenziosamente.

Non ho idea di quanto tempo passi. Ancora non sentiamo niente. Di certo è un bene non udire alcun suono. Niente colpi di pistola. Inizio a passeggiare intorno al tavolo dell'atrio ed esamino i dipinti alle pareti per distrarmi.

Non li ho mai davvero guardati, finora; sono tutti figurativi, di soggetto religioso: la Madonna con il bambino. Tutti e sedici. Che strano.

Christian non è religioso, vero? Tutti i quadri del suo salone sono astratti. Questi sono così diversi. Non riesco a distrarmi a lungo. "Dov'è Christian?"

Fisso Sawyer e lui mi guarda impassibile.

«Cosa succede?»

«Nessuna notizia, Miss Steele.»

All'improvviso, la maniglia della porta si muove. Sawyer si volta di scatto ed estrae la pistola dalla fondina ascellare. Io mi raggelo. Christian appare sulla soglia.

«Tutto a posto» dice, corrugando la fronte davanti a Sawyer, che rinfodera subito l'arma e fa un passo indietro, per lasciarmi passare.

«Taylor si preoccupa troppo» mormora Christian mentre mi tende la mano. Io lo fisso a bocca aperta, incapace di muovermi, assorbendo ogni dettaglio: i suoi capelli scarmigliati, il modo in cui stringe gli occhi, la mascella tesa, i primi due bottoni della camicia slacciati. Penso di sembrargli una bambina di dieci anni. Christian aggrotta la fronte davanti alla mia preoccupazione, i suoi occhi sono cupi.

«Va tutto bene, piccola.» Mi viene incontro, prendendomi tra le braccia e baciandomi i capelli. «Avanti, sei stanca. A letto.»

«Ero così preoccupata» mormoro, crogiolandomi nel suo abbraccio e respirando il suo dolce profumo.

«Lo so. Siamo tutti tesi.»

Sawyer è scomparso, presumibilmente nell'appartamento.

«Mr Grey, le tue ex stanno dando prova di essere una vera e propria sfida» mormoro sarcastica. Christian si rilassa.

«Sì, lo sono.»

Mi lascia e mi prende per mano, guidandomi lungo il corridoio, fino al salone.

«Taylor e i suoi stanno controllando tutte le credenze e le cabine armadio. Non penso che lei sia qui.»

«Perché dovrebbe essere qui?» "Non ha senso."

«Già, appunto.»

«Potrebbe entrare?»

«Non vedo come. Ma Taylor esagera con le precauzioni, a volte.»

«Hai guardato anche nella tua stanza dei giochi?»

Christian mi lancia una rapida occhiata, con la fronte aggrottata. «Sì, è chiusa a chiave. Comunque, Taylor e io abbiamo controllato.»

Faccio un respiro profondo e liberatorio.

«Vuoi qualcosa da bere o altro?» mi chiede Christian.

«No.» La stanchezza mi sta sopraffacendo. Voglio solo andare a dormire.

«Vieni, ti metto a letto. Hai l'aria esausta.» L'espressione di Christian si addolcisce.

Non viene con me? Vuole dormire da solo?

Sono sollevata quando mi conduce in camera sua. Appoggio la pochette sul cassettone e la svuoto. Lancio un'occhiata al biglietto di Mrs Robinson.

«Tieni.» Lo passo a Christian. «Non so se vuoi leggerlo. Io intendo ignorarlo.»

Christian lo scorre brevemente, irrigidendo la mascella.

«Non capisco quali lacune possa colmare» dice in tono liquidatorio. «Devo parlare con Taylor.» Mi guarda. «Vieni, ti tiro giù la cerniera del vestito.»

«Chiamerai la polizia per la storia della macchina?» chiedo mentre mi volto.

Lui mi solleva i capelli, le dita che mi accarezzano lievi la schiena, e mi abbassa la cerniera.

«No. Non voglio assolutamente che la polizia venga coinvolta. Leila ha bisogno di aiuto, non dell'intervento della polizia, e io non li voglio qui. Dobbiamo solo raddoppiare gli sforzi per trovarla.» Si china su di me e mi bacia dolcemente la spalla.

«A letto» mi ordina e se ne va.

Sono sdraiata a fissare il soffitto, aspettando il suo ritorno. Sono successe così tante cose oggi… ho così tanto a cui pensare. Da dove comincio?

Mi sveglio di soprassalto, disorientata. Stavo dormendo? Sbatto le palpebre verso la lama di luce che filtra da sotto la porta e noto che Christian non è con me. Dov'è? Guardo meglio. In piedi, dall'altra parte della stanza, c'è un'ombra. Una donna, forse? Vestita di nero? È difficile a dirsi. Disorientata, allungo una mano e accendo la luce sul comodino, poi mi giro a controllare, ma non vedo nessuno. Scuoto la testa. L'ho immaginato? L'ho sognato?

Mi tiro su a sedere e mi guardo intorno, mentre un vago e insidioso senso di disagio si impadronisce di me… ma sono sola.

Mi strofino la faccia. Che ore sono? Dov'è Christian? La sveglia dice che sono le due e un quarto del mattino.

Scendo goffamente dal letto e vado a cercarlo, sconcertata dalla mia fervida immaginazione. Adesso comincio a vedere le cose. Dev'essere una reazione ai drammatici risvolti della serata.

Il salone è vuoto, l'unica luce proviene da tre lampade che pendono dal soffitto sul bancone della zona cucina. La porta dello studio è socchiusa, e sento che Christian è al telefono.

«Non so perché chiami a quest'ora. Non ho niente da aggiungere… Be', puoi dirmelo adesso. Non devi lasciarmi un messaggio.»

Rimango immobile sulla porta, origliando con aria colpevole. Con chi sta parlando?

«No, ascoltami tu. Te l'ho chiesto, e ora te lo ripeto. Lasciala in pace. Lei non ha niente a che vedere con te. Mi hai capito?»

Sembra aggressivo e arrabbiato. Esito a bussare.

«Lo so che lo fai. Ma dico sul serio, Elena. Cazzo, lasciala in pace. Te lo devo scrivere in triplice copia? Mi hai sentito? Bene. Buonanotte.» Interrompe la comunicazione e butta il telefono sulla scrivania.

Busso timidamente.

«Cosa c'è?» sbraita, e io per poco non corro a nascondermi.

È seduto alla scrivania con la testa tra le mani. Mi guarda, la sua espressione è feroce, ma quando mi vede i suoi tratti si ammorbidiscono subito. I suoi occhi sono grandi e guardinghi. All'improvviso mi sembra così stanco. Mi si stringe il cuore.

Sbatte le palpebre. Il suo sguardo scivola sulle mie gambe e poi risale. Indosso una delle sue T-shirt.

«Dovresti indossare raso o seta, Anastasia» sussurra. «Ma anche con la mia T-shirt sei bellissima.»

Oh, un complimento inaspettato. «Mi sei mancato. Vieni a letto.»

Si alza lentamente dalla sedia, con ancora indosso la camicia bianca e i pantaloni neri dello smoking. Adesso i suoi occhi brillano, pieni di promesse… Ma c'è anche un velo di tristezza. È in piedi di fronte a me, mi fissa con attenzione ma senza toccarmi.

«Sai che significhi per me?» mormora. «Se dovesse succederti qualcosa per causa mia…» La voce viene a mancargli, sulla fronte gli si disegna una ruga, e il dolore sul volto è quasi palpabile. Sembra vulnerabile, la sua paura è evidente.

«Non mi succederà niente» lo rassicuro dolcemente. Alzo una mano e lo accarezzo, facendo scorrere le dita sull'accenno di barba sulla sua guancia. È inaspettatamente morbida. «La barba ti cresce velocemente» sussurro, incapace di nascondere la meraviglia per l'uomo bellissimo ed enigmatico che mi sta davanti.

Seguo la linea del suo labbro inferiore, poi faccio scorrere il dito giù per la sua gola, fino a una lieve traccia di rossetto alla base del collo. Lui mi osserva, sempre senza toccarmi, con le labbra socchiuse. Faccio scorrere ancora il dito e lui chiude gli occhi. Il suo respiro diventa più affannoso. Le mie dita raggiungono il bordo della camicia, e slaccio il primo bottone.

«Non voglio toccarti. Voglio solo slacciarti la camicia» sussurro.

Lui apre gli occhi, fissandomi allarmato. Ma non si muove, e non mi ferma. Molto lentamente, slaccio un altro bottone, tenendo la stoffa lontana dalla sua pelle, e mi sposto cautamente giù, verso il bottone successivo, ripetendo l'operazione, lentamente, concentrandomi su quello che sto facendo.

Non voglio toccarlo. "Be', sì che lo voglio… ma non lo farò." Al quarto bottone, la linea rossa riappare, e io gli sorrido timidamente.

«Torniamo su un terreno sicuro.» Seguo la linea con le dita, prima di slacciare l'ultimo bottone. Gli apro la camicia e passo ai polsini, togliendo uno alla volta i raffinati gemelli.

«Posso sfilarti la camicia?» gli domando a bassa voce.

Lui annuisce, con gli occhi spalancati, e io procedo. Rimane nudo dalla vita in su davanti a me. Senza la camicia, sembra recuperare il suo equilibrio. Mi fa un sorriso malizioso.

«E che mi dici dei pantaloni, Miss Steele?» chiede, alzando un sopracciglio.

«In camera da letto. Ti voglio nel tuo letto.»

«Lo sai, Miss Steele? Sei insaziabile.»

«Non capisco perché.» Gli afferro la mano, lo trascino fuori dallo studio e verso la camera da letto. La stanza è gelida.

«Hai aperto la portafinestra del terrazzo?» mi chiede, aggrottando la fronte non appena entriamo.

«No.» Non ricordo di averlo fatto. Rammento di essermi guardata intorno, quando mi sono svegliata. La portafinestra era decisamente chiusa.

"Oh, merda…" Il sangue mi defluisce dal volto, e fisso Christian, con la bocca spalancata.

«Cosa c'è?» esclama lui, fissandomi.

«Quando mi sono svegliata… c'era qualcuno qui» sussurro. «Ho pensato di essermelo immaginato.»

«Cosa?» Lui sembra davvero terrorizzato e di colpo scatta verso la portafinestra per guardare fuori, poi torna indietro e la chiude. «Sei proprio sicura? Chi?» chiede con la voce strozzata.

«Una donna, penso. Era buio. Mi ero appena svegliata.»

«Vestiti» ringhia ritornando indietro. «Subito!»

«I miei abiti sono di sopra» piagnucolo.

Lui apre un cassetto e tira fuori un paio di pantaloni di una tuta.

«Mettiti questi.» Sono decisamente troppo grandi, ma non è il momento di contraddirlo.

Prende una T-shirt e se la infila velocemente. Poi afferra il telefono sul comodino e preme due bottoni.

«Lei è ancora qui, dannazione!» sibila nell'apparecchio.

Circa tre secondi più tardi, Taylor e un altro degli uomini della sicurezza fanno irruzione nella camera da letto. Christian riassume loro l'accaduto.

«Quando è successo?» chiede Taylor, fissandomi in modo professionale. È ancora in giacca e cravatta. Ma quest'uomo non dorme mai?

«Circa dieci minuti fa» mormoro, sentendomi per qualche ragione in colpa.

«Lei conosce l'appartamento come il palmo della sua mano» dice Christian. «Porto via Anastasia all'istante. Si sta nascondendo qui. Trovatela. Quando tornerà Gail?»

«Domani sera, signore.»

«Non deve rimettere piede qui, finché questo posto non sarà sicuro. Ci siamo capiti?» sbotta Christian.

«Sì, signore. Andrà a Bellevue?»

«Non voglio gravare sui miei genitori con questo problema. Prenotami una stanza da qualche parte.»

«Va bene.»

«Non stiamo tutti un po' esagerando?» chiedo.

Christian mi lancia un'occhiata di fuoco. «Leila potrebbe avere una pistola» ringhia.

«Christian, era in piedi davanti a me, in fondo al letto. Avrebbe potuto spararmi allora, se avesse voluto farlo...»

Lui rimane un attimo in silenzio, per dominare l'ira, credo. «Non sono pronto a correre il rischio. Taylor, Anastasia ha bisogno di scarpe.»

Christian scompare nella cabina armadio, mentre il tizio della sicurezza mi fissa. Non ricordo il suo nome, Ryan forse. Sposta lo sguardo alternativamente dal corridoio al terrazzo. Christian riemerge un paio di minuti dopo, con indosso i jeans e la giacca gessata e una borsa a tracolla di pelle. Mi mette un giubbotto di jeans sulle spalle.

«Vieni.» Mi prende la mano e la stringe forte. Devo praticamente correre per tenermi al passo con le sue lunghe falcate fino al salone.

«Non riesco a credere che lei si sia potuta nascondere qui dentro da qualche parte» mormoro, fissando la portafinestra del terrazzo.

«È un posto grande. Non lo hai ancora visto tutto.»

«Perché non provi semplicemente a chiamarla... a dirle che vuoi parlarle?»

«Anastasia, quella donna è instabile, e potrebbe essere armata» risponde irritato.

«Allora noi scappiamo?»

«Per adesso sì.»

«Mettiamo che cerchi di sparare a Taylor.»

«Taylor conosce e capisce le armi» ribatte, storcendo la bocca. «Sarebbe più veloce di lei con la pistola.»

«Ray è stato nell'esercito. Mi ha insegnato a sparare.»

Christian alza un sopracciglio e per un momento sembra profondamente divertito. «Tu, con una pistola?» dice incredulo.

«Sì.» Mi sento offesa. «So sparare, Mr Grey, perciò sarà meglio che tu stia attento. Non è solo di una folle ex Sottomessa che devi aver paura.»

«Me lo ricorderò, Miss Steele» mi risponde seccamente, divertito, e mi sembra un bene che, anche in questa situazione ridicolmente tesa, io riesca a farlo sorridere.

Taylor ci raggiunge nell'atrio e mi passa la valigia e le mie Converse nere. Sono stupita che mi abbia preparato il bagaglio. Gli sorrido timidamente, con gratitudine, e lui contraccambia il sorriso in fretta e in modo rassicurante. Senza pensarci, lo abbraccio forte. Lo colgo di sorpresa e, quando lo lascio andare, lui ha le guance rosse.

«Stia attento» gli mormoro.

«Sì, Miss Steele» bofonchia.

Christian guarda me corrucciato e Taylor in modo interrogativo, ma lui gli sorride e, molto velocemente, si aggiusta la cravatta.

«Fammi sapere dove sto andando» dice Christian.

Taylor si fruga nella giacca, tira fuori il portafoglio e passa a Christian una carta di credito.

«Potrebbe voler usare questa, quando sarà là.»

Christian annuisce. «Bella pensata.»

Ryan ci raggiunge. «Sawyer e Reynolds non hanno trovato nulla» dice a Taylor.

«Accompagna Mr Grey e Miss Steele in garage» gli ordina Taylor.

Il garage è deserto. Be', sono quasi le tre del mattino. Christian indica in fretta il posto del passeggero dell'Audi R8 e mette la mia valigia e la sua borsa a tracolla nel bagagliaio anteriore. L'Audi A3 accanto a noi è un casino: tutti gli pneumatici sono stati tagliati e sulla carrozzeria è stata versata vernice bianca. È una visione agghiacciante e mi rende ancor più riconoscente verso Christian, che mi sta portando altrove.

«Lunedì arriverà un'auto sostitutiva» mi dice Christian, cupo, quando prende posto di fianco a me.

«Come faceva lei a sapere che era la mia macchina?»

Lui lancia un'occhiata ansiosa e sospira. «Aveva un'Audi A3. Ne compro una a tutte le mie Sottomesse. È l'auto più sicura della sua categoria.»

Ah. «Perciò non era un regalo di laurea.»

«Anastasia, benché lo sperassi, tu non sei mai stata la mia Sottomessa, perciò tecnicamente *è* un regalo di laurea.» Esce dal posto macchina e si avvia verso l'uscita del garage.

"Benché lo sperassi... Oh, no..." La mia vocina interiore non nasconde la propria tristezza. Ogni volta torniamo a questo punto.

«Lo speri ancora?» sussurro.

Il telefono della macchina squilla. «Grey» risponde Christian.

«Fairmont Olympic. A mio nome.»

«Grazie, Taylor. E... sta' attento.»

Taylor rimane in silenzio un attimo. «Sì, signore» dice poi tranquillo, e Christian riaggancia.

Le strade di Seattle sono deserte, e Christian accelera lungo la Fifth Avenue, verso la I-5. Una volta sull'interstatale, spinge sul pedale dell'acceleratore, diretto a nord. Va così veloce che per un attimo vengo spinta indietro, sul sedile.

Lo guardo. È immerso nei suoi pensieri, in un silenzio meditabondo e cupo. Non ha risposto alla mia domanda. Guarda spesso nello specchietto retrovisore e capisco che sta controllando se qualcuno ci segue. Forse è per questo che siamo venuti sulla I-5. Che io sappia, il Fairmont è a Seattle.

Guardo fuori dal finestrino, cercando di razionalizzare ciò che la mia mente esausta e iperattiva elabora. Se Leila avesse voluto farmi del male, in camera ne avrebbe avuto l'opportunità.

«No, non lo spero, non più. Pensavo che fosse ovvio.» Christian interrompe dolcemente le mie riflessioni.

Lo guardo sbattendo le palpebre, e mi stringo addosso il giubbotto. Non so se il freddo che sento viene da dentro me o dall'esterno.

«Temevo che... lo sai... temevo di non essere abbastanza.»

«Sei più che abbastanza. Per l'amor di Dio, Anastasia, che cosa devo fare per fartelo capire?»

"Parlami di te. Dimmi che mi ami."

«Perché pensavi che ti avrei lasciato quando ti ho detto che il dottor Flynn mi aveva raccontato tutto di te?»

Lui sospira profondamente, chiude gli occhi per un attimo, e per un bel po' non risponde. «Non puoi nemmeno immaginare l'abisso della mia depravazione, Anastasia. E non è qualcosa che voglio condividere con te.»

«E davvero pensi che ti lascerei, se lo sapessi?» La mia voce è alta, incredula. Non capisce che lo amo? «Hai una così scarsa opinione di me?»

«So che te ne andresti» dice tristemente.

«Christian... credo che sia molto improbabile. Non posso immaginare di stare senza di te.» "Mai..."

«Invece mi hai già lasciato una volta... Ma non voglio tornare sull'argomento.»

«Elena mi ha detto di averti visto sabato scorso» sussurro pacata.

«Non è vero.» Aggrotta la fronte.

«Non sei andato a trovarla, quando ti ho lasciato?»

«No» risponde lui, irritato. «Ti ho appena detto che non l'ho fatto. E non mi piace che si dubiti di me» mi rimprovera. «Non sono andato da nessuna parte lo scorso fine settimana. Ho costruito il modellino di aliante che mi avevi regalato. Mi ci è voluta una vita» aggiunge.

Mi si stringe il cuore. Mrs Robinson ha detto di averlo visto.

Lo ha fatto o non lo ha fatto? Mi ha mentito. Perché?

«Contrariamente a ciò che Elena pensa, non corro da lei ogni volta che ho un problema, Anastasia. Non corro da nessuno. Avrai notato che non sono una persona loquace.» Stringe con forza il volante tra le mani.

«Carrick mi ha detto che non hai parlato per due anni.»

«Ah, sì?» Le labbra di Christian si stringono in una linea dura.

«In parte l'ho spinto io a farmi quella confidenza.» Imbarazzata, mi guardo le unghie.

«E che altro ti ha detto il paparino?»

«Mi ha detto che tua madre era il medico che ti ha visitato quando ti hanno portato in ospedale... dopo che ti hanno trovato nel tuo appartamento.»

L'espressione di Christian rimane impassibile... sospettosa.

«Dice che imparare a suonare il pianoforte ti ha aiutato. E anche Mia.»

A quel nome, lui piega le labbra in un sorriso intenerito. Dopo un attimo racconta: «Aveva circa sei mesi quando è arrivata. Io ero elettrizzato, Elliot un po' meno. Aveva già avuto un rivale con il mio arrivo. Lei era perfetta». Lo stupore dolce e malinconico nella sua voce è contagioso. «Adesso un po' meno, ovviamente» borbotta, e io ricordo i riusciti tentativi di Mia di ostacolare le nostre intenzioni lascive al ballo. Mi viene da ridere.

Christian mi lancia un'occhiata di traverso. «Lo trovi divertente, Miss Steele?»

«Sembrava determinata a dividerci.»

Lui fa una risata forzata. «Sì, c'è quasi riuscita.» Allunga una mano verso di me e mi stringe un ginocchio. «Ma ce l'abbiamo fatta, alla fine.» Sorride e poi guarda un'altra volta nello specchietto retrovisore. «Non penso che siamo seguiti.» Esce dalla I-5 e torna verso il centro di Seattle.

«Posso farti qualche domanda su Elena?» Siamo fermi a un semaforo.

Lui mi guarda, sulla difensiva. «Se proprio devi» borbotta imbronciato, ma non lascio che la sua irritabilità mi freni.

«Tempo fa mi hai detto che lei ti amava in un modo che trovavi accettabile. Che cosa significa?»

«Non è ovvio?» mi chiede.

«Non a me.»

«Ero fuori controllo. Non potevo tollerare di essere toccato. Non riesco a sopportarlo nemmeno adesso. Per un adolescente di quattordici-quindici anni con gli ormoni in subbuglio era un periodo difficile. Mi ha mostrato il modo per sfogarmi.»

"Oh." «Mia mi ha detto che eri un attaccabrighe.»

«Maledizione, ma perché la mia famiglia ha la tendenza a parlare tanto? A dire il vero... è colpa tua.» Ci siamo fermati a un altro semaforo, e lui mi guarda con gli occhi stretti a fessura. «Tu riesci a cavar fuori le informazioni dalle persone lusingandole.» Scuote la testa fingendosi disgustato.

«Non ho estorto alcuna confessione a Mia. In effetti è stata molto affabile. Era preoccupata che tu facessi scoppiare una rissa se non mi avessi vinta all'asta» borbotto indignata.

«Oh, piccola, non c'era alcun pericolo. In nessun modo avrei lasciato che qualcun altro ballasse con te.»

«Hai lasciato che lo facesse il dottor Flynn.»

«C'è sempre un'eccezione alla regola.»

Christian svolta nell'imponente e alberato viale d'accesso del Fairmont Olympic Hotel e parcheggia vicino alla porta d'ingresso, di fianco alla quale c'è una pittoresca fontana di pietra.

«Vieni.» Esce dall'auto e prende i bagagli. Un addetto al parcheggio ci raggiunge di corsa, con l'aria sorpresa per il nostro arrivo a quell'ora tarda. Christian gli lancia le chiavi della macchina.

«Il nome è Taylor» dice. L'inserviente annuisce e non riesce a contenere la gioia mentre sale sull'R8 e la porta nel garage. Christian mi prende per mano e si avvia verso la hall.

Mentre sono di fianco a lui al banco della reception, mi sento profondamente, totalmente ridicola. Sono nell'hotel più prestigioso di Seattle, con indosso un giubbotto enorme, pantaloni della tuta enormi e una vecchia T-shirt, accanto a un dio greco elegante e bellissimo. Non mi sorprende che la receptionist passi con lo sguardo da me a Christian, come se qualcosa non le tornasse. Certo, è intimidita da lui. Io alzo gli occhi al cielo quando la vedo diventare rossa e cominciare a balbettare. "Le tremano persino le mani!"

«Ha… ha bisogno di aiuto… con le valigie, Mr Taylor?» chiede diventando sempre più rossa.

«No, Mrs Taylor e io possiamo farcela da soli.»

"Mrs Taylor!" Ma io non porto un anello. Nascondo le mani dietro la schiena.

«Siete nella Suite della Cascata, Mr Taylor, undicesimo piano. Il nostro fattorino vi accompagnerà.»

«Va benissimo così» taglia corto Christian. «Dove sono gli ascensori?»

Miss Rossore ce lo spiega, e Christian mi prende di nuovo per mano. Io guardo ancora un attimo l'imponente, sontuosa hall, piena di poltrone imbottite e deserta, se non fosse per una donna con i capelli neri che dà dolcetti al suo terrier seduta su un comodo divanetto. Ci guarda e ci sorride, mentre ci avviamo agli ascensori. E così questo hotel consente l'ingresso anche agli animali? Strano per un posto così elegante!

La suite ha due camere da letto, una sala da pranzo e persino un pianoforte a coda. Nell'imponente soggiorno c'è il camino acceso. Questa suite è più grande del mio appartamento.

«Ebbene, Mrs Taylor, non so tu, ma io ho proprio bisogno di un drink» sussurra Christian, chiudendo la porta con un giro di chiave.

In camera appoggia la mia valigia e la sua borsa a tracolla sull'ottomana ai piedi dell'enorme letto a baldacchino e mi conduce nel soggiorno, dove il fuoco scoppietta allegro. È una vista che rincuora. Rimango in piedi e mi scaldo le mani mentre Christian versa qualcosa da bere per entrambi.

«Armagnac?»

«Sì, grazie.»

Dopo un momento mi raggiunge accanto al fuoco e mi porge un bicchiere di cristallo da brandy.

«Che giornata, eh?»

Annuisco e i suoi occhi grigi mi fissano inquisitori, preoccupati.

«Sto bene» sussurro rassicurante. «E tu?»

«Be', in questo momento voglio bere e poi, se non sei troppo stanca, voglio portarti a letto e perdermi dentro di te.»

«Credo che si possa fare, Mr Taylor.» Gli sorrido e lui si toglie le scarpe e si sfila le calze.

«Mrs Taylor, smettila di morderti il labbro» mi sussurra.

Io arrossisco. L'Armagnac è delizioso e lascia una scia di calore bruciante mentre mi scende come seta in gola. Alzo lo sguardo su Christian: anche lui sta bevendo, e mi guarda, e i suoi occhi sono cupi, affamati.

«Non smetti mai di stupirmi, Anastasia. Dopo un giorno come oggi, o come ieri, non ti lamenti né corri via urlando. Sono ammirato. Sei molto forte.»

«Tu sei un'ottima ragione per rimanere» mormoro. «Te l'ho detto, Christian: non andrò da nessuna parte, non m'importa quello che hai fatto. Sai quello che provo per te.»

Piega le labbra, come se dubitasse delle mie parole, e aggrotta la fronte, come se ciò che gli sto dicendo fosse penoso da ascoltare. Oh, Christian, cosa devo fare per farti capire quello che sento?

"Lascia che ti picchi" invita sarcastica la mia vocina.

«Dove appenderai i ritratti che José mi ha fatto?» Cerco di alleggerire l'atmosfera.

«Dipende» dice abbozzando un sorriso. Questo è ovviamente un argomento di conversazione molto più gradevole.

«Da cosa?»

«Dalle circostanze» risponde misterioso. «La mostra non è ancora finita, perciò non devo decidere subito.»

Piego la testa di lato e stringo gli occhi.

«Puoi guardarmi male quanto vuoi, Mrs Taylor. Non dirò niente» mi prende in giro.

«Potrei tirarti fuori la verità con la tortura.»

Lui alza un sopracciglio. «Anastasia, se fossi in te, non farei promesse che non puoi mantenere.»

Oddio, è quello che pensa davvero? Poso il bicchiere sulla mensola del camino, quindi, cogliendo Christian di sorpresa, prendo anche il suo bicchiere e lo metto accanto al mio.

«Be', dobbiamo solo stare a vedere» mormoro. Molto coraggiosamente – resa audace dal brandy, senza dubbio – lo prendo per mano e lo tiro verso la camera. Mi fermo ai piedi del letto. Christian sta cercando di nascondere un sorriso divertito.

«E ora che mi hai qui, Anastasia, che cosa ne farai di me?» scherza, la voce bassa.

«Inizierò con lo spogliarti. Voglio finire quello che avevo cominciato.» Allungo le mani verso il bavero della sua giacca, attenta a non toccarlo, e lui non si muove, ma trattiene il fiato.

Delicatamente, gli sfilo la giacca dalle spalle. I suoi occhi rimangono fissi su di me, senza più traccia di ilarità. Le pupille si dilatano, lo sguardo diventa... diffidente? Bisognoso? Lo si può interpretare in tanti modi diversi! "Che cosa sta pensando?" Appoggio la sua giacca sull'ottomana.

«Adesso la T-shirt» bisbiglio e gliela tiro su. Lui collabora sollevando le braccia e chinandosi. Dopo che gliel'ho sfilata dalla testa, mi fissa. Indossa solo i jeans che gli cadono sui fianchi in modo tanto provocante. L'orlo del boxer si intravede appena.

Il mio sguardo famelico si posa sul suo addome teso, su quel che rimane del rossetto, sbiadito e sbavato, e sul suo petto. Non desidero altro che far scorrere la lingua tra i suoi peli e sentire il suo sapore.

«E adesso?» sussurra lui, gli occhi che luccicano.

«Voglio baciarti qui.» Faccio scorrere il dito sul suo ventre da un fianco all'altro.

Lui schiude le labbra e inspira profondamente. «Non ti fermerò» sospira.

Lo prendo per mano. «Sarà meglio che ti sdrai, allora» mormoro e lo conduco verso il letto. Lui sembra sbalordito, e mi viene in mente che forse nessuno ha mai preso l'iniziativa con lui dopo di... *lei*. "No, non andare là."

Lui scosta le coperte, si siede sul bordo e mi guarda, in attesa, con aria diffidente e seria. Io gli sono davanti in piedi, mi tolgo il giubbotto di jeans e lo lascio cadere sul pavimento, poi faccio scivolare giù anche i pantaloni della tuta.

Si sfrega il pollice contro la punta delle dita. Ha voglia di toccarmi, ci scommetto, ma resiste al desiderio. Respiro profondamente e mi faccio coraggio. Quindi mi sfilo la T-shirt. Sono nuda di fronte a lui. I suoi occhi sono fissi nei miei. Lo vedo deglutire e le sue labbra si schiudono.

«Tu sei Afrodite, Anastasia» mormora.

Gli prendo il volto tra le mani, gli sollevo la testa e mi chino per baciarlo. Un gemito si leva dal profondo della sua gola.

Non appena appoggio la bocca alla sua, mi prende per i fianchi e, prima di rendermene conto, mi trovo inchiodata sotto di lui sul letto. Mi fa divaricare le gambe e vi si rannicchia in mezzo. Mi bacia con violenza, le nostre lingue si intrecciano. La sua mano mi accarezza risalendo dalla coscia al fianco, sempre più su fino al ventre e ai seni, stringendo, palpando, tirandomi un capezzolo per eccitarmi.

Io gemo, e muovendo involontariamente il bacino contro di lui sfioro deliziosamente la sua erezione. Christian smette di baciarmi e mi guarda divertito e senza fiato. Flette le anche, in modo che la sua eccitazione prema contro di me... "Sì. Proprio *lì*."

Chiudo gli occhi e gemo di nuovo. Lui ripete il gesto, ma stavolta io rispondo spingendomi contro di lui e gustandomi il suo gemito. Mi bacia ancora. La nostra lenta e deliziosa tortura continua. Io mi strofino su di lui. Lui si strofina su di me. Mi perdo in lui, ed è inebriante la sensazione di riuscire a escludere qualsiasi altra cosa. Tutte le mie preoccupazioni sono cancellate. In questo momento sono qui con lui, il sangue mi pulsa nelle vene, tamburellandomi nelle orecchie e mescolandosi al suono dei nostri respiri affannosi. Affondo le mani nei suoi capelli, tenendolo avvinto alla mia bocca e consumandolo; la mia lingua è avida quanto la sua. Faccio scorrere le dita sul suo braccio e poi giù fino ai jeans, quindi spingo la mano, vogliosa e intrepida, dentro i suoi boxer, eccitandolo sempre di più… dimenticando tutto, tranne che noi.

«Finirai per castrarmi, Ana» mi sussurra all'improvviso, scostandosi da me e alzandosi. Bruscamente, si cala i jeans e mi porge la bustina del preservativo.

«Tu vuoi me, piccola, e io voglio te. Sai cosa devi fare.»

Con dita agili e ansiose, strappo la bustina e srotolo il preservativo su di lui. Christian mi sorride, i suoi occhi grigi come la nebbia pieni di carnali promesse. Si protende verso di me e strofina il naso contro il mio, chiudendo gli occhi, e lentamente, deliziosamente, mi entra dentro.

Gli afferro le braccia e sollevo il mento, godendomi la meravigliosa pienezza del suo possesso. Lui fa scorrere i denti lungo il mio mento, si tira indietro e poi affonda di nuovo dentro di me, lento, dolce, tenero. Il suo corpo preme sul mio, i suoi gomiti e le sue mani sono ai lati del mio viso.

«Mi fai dimenticare tutto. Sei la migliore delle terapie» sussurra d'un fiato, mentre si muove con una lentezza dolorosa, assaporando ogni centimetro di me.

«Per favore, Christian, più veloce» mormoro, volendo di più, adesso.

«Oh, piccola, ho bisogno di questa lentezza.» Mi bacia dolcemente, mordicchiandomi il labbro inferiore, avvinto dai miei deboli gemiti.

Muovo le mani tra i suoi capelli e mi abbandono al ritmo, mentre la sua lentezza mi fa salire sempre più in alto verso il piacere, finché non raggiungo un orgasmo veloce e potente.

«Oh, Ana» mormora mentre si lascia andare, e il mio nome sembra una benedizione sulle sue labbra mentre trova appagamento.

La sua testa è sulla mia pancia, le sue braccia sono intorno a me. Le mie dita s'intrufolano tra i suoi capelli scarmigliati, e restiamo così per non so quanto tempo. È tardi e io sono stanca, ma voglio solo godermi questa quiete dopo il piacere che ho provato nel fare l'amore con Christian Grey. Sì, perché è questo ciò che abbiamo fatto: l'amore. Dolce e soave.

Il suo orgasmo è stato potente, come il mio, e altrettanto veloce. È quasi troppo da comprendere. Con tutte quelle folli attrezzature, sto perdendo di vista il suo semplice e onesto viaggio con me.

«Non ne avrò mai abbastanza di te. Non lasciarmi» mormora e mi bacia la pancia.

«Non vado da nessuna parte, Christian, e mi sembra di ricordare che volevo essere io a baciare la tua pancia» borbotto assonnata.

Lui sorride, con la bocca sulla mia pelle. «Niente ti fermerà adesso, piccola.»

«Non credo di riuscire a muovermi, sono così stanca.»

Christian sospira e si sposta, riluttante, venendo a sdraiarsi di fianco a me con la testa appoggiata a un gomito e tirando le coperte su di noi. Mi guarda, e i suoi occhi brillano di calore e d'amore.

«Ora dormi, piccola.» Mi bacia i capelli e avvolge le braccia intorno a me e io mi lascio andare alla deriva.

Quando apro gli occhi, la luce che inonda la stanza me li fa socchiudere. Mi gira la testa per la mancanza di sonno. "Dove sono? Ah, in albergo..."

«Ciao» mormora Christian sorridendomi dolcemente. È disteso accanto a me, completamente vestito. Da quanto tempo è qui così? Mi stava studiando? All'improvviso mi sento incredibilmente intimidita e il mio viso si accende sotto il suo sguardo fisso.

«Ciao» sussurro, contenta di essere sdraiata sulla pancia. «Da quanto tempo mi stai guardando così?»

«Potrei osservarti dormire per ore, Anastasia. Ma sono qui da cinque minuti.» Mi si avvicina e mi dà un bacio. «La dottoressa Greene arriverà tra poco.»

«Oh.» Mi ero dimenticata dell'inopportuna iniziativa di Christian.

«Hai dormito bene?» mi chiede dolcemente. «Mi è sembrato di sì, visto come russavi.»

"Oh, che simpatico burlone, Mr Cinquanta Sfumature."

«Io non russo!» ribatto, seccata.

«No, non lo fai.» Sogghigna. La tenue linea del rossetto è ancora visibile sul suo collo.

«Hai fatto la doccia?»

«No. Aspettavo te.»

«Ah... okay.»

«Che ore sono?»

«Le dieci e un quarto. Non ho avuto cuore di svegliarti prima.»

«Mi avevi detto di non avere affatto un cuore.»

Sorride tristemente, ma non ribatte. «La colazione è qui: pancake e bacon per te. Avanti, alzati, comincio a sentirmi solo qui fuori.» Mi dà una pacca sul sedere, facendomi saltare e sollevare dal letto.

"Mmh..." La versione affettuosa di Christian.

Mentre mi stiracchio, sento dolori dappertutto... senza dubbio il risultato di tutto il sesso, il ballo e il traballamento su costose scarpe con il tacco alto. Barcollo fuori dal letto e mi dirigo verso il sontuoso bagno, mentre ripenso agli eventi del giorno prima. Quando ne esco, infilo uno dei morbidissimi accappatoi che trovo appesi a un gancio di ottone.

Leila, la ragazza che mi assomiglia. È la sconcertante immagine evocata dal mio cervello in vena di congetture, insieme alla sua inquietante presenza nella camera da letto di Christian. Che cosa vuole? Me? Christian? Per fare cosa? E perché diavolo mi ha rovinato la macchina?

Christian mi ha detto che avrò un'altra Audi, come tutte

le sue Sottomesse. Questo pensiero non mi piace. Ma visto che sono stata così generosa con il denaro che lui mi aveva dato, non posso farci molto.

Nel soggiorno della suite non c'è traccia di Christian. Lo trovo nella sala da pranzo. Mi accomodo al tavolo, apprezzando la pantagruelica colazione apparecchiata davanti a me. Christian sta leggendo i giornali della domenica e beve il caffè. Ha già finito di mangiare. Mi sorride.

«Mangia. Avrai bisogno di tutte le tue forze oggi» mi prende in giro.

«E perché? Vuoi chiudermi in camera da letto?» La mia dea interiore si sveglia di soprassalto, tutta scarmigliata come se avesse appena concluso una serata rovente.

«Per quanto l'idea mi alletti, pensavo di uscire. Di prendere un po' d'aria fresca.»

«Non sarà pericoloso?» chiedo con aria innocente, cercando inutilmente di evitare il tono ironico.

Christian si oscura in volto e i suoi lineamenti si irrigidiscono. «Il posto dove andremo è sicuro. Questo non è uno scherzo» aggiunge severo.

Arrossisco e fisso la mia colazione. Non mi va di essere rimproverata dopo tutto quello che ho passato ieri notte. Mangio in silenzio, irritata.

Christian non scherza riguardo alla mia sicurezza, questo dovrei saperlo. Vorrei alzare gli occhi al cielo, ma mi trattengo.

Okay, sono stanca e irascibile. Ho avuto una giornata lunga ieri e non ho dormito abbastanza. Perché invece lui sembra sempre fresco come una rosa? La vita è ingiusta.

Qualcuno bussa alla porta.

«Questa dev'essere la dottoressa» bofonchia Christian, punto ancora sul vivo dalla mia ironia. Si alza dal tavolo.

Non possiamo solo goderci una mattinata tranquilla? Sospiro lasciando a metà la colazione e mi alzo per accogliere la dottoressa Contraccettivo.

Siamo in camera da letto, e la dottoressa Greene mi guarda a bocca aperta. È vestita in modo più casual dell'ultima volta, con un twin-set di cashmere rosa pallido e pantaloni neri, e i bei capelli biondi sono sciolti.

«E ha smesso di prenderla? Così di punto in bianco?» Arrossisco, sentendomi incredibilmente stupida.

«Sì.» La mia voce potrebbe essere più flebile?

«Lei potrebbe essere incinta» dice pragmaticamente.

"Cosa?!" Il mondo mi cade addosso. Mi sembra quasi di collassare, credo di essere sul punto di vomitare. "No!"

«Ecco, vada a fare pipì in questo.» È superprofessionale oggi. Non guarda in faccia nessuno.

Prendo, remissiva, il piccolo contenitore di plastica che mi porge e vado in bagno, stordita. No. No. "No." Non è possibile… Non è possibile… Per favore, no. No.

Che farebbe Christian? Impallidisco. Diventerebbe matto.

"No, per favore!" sussurro in una preghiera silenziosa.

Passo alla dottoressa Greene il campione di urina e lei ci infila un bastoncino bianco.

«Quando ha avuto l'ultimo ciclo?»

Come può pensare che sia in grado di ricordarmi certi particolari quando tutto quello che riesco a fare è fissare ansiosa il bastoncino bianco?

«Ehm… mercoledì? Non quello appena passato, quello precedente. Il primo giugno.»

«E quando ha smesso di prendere la pillola?»

«Domenica. Domenica scorsa.»

Lei si morde le labbra.

«Dovrebbe essere a posto» dice tagliente. «Capisco dalla sua espressione che una gravidanza non programmata sarebbe una cattiva notizia. Perciò il medrossiprogesterone è una buona idea se non riesce a ricordarsi di prendere la pillola tutti i giorni.» Mi guarda severa, e io tremo sotto il suo piglio autoritario. Poi afferra il bastoncino bianco e lo scruta.

«Lei è salva. Non ha ancora ovulato, perciò, se avete preso adeguate precauzioni, non dovrebbe essere incinta. Ora, lasci che le parli di questa iniezione. L'altra volta l'avevamo scartata per via dei suoi effetti collaterali, ma francamente l'effetto collaterale di un bambino ha una portata molto più ampia e duratura.» Sorride, compiaciuta di quella piccola battuta, ma io non riesco a ribattere. Sono troppo scioccata.

La dottoressa si lancia in un lungo discorso sugli effetti collaterali, e io rimango lì seduta, paralizzata e sollevata al tempo stesso, senza ascoltare una parola. Credo che potrei tollerare un numero infinito di estranee accanto al mio letto, piuttosto che confessare a Christian l'eventualità di una gravidanza.

«Ana!» La dottoressa Greene schiocca le dita. «Facciamo questa cosa.» Mi trascina fuori dalle mie fantasticherie, e io mi arrotolo di buon grado la manica.

Christian chiude la porta dietro di lei e mi guarda con diffidenza. «Tutto a posto?» mi chiede.

Io annuisco in silenzio, e lui piega il capo di lato, il volto teso e preoccupato.

«Anastasia, cosa succede? Che cosa ti ha detto la dottoressa Greene?»

Scuoto la testa. «Tra sette giorni avrai il via libera» bofonchio.

«Sette giorni?»

«Sì.»

«Ana, cosa c'è che non va?»

Deglutisco. «Non c'è nulla di cui preoccuparsi. Per favore, Christian, lascia perdere e basta.»

Lui si piazza minacciosamente di fronte a me. Mi afferra il mento, facendomi piegare indietro la testa, e mi fissa negli occhi, scrutandomi a fondo e cercando di decifrare il mio panico.

«Dimmelo» mi esorta con insistenza.

«Non c'è niente da dire. Vorrei vestirmi.» Giro la testa di lato, per sottrarmi alla sua presa.

Lui sospira e si passa una mano tra i capelli, aggrottando la fronte. «Facciamo la doccia» dice alla fine.

«Certo» borbotto io, distratta, e lui fa una smorfia con la bocca.

«Vieni» mi dice imbronciato, afferrando con forza la mia mano. Si dirige a grandi passi verso il bagno e io lo seguo. Non sono l'unica di cattivo umore, a quanto pare. Christian apre l'acqua della doccia e si sveste rapidamente, prima di voltarsi verso di me.

«Non so cosa ti abbia turbata, o se tu sia di malumore solo per la mancanza di sonno» mi dice slacciandomi l'accappatoio. «Ma voglio che tu me lo dica. La mia immaginazione sta già galoppando, e non mi piace.»

Io alzo gli occhi al cielo, e lui mi fissa truce. "Oh, no! Okay… si parte."

«La dottoressa Greene mi ha rimproverata di non aver preso la pillola. Ha detto che avrei potuto essere incinta.»

«Cosa?» Impallidisce e si blocca, mentre mi fissa.

«Ma non lo sono. Mi ha fatto fare il test. È stato uno shock, tutto qui. Non posso credere di essere stata così stupida.»

Lui si rilassa visibilmente. «Sei sicura di non esserlo?»

«Sì.»

Fa un profondo sospiro di sollievo. «Bene. Sì, capisco che notizie simili possano essere molto sconvolgenti.»

Sconvolgenti? «Ero più preoccupata della tua reazione.»

Lui corruga la fronte mentre mi guarda, perplesso. «La mia reazione? Be', naturalmente sono sollevato… Sarebbe stato il massimo della trascuratezza e della maleducazione da parte mia se ti avessi messo incinta.»

«Allora forse dovremmo astenerci» ribatto.

Mi fissa per un momento, sbalordito, come se stessi facendo un esperimento scientifico su di lui. «Sei proprio di cattivo umore stamattina.»

«È stato uno shock, tutto qui» ripeto, infastidita.

Afferrando il bavero del mio accappatoio, lui mi attira in un abbraccio caloroso, mi bacia i capelli, mi preme la testa contro il suo petto. I peli mi solleticano la guancia, distraendomi dai miei pensieri. Oh, se solo potessi strofinarmi contro di lui!

«Ana, non sono abituato a questo» mormora. «La mia naturale inclinazione sarebbe quella di picchiarti, ma dubito seriamente che tu lo vorresti.»

«No, non voglio.» Mi stringo forte a lui, e rimaniamo così per un'eternità, in uno strano abbraccio. Lui nudo e io avvolta nell'accappatoio. Sono di nuovo annientata dalla sua onestà. Non sa proprio nulla di relazioni normali, e neppure io, a parte quello che ho imparato da lui. Be', mi chiede fiducia e pazienza; forse dovrei fare altrettanto.

Si scosta da me e mi toglie l'accappatoio. Lo seguo, sollevando il viso sotto il getto d'acqua. C'è abbastanza spazio per due in quella doccia gigantesca. Christian prende lo shampoo e inizia a lavarsi i capelli. Poi me lo passa e io faccio lo stesso.

"Oh, come si sta bene!" Chiudo gli occhi e mi lascio avvolgere dalla piacevolezza dell'acqua calda. Mentre mi sciacquo via lo shampoo, sento le sue mani su di me, che mi insaponano: le spalle, le braccia, sotto le ascelle, il seno, la schiena. Con gentilezza, mi fa voltare e mi attira a sé mentre continua a frizionare il mio corpo, l'addome, la pancia, poi le sue dita esperte si infilano tra le mie gambe, mmh... il mio sedere. Oh, è bello e così intimo. Mi fa voltare ancora, in modo che lo guardi in faccia.

«Ecco» mi dice calmo, consegnandomi il bagnoschiuma. «Voglio che mi lavi via quel che rimane del rossetto.»

Lo guardo confusa. Lui mi fissa attentamente, bagnato e bellissimo. I suoi splendidi occhi grigi non rivelano nulla.

«Non ti allontanare tanto dalla riga, per favore» mormora secco.

«Okay» replico piano, cercando di assorbire l'enormità di ciò che mi ha appena chiesto di fare: toccarlo ai margini delle sue zone off-limits.

Mi verso un po' di bagnoschiuma sul palmo, sfrego una mano contro l'altra per creare la schiuma e poi le appoggio entrambe sulle sue spalle e con movimenti leggeri lavo via la riga di rossetto. Lui si irrigidisce e chiude gli occhi, il volto impassibile, ma ha il fiato corto, e so che stavolta non è desiderio ma paura. Mi fa male.

Con mani tremanti, seguo la linea che gli scende sul petto, insaponando e frizionando dolcemente, e lui deglutisce, la mascella che si tende e i denti che si serrano. Mi si stringono il cuore, e la gola. "Oh, no, sto per piangere."

Mi fermo per versarmi altro bagnoschiuma nella mano e lo sento rilassarsi. Non posso guardarlo. Non posso sopportare la sua sofferenza. È troppo. Deglutisco.

«Sei pronto?» mormoro e la tensione è palpabile nella mia voce.

«Sì» sussurra, con la voce roca, venata di paura.

Gli appoggio delicatamente le mani su entrambi i lati del torace, e lui si irrigidisce di nuovo.

È troppo. Sono sopraffatta dalla fiducia che ha in me, sopraffatta dalla sua paura, dal danno subito da quest'uomo bellissimo, imperfetto, questo angelo caduto.

Le lacrime mi riempiono gli occhi e scivolano giù per il mio viso, perdendosi nell'acqua della doccia. "Oh, Christian! Chi ti ha fatto questo?"

Il suo diaframma si muove rapidamente a ogni respiro faticoso, il suo corpo è rigido ed emana tensione mentre le mie mani si muovono lungo la linea, cancellandola. Se solo potessi cancellare anche il suo dolore, lo farei. Farei qualsiasi cosa. E non desidero niente di più che baciare ogni sua singola cicatrice, baciare e cancellare quegli anni orrendi di abbandono. Ma so di non poterlo fare, e le lacrime scorrono incontrollate sulle mie guance.

«No, per favore, non piangere» mormora lui, la voce angosciata mentre mi stringe tra le braccia. «Per favore, non piangere per me.»

E io scoppio in singhiozzi, nascondendo il viso contro il suo collo, mentre penso a quel bambino perso in un mare di paura e di dolore, terrorizzato, trascurato, abusato... ferito al di là di ogni sopportazione.

Scostandosi, mi prende la testa tra le mani, me la fa sollevare e si china su di me per baciarmi.

«Non piangere, Ana, per favore» mormora contro la mia bocca. «È stato tanto tempo fa. Desidero ardentemente che mi tocchi, ma non riesco a tollerarlo. È troppo. Per favore, per favore, non piangere.»

«Anch'io ti voglio toccare. Più di quanto tu possa capire. Vederti così... così ferito e spaventato, Christian... mi fa davvero male. Ti amo così tanto.»

Lui mi accarezza le labbra con il pollice. «Lo so. Lo so» sussurra.

«Sei una persona facile da amare. Non lo vedi?»

«No, piccola, non lo vedo.»

«Eppure lo sei. E io ti amo e così pure la tua famiglia. Ed Elena e Leila, anche se hanno uno strano modo di dimostrarlo. Ma ti amano. Tu ne sei degno.»

«Basta.» Mi mette il dito sulle labbra e scuote la testa, un'espressione angosciata sul viso. «Non posso starti a sentire. Io non sono niente, Anastasia. Sono il guscio di un uomo. Io non ho un cuore.»

«Sì che ce l'hai. E io lo voglio, lo voglio tutto. Tu sei una bella persona, Christian, davvero una bella persona. Non dubitarne mai. Guarda ciò che hai fatto... tutti i risultati che hai raggiunto.» Singhiozzo. «Guarda quello che hai fatto per me, quello a cui hai voltato le spalle per me» sussurro. «Lo so. So che cosa provi per me.»

Lui mi guarda, gli occhi spalancati, terrorizzati. L'unico rumore è lo scrosciare costante dell'acqua che scorre su di noi.

«Tu mi ami» mormoro.

I suoi occhi si spalancano ancora di più. Apre la bocca. Fa un respiro profondo, come per scaricarsi. Ha l'aria torturata... vulnerabile.

«Sì» sussurra. «Ti amo.»

9

Non posso contenere la gioia. La mia vocina interiore non riesce a emettere suoni, si soffoca in un silenzio sbalordito, e io faccio un sorriso radioso, mentre guardo Christian con ardore.

La sua dolce, tranquilla confessione mi colpisce a un livello primitivo e profondo, come se lui stesse cercando un'assoluzione. Quelle tre piccole parole sono manna dal cielo per me. Le lacrime mi pungono gli occhi ancora una volta. "Sì, mi ami. Lo so che mi ami."

Capirlo è come liberarsi di un peso enorme. Quest'uomo bellissimo e complicato, che una volta pensavo fosse il mio eroe romantico – forte, solitario, misterioso – è anche fragile e distante e pieno d'odio per se stesso. Il mio cuore è gonfio di gioia, ma anche di pena per la sua sofferenza e, in questo momento, capisco che è grande abbastanza per entrambi. Almeno lo spero.

Prendo tra le mani il suo caro e bellissimo volto e lo bacio teneramente, infondendo tutto l'amore che provo in questo dolce contatto. Christian geme e mi prende tra le braccia, tenendomi stretta come se fossi l'aria di cui ha bisogno per vivere.

«Oh, Ana» sussurra, con la voce roca. «Ti voglio, ma non qui.»

«Sì» mormoro con fervore.

Chiude il rubinetto della doccia e mi prende per mano, conducendomi fuori e coprendomi con l'accappatoio. Dopo essersi avvolto un asciugamano intorno ai fianchi, ne prende uno più piccolo e inizia a tamponarmi i capelli con movimenti delicati. Quando è soddisfatto, mi mette l'asciugamano sulla testa, cosicché, guardandomi nello specchio sopra il lavabo, mi sembra di indossare un velo. Lui è in piedi dietro di me e i nostri occhi si incontrano nello specchio. Mi viene un'idea.

«Posso contraccambiare il favore?» chiedo.

Lui annuisce, un po' sorpreso. Prendo un altro asciugamano dalla ricca dotazione del bagno e, in punta di piedi davanti a lui, inizio ad asciugargli i capelli. Lui si china in avanti, per facilitarmi il compito, e noto di sfuggita che sorride come un ragazzino.

«È passato molto tempo da quando qualcuno ha fatto questo per me. Molto, molto tempo» mormora. Poi aggrotta la fronte. «Anzi, in realtà penso che nessuno mi abbia mai asciugato i capelli.»

«Di certo Grace l'ha fatto. Ti avrà asciugato i capelli quando eri bambino.»

Lui scuote la testa, intralciando il mio lavoro.

«No. Ha rispettato i miei confini fin dal primo giorno, anche se è stato penoso per lei. Ero un bambino autosufficiente» mi dice pacato.

Mi sento stringere il cuore se penso a quel bimbo dai capelli ramati che bada a se stesso perché nessun altro si occupa di lui. Il pensiero è talmente triste da farmi stare male. Ma non voglio che la malinconia rovini l'intimità che si sta creando tra noi.

«Be', ne sono onorata» dico, scherzando dolcemente.

«Sì, lo sei, Miss Steele. O forse sono io a essere onorato.»

«Lo so, Mr Grey» ribatto.

Dopo aver finito con i suoi capelli, prendo un altro asciugamano e mi sposto dietro di lui. I nostri sguardi si incontrano nello specchio, e il suo è guardingo, interrogativo.

«Posso provare una cosa?»

Lui esita un attimo, poi annuisce. Con cautela e delicatezza gli faccio scorrere la salvietta morbida su un braccio, asciugando le gocce d'acqua che gli imperlano la pelle. Alzo lo sguardo, per controllare la sua espressione nello specchio. Lui sbatte le palpebre, i suoi occhi ardono nei miei.

Mi protendo per baciargli un bicipite, e le sue labbra si schiudono appena. Asciugo l'altro braccio nello stesso modo, lasciando una scia di baci sul bicipite. L'ombra di un sorriso gli aleggia sulle labbra. Gli tampono con attenzione la schiena sotto l'evanescente linea di rossetto, che è ancora visibile. Non gli ho girato intorno per lavargli la schiena.

«Tutta la schiena» mi dice piano. «Con l'asciugamano.» Fa un respiro forte e stringe gli occhi, mentre io lo strofino con vigore, facendo attenzione a toccarlo solo con la spugna.

Ha una schiena così bella, ampia, le spalle scolpite, tutti i muscoli perfettamente definiti. Questa visione eccezionale è rovinata solo dalle cicatrici.

Anche se è difficile, le ignoro e sopprimo il travolgente desiderio di baciargliele a una a una. Quando finisco, lui si rilassa, e io lo ricompenso con un bacio sulla spalla. Poi lo circondo con le braccia e gli asciugo l'addome. I nostri occhi si incontrano ancora una volta nello specchio, la sua espressione è divertita ma circospetta.

«Tieni questo.» Gli passo un asciugamano per il viso, e lui mi guarda come se non capisse. «Ricordi in Georgia? Mi hai fatta toccare usando le tue mani» spiego.

Il suo volto si rabbuia, ma io ignoro la sua reazione e lo abbraccio. A vederci così riflessi nello specchio – la sua bellezza, la sua nudità, e me con la testa coperta dall'asciugamano – sembriamo quasi un gruppo biblico, come se fossimo appena usciti da un dipinto barocco dell'Antico Testamento.

Gli prendo la mano, che lui mi affida con spontaneità, e

la guido sul suo petto, per asciugarlo, muovendo l'asciugamano con goffa lentezza. Una volta, due, poi ancora. Lui è immobile, rigido e teso, a eccezione degli occhi, che seguono la mia mano stretta alla sua.

La mia vocina interiore approva. Sono io la suprema burattinaia. La tensione si riverbera a ondate sulla schiena di Christian. Lui però mantiene il contatto con i miei occhi, anche se i suoi sono più cupi, più... terribilmente ansiosi di svelarmi i loro segreti, magari.

È questo il posto dove voglio andare? Voglio affrontare i suoi demoni?

«Penso che tu sia asciutto adesso» sussurro, mentre lascio cadere la mia mano, fissando le profondità grigie dei suoi occhi nello specchio. Ha il respiro accelerato, le labbra socchiuse.

«Ho bisogno di te, Anastasia» mormora.

«Anch'io ho bisogno di te.» E mentre pronuncio queste parole, sono colpita da quanto siano vere. Non posso immaginare di esistere senza Christian, mai.

«Lascia che ti ami» dice roco.

«Sì» rispondo, e quando mi volto, lui mi prende tra le braccia, le labbra che cercano le mie, imploranti, supplichevoli, adoranti... innamorate.

Mi accarezza la schiena con le dita, mentre ci guardiamo, crogiolandoci nella beatitudine del dopo sesso, sazi. Siamo distesi l'uno accanto all'altra, io sulla pancia, abbracciata al cuscino, lui sul fianco, e io sto facendo tesoro delle sue dolci carezze. So che in questo momento ha bisogno di toccarmi – sono un balsamo per lui, una fonte di conforto – e come potrei negarglielo? Anch'io sento la stessa cosa per lui.

«E così riesci anche a essere delicato» mormoro.

«Mmh... a quanto pare, Miss Steele.»

Sorrido. «Non lo eri particolarmente la prima volta che... l'abbiamo fatto.»

«No?» Sogghigna. «Quando ho rubato la tua virtù?»

«Io non credo che tu l'abbia rubata» brontolo, altezzosa. "Non sono una fanciulla indifesa." «Credo di averti offerto la mia virtù piuttosto liberamente. Ti desideravo anch'io e, se ben ricordo, mi sono piuttosto divertita.» Gli sorrido, mordendomi le labbra.

«Anch'io, adesso che ci penso, Miss Steele. Il nostro scopo è il piacere» dice piano e il suo viso si ammorbidisce. «E questo significa che sei mia, completamente.» Ogni traccia di ilarità è svanita mentre mi fissa.

«Sì, sono tua» confermo sottovoce. «Vorrei chiederti una cosa.»

«Chiedi pure.»

«Il tuo padre biologico… sai chi fosse?» Questo pensiero è un tarlo per me.

Lui aggrotta la fronte, poi scuote la testa. «Non ne ho idea. Non era il bruto che le faceva da magnaccia, il che è già buono.»

«Come lo sai?»

«Per qualcosa che mio padre… qualcosa che Carrick mi ha detto.»

Lo guardo, in attesa.

«Sei così avida di informazioni, Anastasia.» Sospira, scuotendo la testa. «Il magnaccia ha scoperto il cadavere della puttana e ha telefonato alla polizia. Gli ci sono voluti quattro giorni per fare quella scoperta, comunque. È uscito sbattendo la porta, quando se n'è andato… lasciandomi con lei… con il suo corpo.» I suoi occhi si annebbiano al ricordo.

Respira forte. Povero bambino… L'orrore è troppo duro da contemplare.

«Poi la polizia lo ha interrogato. Lui ha dichiarato che non aveva nulla a che fare con me, e Carrick mi ha detto che non mi assomigliava per niente.»

«Ricordi il suo aspetto?»

«Anastasia, questa non è una parte della mia vita su cui

ritorno molto spesso. Sì, ricordo il suo aspetto. Non me lo dimenticherò mai.» Il volto di Christian si rabbuia e si indurisce, diventando più spigoloso, i suoi occhi si raggelano per la rabbia. «Possiamo parlare di qualcos'altro?»

«Mi dispiace. Non volevo turbarti.»

Lui scuote la testa. «È una storia vecchia. Non ho voglia di ripensarci.»

«Allora, qual è la sorpresa di cui mi parlavi?» Devo cambiare argomento. La sua espressione s'illumina immediatamente.

«Ti va di uscire per una boccata d'aria? Voglio mostrarti qualcosa.»

«Certo.»

Mi meraviglia quanto possa cambiare umore in fretta, lunatico come sempre. Lui mi fa il suo sorriso da ho-solo-ventisette-anni, fanciullesco e sbarazzino, e il cuore mi balza in gola. È qualcosa a cui tiene, ci scommetto. Mi dà un colpetto scherzoso sul sedere.

«Vestiti. I jeans andranno benissimo. Spero che Taylor te ne abbia messi un paio in borsa.» Si alza e si infila in fretta i boxer. Oh… potrei stare seduta qui tutto il giorno a guardarlo girare per la stanza.

«Su» mi sprona, autoritario come sempre. Io lo guardo, sorridendo.

«Stavo solo ammirando il panorama.»

Lui alza gli occhi al cielo.

Mentre ci vestiamo, noto che ci muoviamo con la sincronia di due che si conoscono bene, attenti e acutamente consapevoli l'una dell'altro. Ogni tanto ci scambiamo timidi sorrisi e dolci carezze. E mi rendo conto all'improvviso che questa cosa è nuova per lui tanto quanto lo è per me.

«Asciugati i capelli con il phon» mi ordina Christian quando siamo vestiti.

«Prepotente come sempre.» Gli faccio un sorrisetto, e lui si china per posarmi un bacio sulla testa.

«Questo non cambierà mai, piccola. Non voglio che ti ammali.»

Alzo gli occhi al cielo, e le sue labbra si piegano in una smorfia divertita.

«Mi prudono le mani, sai, Miss Steele?»

«Sono felice di sentirlo, Mr Grey. Cominciavo a pensare che avessi perso smalto» ribatto.

«Posso facilmente dimostrarti che non è così, se lo desideri.» Christian estrae dalla sua borsa un maglioncino di cotone a trecce color crema e se lo mette sulle spalle. Con questo, la T-shirt bianca, i jeans e i capelli sapientemente spettinati sembra appena uscito dalle pagine di una rivista patinata.

Nessuno dovrebbe essere così bello. E non so se è per la momentanea distrazione causata dalla sua strepitosa bellezza o per la consapevolezza che mi ama, ma quella minaccia non mi fa più paura. Questo è Christian. Lui è così.

Mentre prendo il phon, un raggio di concreta speranza si accende dentro di me. Troveremo una via di mezzo. Dobbiamo solo riconoscere i bisogni l'una dell'altro e venirci incontro. "Posso farlo, no?"

Mi guardo riflessa nello specchio. Indosso la camicetta azzurra che Taylor mi ha comprato e mi ha messo in valigia. I miei capelli sono un casino, ho la faccia rossa e le labbra gonfie... Le tocco, ricordando i baci ardenti di Christian, e non posso che sorridere mentre mi fisso. "Sì, ti amo" mi ha detto.

«Dove stiamo andando esattamente?» gli chiedo mentre aspettiamo l'addetto al parcheggio nella hall.

Christian si tamburella sul naso con il dito e mi sorride con fare cospiratorio e l'aria di chi sta cercando disperatamente di contenere la propria gioia. È proprio l'opposto di Mr Cinquanta Sfumature.

Era così quando abbiamo fatto il giro in aliante. Forse

è questo che andremo a fare. Sorrido a mia volta. Lui mi guarda con l'aria di superiorità che ha sempre quando mi fa quel suo sorriso di traverso. Si china e mi bacia dolcemente.

«Hai idea di quanto tu mi faccia sentire felice?» mormora.

«Sì... ce l'ho, e ben precisa. Perché tu fai lo stesso con me.»

L'addetto al parcheggio arriva rombando a bordo dell'auto di Christian, con un sorriso da un orecchio all'altro. Caspita, sono tutti così felici oggi!

«Grande macchina, signore» bofonchia, restituendo a Christian le chiavi. Christian gli fa l'occhiolino e gli dà una mancia schifosamente generosa.

Io lo guardo torva. "Ma dài!"

Mentre avanziamo nel traffico, Christian è immerso nei suoi pensieri. La voce di una giovane donna esce dalle casse dello stereo: ha un timbro bellissimo, ricco e suadente, e io mi perdo in quel canto triste e profondo.

«Devo fare una deviazione. Non ci vorrà molto» mi dice con aria assente, distraendomi dalla canzone.

"Oh, perché?" Sono ansiosa di scoprire la sorpresa. La mia dea interiore sta saltellando come una bambina di cinque anni.

«Certo» mormoro. Qualcosa mi sfugge. All'improvviso lui sembra serio e determinato.

Svolta nel parcheggio di un grosso concessionario d'auto, si ferma e si gira verso di me, con un'espressione guardinga.

«Dobbiamo comprare una macchina nuova per te» dice.

Io lo guardo a bocca aperta.

"Adesso?" Di domenica? Che cavolo? E poi questo è un concessionario SAAB.

«Non un'Audi?» È, stupidamente, la sola cosa che mi viene in mente di dire. Christian arrossisce.

È imbarazzato. Questa sì che è una prima volta!

«Pensavo che avresti apprezzato qualcosa di diverso» mormora. È chiaramente a disagio.

"Oh, per favore…" Questa è un'opportunità troppo golosa per non coglierla al volo. Gli sorrido ironica. «Una SAAB?»

«Sì. Una 9-3. Vieni.»

«Perché sempre macchine straniere?»

«I tedeschi e gli svedesi fanno le auto più sicure del mondo, Anastasia.»

"Davvero?" «Pensavo che mi avessi già ordinato un'altra Audi A3.»

Mi lancia uno sguardo cupo e divertito. «Posso annullare l'ordine. Vieni.» Uscendo agilmente dalla macchina, raggiunge con grazia il mio lato e mi apre la portiera. «Ti devo un regalo di laurea» mi dice dolcemente, tendendomi la mano.

«Christian, non c'è nessun obbligo.»

«Sì che c'è. Per favore. Vieni.» Il suo tono dice che con lui non si scherza.

Mi rassegno al mio destino. Una SAAB? Voglio una SAAB? Mi piaceva abbastanza l'Audi Modello Speciale Sottomessa. Era molto carina.

Certo, adesso è sotto una tonnellata di vernice bianca… Rabbrividisco. E lei è ancora là fuori.

Prendo la mano di Christian ed entriamo nello showroom.

Troy Turniansky, il venditore, scodinzola intorno a lui come un cagnolino. Fiuta la vendita. Il suo accento suona un po' strano, forse britannico? È difficile a dirsi.

«Una SAAB, signore? Usata?» Si strofina le mani con gioia.

«Nuova.» Le labbra di Christian si stringono in una linea dura.

"Nuova!"

«Ha in mente un modello, signore?» È pure untuoso.

«Una 9-3 2.0T Sport Sedan.»

«Scelta eccellente, signore.»

«Di che colore, Anastasia?» Christian piega la testa di lato.

«Ehm… nera?» Mi stringo nelle spalle. «Davvero, non c'è bisogno che tu lo faccia.»

Christian si acciglia. «Il nero non si vede bene di notte.»
"Oh, per l'amor di Dio." Resisto alla tentazione di alzare gli occhi al cielo. «Tu hai una macchina nera.»

Lui mi guarda con aria di rimprovero.

«Giallo canarino, allora.» Mi stringo di nuovo nelle spalle. Christian fa una smorfia. Il giallo canarino ovviamente non gli piace.

«Di che colore vuoi che la scelga?» chiedo come se avessi a che fare con un bambino, e sotto tanti aspetti è davvero così. Il pensiero non è piacevole. È triste e fa riflettere allo stesso tempo.

«Argento o bianca.»

«Argento, allora. Sai, prenderò l'Audi» aggiungo, frenata dai miei pensieri.

Troy impallidisce, percependo lo sfumarsi della vendita. «Forse le piacerebbe la decappottabile, signora?» mi chiede, battendo le mani con entusiasmo.

La mia vocina vorrebbe esprimere disgusto e mortificazione per tutta la storia dell'acquisto della macchina, ma la mia dea interiore la mette subito al tappeto. "Decappottabile? Potrei sbavare!"

Christian aggrotta la fronte e mi guarda. «Decappottabile?» mi chiede alzando un sopracciglio.

Avvampo. È come se avesse una linea erotica diretta con la mia dea interiore, il che, ovviamente, è vero. È una cosa assai sconveniente, a volte. Mi fisso le mani.

Christian si volta verso Troy. «Quali sono le statistiche sulla sicurezza della decappottabile?»

Troy, fiutando il punto debole di Christian, sferra il colpo finale, snocciolando tutti i dati statistici.

Certo, Christian mi vuole al sicuro. È una religione per lui, e da fanatico qual è, ascolta attentamente la fluente parlantina di Troy.

"Sì, ti amo." Ricordo le sue parole sussurrate, strozzate, di questa mattina, e lo struggimento mi si diffonde attraverso le vene. Quest'uomo, un regalo di Dio per le donne, mi ama.

Mi trovo a sorridergli goffamente e, quando lui mi guarda, lo vedo divertito, ma anche stupito dalla mia espressione. Vorrei abbracciarmi. Sono così felice.

«Qualsiasi cosa tu abbia preso, ne vorrei un po' anch'io, Miss Steele» mormora mentre Troy si dirige al computer.

«Sono ubriaca di te, Mr Grey.»

«Davvero? Be', di certo hai l'aria ebbra.» Mi dà un bacio veloce. «E grazie per aver accettato la macchina. È stato più facile dell'ultima volta.»

«Be', non è un'Audi A3.»

Lui sorride con malizia. «Quella non è la macchina per te.»

«Mi piaceva.»

«Signore, la 9-3? Ne ho una nel nostro concessionario di Beverly Hills. Posso farla arrivare in un paio di giorni.» Troy si illumina trionfante.

«Il top della gamma?»

«Sì, signore.»

«Eccellente.» Christian tira fuori la sua carta di credito, o è quella di Taylor? Il pensiero mi rende ansiosa. Mi domando come stia Taylor, e se abbia trovato Leila nell'appartamento. Mi gratto la fronte. Sì, qui c'è tutto quel che Christian si porta appresso.

«Se volete venire da questa parte, Mr...» Troy guarda il nome sulla carta «... Grey.»

Christian mi apre la portiera, e io risalgo sul sedile del passeggero.

«Grazie» dico quando lui si siede di fianco a me.

Sorride.

«Di nulla, Anastasia, davvero.»

La musica parte di nuovo mentre Christian riaccende il motore.

«Chi è la cantante?» domando.

«Eva Cassidy.»

«Ha una bellissima voce.»

«È vero, ce l'aveva.»

«Oh.»

«È morta giovane.»

«Oh.»

«Hai fame? Non avevi finito la tua colazione.» Mi lancia un'occhiata veloce, la disapprovazione dipinta sul suo viso.

"Uh-oh." «Sì.»

«Prima il pranzo, allora.»

Christian si dirige verso il lungomare, poi prende l'Alaskan Way Viaduct, a nord. Un'altra giornata bellissima a Seattle. Il tempo è stato insolitamente bello nelle ultime settimane.

Christian sembra felice e rilassato mentre stiamo seduti ad ascoltare la voce dolce e profonda di Eva Cassidy e viaggiamo in autostrada. Mi sono mai sentita tanto a mio agio in sua compagnia prima d'ora? Non lo so.

Sono meno nervosa nei confronti dei suoi stati d'animo, so che non mi punirà, e anche lui sembra a suo agio con me. Svolta a sinistra, seguendo la strada costiera, e si ferma nel parcheggio di fronte a un porticciolo turistico.

«Mangeremo qui. Ti apro la portiera» mi dice in un modo che mi fa capire che non è saggio muoversi, e lo osservo fare il giro della macchina. Non si stancherà mai?

Passeggiamo a braccetto sul lungomare, con il porto che si stende davanti a noi.

«Quante navi» mormoro meravigliata. Ce ne sono centinaia, di tutte le fogge e dimensioni, che beccheggiano sull'acqua immobile e calma del porticciolo. Nel Puget Sound ci sono decine di vele al vento, che fanno la spola avanti e indietro, godendosi il bel tempo. È un panorama salubre, per chi ama l'aria aperta. Il vento si è fatto leggermente più forte, così mi stringo addosso la giacca.

«Freddo?» mi chiede e mi attira contro di sé.

«No, stavo solo ammirando la vista.»

«Potrei stare a fissarla tutto il giorno. Vieni, da questa parte.»

Christian mi guida dentro un grande bar sul lungomare e si dirige al bancone. L'arredamento è più New England che West Coast, con pareti in calce bianca, mobili azzurri, e armamentari nautici appesi ovunque. È un posto luminoso e allegro.

«Mr Grey!» Il barman saluta Christian con calore. «Che cosa la porta qui oggi?»

«Dante, buongiorno.» Christian sorride mentre ci sediamo sugli sgabelli intorno al bancone. «Quest'adorabile signora è Anastasia Steele.»

«Benvenuta.» Dante mi sorride amichevole. È nero e bellissimo, i suoi occhi scuri mi soppesano e non mi trovano appetibile, pare. Un grosso diamante brilla al suo orecchio. Mi piace immediatamente.

«Che cosa vuole bere, Anastasia?»

Guardo Christian, che mi fissa in attesa. "Oh, mi farà scegliere."

«Mi chiami Ana, per favore. Prendo qualsiasi cosa beva Christian.» Sorrido timidamente a Dante. Christian se ne intende molto più di me di vino.

«Io prenderò una birra. Questo è l'unico bar di Seattle dove puoi ordinare una Adnams Explorer.»

«Una birra?»

«Sì.» Mi sorride. «Due Explorer, per favore, Dante.»

Dante annuisce e prepara le birre sul bancone.

«Fanno una zuppa di pesce deliziosa qui» mi dice Christian.

Mi sta facendo una domanda.

«Zuppa di pesce e birra, sembra fantastico.»

«Due zuppe?» chiede Dante.

«Sì, grazie.» Christian gli sorride.

Durante il pasto, parliamo come non abbiamo mai fatto prima. Christian è rilassato e calmo, sembra giovane, felice, vivace nonostante tutto quello che è accaduto ieri. Mi racconta la storia della Grey Enterprises Holdings e, più cose mi rivela, più sento la sua passione per risolvere i problemi, le sue speranze per la tecnologia che sta sviluppando, e i suoi sogni di rendere il Terzo Mondo una terra più produttiva. Lo ascolto rapita. È divertente, intelligente, generoso, bellissimo. E mi ama.

Lui mi fa domande su Ray, su mia madre, sulla mia infanzia nelle lussureggianti foreste di Montesano, e del breve periodo che ho trascorso in Texas e a Las Vegas. Mi chiede quali siano i miei libri e i miei film preferiti, e mi sorprendo di quante cose abbiamo in comune.

Mentre parliamo, mi colpisce che, con riferimento ai personaggi di Thomas Hardy, lui sia passato da Alec a Angel, dalla degradazione agli alti ideali in un brevissimo lasso di tempo.

Sono le due quando finiamo di mangiare. Christian paga il conto a Dante, che ci saluta con calore.

«Questo posto è fantastico. Grazie per il pranzo» dico mentre Christian mi prende per mano e usciamo dal bar.

«Ci torneremo» dice lui, passeggiando sul lungomare. «Voglio mostrarti qualcosa.»

«Lo so... e non vedo l'ora, qualsiasi cosa sia.»

Vaghiamo mano nella mano per il porticciolo. È un pomeriggio piacevolissimo. La gente si gode la domenica in compagnia del proprio cane, ammirando le navi, guardando i bambini che corrono sul lungomare.

Più ci addentriamo nel porto, più le navi si fanno grandi. Christian mi guida lungo una banchina e si ferma di fronte a un enorme catamarano.

«Ho pensato che potevamo uscire per mare nel pomeriggio. Questa è la mia barca.»

"Porca miseria." Dev'essere lunga almeno dodici o quindici metri. Due scafi bianchi e affusolati, un ponte, una cabina spaziosa e un albero altissimo a dominare il tutto. Non so nulla di barche, ma scommetto che questa è speciale.

«Wow...» mormoro meravigliata.

«L'ha voluta la mia società» mi dice orgoglioso e il mio cuore si gonfia. «È stata interamente progettata dai migliori architetti navali del mondo e costruita qui a Seattle, nel mio stabilimento. Ha un'unità elettrica ibrida, derive a baionetta asimmetriche, una randa a picco...»

«Okay... mi sono persa, Christian.»

Lui sorride. «È una barca bellissima.»

«Sembra imponente, Mr Grey.»

«Lo è, Miss Steele.»

«Come si chiama?»

Lui mi tira verso il lato, così che possa vederne il nome: GRACE. Sono sorpresa. «Si chiama come tua madre?»

«Sì.» Lui piega la testa di lato, con aria interrogativa. «Perché, lo trovi strano?»

Mi stringo nelle spalle. Sono sorpresa. Christian sembra sempre a disagio in presenza di Grace.

«Adoro mia madre, Anastasia. Perché non avrei dovuto chiamare la barca come lei?»

Arrossisco. «No, non è questo... è solo che...» "E ora, come faccio a spiegarglielo?"

«Anastasia, Grace Trevelyan mi ha salvato la vita. Le devo tutto.»

Lo guardo, mentre assimilo la venerazione che la sua ammissione così dolce lascia trasparire. Per la prima volta, mi sembra ovvio che ami sua madre. Allora perché si comporta in modo tanto teso e ambivalente con lei?

«Vuoi salire a bordo?» mi chiede, gli occhi che brillano per l'eccitazione.

«Sì, certo.» Sorrido.

Sembra felice, e prendendomi per mano si dirige verso

la stretta passerella e mi conduce a bordo, sul ponte, sotto una tettoia rigida.

Da una parte ci sono un tavolo e una panca rivestita di pelle azzurra, che può ospitare almeno otto persone. Lancio un'occhiata verso l'interno della cabina, e sobbalzo, turbata, nel vedere qualcuno. Un uomo alto e biondo apre le porte scorrevoli ed esce: è abbronzato, e ha i capelli ricci e gli occhi castani. Indossa una polo a maniche corte rosa pallido, calzoncini e scarpe da barca. Deve avere una trentina d'anni.

«Mac.» Christian s'illumina.

«Mr Grey! Bentornato!» Si stringono la mano.

«Anastasia, questo è Liam McConnell. Liam, la mia fidanzata, Anastasia Steele.»

"Fidanzata!" La mia dea interiore si produce in un veloce arabesque. Sta ancora sorridendo per la decappottabile. Devo abituarmici: non è la prima volta che lui mi presenta così, ma sentirglielo dire è ancora un'emozione.

«Piacere.» Liam e io ci stringiamo la mano.

«Mi chiami pure Mac» dice lui con calore, e non riesco a capire che accento abbia. «Benvenuta a bordo, Miss Steele.»

«Ana, per favore» mormoro, arrossendo. Ha uno sguardo profondo.

«Come si sta comportando, Mac?» interviene Christian, e per un attimo penso che stia parlando di me.

«È pronta a ballare il rock and roll, signore» dice Mac, raggiante. "Oh, la barca!" *Grace.*

«Mettiamoci in moto, allora.»

«La porterà fuori?»

«Sì.» Christian scocca a Mac un sorriso malizioso. «Un rapido giro turistico, Anastasia?»

«Sì, certo.»

Lo seguo dentro la cabina. Di fronte a noi c'è un divano di pelle color crema sovrastato da un'imponente finestra ad arco che offre una vista panoramica del porto. Sulla sinistra c'è la zona cucina, molto ben attrezzata, tutta di legno chiaro.

«Questo è il salone. La cucina di bordo, di fianco» dice Christian indicandomela.

Mi prende per mano e mi guida alla cabina principale. È sorprendentemente spaziosa. Il pavimento è di legno chiaro anch'esso. Ha l'aria moderna e raffinata e un che di arioso e leggero, ma è tutto funzionale, come se lui non passasse molto tempo qui dentro.

«Le camere da letto sono su entrambi i lati.» Christian mi indica due porte, poi apre quella più piccola e tagliata in modo strano, di fronte a noi. Entriamo in una stanza sontuosa. "Oh..."

C'è un enorme letto matrimoniale ed è tutta di legno chiaro e lino azzurro, come la sua camera all'Escala. È ovvio: Christian sceglie un tema e tende a mantenerlo.

«Questa è la cabina del capitano.» Mi guarda, con gli occhi che gli brillano. «Sei la prima donna a entrare qui, a parte quelle della mia famiglia.» Sorride malizioso. «Loro non contano.»

Arrossisco sotto il suo sguardo ardente, e il mio battito accelera. Davvero? Un'altra prima volta. Mi attira tra le sue braccia, le dita che giocano con i miei capelli, e mi bacia a lungo, con passione. Siamo entrambi senza fiato quando si stacca da me.

«Potremmo battezzare questo letto» mi sussurra.

"Oh, in mare!"

«Ma non adesso. Vieni, dobbiamo liberarci di Mac.» Ignoro la fitta di delusione quando lui mi prende per mano e mi riporta nel salone. Mi indica un'altra porta.

«Lì dentro c'è l'ufficio, e qui di fronte altre due cabine.»

«Perciò quante persone possono dormire a bordo?»

«Ci sono sette posti letto. Finora ho ospitato solo la mia famiglia. Mi piace navigare da solo. Ma non quando ci sei tu. Ho bisogno di tenerti d'occhio.»

Fruga in una cassapanca e tira fuori un giubbotto salvagente rosso.

«Ecco.» Me lo infila e stringe le cinghie, un sorriso fugace sulle labbra.

«Ti piace legarmi, vero?»

«In tutti i modi» dice.

«Sei un pervertito.»

«Lo so.» Alza un sopracciglio e il suo sorriso si allarga.

«Il mio pervertito» sussurro.

«Sì, tuo.»

Mi attira a sé e mi bacia. «Sempre» dice in un sospiro, poi mi lascia, prima che abbia la possibilità di rispondere.

"Sempre! Accidenti."

«Vieni.» Mi prende per mano e mi porta fuori, su per alcuni scalini, al piano superiore, in un piccolo abitacolo che ospita un grosso timone e un sedile sopraelevato. A prua Mac sta armeggiando con alcune corde.

«È qui che hai imparato tutti i giochetti con le corde?» chiedo a Christian, con aria innocente.

«Il nodo parlato mi è stato utile» mi dice guardandomi con apprezzamento. «Miss Steele, mi sembri curiosa. Mi piaci quando sei curiosa, piccola. Sarei più che felice di mostrarti cosa posso fare con una corda.» Mi fa un sorriso malizioso e io lo guardo impassibile, come se mi avesse contrariata. Si rattrista subito.

«Beccato!» Rido.

Le sue labbra si incurvano e i suoi occhi si stringono a fessura. «Me la vedrò con te più tardi, ora devo guidare la barca.» Si siede ai comandi, preme un bottone e i motori prendono vita.

Mac corre via lungo il lato della barca, sorridendomi, e salta giù sulla banchina, dove inizia a slegare una fune. Forse anche lui conosce qualche giochetto con le corde. Quel pensiero indesiderato mi fa arrossire.

La mia vocina sta per intervenire, contrariata. Mentalmente le faccio spallucce e guardo Christian. È colpa sua. Lui prende il ricevitore e contatta via radio la guardia costiera, mentre Mac grida che siamo pronti a partire.

Ancora una volta, sono strabiliata dalla competenza di Christian. È così esperto. C'è qualcosa che quest'uomo non sa fare? Poi ricordo come affettava il peperone nel mio appartamento venerdì. Il pensiero mi fa sorridere.

Lentamente, Christian fa uscire la *Grace* dal suo ormeggio e punta verso l'ingresso del porto. Sulla banchina, dietro di noi, si è radunata una piccola folla per assistere alla partenza. I bambini ci salutano con la mano, e io li saluto in risposta.

Christian si volta, poi mi attira tra le sue gambe e mi indica vari quadranti e arnesi nella cabina di pilotaggio. «Afferra il timone» mi ordina, autoritario come sempre, e io obbedisco.

«Sì, capitano!» ridacchio.

Mette le mani sulle mie e continua a manovrare per uscire dal porto. Dopo pochi minuti siamo in mare aperto, percossi dalle acque fredde e blu del Puget Sound. Lontani dal rifugio del porto, il vento è più forte, e il mare sciaborda sotto di noi.

Non posso fare a meno di sorridere, percependo l'eccitazione di Christian. È così divertente. Facciamo un'ampia curva e puntiamo verso ovest, verso la Penisola Olimpica, il vento in poppa.

«È tempo di navigare» dice Christian eccitato. «Ecco. Prendi tu la barca. Mantienila su questa rotta.»

"Cosa?" Lui sorride, vedendo terrore sul mio volto.

«Piccola, è davvero facile. Reggi il timone e tieni gli occhi sull'orizzonte, sopra la prua. Sarai bravissima. Lo sei sempre. Quando le vele si alzano, sentirai la resistenza. Limitati a tenere la barca stabile. Quando ti faccio così…» mima il gesto di tagliarsi la gola «escludi i motori. Questo bottone.» Mi indica un grosso pulsante nero. «Capito?»

«Sì.» Annuisco affannosamente, in preda al panico. "Accidenti, mi aspettavo di non dover fare niente!"

Mi dà un bacio veloce, poi si alza dal sedile del capitano ed esce sulla parte anteriore della barca, per raggiungere Mac e iniziare a srotolare le vele, disfare le funi e rendere operativi argani e pulegge. Lavorano bene insieme, in squadra, gridandosi a vicenda termini tecnici, ed è bello vedere Christian interagire con qualcun altro in un modo così spensierato.

Forse Mac è un suo amico. Christian non sembra averne molti, per quello che ne so, ma nemmeno io ne ho. Be', non qui a Seattle. L'unica amica che ho si sta crogiolando al sole, sulla costa ovest di Barbados.

Provo un'improvvisa fitta di nostalgia per Kate. La mia coinquilina mi manca più di quanto avrei pensato quando è partita. Spero che cambi idea e che torni a casa con suo fratello, Ethan, invece di prolungare la sua vacanza con il fratello di Christian.

Christian e Mac issano la randa, che si riempie e si gonfia mentre il vento l'afferra con avidità. Il catamarano sbanda improvvisamente, sfrecciando poi in avanti. Lo sento attraverso il timone. "Wow!"

Adesso lavorano sulla vela anteriore, e io la osservo affascinata mentre vola sull'albero. Il vento la cattura e la tende.

«Tieni la barca stabile, piccola, ed escludi i motori!» mi grida Christian al di sopra del vento, facendomi il segnale convenuto. Riesco appena a sentire la sua voce, ma annuisco entusiasta, guardando l'uomo che amo, battuto dal vento, esaltato, che lotta contro il beccheggio e l'imbardata del catamarano.

Premo il pulsante, il rombo cessa, e la *Grace* veleggia verso la Penisola Olimpica, sfiorando l'acqua come se volasse. Voglio gridare, urlare e ridere, questa è una delle esperienze più esaltanti della mia vita, fatta eccezione forse per l'aliante, e magari la Stanza Rossa delle Torture.

"Accidenti se fila questa barca!" Io sto salda in piedi, aggrappata al timone, a lottare contro di esso, e Christian è di nuovo dietro di me, le sue mani sulle mie.

«Che cosa ne pensi?» mi grida al di sopra del sibilo del vento e del mare.

«Christian! È fantastico!»

Lui si illumina, sorridendo da un orecchio all'altro. «Aspetta che lo spinnaker sia issato.» Con il mento, mi indica Mac, che sta spiegando lo spinnaker, una vela di un rosso cupo e intenso. Mi ricorda le pareti della stanza dei giochi.

«Colore interessante» grido.

Lui mi rivolge un sorriso ferino e mi strizza l'occhio. Oh, è fatto apposta.

Con tutte le vele spiegate – di una foggia grande, strana, ellittica – la *Grace* fila ancora più veloce. Trova il suo passo e sfreccia oltre al Sound.

«Vele asimmetriche. Per la velocità» spiega Christian rispondendo a una mia domanda inespressa.

«È incredibile.» Non riesco a pensare a nessun commento migliore. Una espressione inebetita mi si dipinge sul volto, mentre sfrecciamo verso la maestosità dei monti Olympic e dell'isola Bainbridge. Voltandomi, vedo Seattle sbiadire dietro di noi, il monte Rainier in lontananza.

Non ho mai apprezzato a pieno il paesaggio bellissimo e aspro dei dintorni di Seattle. È verdeggiante, lussureggiante e temperato. Ci sono sempreverdi altissimi e falesie che sporgono qua e là. È di una bellezza selvaggia, ma serena in questo splendido pomeriggio di sole, e mi toglie il respiro. La calma intorno è sorprendente rispetto alla nostra velocità, mentre voliamo sull'acqua.

«A quanto stiamo andando?»

«Quindici nodi.»

«Non ho idea di cosa significhi.»

«Circa trenta chilometri orari.»

«Tutto qui? Mi sembrava più veloce.»

Lui mi stringe la mano, sorridendo. «Sei adorabile, Anastasia. È bello vedere un po' di colore sulle tue guance… e non perché arrossisci. Sei proprio come nelle foto che ti ha fatto José.»

Mi volto e lo bacio.

«Tu sì che sai come far divertire una ragazza, Mr Grey.»

«Il nostro scopo è il piacere, Miss Steele.» Mi solleva i capelli e mi bacia sulla nuca, facendomi correre deliziosi brividi lungo la schiena. «Mi piace vederti felice» mormora e mi stringe più forte a sé.

Io guardo l'enorme distesa di acqua blu, chiedendomi cosa posso mai aver fatto in passato perché la fortuna mi sorridesse e mi mandasse quest'uomo bellissimo.

"Sì, sei schifosamente fortunata" mi dice la vocina. "Ma avrai il tuo bel daffare con lui. Non potrà sopportare per sempre tutte queste stronzate vaniglia… Dovrete arrivare a un compromesso." Faccio mentalmente una smorfia al suo insolente sarcasmo, e appoggio la testa al torace di Christian. Dentro di me so che la mia vocina interiore ha ragione, ma scaccio il pensiero. Non voglio rovinarmi la giornata.

Un'ora più tardi siamo ancorati in un'insenatura piccola e appartata, oltre l'isola Bainbridge. Mac scende a terra con il gommone, a fare non si sa cosa… ma ho qualche sospetto perché, non appena lui accende il motore fuoribordo, Christian mi prende per mano e praticamente mi trascina nella sua cabina. Un uomo con una missione.

Adesso è di fronte a me, trasudante sensualità, e armeggia alacremente con le chiusure del mio giubbotto di salvataggio. Lo getta da una parte e mi guarda con ardore, le pupille dilatate.

Sono già perduta e non mi ha quasi sfiorata. Alza la mano verso il mio viso, e le sue dita si muovono sul mio mento, sulla gola, infiammandomi con la sua carezza, fino al primo bottone della mia camicia azzurra.

«Voglio vederti» sospira e slaccia il primo bottone. Chinandosi, posa un tenero bacio sulle mie labbra schiuse. Sono smaniosa e senza fiato, eccitata dalla potente combinazione della sua bellezza incantatrice, della sua selvaggia sensualità stretta nei confini di questa cabina e dal leggero beccheggio della barca. Lui fa un passo indietro.

«Spogliati per me» sussurra, gli occhi ardenti.

"Oddio." Sono felicissima di obbedirgli. Senza distogliere gli occhi dai suoi, lentamente, slaccio ogni bottone, assaporo ogni suo torrido sguardo. Oh, questa cosa è inebriante. Riesco a vedere il suo desiderio. È evidente sul suo volto... e altrove.

Lascio cadere la camicetta sul pavimento e allungo la mano verso il bottone dei jeans.

«Fermati» ordina Christian. «Siediti.»

Mi siedo sul bordo del letto e con un movimento fluido lui è in ginocchio di fronte a me. Mi slega, una dopo l'altra, lentamente, le stringhe delle scarpe da ginnastica, che mi sfila, insieme alle calze. Poi prende il mio piede sinistro e lo solleva, baciandomi l'alluce, e quindi mordicchiandolo con i denti.

«Ah!» gemo nel sentire l'effetto nel basso ventre. Lui si alza, in un movimento sinuoso, mi porge la mano, e mi fa sollevare dal letto.

«Continua» dice e fa un passo indietro per guardarmi.

Abbasso la cerniera dei jeans, infilo i pollici nella cintura e cammino ancheggiando, mentre faccio scivolare i pantaloni lungo le gambe. Un sorriso dolce gli sfiora le labbra, ma i suoi occhi rimangono cupi.

E non so se è perché ha fatto l'amore con me stamattina – e intendo che ha davvero fatto l'amore, gentilmente, dolcemente – o se è per la sua dichiarazione appassionata... "Sì, ti amo...", ma non mi sento per niente imbarazzata. Voglio essere sexy per quest'uomo. Merita una donna sexy. Mi fa sentire sexy. Okay, per me è una novità, ma sotto la sua guida esperta sto imparando. E poi c'è molto di nuovo anche per lui. Riequilibra un po' l'altalena tra noi, credo.

Indosso qualche capo della mia nuova biancheria, un perizoma di pizzo bianco e il reggiseno coordinato, di un marchio d'alta moda costosissimo. Esco dai jeans e rimango in piedi per lui, nella lingerie che mi ha comprato, e non mi sento più di scarso valore. Mi sento sua.

Raggiungo il gancio del reggiseno e lo slaccio, facendomi scivolare le spalline giù per le braccia, e lo lascio cadere sopra la camicetta. Lentamente, mi sfilo il perizoma, facendolo scendere fino alle caviglie, e ne esco, un piede dopo l'altro, sorpresa dalla mia grazia.

Di fronte a lui, sono nuda e senza vergogna, e so che è perché lui mi ama. Non mi devo più nascondere. Lui non dice niente, mi guarda e basta. Tutto ciò che vedo è il suo desiderio, la sua adorazione persino, e qualcos'altro: la profondità del suo bisogno, la profondità del suo amore per me.

Lui si toglie il maglioncino di cotone, sfilandoselo dalla testa, e poi la T-shirt, mettendo a nudo il torace, senza mai distogliere i suoi occhi grigi e sfrontati dai miei. Quindi è la volta delle scarpe e dei calzini, prima di passare al bottone dei jeans.

«Lascia fare a me» sussurro a questo punto.

Le sue labbra si contraggono a formare un "ooh", e poi sorride. «Accomodati.»

Faccio un passo verso di lui, infilo senza paura le dita nella cintura dei suoi jeans, e tiro, in modo che lui è costretto ad avvicinarsi a me. Sussulta involontariamente di fronte alla mia inattesa audacia, poi mi sorride. Slaccio il bottone, ma prima di abbassare la cerniera lascio vagare le dita, accarezzando la sua erezione attraverso il tessuto. Lui muove le anche contro la mia mano e chiude gli occhi un istante, assaporando la mia carezza.

«Stai diventando così sfrontata, Ana, così coraggiosa» sussurra e mi afferra il viso con entrambe le mani, chinandosi per baciarmi intensamente.

Appoggio le mani sui suoi fianchi, per metà sulla pelle e metà sul girovita ribassato dei jeans. «Lo sei anche tu» mormoro contro le sue labbra mentre i miei pollici disegnano lenti cerchi sulla sua pelle, e lui sorride.

«Arriviamo al punto.»

Sposto le mani sul davanti dei suoi jeans e tiro giù la cerniera. Le mie dita intrepide accarezzano i suoi peli pubici e si spingono fino alla sua erezione. Stringo forte.

Lui emette un gemito gutturale, sfiorandomi con il suo dolce alito, e mi bacia ancora, con amore. Mentre le mie mani si muovono su di lui, intorno a lui, e lo accarezzano, lo stringono forte, mi circonda con un braccio, la sua mano destra appoggiata al centro della mia schiena, le dita allargate. La mano sinistra è tra i miei capelli, e mi trattiene contro la sua bocca.

«Oh, ti voglio così tanto, piccola» sospira, e fa un passo indietro togliendosi velocemente i jeans e i boxer, in un solo movimento agile. È una visione bellissima, con o senza vestiti.

È perfetto. "La sua bellezza è deturpata solo dalle cicatrici" penso con tristezza. E queste sono incise dentro di lui, ancor più che sulla sua pelle.

«Che cosa c'è, Ana?» mormora e mi accarezza delicatamente la guancia con le nocche.

«Niente. Fa' l'amore con me, adesso.»

Lui mi attira tra le sue braccia, mi bacia, immerge le mani nei miei capelli. Le nostre lingue si intrecciano. Mi porta verso il letto e mi ci fa distendere, poi si sdraia al mio fianco.

Fa scorrere il naso lungo il profilo del mio mento, mentre io gli accarezzo i capelli.

«Hai idea di quanto sia squisito il tuo profumo? È irresistibile.»

Le sue parole fanno quello che fanno sempre – mi infiammano il sangue, mi fanno battere forte il cuore – mentre lui mi sfiora la gola, i seni con il naso e mi bacia dolcemente.

«Sei così bella» mormora prendendo tra le labbra uno dei miei capezzoli per succhiarlo delicatamente.

Io gemo e mi inarco sul letto.

«Fatti sentire, piccola.»

La sua mano scorre fino alla mia vita, e io mi godo la sensazione del suo tocco, pelle contro pelle... la sua bocca affamata sui miei seni e le sue lunghe dita esperte che mi accarezzano, mi vezzeggiano, mi adorano, passando poi sui fianchi, sul sedere, lungo la coscia, sul ginocchio. E per tutto il tempo lui mi bacia e mi succhia il seno. "Oddio!"

Afferrandomi il ginocchio, all'improvviso mi tira su la gamba, la piega sopra i suoi fianchi, facendomi sussultare, e sento, più che vedere, il suo sorriso contro la mia pelle. Poi rotola sotto di me, cosicché io mi trovo a cavalcioni su di lui. Mi passa la bustina del preservativo.

Io mi sposto indietro, prendendoglielo tra le mani, e non posso resistere di fronte al suo splendore. Mi chino e lo bacio, lo prendo in bocca, muovendo in circolo la lingua tutto intorno, e poi succhiando forte. Lui geme e inarca i fianchi e si spinge tutto nella mia bocca.

"Mmh... è così buono." Lo voglio dentro di me. Torno seduta e lo guardo. Lui è senza fiato, la bocca aperta e mi guarda intensamente.

In fretta, strappo la bustina e srotolo il preservativo sulla sua erezione. Lui allunga una mano verso di me. Io la prendo e, con l'altra mano, mi aiuto a posizionarmi sopra di lui. Poi, lentamente, lo faccio mio.

Lui emette un gemito profondo, chiudendo gli occhi.

"La sensazione di lui dentro di me... che si allunga... che mi riempie..." Gemo piano. "È divino." Mi mette le mani sui fianchi e mi muove su e giù, e spinge dentro di me. "Oh... è così bello."

«Oh, piccola» sussurra, e improvvisamente si tira su, in

modo che siamo uno di fronte all'altra, e la sensazione è straordinaria. Così piena. Sussulto, afferrandomi ai suoi bicipiti mentre lui mi prende la testa tra le mani e mi guarda negli occhi. I suoi sono intensi e grigi, e bruciano di desiderio.

«Oh, Ana, cosa mi fai provare» mormora e mi bacia appassionatamente. Io rispondo al suo bacio, con le vertigini per la sensazione deliziosa di averlo dentro di me.

«Ti amo» mormoro. Lui geme, come se gli facesse male sentire le mie parole, e mi fa rotolare sotto di sé, senza interrompere il nostro prezioso contatto. Avvolgo le gambe intorno ai suoi fianchi.

Mi guarda in adorante meraviglia, e sono sicura di rispecchiare la sua espressione mentre alzo una mano per accarezzargli il viso, bellissimo. Molto lentamente, inizia a muoversi, chiudendo gli occhi e gemendo piano.

Il leggero beccheggio del catamarano e la pace e la tranquillità della cabina sono rotti solo dai nostri respiri, mentre lui si spinge dentro e fuori da me, così controllato e così bravo, divino. Appoggia un braccio al di sopra della mia testa, la sua mano tra i miei capelli, e mi accarezza il viso con l'altra, chinandosi a baciarmi.

Mi sento protetta, mentre mi ama, muovendosi lentamente dentro e fuori, assaporandomi. Lo tocco, restando nei limiti: le braccia, i capelli, la parte bassa della schiena, il suo stupendo sedere. E il mio respiro accelera mentre il ritmo dei suoi colpi cresce sempre di più. Mi bacia le labbra, il mento, la mascella, poi mi mordicchia l'orecchio. Riesco a sentire il suono intermittente del suo respiro a ogni sua spinta.

Il mio corpo inizia a tremare. "Oh... questa sensazione che ora conosco così bene... sono vicina... oh..."

«Va tutto bene, piccola... lasciati andare per me... per favore... Ana» mormora e le sue parole segnano la mia disfatta.

«Christian» grido, e lui geme mentre veniamo insieme.

10

«Mac sarà presto di ritorno» mormora Christian.

«Mmh...» Apro gli occhi sbattendo le palpebre e incontro il suo sguardo dolce. Oh, Signore, i suoi occhi sono di
un colore incredibile, specialmente qui, sul mare: riflettono
la luce che brilla sull'acqua attraverso gli oblò della cabina.

«Mi piacerebbe davvero molto restare qui sdraiato con te
per tutto il pomeriggio, ma Mac avrà bisogno di una mano
con il gommone.» Christian si protende verso di me e mi
bacia tenero. «Ana, in questo momento sei bellissima, tutta
in disordine e sexy. Mi fai desiderare di prenderti ancora.»
Sorride e si alza dal letto. Io rimango sdraiata supina, ad
ammirare la vista.

«Non sei tanto male, capitano.» Gli scocco un bacio di
ammirazione e lui sorride.

Lo osservo muoversi con grazia, mentre si veste. È davvero divinamente bello e, ancora una volta, ha fatto l'amore con me in modo dolcissimo. Quasi non riesco a credere
alla mia fortuna. Non posso credere che quest'uomo sia
mio. Si siede accanto a me e s'infila le scarpe.

«Capitano, eh?» dice. «Be', ma io sono il signore del va-
scello.»

Sposto la testa da un lato. «Sei il signore del mio cuore,
Mr Grey.» "E del mio corpo... e della mia anima."

250

Lui scuote la testa incredulo e mi bacia. «Sarò sul ponte. C'è una doccia nel bagno, se vuoi. Hai bisogno di qualcosa? Un drink?» mi chiede sollecito, e tutto quello che riesco a fare è sorridergli. È lo stesso uomo? È lo stesso Christian?

«Cosa c'è?» chiede in risposta al mio sorriso sciocco.

«Tu.»

«In che senso?»

«Chi sei e cos'hai fatto a Christian?»

Le sue labbra si piegano in un sorriso triste.

«Non è molto lontano, piccola» dice dolcemente, e c'è una vena di malinconia nella sua voce che mi fa subito rimpiangere di avergli fatto quella domanda. Ma lui scuote la testa. «Lo vedrai fin troppo presto.» Mi fa un sorrisetto. «Specialmente se non ti alzi.» Si china e mi dà una sculacciata. Guaisco e rido al tempo stesso.

«Mi hai fatto spaventare.»

«Davvero?» Christian aggrotta la fronte. «Devi darmi qualche segnale, Anastasia. Come può fare altrimenti un uomo?» Si piega su di me e mi bacia di nuovo. «A più tardi, piccola» aggiunge, e con un sorriso smagliante si alza e mi lascia ai miei pensieri.

Quando mi presento sul ponte, Mac è di nuovo a bordo, ma si dilegua al livello superiore non appena apro le porte del salone. Christian è al BlackBerry. "Con chi sta parlando?" mi domando. Lui mi raggiunge e mi stringe a sé, baciandomi i capelli.

«Grande notizia... bene. Sì... davvero? La scala antincendio?... Capisco... Sì, stasera.»

Preme il pulsante di fine chiamata. Il suono dei motori che si accendono mi fa sobbalzare. Mac dev'essere nella cabina di pilotaggio sopra di noi.

«È tempo di tornare» dice Christian, mi bacia ancora una volta mentre mi allaccia il giubbotto salvagente.

Il sole è basso nel cielo dietro di noi mentre rientriamo nel porto, e io rifletto sul magnifico pomeriggio appena trascorso. Sotto la guida attenta e paziente di Christian ho stivato la randa, la vela anteriore e lo spinnaker, e ho imparato a fare un nodo piatto, un nodo parlato e un nodo margherita. Le sue labbra erano atteggiate al sorriso durante la lezione.

«Potrei legarti, uno di questi giorni» borbotto acida.

Fa una smorfia ilare. «Prima dovrai prendermi, Miss Steele.»

Le sue parole mi riportano alla mente la volta in cui mi ha rincorso per l'appartamento, l'eccitazione, e le orribili conseguenze. Aggrotto la fronte e rabbrividisco. Dopo quell'episodio l'ho lasciato.

Riuscirei a lasciarlo di nuovo, ora che ha ammesso di amarmi? Lo guardo in quei suoi limpidi occhi grigi. Potrei mai lasciarlo, qualsiasi cosa mi faccia? Potrei tradirlo così? No. Penso di no.

Lui mi ha fatto fare un altro tour della sua bellissima barca, spiegandomi tutte le tecniche e il design innovativo, e l'alta qualità dei materiali usati per costruirla. Ripenso all'intervista che gli ho fatto quando l'ho conosciuto. Avevo intuito già allora la sua passione per le barche, ma pensavo che il suo amore fosse solo per le navi da carico transoceaniche che la sua società costruisce, e non anche per i catamarani eleganti e supersexy.

E a bordo di questa barca lui ha fatto l'amore con me dolcemente e senza fretta. Scuoto la testa, ricordando il mio corpo che si inarcava, eccitato dalle sue carezze. È un amante eccezionale, ne sono sicura, anche se non ho termini di paragone. Ma Kate si sarebbe profusa in dettagli sull'argomento sesso, se fosse sempre così. Non è da lei trattenersi sui particolari.

Ma per quanto tempo tutto questo sarà abbastanza per lui? Non lo so, e il pensiero mi mette ansia.

Adesso Christian è seduto, e io sono in piedi tra le sue

braccia da un tempo che mi pare lunghissimo, in un silenzio confortevole e complice, mentre la *Grace* è sempre più vicina a Seattle. Ho il timone tra le mani, e Christian mi spiega di volta in volta cosa devo fare.

«Navigare è una poesia vecchia come il mondo» mi sussurra all'orecchio.

«Sembra una citazione.»

Lo sento sorridere. «Lo è. Antoine de Saint-Exupéry.»

«Oh… adoro *Il piccolo principe*.»

«Anch'io.»

È appena scesa la sera quando Christian, le mani sempre sulle mie, ci guida dentro il porto. Ci sono luci che ci ammiccano dalle altre barche, riflettendosi sulle acque scure, ma è ancora abbastanza chiaro, è una serata piacevole, limpida, che prelude a quello che sarà sicuramente un tramonto spettacolare.

Una folla si raduna sul pontile mentre Christian fa virare lentamente il catamarano in uno spazio relativamente piccolo. Esegue la manovra con destrezza e senza difficoltà riporta la barca nel posto che abbiamo lasciato qualche ora fa. Mac salta sulla banchina e assicura la *Grace* a una bitta.

«Eccoci di ritorno» dice Christian.

«Grazie» mormoro. «È stato un pomeriggio perfetto.»

Sorride. «Lo penso anch'io. Forse potrei iscriverti a un corso di vela, per uscire da soli.»

«Mi piacerebbe. Così potremmo battezzare il letto altre volte.»

Si china su di me e mi bacia dietro l'orecchio. «Mmh… non vedo l'ora, Anastasia» sussurra, facendo scattare sull'attenti ogni mio singolo follicolo pilifero.

"Come fa?"

«Vieni, l'appartamento è a posto. Possiamo tornare.»

«E le cose che abbiamo in albergo?»

«È già andato a prenderle Taylor.»

"Oh! Quando?"

«Stamattina, dopo aver perlustrato la *Grace* con la sua squadra» dice Christian rispondendo alla mia domanda inespressa.

«Quel poveretto non dorme mai?»

«Ma certo che dorme.» Christian inarca un sopracciglio, con aria interrogativa. «Sta solo facendo il suo lavoro, Anastasia, e lo fa molto bene. Jason è una vera scoperta.»

«Jason?»

«Jason Taylor.»

Pensavo che Taylor fosse il suo nome di battesimo. Jason. Gli sta bene. È solido, affidabile. Per qualche ragione, mi fa sorridere.

«Gli sei affezionata» dice Christian, guardandomi con aria pensierosa.

«Suppongo di sì.» La sua affermazione mi spiazza. Lui si rabbuia. «Non sono attratta da lui, se è per questo che ti stai accigliando. Smettila.»

Christian sta quasi facendo il broncio... immusonito.

"Accidenti, è proprio un bambino a volte." «Penso che Taylor si prenda cura di te molto bene. Per questo mi piace. Mi sembra affidabile e leale. Esercita il fascino di uno zio su di me.»

«Di uno zio?»

«Sì.»

«Okay, di uno zio.» Christian soppesa quella definizione. Rido.

«Oh, Christian, cresci, per l'amor del cielo.»

Lui spalanca la bocca, sorpreso del mio rimprovero, ma poi aggrotta la fronte, come se prendesse in considerazione quello che ho detto. «Sto cercando di farlo» dice alla fine.

«Questo è vero» replico dolcemente, alzando gli occhi al cielo.

«Che ricordi mi evochi quando alzi gli occhi al cielo, Anastasia.» Sorride.

Io rispondo con uno sguardo malizioso. «Be', se ti comporti bene, forse potremmo far rivivere qualcuno di quei ricordi.»

Le sue labbra prendono una piega sarcastica. «Comportarmi bene?» Alza un sopracciglio. «Dimmi, Miss Steele, che cosa ti fa pensare che voglia farli rivivere?»

«Probabilmente è il modo in cui i tuoi occhi si illuminano come se fosse Natale, quando lo dici.»

«Mi conosci già così bene» osserva.

«Vorrei conoscerti meglio.»

Lui mi fa un sorriso dolce. «E io vorrei conoscere meglio te, Anastasia.»

«Grazie, Mac.» Christian stringe la mano di McConnell e scendiamo sul molo.

«È sempre un piacere, Mr Grey. Arrivederci. Ana, piacere di averla conosciuta.»

Gli stringo la mano con imbarazzo. Deve sapere che cosa abbiamo fatto Christian e io quando lui è sceso a terra.

«Buona giornata, Mac, e grazie.»

Lui mi sorride e mi strizza l'occhio, facendomi arrossire. Christian mi prende per mano e camminiamo fino alla passeggiata del porto.

«Da dove viene Mac?» chiedo, incuriosita dal suo accento.

«Irlanda... Irlanda del Nord» si corregge Christian.

«È un tuo amico?»

«Mac? Lavora per me. Ha aiutato a costruire la *Grace*.»

«Hai molti amici?»

Christian aggrotta la fronte. «Non molti. Facendo ciò che faccio... non coltivo le amicizie. C'è solo...» Si ferma, si acciglia ulteriormente, e so che stava per menzionare Mrs Robinson.

«Hai appetito?» mi chiede, per cambiare argomento.

Annuisco. A dire il vero, sto morendo di fame.

«Mangeremo dove abbiamo lasciato la macchina. Vieni.»

Vicino all'SP c'è un piccolo bistrot italiano chiamato Bee. Mi ricorda un posto a Portland: pochi tavoli e séparé, arredamento molto essenziale e moderno, una grande fotografia in bianco e nero d'inizio secolo a mo' di murale.

Christian e io ci accomodiamo in un séparé e studiamo attentamente il menu, sorseggiando un frascati, delizioso e leggero. Alzo gli occhi dalla lista, dopo aver scelto, e vedo che Christian mi sta guardando con attenzione.

«Cosa c'è?» chiedo.

«Sei molto carina, Anastasia. L'aria aperta ti dona.»

Arrossisco. «Il vento mi frastorna, a dirti la verità. Ma ho passato un bellissimo pomeriggio. Un pomeriggio perfetto. Grazie.»

Lui sorride, nei suoi occhi c'è calore. «È stato un piacere» sussurra.

«Posso chiederti una cosa?» Decido di proseguire le mie indagini.

«Qualsiasi cosa, Anastasia. Lo sai.» Piega la testa di lato. È bellissimo.

«Non mi pare che tu abbia tanti amici. Perché?»

Lui scrolla le spalle e si rabbuia. «Te l'ho detto, non ne ho il tempo. Ho dei soci d'affari, anche se è un rapporto molto diverso dall'amicizia, suppongo. Ho la mia famiglia, tutto qui. A parte Elena.»

Ignoro la menzione di quella strega. «Nessun amico maschio della tua età con cui puoi uscire a scaricarti?»

«Sai come mi piace scaricarmi, Anastasia.» Increspa le labbra. «E poi lavoro, consolido la mia attività.» Sembra stupito. «È tutto quello che faccio. A parte navigare e volare ogni tanto.»

«Nemmeno al college?»

«No.»

«Solo Elena, allora?»

Lui annuisce, con aria diffidente.

«Dev'essere una vita solitaria.»

Piega le labbra in un sorriso mesto. «Che cosa vuoi mangiare?» chiede cambiando argomento.

«Prenderò il risotto.»

«Ottima scelta.» Christian chiama il cameriere e mette fine alla conversazione.

Dopo aver fatto le ordinazioni, mi muovo a disagio sulla sedia, fissandomi le dita intrecciate. Se è in vena di parlare, devo cercare di approfittarne.

Devo chiedergli delle sue aspettative, dei suoi... mmh... bisogni.

«Anastasia, cosa c'è che non va? Dimmelo.»

Alzo gli occhi sul suo volto preoccupato.

«Dimmelo» mi esorta con più enfasi, e la sua preoccupazione si trasforma in... cosa? paura? rabbia?

Faccio un profondo respiro. «Temo solo che questo non sia abbastanza per te. Sai, per scaricarti.»

I muscoli della sua mascella si tendono, lo sguardo si indurisce. «Ti ho dato motivo di pensare che non sia abbastanza?»

«No.»

«Allora perché lo pensi?»

«So come sei fatto. Quali sono... mmh... i tuoi bisogni» balbetto.

Lui chiude gli occhi e si gratta la fronte.

«Che cosa devo fare?» La sua voce è dolce in modo sinistro, come se fosse arrabbiato, e sento il cuore affondarmi nel petto.

«No, mi hai fraintesa... Tu sei fantastico, e so che sono solo pochi giorni che ci frequentiamo, ma spero che la mia presenza non ti stia forzando a essere qualcuno che non sei.»

«Sono ancora me stesso, Anastasia, in tutte le mie cinquanta sfumature. Sì, devo lottare contro la mia tendenza ad avere il controllo su tutto... ma è la mia natura, il modo in cui ho affrontato la vita. Sì, mi aspetto che ti comporti in un certo modo, e quando non lo fai è stimolante e originale allo stesso tempo. Facciamo ancora quello che mi piace fare. Hai lasciato che ti sculacciassi dopo la tua bizzarra idea di fare un'offerta per l'asta, ieri.» Sorride teneramente al ricordo. «Mi è piaciuto punirti. Non credo che lo stimolo mi passerà mai… Ma ci sto provando, e non è così dura come pensavo.»

Io mi sposto sulla sedia, a disagio, e arrossisco, rammentando il nostro incontro illecito nella stanza che occupava da ragazzo. «Non m'importa» sussurro sorridendo timidamente.

«Lo so.» Le sue labbra s'incurvano in un sorriso riluttante. «Nemmeno a me. Ma lascia che ti dica una cosa, Anastasia, tutto questo è nuovo per me e questi pochi giorni sono stati i migliori della mia vita. Non voglio cambiare niente.»

"Oh!"

«Sono stati i migliori anche della mia, senza eccezioni» mormoro e il suo sorriso si allarga. La mia dea interiore annuisce con vigore e mi dà di gomito. "Okay, okay."

«E così, non mi vuoi portare nella tua stanza dei giochi?»

Lui deglutisce e impallidisce. Ogni traccia di ilarità scompare. «No, non voglio.»

«Perché no?» sussurro. Questa non è la risposta che mi aspettavo.

E sì… be', sento anche una punta di delusione. La mia dea interiore batte i piedi e fa il broncio, con le braccia conserte come una bambina arrabbiata.

«L'ultima volta che ci siamo stati tu mi hai lasciato» mi risponde pacatamente. «Rifuggo da ogni cosa che potrebbe farti pensare di lasciarmi di nuovo. Ero devastato, quando l'hai fatto. Te l'ho detto. Non voglio sentirmi così mai più. Ti ho spiegato quello che sento per te.» I suoi occhi grigi sono grandi e intensi per la sincerità.

«Ma non mi sembra giusto. Non può essere molto rilassante per te doverti costantemente preoccupare di come mi sento. Hai fatto tutti questi cambiamenti per me, e io… io vorrei poter contraccambiare in qualche modo. Non lo so…

forse… cercando… facendo qualche gioco…» balbetto e divento rossa come le pareti della stanza dei giochi.

Perché è così difficile parlarne? Ho fatto sesso estremo in tutte le maniere con quest'uomo, cose che non avevo mai sentito nominare fino a qualche settimana fa, che non pensavo neppure possibili, eppure la più difficile di tutte è parlarne.

«Ana, contraccambi già più di quanto pensi. Per favore, per favore, non sentirti così.»

Il Christian spensierato non c'è più. I suoi occhi adesso sono grandi di paura. Mi si stringe lo stomaco. «Piccola, è stato solo un weekend» continua. «Diamoci del tempo. Ho pensato molto a noi la settimana scorsa, dopo che te ne sei andata. Abbiamo bisogno di tempo. Hai bisogno di fidarti di me, e io di te. Forse, un giorno, potremo assecondarci, ma adesso a me piaci così come sei. Mi piace vederti felice, rilassata e spensierata, e sono contento di sapere che in qualche modo sono io a farti sentire così. Non ho mai…» Si ferma e si passa una mano tra i capelli. «Dobbiamo imparare a camminare prima di poter correre.» All'improvviso, mi sorride.

«Cosa c'è di tanto divertente?»

«Flynn. Lo dice sempre. Non ho mai pensato che l'avrei citato.»

«Un flynnismo, dunque.»

Christian ride. «Esatto.»

Il cameriere arriva con i nostri antipasti e la bruschetta, e la nostra conversazione cambia registro. Christian si rilassa.

Non posso fare a meno di pensare al Christian che ho visto oggi: tranquillo, felice e spensierato. Perlomeno ora sta ridendo, di nuovo a suo agio.

Dentro di me, sospiro di sollievo mentre inizia a farmi domande sui posti dove sono stata. La discussione è breve, visto che non sono andata da nessuna parte a eccezione degli Stati Uniti continentali. Christian invece ha viaggiato in tutto il mondo. Scivoliamo in una conversazione più spensierata e felice, parlando dei posti che ha visitato.

Dopo una gustosa e ricca cena, Christian mi riporta all'Escala. La voce dolce di Eva Cassidy si diffonde dalle casse dello stereo, offrendomi una piacevole pausa per pensare. Ho trascorso una giornata incredibile. La dottoressa Greene, la nostra doccia, l'ammissione di Christian, fare l'amore con lui in hotel e sulla barca, la macchina che mi ha comprato. Christian stesso è stato molto diverso di volta in volta. È come se si stesse lasciando andare o si stesse riscoprendo... non lo so.

Chi avrebbe mai detto che poteva essere così dolce? Lui sapeva di esserlo?

Quando lo guardo, anche lui sembra perso nei suoi pensieri. Mi colpisce che non abbia praticamente avuto un'adolescenza. Un'adolescenza normale, intendo. Scuoto la testa.

Ripenso al momento in cui ho ballato con il dottor Flynn e al panico negli occhi di Christian quando gli ho rivelato che Flynn mi aveva detto tutto di lui. Christian mi sta ancora nascondendo qualcosa. Come possiamo andare avanti se si sente così?

Pensa che potrei lasciarlo se lo conoscessi. Pensa che potrei lasciarlo se fosse se stesso. "Oh, è così complicato."

A mano a mano che ci avviciniamo a casa, lui comincia a innervosirsi, finché la tensione diventa palpabile. Mentre guida, lancia occhiate ai marciapiedi, alle strade che fiancheggiamo, i suoi occhi guizzano dappertutto, e so che sta cercando Leila. Guardo anch'io. Tutte le giovani brune sono sospette, ma non la vedo.

Quando parcheggia nel garage, la sua bocca è irrigidita in una linea severa. Mi domando perché siamo tornati qui, se lui dev'essere così inquieto e ansioso. Sawyer è di pattuglia nel parcheggio. L'Audi profanata non c'è più. Si avvicina per aprirmi la portiera mentre Christian si ferma accanto al SUV.

«Salve, Sawyer» lo saluto.

«Miss Steele.» Fa un cenno con la testa. «Mr Grey.»

«Nessun segno?» chiede Christian.

«No, signore.»

Christian annuisce, mi prende per mano e si dirige verso l'ascensore. So che il suo cervello sta alacremente rimuginando. Lui è distratto. Non appena siamo dentro la cabina, si volta verso di me.

«Non ti è permesso uscire di qui da sola. Mi hai capito?» sbotta.

«Okay.» "Accidenti, stai calmo." Ma i suoi modi mi fanno sorridere. Mi congratulo con me stessa. Mi stupisce che, solo una settimana fa, quest'uomo, tutto controllo e ordini bruschi, mi incutesse timore quando mi parlava così. Ma ora lo capisco molto meglio. È il suo modo di affrontare le cose. È preoccupato per via di Leila, mi ama, e vuole proteggermi.

«Cosa c'è di tanto divertente?» borbotta, e anche la sua espressione si addolcisce.

«Tu.»

«Io, Miss Steele? Perché sono divertente?» Fa il broncio. Christian con il broncio è... sexy.

«Non fare il broncio.»

«Perché?» Sembra ancora più divertito.

«Perché mi fa lo stesso effetto che fa su di te quando faccio così.» Mi mordo il labbro apposta.

Lui alza un sopracciglio, sorpreso e compiaciuto allo stesso tempo. «Davvero?» Lo fa di nuovo, e poi si china su di me per darmi un bacio veloce e casto.

Io sollevo la testa per incontrare la sua bocca e, nell'istante in cui le nostre labbra si toccano, la natura del bacio cambia, l'incendio divampa nelle mie vene a questo intimo contatto, spingendomi verso di lui.

All'improvviso le mie dita sono tra i suoi capelli. Lui mi afferra e mi schiaccia contro la parete, le sue mani incorniciano il mio viso, e mi tengono avvinta alle sue labbra mentre le nostre lingue si cercano. Non so se è lo spazio angusto a far sembrare tutto molto più reale, ma sento il suo bisogno, la sua ansia, la sua passione.

"Accidenti." Lo voglio. Qui. Adesso.

L'ascensore si ferma, le porte si aprono e Christian stacca il volto dal mio, i suoi fianchi mi tengono ancora imprigionata contro la parete, la sua erezione preme contro di me.

«Wow…» mormora senza fiato.

«Wow…» faccio anch'io, immettendo finalmente aria nei polmoni.

Mi guarda, con gli occhi che luccicano. «Che cosa mi stai facendo, Ana.» Segue con il pollice la curva del mio labbro inferiore.

Con la coda dell'occhio vedo Taylor fare qualche passo indietro, così da uscire dal mio campo visivo. Mi sollevo un po' e poso un bacio all'angolo della bocca perfettamente scolpita di Christian.

«Potrei farti la stessa domanda.»

Si stacca e mi prende per mano, i suoi occhi sono più cupi adesso, socchiusi. «Vieni» mi ordina.

Taylor è ancora nell'atrio, e ci aspetta con discrezione.

«Buonasera, Taylor» lo saluta Christian, cordialmente.

«Mr Grey, Miss Steele.»

«Ero Mrs Taylor ieri.» Sorrido e Taylor arrossisce.

«Suona bene, Miss Steele» commenta Taylor.

«L'ho pensato anch'io.»

Christian aumenta la pressione sulla mia mano e si rabbuia. «Se avete finito, mi piacerebbe essere aggiornato.» Lancia un'occhiataccia a Taylor, che ora sembra a disagio, ed è colpa mia: ho oltrepassato il limite.

«Mi dispiace» dico muovendo appena le labbra, rivolta a Taylor, che si stringe nelle spalle e mi sorride gentile prima che mi volti per seguire Christian.

«Sarò da te tra poco. Voglio solo scambiare una parola con Miss Steele» dice Christian a Taylor, e so di essermi cacciata nei guai.

Mi guida nella sua camera da letto e chiude la porta.

«Non flirtare con il personale, Anastasia» mi rimprovera.

Io apro la bocca per difendermi, poi la richiudo, poi la riapro. «Non stavo flirtando. Ero solo amichevole... C'è differenza.»

«Non essere amichevole con il personale e non flirtare con nessuno di loro. Non mi piace.»

"Oh, addio, Christian spensierato." «Mi dispiace» borbotto e mi fisso le mani. Non mi aveva fatto sentire una bambina per tutto il giorno. Mi prende il viso tra le mani per farmi sollevare la testa e incontrare i suoi occhi.

«Lo sai quanto sono geloso» sussurra.

«Non hai alcun motivo di essere geloso, Christian. Il mio corpo e la mia anima sono tuoi.»

Lui sbatte le palpebre, come se trovasse difficile crederlo. Si china su di me e mi bacia velocemente, ma non c'è la passione che abbiamo sperimentato un momento fa nell'ascensore.

«Non ci metterò molto. Fa' come se fossi a casa tua» dice imbronciato e si volta, lasciandomi stordita e confusa.

"Perché mai dovrebbe essere geloso di Taylor?" Scuoto la testa, incredula.

Guardo la sveglia e noto che sono appena passate le otto. Decido di preparare i miei vestiti per andare al lavoro domani mattina. Salgo al piano di sopra, nella mia camera da letto, e apro la cabina armadio. È vuota. Tutti i vestiti sono spariti. "Oh, no!" Christian mi ha preso in parola e si è sbarazzato del guardaroba.

Perché mi ha preso in parola? La voce di mia madre mi risuona in testa per perseguitarmi: "Gli uomini prendono tutto alla lettera, tesoro". Sbuffo e fisso lo spazio vuoto. C'erano anche dei vestiti bellissimi, come quello d'argento che ho indossato al ballo.

Sconsolata, ritorno in camera. "Aspetta un momento. Che cosa succede?" L'iPad è scomparso. E il mio Mac? "Oh, no." Il mio primo pensiero è che sia stata Leila a rubarli.

Corro giù per le scale e torno nella camera da letto di

Christian. Sul comodino ci sono il mio Mac, il mio iPad, e il mio zainetto. È tutto qui.

Apro la porta della cabina armadio. Ci sono i miei vestiti. Tutti. Condividono lo spazio con quelli di Christian. Quando è successo? Perché non mi avvisa mai quando fa una cosa come questa?

Mi volto, e lui è in piedi sulla soglia.

«Oh, ce l'hanno fatta a spostare tutto» mormora, distratto.

«Cosa c'è che non va?» chiedo. Il suo volto è teso.

«Taylor pensa che Leila sia entrata dalla scala antincendio. Deve aver avuto la chiave. Adesso tutte le serrature sono state cambiate. La squadra di Taylor ha controllato a fondo ogni stanza dell'appartamento. Lei non è qui.» Si ferma e si passa una mano tra i capelli. «Vorrei tanto sapere dov'è. Sta eludendo tutti i nostri tentativi di trovarla, quando invece ha bisogno d'aiuto.» Corruga la fronte, e il disappunto che sentivo fino a poco fa svanisce. Lo abbraccio. Lui mi stringe a sé e mi dà un bacio sui capelli.

«Cosa farai quando la troverai?» chiedo.

«Il dottor Flynn può occuparsene.»

«E suo marito?»

«Se n'è lavato le mani di lei.» Il tono di Christian è amaro. «La sua famiglia vive nel Connecticut. Penso che qui sia sola.»

«Che tristezza.»

«Ti va bene che abbia fatto portare qui le tue cose? Voglio dividere la stanza con te» mormora.

"Ehi, rapido cambio di direzione!"

«Sì.»

«Voglio che dormi con me. Non ho incubi quando dormi con me.»

«Hai incubi?»

«Sì.»

Mi stringo più forte a lui. Un altro carico da novanta. Mi si stringe il cuore per quest'uomo.

«Stavo preparando gli abiti per andare al lavoro domani mattina» mormoro.

«Lavoro!» esclama Christian come se fosse una parolaccia, e mi lascia andare, guardandomi torvo.

«Sì, lavoro» replico, confusa dalla sua reazione.

Lui mi fissa come se non comprendesse. «Ma Leila... è là fuori.» Si ferma. «Non voglio che tu vada a lavorare.»

"Cosa?" «Questo è ridicolo, Christian. Devo andare al lavoro.»

«No che non devi.»

«Ho un nuovo impiego, che mi piace. Certo che devo andarci.» "Che cosa significa?"

«No, non devi» replica con enfasi.

«Credi che me ne starò qui a girarmi i pollici mentre tu giochi a fare il signore dell'universo?»

«Francamente... sì.»

"Oh, Signore... Dammi la forza."

«Christian, devo andare al lavoro.»

«No, non devi.»

«Sì. Io. Devo» dico lentamente, come se lo spiegassi a un bambino.

Lui mi guarda torvo. «Non è sicuro.»

«Christian... ho bisogno di lavorare per vivere, andrà tutto bene.»

«No, non hai bisogno di lavorare per vivere... E come sai che andrà tutto bene?» Sta quasi urlando.

"Che cosa vuol dire? Che mi darà dei soldi? Oh, questo è più che ridicolo. Lo conosco da quanto? Cinque settimane?"

È arrabbiato, me lo dicono i suoi occhi che fanno fuoco e fiamme, ma non m'importa.

«Per l'amor del cielo, Christian, Leila era in piedi in fondo al tuo letto e non mi ha fatto niente, e sì, ho bisogno di lavorare. Non voglio che mi mantenga tu. Devo restituire il prestito studentesco.»

Fa una smorfia seccata, mentre io punto i pugni sui fianchi. Non indietreggerò di un millimetro. "Chi diavolo si crede di essere?"

«Non voglio che tu vada al lavoro.»

«Non devi dirmelo tu, Christian. Non è una decisione che spetta a te.»

Lui si passa di nuovo la mano tra i capelli mentre mi fissa. Passano secondi, minuti nei quali ci guardiamo in cagnesco.

«Sawyer verrà con te.»

«Christian, non è necessario. Non essere irrazionale.»

«Irrazionale?» ringhia. «O lui viene con te, o sarò davvero molto irrazionale e ti terrò qui.»

"Lo farebbe davvero?" «In che modo, esattamente?»

«Oh, troverei un modo, Anastasia. Non mettermi alla prova.»

«Okay!» gli concedo alzando le mani per calmarlo. "Porca miseria. Mr Cinquanta Sfumature è tornato e non ce n'è per nessuno."

Ci fissiamo con aria torva.

«Okay, Sawyer può venire con me, se ti fa sentire meglio» concedo, alzando gli occhi al cielo. Christian stringe i suoi a fessura e fa qualche passo verso di me, con aria minacciosa. Io indietreggio di un passo. Lui si ferma e prende fiato, chiude gli occhi, si passa entrambe le mani nei capelli. "Oh, no." Sembra fuori di sé.

«Posso farti fare un tour della casa?»

"Un tour? Mi stai prendendo in giro?" «Okay» balbetto diffidente. Altro cambio di direzione. Mr Lunatico è di nuovo in città. Mi porge la mano e, quando la prendo, stringe la mia dolcemente.

«Non volevo spaventarti.»

«Non mi hai spaventata. Stavo solo per andarmene» dico a mo' di battuta.

«Andartene?» Christian sgrana gli occhi.

«Sto scherzando!» "Oh, accidenti."

Mi conduce fuori dalla cabina armadio, e io mi prendo

un attimo per calmarmi. L'adrenalina mi scorre ancora nel corpo. Uno scontro con lui non è da sottovalutare.

Mi fa fare il giro dell'appartamento, mostrandomi le varie stanze. Oltre alla stanza dei giochi, ci sono tre camere da letto per gli ospiti al piano di sopra. E sono stupita di scoprire che Taylor e Mrs Jones hanno un'ala tutta per loro, con una cucina, una spaziosa zona giorno e una camera da letto per ciascuno. Mrs Jones non è ancora tornata dalla sua visita alla sorella che vive a Portland.

Al piano di sotto la stanza che più cattura il mio interesse è quella davanti allo studio, con un enorme televisore e un vasto assortimento di console per videogiochi. È accogliente.

«E così hai un'Xbox?» sogghigno.

«Sì, ma sono una frana. Elliot mi batte sempre. È stato divertente quando hai pensato che volessi portarti a giocare con l'Xbox.» Mi sorride, la rabbia è già dimenticata. Grazie a Dio ha recuperato il suo buonumore.

«Sono contenta che mi trovi divertente, Mr Grey» rispondo altezzosa.

«Lo sei, Miss Steele... quando non sei esasperante, ovviamente.»

«Di solito sono esasperante quando tu sei irragionevole.»

«Io? Irragionevole?»

«Sì, Mr Grey. Irragionevole potrebbe essere il tuo secondo nome.»

«Non ho un secondo nome.»

«Irragionevole calzerebbe a pennello.»

«Credo che sia una questione di punti di vista, Miss Steele.»

«Sarei interessata a sentire l'opinione professionale del dottor Flynn.»

Christian mi sorride malizioso.

«Pensavo che Trevelyan fosse il tuo secondo nome.»

«No. Cognome.»

«Ma non lo usi.»

«È troppo lungo. Vieni» mi ordina. Lo seguo. Attraversiamo il salone e percorriamo il corridoio principale finché, dopo aver oltrepassato la lavanderia e l'impressionante cantina dove Christian tiene i vini, arriviamo all'ufficio di Taylor, ampio e ben equipaggiato. Taylor si alza in piedi non appena entriamo. L'ambiente è abbastanza grande per ospitare un tavolo da riunioni per sei persone. Sopra una scrivania c'è una serie di monitor. Non avevo idea che l'appartamento avesse un sistema di telecamere a circuito chiuso. Sui visori ci sono il bancone della cucina, le scale, l'ascensore di servizio e l'atrio.

«Salve, Taylor. Stavo facendo fare un giro ad Anastasia.» Taylor annuisce ma non sorride. Mi domando se gli sia stato ordinato di fare così. O forse è perché sta ancora lavorando? Quando gli sorrido, lui mi fa un cortese cenno con la testa. Christian mi prende la mano ancora una volta e mi porta in biblioteca.

«Qui ci sei stata.» Christian apre la porta. E io getto un'occhiata al grande tavolo da biliardo con il tappeto verde.

«Possiamo giocare?» chiedo.

Christian sorride, sorpreso. «Okay. Hai mai giocato prima?»

«Qualche volta…» mento, e lui strizza gli occhi piegando la testa di lato.

«Sei una pessima bugiarda, Anastasia. O non hai mai giocato in vita tua, oppure…»

Mi passo la lingua sulle labbra. «Temi un po' di competizione?»

«Dovrei avere paura di una ragazzina come te?» Christian mi prende in giro in modo benevolo.

«Scommettiamo, Mr Grey.»

«Sei così sicura di te, Miss Steele?» Mi sorride, divertito e incredulo allo stesso tempo. «Che cosa vuoi scommettere?»

«Se vinco, voglio che mi porti ancora una volta nella tua stanza dei giochi.»

Lui mi fissa come se non riuscisse a comprendere quello

che ho appena detto. «E se vinco io?» mi chiede dopo diversi istanti sotto shock.

«Allora potrai scegliere tu.»

Le sue labbra si piegano mentre pensa alla replica. «Okay, andata.» Mi sorride. «Vuoi giocare a pool, biliardo inglese o carambola?»

«A pool, per favore. Gli altri non li conosco.»

Da un armadietto sotto la libreria Christian estrae una grossa valigia di pelle. Dentro ci sono le palle da biliardo in una custodia di velluto. Veloce ed efficiente, le dispone sul panno verde. Penso di non aver mai giocato a pool su un tavolo così grande. Christian mi passa una stecca e qualche pezzo di gesso.

«Vuoi spaccare?» Simula un po' di galanteria. Si sta divertendo. Crede che vincerà.

«Okay.» Passo il gesso sulla punta della stecca e soffio via quello in eccesso. Intanto guardo Christian di sottecchi. I suoi occhi diventano più cupi, quando lo faccio.

Mi allineo con la palla bianca e con un colpo veloce e secco colpisco al centro del triangolo in cui sono state disposte le altre, con una tale forza che una di quelle rigate finisce nella buca d'angolo a destra. Le altre palle sono sparse sul tappeto verde.

«Scelgo quelle rigate» dico con un sorriso innocente. La sua bocca si piega divertita.

«Prego» mi dice gentile.

Io procedo mettendo in buca altre tre palle, in rapida successione. Dentro di me, sto ballando. In questo momento sono estremamente grata a José per avermi insegnato a giocare a pool tanto bene. Christian mi guarda impassibile, senza rivelare nulla, ma il suo buonumore sembra scemare. Manco la palla rigata verde per un soffio.

«Lo sai, Anastasia, potrei stare qui a guardarti mentre ti pieghi e ti distendi sul biliardo per tutto il giorno» mi dice con l'aria di chi apprezza davvero.

Arrossisco. Grazie a Dio indosso i jeans. Lui sorride con malizia. "Sta cercando di distrarmi, il bastardo." Si toglie il maglioncino color crema e lo getta sullo schienale di una sedia, mi sorride e si avvicina per il suo primo tiro.

Si piega sul tavolo. La bocca mi si secca. "Oh, capisco quello che voleva dire." Christian, con i jeans attillati e la T-shirt bianca, che si piega così... è uno spettacolo da vedere. Perdo quasi di vista il gioco. Lui mette in buca quattro palle piene, velocemente, poi sbaglia imbucando quella bianca.

«Un errore banale, Mr Grey» lo prendo in giro.

Lui sorride. «Ah, Miss Steele, non sono che un povero mortale. Tocca a te, credo.» Mi indica il tavolo.

«Non starai cercando di perdere?»

«Oh, no. Per quello che ho in mente come premio voglio vincere, Anastasia.» Si stringe nelle spalle. «Ma, del resto, voglio sempre vincere.»

Lo guardo, stringendo gli occhi. Sono contenta di indossare la mia camicetta azzurra, che ha una piacevole scollatura. Faccio il giro del tavolo, piegandomi molto e dandogli ogni possibilità di guardarmi sia il sedere sia dentro lo scollo. Si può giocare in due a questo gioco.

«So cosa stai facendo» mi sussurra, gli occhi scuri.

Piego la testa di lato, con fare civettuolo, e accarezzo gentilmente la stecca, facendo scorrere su e giù la mano, lentamente. «Oh, sto solo decidendo dove tirare» dico distratta.

Colpisco la palla rigata arancione mettendola in una posizione migliore, poi mi rialzo. Sono proprio di fronte a Christian. Preparo il mio prossimo colpo, piegandomi sul tavolo. Sento Christian trasalire e prendere fiato e, ovviamente, sbaglio. "Merda."

Lui viene dietro di me, mentre sono ancora piegata, e mi mette una mano sul sedere. "Mmh..."

«Me lo stai facendo ondeggiare davanti per tentarmi, Miss Steele?» E mi colpisce forte.

Io sussulto. «Sì» mormoro, perché è vero.

«Stai attenta a quello che desideri, piccola.»

Mi massaggio le natiche, mentre lui raggiunge l'altro capo del tavolo e si piega per fare il suo tiro. "Accidenti, potrei guardarlo per tutto il giorno." Colpisce la palla rossa, e la manda nella buca laterale sinistra. Continua con quella gialla, mirando alla buca d'angolo a destra, e la manca. Sorrido.

«Stanza Rossa, stiamo arrivando» lo prendo in giro.

Lui si limita ad alzare un sopracciglio e a farmi segno di continuare. Lavoro in fretta sulla palla rigata verde e, con un colpo di fortuna, riesco a mettere in buca anche l'ultima, quella rigata arancione.

«Nomina la tua buca» mi dice Christian, ed è come se stessimo parlando di qualcos'altro, qualcosa di oscuro e rude.

«Buca d'angolo a sinistra.» Mi metto d'impegno sulla palla nera, ma la manco. Fa un giro largo. "Dannazione."

Christian fa un ghigno quasi malefico, mentre si china sul tavolo e si occupa velocemente delle due palle piene che gli mancano. Sto praticamente boccheggiando, mentre guardo il suo corpo agile proteso sul tavolo. Lui si alza e passa il gesso sulla sua stecca, i suoi occhi ardono nei miei.

«Se vinco io...»

"Oh, sì...?"

«Ti prenderò a sculacciate e poi ti scoperò su questo tavolo da biliardo.»

"Oddio." Ogni singolo muscolo sotto il mio ombelico si tende.

«Buca d'angolo a destra» mormora puntando la palla nera, si piega e tira.

11

Con grazia e facilità Christian colpisce la palla bianca, che scivola sul tavolo e frisa la nera, la quale, lentamente, rotola, resta un attimo in bilico sulla buca d'angolo a destra e poi ci cade dentro.

Accidenti.

Lui si rialza, le labbra piegate in un sorriso trionfante da ora-sei-tutta-mia-Steele. Posa la stecca e mi si avvicina, i capelli in disordine, i jeans e la T-shirt bianca. Non sembra affatto un amministratore delegato, ha più l'aspetto di un ragazzaccio dei bassifondi. Per la miseria, è dannatamente sexy.

«Non sarai una che non sa perdere, vero?» mormora, trattenendo a stento un sogghigno.

«Dipende da quanto forte mi sculaccerai» sussurro, sorreggendomi alla stecca. Lui me la toglie di mano e la mette da parte, infila il dito nello scollo della camicetta e mi attira a sé.

«Bene, contiamo le tue infrazioni, Miss Steele.» Conta sulle dita. «Uno: mi hai fatto sentire geloso di un membro del mio personale. Due: hai discusso con me riguardo al tuo lavoro. Tre: hai deliberatamente fatto ondeggiare il tuo delizioso sedere davanti al mio naso negli ultimi venti minuti.»

I suoi occhi brillano di una morbida luce grigia, eccitati. Si piega e strofina il naso contro il mio. «Voglio che tu ti tolga i jeans e questa camicetta così seducente. Ora.» Mi dà un bacio leggero come una piuma, poi si dirige con nonchalance verso la porta e la chiude a chiave.

"Oddio."

Quando si volta e mi guarda, il suo sguardo brucia di desiderio. Io rimango paralizzata, a mo' di zombie, il cuore mi martella nel petto, il sangue pompa a mille, e non sono capace di muovere un muscolo. Nella mia mente, tutto quello a cui riesco a pensare è: "Questo è per lui". Lo ripeto come un mantra più volte.

«I vestiti, Anastasia. Mi pare che tu li abbia ancora addosso. Togliteli. O lo farò io per te.»

«Fallo tu.» Ritrovo finalmente la voce, e suona bassa e veemente. Christian sorride.

«Oh, Miss Steele. È uno sporco lavoro, ma penso di poter raccogliere la sfida.»

«Sei abituato a raccogliere sfide ben peggiori, Mr Grey.» Alzo un sopracciglio, e lui sorride.

«Che cosa intendi dire, Miss Steele?» Mentre viene verso di me, si ferma davanti a una piccola scrivania ricavata dentro la libreria. Si china e prende un righello di venti centimetri. Lo tiene per entrambe le estremità e lo flette, senza che i suoi occhi abbandonino mai i miei.

"Accidenti. Ha scelto l'arma." Mi si secca la gola.

All'improvviso sono eccitata e bagnata. Solo Christian può riuscire a farmi questo con uno sguardo e un righello tra le mani. Si infila il righello nella tasca posteriore dei jeans e viene verso di me, gli occhi cupi e pieni di promesse. Senza dire una parola, si inginocchia e inizia a slacciarmi le scarpe, rapido ed efficiente, sfilandomele poi entrambe, seguite dalle calze. Mi appoggio al bordo del tavolo da biliardo, per non cadere. Lo guardo mentre scioglie le stringhe e mi meraviglio della profondità di ciò che sento per questo uomo bellissimo e imperfetto. Lo amo.

Lui mi prende per i fianchi, infila le dita nella cintura dei miei jeans, slaccia il bottone e abbassa la cerniera. Alza gli occhi e mi guarda attraverso le lunghe ciglia, facendomi il più malizioso dei suoi sorrisi, mentre mi abbassa i jeans. Esco dai pantaloni, contenta di indossare il perizoma di pizzo bianco. Lui afferra le mie gambe da dietro e fa scorrere il naso fino al punto di congiunzione delle cosce. Praticamente mi sciolgo.

«Voglio essere piuttosto violento con te, Ana. Devi dirmi di fermarmi, se è troppo» ansima.

"Oddio." Mi bacia... *lì*. Io gemo sommessamente.

«*Safeword*?» mormoro.

«No, nessuna *safeword*, dimmi solo di fermarmi, e io mi fermerò. Capito?» Mi bacia ancora, strofinandosi su di me. "Oh, è una sensazione così piacevole." Si alza e mi guarda intensamente. «Rispondimi» mi ordina, la sua voce è morbida come il velluto.

«Sì, sì, ho capito.» Sono sconcertata dalla sua insistenza.

«Hai continuato a fare allusioni e a mandarmi segnali ambigui per tutto il giorno, Anastasia» mi dice. «Hai detto di temere che io avessi perso smalto. Non sono sicuro di capire cosa intendessi, e non so quanto seria fossi, ma lo scopriremo. Non voglio ancora tornare nella stanza dei giochi, perciò adesso proveremo in questo modo, ma se non ti piace, devi promettermi di dirmelo.» La bruciante intensità della sua ansia prende il posto della precedente sfrontatezza.

"Christian, non essere ansioso, per favore." «Te lo dirò. Niente *safeword*» gli assicuro.

«Siamo innamorati, Anastasia. Gli innamorati non usano *safeword*.» Aggrotta la fronte. «O no?»

«Credo di no» mormoro. "Accidenti... come faccio a saperlo?" «Lo giuro.»

Lui mi scruta in volto, come per trovare qualche segno del fatto che potrei non avere il coraggio nelle mie convinzioni, e io sono nervosa, ma eccitata. Sono molto più felice di fare questo, adesso che so che lui mi ama. È molto semplice per me, e non voglio rimuginarci troppo.

Sorride mentre inizia a sbottonarmi la camicetta, con le dita che lavorano in fretta. Non me la toglie, però. Si protende per prendere la stecca.

"Accidenti, che cosa vuole farci con quella?" Un brivido di paura mi attraversa il corpo.

«Giochi bene, Miss Steele. Devo dire che sono sorpreso. Perché non hai messo in buca la nera?»

Dimentico la mia paura e faccio il broncio, domandandomi perché diavolo debba sentirsi sorpreso... sexy, arrogante bastardo che non è altro. La mia dea interiore si sta riscaldando sullo sfondo, facendo gli esercizi a terra, con un ampio sorriso sulla faccia.

Posiziono la palla bianca. Christian fa il giro del tavolo e si mette proprio dietro di me, mentre mi chino per colpire. Mi posa la mano sulla coscia destra e fa scorrere le dita su e giù lungo la mia gamba, su fino al sedere e poi giù, accarezzandomi leggero.

«Sbaglierò, se continui a fare così» sussurro chiudendo gli occhi e godendo della sensazione della sua mano su di me.

«Non m'importa se la colpisci o la manchi, piccola. Voglio solo vederti così... Mezza svestita, mentre ti allunghi sul mio tavolo da biliardo. Hai idea di quanto sei sexy in questo momento?»

Arrossisco, e la mia dea interiore si mette una rosa tra i denti e inizia a ballare il tango. Faccio un bel respiro. Cerco di ignorarlo e mi concentro sul tiro. È impossibile. Mi accarezza il sedere ripetutamente.

«Buca d'angolo di sinistra» mormoro, poi colpisco la palla bianca. Lui mi sculaccia forte sulle natiche.

È così inaspettato che grido. La palla bianca colpisce la nera, che rimbalza sulla sponda. Christian mi accarezza ancora.

«Credo che tu debba ritentare» mi sussurra. «Dovresti concentrarti, Anastasia.»

Ho il fiato corto adesso, eccitata da questo gioco. Lui raggiunge l'estremità del tavolo, rimette la palla nera in posizione, poi rimanda la bianca verso di me. Ha un'aria così carnale, gli occhi intensi, il sorriso lascivo. Come potrei resistergli? Afferro la palla e la metto in posizione, pronta a colpirla ancora.

«Ahi ahi» mi ammonisce. «Aspetta.» Oh, quanto ama prolungare l'agonia. Torna indietro e si rimette alle mie spalle. Chiudo gli occhi ancora una volta mentre lui mi accarezza la coscia sinistra e poi di nuovo il sedere.

«Prendi la mira» ansima.

Non riesco a trattenere un gemito mentre il desiderio si impadronisce di me. E provo, ci provo davvero, a pensare al punto in cui colpire la palla nera con la bianca. Mi sposto un po' verso destra, e lui mi segue. Mi piego sul tavolo ancora una volta. Usando ogni residuo di forza rimastomi – considerevolmente diminuita, ora che so cosa succederà quando colpirò la palla bianca – prendo la mira e colpisco la palla bianca. Christian mi sculaccia di nuovo, forte.

"*Ahia!*" Manco la buca di nuovo. «Oh, no!» ringhio.

«Ancora una volta, piccola. E se la manchi anche adesso, te lo farò prendere.»

"Cosa? Prendere cosa?"

Rimette in posizione la palla nera e torna, in modo dolorosamente lento, dietro di me, accarezzandomi il sedere.

«Ce la puoi fare» mi incita.

"Oh... non quando mi distrai in questo modo." Spingo il mio sedere contro la sua mano, e lui mi colpisce piano.

«Non vedi l'ora, eh, Miss Steele?» mormora.

"Sì. Ti voglio."

«Bene, liberiamoci di questo.» Lentamente, fa scorrere il mio perizoma giù per le cosce. Non posso vedere quello che ne fa, ma mi lascia con la sensazione di essere totalmente esposta, mentre mi bacia con dolcezza entrambe le natiche.

«Tira, piccola.»

Vorrei piagnucolare, ma questo non succederà. So che

mancherò il colpo. Punto la palla bianca, colpisco, e per la mia impazienza manco completamente la nera. Aspetto il colpo di Christian, ma non arriva. Invece, lui si china su di me, appiattendomi contro il tavolo, mi toglie di mano la stecca e la fa rotolare verso la sponda. Lo sento, duro, contro il mio sedere.

«L'hai mancata» mi dice dolcemente all'orecchio. La mia guancia è premuta sul tappeto verde. «Appoggia i palmi delle mani sul tavolo.»

Faccio come mi dice.

«Bene. Ora ti sculaccerò, così la prossima volta forse non lo farai.» Si sposta sulla mia sinistra. Sento la sua erezione contro il fianco.

Gemo e il cuore mi salta in gola. Ansimo, con il fiato corto, mentre l'eccitazione scorre nelle mie vene. Lui mi accarezza piano il sedere con una mano e con l'altra mi afferra i capelli e li stringe nel pugno, appoggiandomi il gomito sulla schiena e tenendomi giù. Non ho scampo.

«Apri le gambe» mormora e per un momento esito. Lui mi colpisce forte. Con il righello! Il rumore fa più male della sferzata, e mi coglie di sorpresa. Sussulto, e lui mi colpisce ancora.

«Le gambe» ordina. Io le apro, boccheggiando. Il righello mi colpisce ancora. "*Ahi…*" fa male, ma ogni volta il sibilo sulla pelle è peggio della sensazione che mi dà.

Chiudo gli occhi e assimilo il dolore. Dopotutto, non è eccessivo. Il respiro di Christian si fa più affannoso. Mi colpisce più volte, e io gemo. Non sono sicura della quantità dei colpi che posso sopportare, ma sentendolo così, sapendo quanto è eccitato, alimenta il mio coinvolgimento e il mio desiderio di continuare. Sto oltrepassando il confine verso il lato oscuro, un luogo della mia psiche che non conosco bene ma che ho già visitato, nella stanza dei giochi, con la musica di Tallis. Il righello colpisce ancora una volta, io gemo forte, e Christian ringhia in risposta. Mi percuote un'altra volta... e poi di nuovo... più forte, stavolta. Sussulto.

«Fermati.» La parola mi esce di bocca prima che io me ne renda conto. Christian molla subito il righello e mi lascia andare.

«Ne hai abbastanza?» sussurra.

«Sì.»

«Ora voglio scoparti» mi dice, la voce tesa.

«Sì» mormoro con desiderio. Lui si abbassa la cerniera, e io mi sdraio ansimante sul tavolo, sapendo che sarà violento.

Mi meraviglio ancora una volta per avercela fatta. E, sì, anche per aver apprezzato quello che Christian mi ha fatto, fino a questo punto. È così oscuro, ma è sempre lui.

Mi infila due dita dentro e le muove in circolo. La sensazione è meravigliosa. Chiudo gli occhi e mi abbandono a quello che provo. Sento l'ormai familiare rumore della bustina del preservativo che viene aperta, poi Christian si posiziona dietro di me, tra le mie gambe, spingendole per aprirle di più.

Lentamente, si infila dentro di me, riempiendomi. Lo sento gemere di puro piacere, e la cosa mi eccita. Quindi mi prende per i fianchi, con decisione, scivola fuori da me, e poi rientra, stavolta con vigore, facendomi urlare. Si ferma per un momento.

«Ancora?» mi chiede dolcemente.

«Sì... sto bene. Lasciati andare... portami con te» mormoro senza fiato.

Lui emette un gemito gutturale, scivola fuori ancora una volta, e poi rientra con violenza. Ripete il movimento più volte, lentamente, deliberatamente... un ritmo spossante, brutale, divino.

"Oh, merda..." Inizio a tremare tutta. Anche lui lo sente, e aumenta il ritmo, spingendo, di più, più forte, più veloce... e io mi abbandono, esplodendo intorno a lui... in un orgasmo che mi prende l'anima, che mi prosciuga e mi lascia sfibrata, esausta.

Sono vagamente consapevole che anche Christian viene, pronunciando il mio nome, con le dita affondate nei miei fianchi, e poi si ferma e crolla su di me. Scivoliamo a terra, e lui mi culla tra le sue braccia.

«Grazie, piccola» ansima, coprendomi il viso di baci leggeri. Apro gli occhi e lo guardo, e lui mi abbraccia e mi tiene stretta.

«Hai la guancia arrossata a causa del panno del tavolo» mormora massaggiandomi dolcemente. «Com'è stato?» I suoi occhi sono grandi e attenti.

«Bello da far tremare le ginocchia» mormoro. «Mi piaci violento, Christian, e mi piaci anche dolce. Mi piace che tutto questo succeda con te.»

Lui chiude gli occhi e mi abbraccia ancora più forte.

"Accidenti, sono stanca."

«Non sbagli mai, Ana. Sei bellissima, brillante, stimolante, divertente, sexy, e io ringrazio ogni giorno la divina provvidenza che sia stata tu a venire a intervistarmi e non Katherine Kavanagh.» Mi bacia sui capelli. Io sorrido e sbadiglio contro il suo petto. «Ti ho sfinita» continua. «Vieni. Facciamo il bagno e poi andiamo a letto.»

Siamo entrambi nella vasca da bagno di Christian, a guardarci reciprocamente, immersi fino al mento nella schiuma. Il dolce profumo del gelsomino ci avvolge. Christian mi sta massaggiando i piedi, uno alla volta. Ed è talmente meraviglioso che dovrebbe essere illegale.

«Posso chiederti una cosa?» dico piano.

«Certo. Qualsiasi cosa, Ana, lo sai.»

Respiro profondamente e mi tiro su a sedere, facendo una leggera smorfia per il dolore.

«Domani, quando andrò al lavoro, puoi dire a Sawyer di lasciarmi davanti all'ingresso dell'ufficio e di venirmi a prendere alla fine della giornata? Per favore, Christian. Per favore.» Lo supplico.

Lui si blocca e aggrotta la fronte. «Pensavo che fossimo d'accordo» borbotta.

«Per favore» lo prego.

«E il pranzo?»

«Mi preparerò qualcosa da portarmi dietro, così non dovrò uscire. Per favore.»

Mi bacia la pianta del piede. «Trovo davvero difficile dirti di no» mormora come se percepisse la cosa come una sconfitta. «Non uscirai?»

«No.»

«Okay.»

Gli sorrido. «Grazie.» Mi metto in ginocchio, schizzando acqua dappertutto, e lo bacio.

«Prego, Miss Steele. Come sta il tuo sedere?»

«Indolenzito, ma non troppo male. L'acqua lenisce il dolore.»

«Sono contento che tu mi abbia detto di fermarmi» dice osservandomi attentamente.

«Anche il mio sedere è contento.»

Lui sorride.

Mi stiracchio nel letto, sono così stanca. Sono solo le dieci e mezzo di sera, ma a me sembrano le tre del mattino. Questo è stato uno dei weekend più estenuanti della mia vita.

«Miss Acton non ha procurato anche una camicia da notte?» chiede Christian con un'ombra di disapprovazione nella voce, mentre mi guarda.

«Non lo so. Mi piace indossare le tue T-shirt» biascico assonnata.

I suoi tratti si ammorbidiscono. Si china su di me per baciarmi la fronte.

«Devo lavorare. Ma non voglio lasciarti sola. Posso usare il tuo computer per connettermi con l'ufficio? Ti disturbo se lavoro qui?»

«Non è il mio computer...» farfuglio cadendo nel sonno.

La radiosveglia si accende, urlando di colpo le notizie sul traffico. Christian è ancora addormentato al mio fianco. Mi strofino gli occhi e guardo l'ora. Le sei e mezzo. Troppo presto.

Fuori sta piovendo, per la prima volta da una vita, e la luce è cambiata, è più morbida. Mi sento coccolata e a mio agio in questo enorme e moderno monolite, con Christian al mio fianco. Lui apre gli occhi di scatto e sbatte le palpebre, assonnato.

«Buongiorno.» Sorrido e gli faccio una carezza, avvicinandomi per dargli un bacio.

«Buongiorno, piccola. Di solito apro gli occhi prima che la sveglia si spenga» mormora pensieroso.

«L'hai messa presto.»

«Eh, sì, Miss Steele.» Christian sorride. «Devo alzarmi.» Mi bacia, e poi scende dal letto. Io mi ributto sui cuscini. "Wow, svegliarsi in un giorno lavorativo accanto a Christian Grey. Com'è successo tutto questo?" Chiudo gli occhi e sonnecchio.

«Forza, dormigliona, alzati.» Christian si china su di me. Si è fatto la barba, è lavato e fresco. "Mmh... ha un profumo così buono..." Indossa una camicia bianca inamidata e un completo nero. Niente cravatta. È di nuovo in versione amministratore delegato.

«Cosa?» mi chiede.

«Vorrei che tornassi a letto.»

Schiude le labbra, sorpreso dal mio invito, e mi sorride quasi timido. «Sei insaziabile, Miss Steele. Per quanto l'idea mi alletti, ho un appuntamento alle otto e mezzo, perciò tra poco devo uscire.»

Oh, ho dormito un'altra ora o giù di lì. "Accidenti." Scivolo fuori dal letto, mentre Christian mi guarda divertito.

Mi faccio la doccia e mi vesto velocemente, indossando gli abiti che ho preparato ieri: una gonna attillata grigio antracite, una camicetta grigio pallido e scarpe nere con il tacco, tutto offerto dal mio nuovo guardaroba. Mi spazzolo i capelli e li raccolgo, poi entro nel salone, senza sapere davvero cosa aspettarmi. Come farò ad andare al lavoro?

Christian sta sorseggiando il caffè al bancone. Mrs Jones è in cucina a preparare pancake e bacon.

«Sei bellissima» mormora Christian. Mi circonda con un braccio e mi bacia dietro l'orecchio. Con la coda dell'occhio vedo Mrs Jones che sorride. Arrossisco.

«Buongiorno, Miss Steele» dice mettendomi davanti pancake e bacon.

«Oh, grazie. Buongiorno» mormoro. Accidenti, potrei abituarmi a tutto questo.

«Mr Grey mi ha detto che gradisce portare qualcosa con sé per il pranzo. Che cosa preferisce mangiare?»

Guardo Christian, che sta tentando di non ridere. Lo fisso stringendo gli occhi.

«Un sandwich... un'insalata. Non importa.» Sorrido a Mrs Jones.

«Improvviso subito qualcosa, signorina.»

«Per favore, mi chiami Ana.»

«Ana.» Mi sorride e si mette a preparare il tè.

"Wow... fantastico."

Mi volto e piego la testa di lato verso Christian, per sfidarlo... Coraggio, accusami di flirtare anche con Mrs Jones.

«Devo andare, piccola. Taylor tornerà a prenderti e ti lascerà all'ufficio con Sawyer.»

«Solo alla porta.»

«Sì. Solo alla porta.» Christian alza gli occhi al cielo. «Stai attenta, però.»

Mi guardo intorno e vedo Taylor in piedi all'entrata. Christian si alza e mi bacia, afferrandomi il mento.

«A più tardi, piccola.»

«Buona giornata in ufficio, caro» gli dico. Lui si gira e mi lancia uno dei suoi bellissimi sorrisi, poi se ne va. Mrs

Jones mi passa una tazza di tè, e all'improvviso mi sembra strano che ci siamo solo noi due qui.

«Da quanto tempo lavora per Christian?» le chiedo, pensando di dover fare un po' di conversazione.

«Quattro anni, più o meno» mi dice mentre mi prepara il pranzo da portare via.

«Potrei fare da sola, sa...» mormoro, imbarazzata che debba pensarci lei al posto mio.

«Lei mangi la sua colazione, Ana. Questo è il mio lavoro. Mi piace. È bello occuparsi di persone come Mr Taylor e Mr Grey.» Mi fa un sorriso molto dolce.

Le mie guance prendono colore per il piacere, e vorrei bombardare di domande questa donna. Deve sapere così tanto di Christian, ma, a dispetto dei suoi modi affettuosi e gentili, ha un contegno molto professionale. So che ci sentiremmo entrambe in imbarazzo se iniziassi a farle domande, perciò finisco la mia colazione in un silenzio ragionevolmente tranquillo, interrotto solo dalle sue puntuali domande riguardo alle mie preferenze per il pranzo.

Venticinque minuti dopo Sawyer compare sulla soglia del salone. Mi sono lavata i denti e sono pronta ad andare. Prendo il sacchetto di carta marrone con il pranzo... Non ricordo che mia madre abbia mai fatto una cosa del genere per me. Sawyer e io scendiamo al pianoterra con l'ascensore. Lui è molto taciturno, non lascia trasparire niente. Taylor ci attende nell'Audi, e salgo sul sedile posteriore, dopo che Sawyer mi ha aperto la portiera.

«Buongiorno, Taylor» dico sorridente.

«Miss Steele.» Sorride anche lui.

«Taylor, mi dispiace per ieri e per le battute inappropriate che ho fatto. Spero di non averla messa nei guai.»

Taylor aggrotta la fronte guardandomi divertito dallo specchietto retrovisore mentre si immette nel traffico di Seattle.

«Miss Steele, è raro che mi trovi nei guai» mi rassicura.

"Oh, bene. Forse Christian non l'ha rimproverato. L'ha fatto solo con me allora" penso, acida.

«Sono contenta di sentirlo, Taylor.» Sorrido.

Jack mi guarda, studiandomi, mentre mi dirigo alla scrivania.

«'giorno, Ana. Hai passato un bel weekend?»

«Sì, grazie. Tu?»

«Tutto bene. Sistemati… Ho del lavoro per te.»

Annuisco e mi siedo davanti al computer. Mi sembrano passati anni dall'ultima volta che sono stata qui. Accendo il computer e scarico le mail. Ovviamente, ce n'è una di Christian.

Da: Christian Grey
A: Anastasia Steele
Data: 13 giugno 2011 8.24
Oggetto: Capo

Buongiorno, Miss Steele,
volevo solo dirti grazie per il meraviglioso fine
settimana nonostante il dramma.
Spero che non te ne andrai mai.
E volevo anche ricordarti che le notizie riguardo alla SIP
devono rimanere segrete per quattro settimane.
Cancella questa mail non appena l'avrai letta
Tuo

Christian Grey
Amministratore delegato, Grey Enterprises
Holdings Inc. & capo del capo del tuo capo

Spera che non me ne vada? Vuole che mi trasferisca da lui? Santo cielo… Quasi non lo conosco. Premo CANC.

Da: Anastasia Steele
A: Christian Grey
Data: 13 giugno 2011 9.03
Oggetto: Prepotente

Caro Mr Grey,
mi stai chiedendo di venire a vivere da te? E, certo, ricordo
che le prove delle tue memorabili doti di stalker non devono
essere divulgate per altre quattro settimane. Devo fare
l'assegno per Affrontiamolo Insieme e mandarlo a tuo padre?
Per favore, non cancellare questa mail. Per favore, rispondi.
TVB XXX

Anastasia Steele
Assistente di Jack Hyde, Direttore editoriale, SIP

«Ana!» Jack mi fa sobbalzare.

«Sì?» Arrossisco, e Jack aggrotta la fronte.

«Tutto okay?»

«Certo.» Mi alzo e vado nel suo ufficio con un bloc-notes.

«Bene. Come probabilmente ricordi, giovedì andrò al convegno sull'editoria di New York. Io ho biglietti e prenotazioni per me, ma vorrei che venissi anche tu.»

«A New York?»

«Sì. Dovremo partire mercoledì e restare fuori a dormire. Credo che la troverai un'esperienza molto formativa.» Il suo sguardo si adombra mentre lo dice, ma il suo sorriso è cordiale. «Puoi fare le necessarie prenotazioni di viaggio? E fissa una stanza in più all'hotel dove alloggerò io, d'accordo? Credo che Sabrina, la mia precedente assistente, abbia lasciato i dettagli da qualche parte.»

«Okay.» Gli sorrido debolmente.

Accidenti. Torno alla mia scrivania. Lui non manderà giù questa cosa. Ma il fatto è che io voglio andarci. Mi sembra davvero un'opportunità, e sono sicura di poter tenere a

bada Jack, se sarà necessario. Di nuovo alla scrivania, trovo la risposta di Christian.

Da: Christian Grey
A: Anastasia Steele
Data: 13 giugno 2011 9.07
Oggetto: Prepotente? Io?

Sì. Per favore.

Christian Grey
Amministratore delegato, Grey Enterprises Holdings Inc.

Accidenti... vuole davvero che mi trasferisca. Oh, Christian... è troppo presto. Mi prendo la testa tra le mani e cerco di raccogliere le idee. È la sola cosa di cui ho bisogno dopo questo straordinario weekend. Non ho avuto un momento per me, per pensare e capire tutto quello che ho vissuto e scoperto in questi ultimi due giorni.

Da: Anastasia Steele
A: Christian Grey
Data: 13 giugno 2011 9.20
Oggetto: Flynnismo

Christian,
cos'è successo al "dobbiamo imparare a
camminare prima di poter correre"?
Possiamo parlarne stasera, per favore?
Mi è stato chiesto di andare a un convegno a New York giovedì.
Significa stare fuori a dormire per una notte, mercoledì.
Volevo solo che tu lo sapessi.
A x

Anastasia Steele
Assistente di Jack Hyde, Direttore editoriale, SIP

Da: Christian Grey
A: Anastasia Steele
Data: 13 giugno 2011 9.21
Oggetto: COSA?

Sì. Parliamone stasera.
Andrai da sola?

Christian Grey
Amministratore delegato, Grey Enterprises Holdings Inc.

Da: Anastasia Steele
A: Christian Grey
Data: 13 giugno 2011 9.30
Oggetto: Non urlare in lettere maiuscole il lunedì mattina!

Possiamo parlare anche di questo stasera?
A x

Anastasia Steele
Assistente di Jack Hyde, Direttore editoriale, SIP

Da: Christian Grey
A: Anastasia Steele
Data: 13 giugno 2011 9.35
Oggetto: Non mi hai ancora sentito urlare

Dimmelo.
Se ci vai con quel depravato con cui lavori, allora la
risposta è no, dovrai passare sul mio cadavere.

Christian Grey
Amministratore delegato, Grey Enterprises Holdings Inc.

Il cuore mi sprofonda nel petto. "Merda… Si comporta come se fosse mio padre."

Da: Anastasia Steele
A: Christian Grey
Data: 13 giugno 2011 9.46
Oggetto: No, TU non mi hai ancora sentita urlare

Sì. Devo andarci con Jack.
Voglio andarci. È un'opportunità interessante per me.
E non sono mai stata a New York.
Non fare una tempesta in un bicchiere d'acqua.

Anastasia Steele
Assistente di Jack Hyde, Direttore editoriale, SIP

Da: Christian Grey
A: Anastasia Steele
Data: 13 giugno 2011 9.50
Oggetto: No, TU non mi hai ancora sentito urlare

Anastasia,
non è per il fottuto bicchiere d'acqua che sono preoccupato.
La risposta è NO.

Christian Grey
Amministratore delegato, Grey Enterprises Holdings Inc.

«No!» grido al mio computer, facendo voltare tutti i colleghi verso di me. Jack si affaccia alla porta del suo ufficio.

«Tutto a posto, Ana?»

«Sì. Mi dispiace» mormoro. «Io… ehm… non avevo salvato un documento.» Sono viola per l'imbarazzo. Lui sorride con un'espressione interrogativa. Faccio diversi respiri profondi e digito velocemente una risposta. Sono fuori di me.

Da: Anastasia Steele
A: Christian Grey
Data: 13 giugno 2011 9.55
Oggetto: Cinquanta sfumature

Christian,
cerca di stare calmo.
Io NON andrò a letto con Jack, non lo farei per tutto
l'oro del mondo.
Io ti AMO. Ed è questo che succede quando le persone si amano.
Hanno FIDUCIA l'una nell'altra.
Non penso che tu FARAI L'AMORE, SCULACCERAI, SCOPERAI
O FRUSTERAI nessun altro. Ho FIDUCIA in te.
Per favore, usami la stessa GENTILEZZA.
Ana

Anastasia Steele
Assistente di Jack Hyde, Direttore editoriale, SIP

Rimango seduta ad aspettare la sua risposta. Non arriva
niente. Chiamo la linea aerea e prenoto un biglietto per me,
assicurandomi di essere sullo stesso volo di Jack. Sento il
segnale acustico che annuncia l'arrivo di una nuova mail.

Da: Lincoln, Elena
A: Anastasia Steele
Data: 13 giugno 2011 10.15
Oggetto: Appuntamento per pranzo

Cara Anastasia,
mi piacerebbe davvero molto pranzare con te. Credo che
siamo partite con il piede sbagliato, e vorrei raddrizzare
le cose. Sei libera qualche volta in settimana?
Elena Lincoln

"Porca miseria... non Mrs Robinson!" Come diavolo ha fatto a trovare il mio indirizzo mail? Mi prendo la testa tra le mani. Potrebbe mai essere peggiore questa giornata?

Il mio telefono squilla, alzo la testa e rispondo, lanciando un'occhiata all'orologio. Sono solo le dieci e venti, e già rimpiango di aver lasciato il letto di Christian.

«Ufficio di Jack Hyde, sono Ana Steele.»

Una voce penosamente familiare mi ringhia contro: «Vuoi per cortesia cancellare l'ultima mail che mi hai mandato e cercare di essere un po' più discreta per quel che riguarda il linguaggio che usi dalla mail dell'ufficio? Te l'ho detto, il sistema è monitorato. Farò in modo di limitare i danni da qui». Riattacca.

"Porca miseria..." Fisso il telefono. Christian mi ha chiuso la comunicazione in faccia. Quell'uomo fa il bello e il cattivo tempo nella mia neonata carriera, e adesso si permette di sbattermi il telefono in faccia? Fisso con astio il ricevitore, e se non fosse completamente inanimato, so che si farebbe piccolo piccolo per la paura, sotto il mio sguardo fulminante.

Apro la casella di posta e cancello l'ultimo messaggio che gli ho mandato. Non è tanto grave. Ho solo accennato alle sculacciate e, be', sì, alle frustate. "Accidenti, se se ne vergogna così tanto, allora non dovrebbe farlo." Prendo il mio BlackBerry e lo chiamo sul cellulare.

«Cosa c'è?» grida.

«Andrò a New York, che ti piaccia o no» sibilo.

«Non cont...»

Riaggancio, interrompendolo a metà della frase. L'adrenalina mi scorre nel corpo. Ecco. Gliel'ho detto. Sono furiosa!

Faccio un bel respiro, cercando di ricompormi. Chiudendo gli occhi, immagino di essere in un luogo felice. "Mmh... la cabina di una barca con Christian." Cancello mentalmente l'immagine, visto che sono troppo arrabbiata con lui in questo momento per lasciarlo avvicinare al mio luogo felice.

Apro gli occhi e, con calma, prendo il bloc-notes e scorro la lista delle cose da fare. Un respiro lungo e profondo e il mio equilibrio è ristabilito.

«Ana!» urla Jack facendomi sobbalzare. «Non prenotare il volo!»

«Oh, troppo tardi. L'ho già fatto» replico mentre lui esce dal suo ufficio e mi raggiunge. Sembra fuori di sé.

«Senti, c'è qualcosa sotto. Per qualche ragione, all'improvviso tutte le note spese per i viaggi e gli alberghi del personale devono essere approvate dalla direzione. È una notizia che arriva direttamente dai vertici. Devo vedere il vecchio Roach. A quanto pare, è appena stata resa effettiva una sospensione di tutte le spese. Non capisco.» Si pizzica la base del naso con le dita e chiude gli occhi.

Mi sento impallidire e avverto un nodo allo stomaco. "Christian!"

«Prendi le mie telefonate. Vado a sentire cos'ha da dire il vecchio Roach.» Mi strizza l'occhio e s'incammina a grandi falcate verso il suo capo. Non il capo del suo capo.

"Maledizione! Christian Grey..." Il mio sangue comincia a ribollire.

Da: Anastasia Steele
A: Christian Grey
Data: 13 giugno 2011 10.43
Oggetto: Che cosa hai fatto?

Per favore, dimmi che non interferirai con il mio lavoro.
Voglio davvero andare a quel convegno.
Non avrei dovuto chiedertelo.
Ho cancellato la mail offensiva.

Anastasia Steele
Assistente di Jack Hyde, Direttore editoriale, SIP

Da: Christian Grey
A: Anastasia Steele
Data: 13 giugno 2011 10.43
Oggetto: Che cosa hai fatto?

Sto solo proteggendo ciò che è mio.
La mail che mi hai mandato avventatamente ora è stata
cancellata dal server della SIP, così come le mie mail a te.
Si dà il caso che io mi fidi di te in modo
assoluto. È di lui che non mi fido.

Christian Grey
Amministratore delegato, Grey Enterprises Holdings Inc.

Controllo per vedere se ho ancora le sue mail, e sono
scomparse. L'influenza di quest'uomo non conosce limiti.
Come fa? Chi conosce che può introdursi furtivamente nelle profondità dei server della SIP e cancellare le mail? È una
cosa totalmente fuori dalla mia portata.

Da: Anastasia Steele
A: Christian Grey
Data: 13 giugno 2011 10.46
Oggetto: Cresci

Christian,
non ho bisogno di essere protetta dal mio capo.
Potrebbe anche farmi delle proposte, ma io gli direi di no.
Non puoi interferire. È sbagliato e prepotente
sotto ogni punto di vista.

Anastasia Steele
Assistente di Jack Hyde, Direttore editoriale, SIP

Da: Christian Grey
A: Anastasia Steele
Data: 13 giugno 2011 10.50
Oggetto: La risposta è NO

Ana,
ho visto quanto sei "efficace" nell'opporti
alle attenzioni indesiderate. Ricordo che è stato così
che ho avuto il piacere di passare la mia prima notte con te.
Perlomeno il fotografo prova dei sentimenti per te.
Il depravato, invece, no. È un cascamorto seriale, e
cercherà di sedurti. Chiedigli che cos'è successo alla
precedente assistente e a quella prima di lei.
Non voglio litigare su questo.
Se vuoi andare a New York, ti ci porterò io.
Possiamo andarci questo fine settimana. Ho un
appartamento là.

Christian Grey
Amministratore delegato, Grey Enterprises Holdings Inc.

"Oh, Christian!" Non è questo il punto. È una situazione
così dannatamente frustrante. E, ovviamente, lui ha un appartamento a New York. Cos'altro possiede? Mi devo fidare di lui perché tira fuori la storia di José? Me lo rinfac-
cerà in eterno? Ero ubriaca, per l'amor del cielo. Non mi
ubriacherei con Jack.

Scuoto la testa davanti allo schermo, ma immagino di non
poter continuare a litigare via mail. Devo aspettare fino a
stasera. Controllo l'ora. Jack non è ancora tornato dal suo
incontro con Jerry, e devo fare i conti con Elena. Rileggo
la sua mail e decido che il modo migliore per affrontare la
cosa è girarla a Christian. Che si concentri su di lei piuttosto che su di me.

Da: Anastasia Steele
A: Christian Grey
Data: 13 giugno 2011 11.15
Oggetto: FW appuntamento a pranzo o peso irritante

Christian,
mentre eri impegnato a interferire con la mia carriera e a salvarti il
culo per le mie mail imprudenti, ho ricevuto il seguente messaggio
da Mrs Lincoln. Davvero, io non ho voglia di incontrarla. E anche
se l'avessi, non mi è permesso lasciare questo edificio. Come
abbia ottenuto il mio indirizzo di posta elettronica, non lo so.
Che cosa mi suggerisci di fare? Ecco qui sotto il suo messaggio:

Cara Anastasia,
mi piacerebbe davvero molto pranzare con te. Credo che
siamo partite con il piede sbagliato, e vorrei raddrizzare
le cose. Sei libera qualche volta in settimana?
Elena Lincoln

Anastasia Steele
Assistente di Jack Hyde, Direttore editoriale, SIP

Da: Christian Grey
A: Anastasia Steele
Data: 13 giugno 2011 10.23
Oggetto: Peso irritante

Non essere arrabbiata con me. Ho a cuore i tuoi migliori interessi.
Se ti succedesse qualcosa, non potrei mai perdonarmelo.
Penso io a Mrs Lincoln.

Christian Grey
Amministratore delegato, Grey Enterprises Holdings Inc.

Da: Anastasia Steele
A: Christian Grey
Data: 13 giugno 2011 10.32
Oggetto: Più tardi

Possiamo discuterne stasera, per favore?
Sto cercando di lavorare e le tue continue
interferenze mi distraggono.

Anastasia Steele
Assistente di Jack Hyde, Direttore editoriale, SIP

Jack ritorna dopo mezzogiorno e mi dice che il viaggio a New York è saltato per me, mentre lui ci andrà. Non c'è niente che possa fare per cambiare la politica della direzione. Raggiunge il suo ufficio a grandi passi, sbattendosi la porta alle spalle, ovviamente furioso. Perché è così arrabbiato?

Dentro di me so che le sue intenzioni sono meno che onorevoli, ma sono sicura di poterlo tenere a bada, e mi domando che cosa sappia Christian delle precedenti assistenti. Metto da parte questi pensieri e continuo a lavorare per un po', ma mi riprometto di cercare di far cambiare idea a Christian, anche se le speranze sono poche.

All'una Jack mette la testa fuori dalla porta del suo ufficio.

«Ana, per favore, puoi uscire a prendermi qualcosa da mangiare?»

«Certo. Cosa vuoi?»

«Pastrami su pane di segale, poca senape. Ti rimborso quando torni.»

«Da bere?»

«Coca-Cola, per favore. Grazie, Ana.» Ritorna in ufficio mentre io cerco il mio portafoglio.

"Porca miseria! Ho promesso a Christian che non sarei uscita." Sospiro. Non lo saprà mai, e io farò in fretta.

Claire della reception mi offre il suo ombrello, visto che

sta ancora piovendo. Mentre mi dirigo verso l'uscita, mi infilo la giacca e scocco un'occhiata furtiva in entrambe le direzioni. Non sembra esserci nulla di anomalo. Nessun segno della Ragazza Fantasma.

Cammino velocemente, e spero in modo discreto, verso l'isolato della rosticceria. Tuttavia, più mi avvicino al negozio, più ho la brutta sensazione di essere osservata, e non so se sia la mia paranoia recentemente accresciuta oppure la realtà. "Spero che non sia Leila con una pistola."

"È solo la tua immaginazione" esclama la mia vocina. "Chi mai vorrebbe spararti?"

Torno dopo una quindicina di minuti, salva, ma anche sollevata. Penso che la paranoia estrema di Christian e la sua iperprotettività stiano iniziando a influenzarmi.

Mentre porto il pranzo a Jack, lui alza lo sguardo dal telefono.

«Ana, grazie. Visto che non verrai con me, ho bisogno che ti fermi fino a tardi. Dobbiamo preparare queste relazioni. Spero che tu non abbia programmi.» Mi sorride con calore, e io arrossisco.

«No, va bene» dico con un sorriso smagliante e il cuore che mi sprofonda nel petto. Non sarà facile far accettare una cosa del genere. Christian farà il diavolo a quattro, ne sono sicura.

Mentre ritorno alla scrivania, decido di non dirglielo subito, altrimenti potrebbe avere il tempo di interferire in qualche maniera. Mi siedo e mangio il mio sandwich di insalata di pollo che Mrs Jones ha fatto per me. È delizioso. Lei sì che sa come fare un sandwich formidabile.

Certo, se mi trasferissi da Christian, Mrs Jones mi preparerebbe il pranzo tutti i giorni lavorativi. L'idea mi sconvolge. Non ho mai sognato una disgustosa ricchezza, e tutto il resto. Solo l'amore. Trovare qualcuno che mi ama e non cerca di controllare ogni mia mossa. Il telefono squilla.

«Ufficio di Jack Hyde...»

«Mi avevi assicurato che non saresti uscita» mi interrompe Christian. La sua voce è gelida e dura.

Il cuore mi sprofonda nel petto per la milionesima volta quest'oggi. "Merda. Come diavolo fa a saperlo?"

«Jack mi ha mandato a prendergli il pranzo. Non potevo dire di no. Mi stai facendo pedinare?» Mi viene la pelle d'oca al solo pensiero. Non c'è da stupirsi che mi sentissi tanto paranoica: qualcuno mi stava seguendo davvero. L'idea mi fa arrabbiare.

«Questo è il motivo per cui non volevo che tornassi a lavorare!» esclama Christian.

«Christian, per favore. Sei così...» Così Mr Cinquanta Sfumature! «...così soffocante.»

«Soffocante?» sussurra, sorpreso.

«Sì. Devi smetterla. Te ne parlerò stasera. Sfortunatamente, devo fermarmi fino a tardi per lavorare, visto che non potrò andare a New York.»

«Anastasia, non voglio soffocarti» mi dice pacato, sgomento.

«Be', lo fai. Adesso devo lavorare. Ne parliamo più tardi.» Riaggancio, sentendomi svuotata e vagamente depressa.

Dopo il nostro meraviglioso weekend la realtà mi colpisce duramente. Mai come adesso vorrei scappare. Scappare in qualche posto tranquillo, così da poter riflettere su quest'uomo, su com'è fatto, e su come comportarmi con lui. So che ha qualcosa che non va, lo vedo chiaramente adesso, ed è allo stesso tempo doloroso ed estenuante. Dalle poche e preziose informazioni che mi ha dato riguardo alla sua vita, capisco il perché. Un bambino non amato. Un orribile passato di abusi. Una madre che non poteva proteggerlo, che lui non poteva proteggere, e che gli è morta davanti.

Rabbrividisco. Povero Christian. Io gli appartengo, ma non per essere messa in una gabbia dorata. Come posso farglielo capire?

Con il cuore pesante, prendo uno dei manoscritti che

Jack mi ha chiesto di riassumere e mi metto a leggere. Non riesco a pensare ad alcuna soluzione semplice per il problema del controllo di Christian. Dovrò solo parlargliene più tardi, di persona.

Mezz'ora dopo Jack mi manda via mail un documento che devo rivedere e sistemare, in modo che sia pronto per la stampa in tempo per il suo convegno. La cosa non solo mi occuperà il resto del pomeriggio, ma anche buona parte della serata. Mi metto al lavoro.

Quando alzo lo sguardo, sono passate le sette e l'ufficio è deserto, anche se la luce nella stanza di Jack è ancora accesa. Non ho notato nessuno andare via... Comunque, ho quasi finito. Mando via mail il documento a Jack per l'approvazione e controllo la posta in arrivo. Non c'è niente di nuovo da Christian, perciò do un'occhiata veloce al Black-Berry, sussultando quando si mette a vibrare. È lui.

«Ciao» mormoro.

«Ciao, quando finisci?»

«Per le sette e mezzo, credo.»

«Ci vediamo fuori.»

«Okay.»

Mi sembra tranquillo, forse nervoso. Perché? Teme la mia reazione?

«Sono ancora arrabbiata con te, ma è tutto» sussurro. «Abbiamo molto di cui parlare.»

«Lo so. Ci vediamo alle sette e mezzo.»

Jack esce dal suo ufficio.

«Devo andare. A dopo.» Riaggancio.

Guardo Jack che cammina con aria indifferente verso di me.

«Ho solo bisogno di un paio di modifiche. Ti ho rimandato il documento.»

Si china su di me mentre io recupero il documento. È molto vicino. Spiacevolmente vicino. Il suo braccio tocca il mio. Accidentalmente? Sussulto, ma fingo di non notarlo.

Il suo braccio è sullo schienale della mia sedia e mi tocca la schiena. Mi sposto in avanti, in modo da non appoggiarmi allo schienale.

«Pagine sedici e ventitré. Poi dovremmo esserci» mormora, la bocca a pochi centimetri dal mio orecchio.

La sua vicinanza mi fa accapponare la pelle, ma decido di non farci caso. Apro il documento e, incerta, inizio ad apportare i cambiamenti. Lui è ancora su di me, e tutti i miei sensi sono in iperallerta. È una sensazione strana, che mi distrae. Dentro di me sto urlando: "Arretra!".

«Una volta modificato, sarebbe bene stampare il documento. Puoi farlo domani. Grazie per esserti fermata fino a tardi, Ana.» La sua voce è melliflua, gentile, come se stesse parlando a un animale ferito. Mi si contorce lo stomaco.

«Credo che il minimo che possa fare per ricompensarti è offrirti un drink veloce. Te lo meriti.» Mi sposta dietro l'orecchio una ciocca di capelli sfuggita all'elastico, e mi accarezza delicatamente il lobo.

Rabbrividisco, stringendo i denti e spostando la testa. "Merda." Christian aveva ragione. "Non toccarmi."

«A dire il vero, stasera non posso.» "O qualsiasi altra sera, Jack."

«Nemmeno una cosa veloce?» cerca di persuadermi.

«No, non posso. Ma grazie.»

Jack si siede sul bordo della scrivania e aggrotta la fronte. Milioni di campanelli d'allarme mi suonano nella testa. Sono da sola in ufficio. Non posso uscire. Guardo nervosamente l'orologio. Altri cinque minuti prima che Christian sia qui.

«Ana, penso che formiamo un'ottima squadra, mi dispiace non essere riuscito a portarti a New York. Non sarà la stessa cosa senza di te.»

"Ne sono sicura." Gli sorrido debolmente, perché non mi viene in mente niente da dire. E, per la prima volta in tutto il giorno, provo un certo sollievo per non dover andare a New York.

«E così hai passato un bel weekend?» mi chiede zuccheroso.

«Sì, grazie.» Dove vuole andare a parare?

«Hai visto il tuo fidanzato?»

«Sì.»

«Che lavoro fa?»

"Ti tiene per le palle..." «È in affari.»

«Interessante. Che tipo di affari?»

«Oh, ha le mani in pasta un po' dappertutto.»

Jack piega la testa di lato e si protende verso di me, invadendo il mio spazio personale. Di nuovo.

«Sei molto reticente, Ana.»

«Be', è nel settore delle telecomunicazioni, manifatturiero e agricolo.»

Jack alza un sopracciglio. «Tante cose. Per chi lavora?»

«Lavora in proprio. Se il documento per te va bene e non hai nulla in contrario, adesso vorrei andare.»

Lui si fa indietro. Il mio spazio personale è di nuovo sicuro.

«Certo. Mi dispiace, non volevo trattenerti» mi dice, bugiardo.

«A che ora chiude l'edificio?»

«La sicurezza è qui fino alle undici di sera.»

«Bene.» Sorrido, e la mia vocina, lo so, mi sta per dire che dovrei essere sollevata nel sapere che non siamo da soli nel palazzo. Spengo il computer, prendo la borsa e mi alzo, pronta ad andarmene.

«Ti piace, dunque? Il tuo fidanzato?»

«Lo amo» rispondo, guardando Jack negli occhi.

«Capisco.» Lui aggrotta la fronte e si alza dalla mia scrivania. «Come fa di cognome?»

Arrossisco.

«Grey. Christian Grey» borbotto.

Jack rimane a bocca aperta. «Lo scapolo più ricco di Seattle? *Quel* Christian Grey?»

«Sì. Lui.» Sì, quel Christian Grey, il tuo futuro capo, che

300

ti mangerà per colazione se invadi il mio spazio personale un'altra volta.

«Ecco perché ho pensato che avesse un'aria familiare» dice Jack rabbuiandosi e aggrottando di nuovo la fronte. «Be', è un uomo fortunato.»

Sbatto le palpebre. Che cosa devo dire?

«Passa una bella serata, Ana.» Jack mi sorride, ma il suo è un sorriso che non raggiunge gli occhi. Torna rigido nel suo ufficio, senza voltarsi indietro.

Faccio un lungo sospiro di sollievo. Bene, il problema potrebbe essere risolto. Christian ha fatto di nuovo la magia. Il suo nome, da solo, è un talismano per me, e ha fatto battere in ritirata quest'uomo. Mi concedo un piccolo sorriso vittorioso. "Vedi, Christian? Il tuo nome basta a proteggermi. Non c'era bisogno che ti dessi tanto da fare per bloccare le spese aziendali." Riordino la scrivania e controllo l'orologio. Christian dev'essere fuori.

L'Audi è parcheggiata vicino al marciapiede, e Taylor esce per aprirmi la portiera. Non sono mai stata tanto felice di vederlo ed entro nella macchina, scampando alla pioggia.

Christian è sul sedile posteriore e mi guarda, gli occhi spalancati e guardinghi. Si prepara alla mia sfuriata, la mascella dura e tesa.

«Ciao» dico.

«Ciao» replica lui, cauto. Allunga un braccio e mi afferra la mano, stringendola forte. Il mio cuore si scioglie un po'. Sono così confusa. Non sono neppure riuscita a pensare a quello che devo dirgli.

«Sei ancora arrabbiata?» mi chiede.

«Non lo so» mormoro. Lui mi solleva la mano e mi sfiora le nocche con baci leggeri e dolci.

«È stata una giornata schifosa» dice.

«Sì, è vero.» Ma, per la prima volta da quando lui è uscito per andare al lavoro stamattina, inizio a rilassarmi. Il solo fatto di essere in sua compagnia è un balsamo che mi calma. Tutte le stronzate di Jack, lo scambio di mail e la seccatura rappresentata da Elena svaniscono in sottofondo. Ci siamo solo io e il mio maniaco del controllo, sul sedile posteriore della macchina.

«Va meglio, ora che sei qui» sussurra. Restiamo seduti in silenzio mentre Taylor si immette nel traffico serale. Siamo entrambi taciturni e pensierosi. Ma sento che anche Christian comincia lentamente a staccare la spina, a rilassarsi. Mi accarezza delicatamente le nocche con il pollice. È dolce e confortante.

Taylor si ferma fuori dall'Escala ed entrambi corriamo dentro l'edificio, per ripararci dalla pioggia. Christian mi prende la mano mentre aspettiamo l'ascensore, e i suoi occhi scrutano l'ingresso.

«Immagino che tu non abbia trovato Leila.»

«No. Welch la sta ancora cercando» bofonchia con aria scoraggiata.

L'ascensore arriva e noi entriamo nella cabina. Christian mi guarda, i suoi occhi sono imperscrutabili. Oh, è splendido, con i capelli in disordine, la camicia bianca, l'abito scuro. E all'improvviso, proveniente da chissà dove, ecco quella sensazione. "Oddio…" Il desiderio, la lussuria, l'elettricità. Se fosse visibile, sarebbe di un'aura azzurro intenso tutto intorno a noi. È così potente. Lui schiude le labbra e mi guarda.

«Lo senti?» dice senza fiato.

«Sì.»

«Oh, Ana» geme e mi afferra, le sue braccia scivolano intorno a me, una mano alla base del collo, che mi sostiene la testa, mentre le sue labbra trovano le mie. Le mie dita sono tra i suoi capelli, e sulla sua guancia, mentre mi spinge contro la parete dell'ascensore.

«Odio litigare con te» mi dice piano, contro la bocca, e c'è qualcosa di disperato, di appassionato nel suo bacio, che si rispecchia nel mio. Il desiderio mi esplode nel corpo, tutta la tensione della giornata esige uno sfogo. Mi stringo contro di lui, cercando di più. Lingue che si intrecciano, respiri che si fondono, mani che accarezzano e dolci, dolcissime sensazioni. La sua mano è sul mio fianco, e all'improvviso mi solleva la gonna, e le sue dita mi accarezzano le cosce.

«Mio Dio, indossi le autoreggenti.» Geme in segno di apprezzamento mentre con il pollice mi sfiora la pelle oltre l'elastico delle calze. «Voglio vederti» ansima, e mi solleva del tutto la gonna, scoprendo la parte alta delle mie cosce.

Facendo un passo indietro, preme il bottone di fermata, e l'ascensore si arresta senza sobbalzi, fino a fermarsi tra il ventiduesimo e il ventitreesimo piano. Gli occhi di Christian sono cupi, le labbra schiuse, e il respiro è affannoso, come il mio. Ci guardiamo l'un l'altra, senza toccarci. Sono grata di essere appoggiata con la schiena alla parete, perché posso sorreggermi mentre mi crogiolo nella vista di questo uomo bellissimo, che mi guarda in modo sensuale, carnale.

«Sciogliti i capelli» mi ordina, la voce roca. Alzo le braccia e sciolgo la coda, lasciando andare i capelli, che mi ricadono come una pesante nuvola intorno alle spalle e sul seno. «Slacciati i primi due bottoni della camicetta» sussurra, gli occhi accesi di una luce selvaggia, ora.

Mi fa sentire così licenziosa. Slaccio un bottone dopo l'altro con straziante lentezza, in modo da scoprire la parte superiore del seno.

Lui deglutisce. «Hai idea di quanto tu sia seducente in questo momento?»

Mi mordo deliberatamente il labbro e scuoto la testa. Lui chiude gli occhi un istante, e quando li riapre, stanno brillando. Fa un passo in avanti e mi intrappola mettendo le mani sulla parete dell'ascensore, ai due lati della mia testa. Mi è vicinissimo, anche se non mi tocca.

Sollevo il viso per guardarlo negli occhi, e lui si china e sfiora il mio naso con il suo, l'unico contatto tra noi. Insieme a lui, nello spazio ristretto dell'ascensore, mi sento bruciare. Lo voglio. Ora.

«Penso che tu lo sappia, Miss Steele. Penso che ti piaccia farmi impazzire.»

«Ti faccio impazzire?» sussurro.

«In tutte le cose, Anastasia. Sei una sirena, una dea.» Si avvicina ancora di più, mi prende la gamba al di sopra del ginocchio e se la mette intorno ai fianchi, cosicché io rimango su una gamba sola, appoggiata a lui. Lo sento contro di me, lo sento duro ed eccitato appena sopra il mio inguine, mentre fa scorrere la lingua giù per la mia gola. Io gemo e mi aggrappo con un braccio al suo collo.

«Sto per prenderti, lo sai?» dice in un respiro e io inarco la schiena in risposta, premendomi contro di lui, bramosa di sentirlo. Lui emette un gemito basso, gutturale e mi spinge in su, mentre si slaccia i pantaloni.

«Tieniti forte, piccola» mormora, e magicamente estrae la bustina del preservativo e me la accosta alla bocca, io la prendo tra i denti, e lui tira, così che in due riusciamo ad aprirla.

«Brava ragazza.» Si scosta appena, e si infila il preservativo in un istante. «Bene, non posso aspettare i prossimi sei giorni» dice mentre mi guarda tra le lunghe ciglia. «Spero che tu non sia troppo affezionata a queste mutandine.» Le tira con le sue abili dita, e quelle si lacerano nelle sue mani. Il sangue mi pulsa impazzito nelle vene. Ansimo per il bisogno di lui.

Le sue parole sono inebrianti, e tutta l'angoscia della giornata è dimenticata. Siamo solo lui e io, a fare ciò che sappiamo fare meglio. Senza togliere gli occhi dai miei, lentamente, mi entra dentro. Il mio corpo si inarca. Butto indietro la testa e chiudo gli occhi, godendomi quella sensazione. Lui arretra e poi si spinge di nuovo dentro di me, lentamente, dolcemente. Gemo.

«Sei mia, Anastasia» mi mormora contro la gola.

«Sì. Tua. Quando lo capirai?» Ansimo. Lui geme e inizia a muoversi, a muoversi davvero. E io mi arrendo al suo rit-

mo implacabile, assaporando ogni spinta, il suo respiro irregolare, il suo bisogno, riflessi in me.

Mi fa sentire forte, potente, desiderata e amata. Amata da
quest'uomo affascinante, complicato, che amo a mia volta
con tutto il cuore. Spinge sempre più forte, sempre più forte, senza fiato, perdendosi in me, come io mi perdo in lui.

«Oh, piccola» mormora, e io vengo stringendomi a lui.
Lui si ferma, mi abbraccia, e poi mi segue, sussurrando il
mio nome.

Adesso che Christian è appagato, calmo e mi bacia con dolcezza, il suo respiro è tornato regolare. Mi tiene in piedi contro la parete dell'ascensore, le nostre fronti sono l'una contro l'altra, e il mio corpo è debole, ma piacevolmente sazio.

«Oh, Ana» mormora. «Ho tanto bisogno di te.» Mi bacia la fronte.

«E io di te, Christian.»

Mi lascia andare, mi sistema la gonna e mi riallaccia i bottoni della camicetta, poi digita la combinazione sulla tastiera
e riavvia l'ascensore, il quale riprende a salire con uno scos-
sone. Mi aggrappo alle braccia di Christian per non cadere.

«Taylor si domanderà dove siamo.» Mi fa un sorriso
lascivo.

"Oh, no." Mi passo le mani nei capelli postcoito cercando di sistemarli, poi mi arrendo e li lego in una coda.

«Ce la farai.» Christian mi sorride malizioso mentre si
tira su la cerniera e si infila il preservativo in tasca.

Ancora una volta lui sembra l'incarnazione del perfetto
imprenditore americano e, dato che i suoi capelli hanno un
aspetto postcoito la maggior parte del tempo, c'è pochissi-
ma differenza. A parte il sorriso rilassato e gli occhi incre-
spati agli angoli, che gli conferiscono un fascino adolescen-
ziale. Tutti gli uomini si calmano così facilmente?

Quando le porte si aprono, Taylor ci sta aspettando.

«Problemi con l'ascensore» mormora Christian mentre

entrambi usciamo, e io non riesco a guardare in faccia nessuno dei due. Entro in fretta nell'appartamento e corro in camera da letto, in cerca di biancheria pulita.

Quando riemergo, Christian si è tolto la giacca ed è seduto al bancone della cucina, a chiacchierare con Mrs. Jones. Lei mi sorride gentile, mentre ci mette davanti due piatti. "Mmh... il profumo è delizioso." *Coq au vin*, se non sbaglio. Sono affamata.

«Buon appetito, Mr Grey, Ana» dice e ci lascia soli.

Christian prende una bottiglia di vino bianco dal frigo, e quando ci sediamo mi racconta di quanto sia vicino a perfezionare il suo telefono cellulare alimentato a energia solare. È eccitato per l'intero progetto, e capisco allora che la sua non è stata una giornata del tutto schifosa.

Gli chiedo delle sue proprietà. Lui sorride, e viene fuori che, a parte gli appartamenti a New York, Aspen e all'Escala, non ha nient'altro. Quando abbiamo finito, sparecchio e metto i piatti nel lavello.

«Lascia tutto lì. Ci penserà Gail» dice. Mi volto e lo guardo, e lui mi fissa attentamente. Mi abituerò mai ad avere qualcuno che pulisce e riordina per me?

«Bene, ora che sei più docile, Miss Steele, possiamo parlare di oggi?»

«Penso che sia tu quello più docile. Sto facendo un ottimo lavoro per domarti, credo.»

«Domare me?» sogghigna, divertito. Quando io annuisco, lui aggrotta la fronte come se stesse riflettendo sulle mie parole. «Sì. Può essere, Anastasia.»

«Avevi ragione su Jack» mormoro, seria adesso, e mi appoggio al bancone della cucina per valutare la sua reazione. L'espressione di Christian tradisce disappunto e il suo sguardo si indurisce.

«Ha provato a fare qualcosa?» sussurra, la voce glaciale.

Scuoto la testa per rassicurarlo. «No. E non ci proverà,

Christian. Oggi gli ho detto che sono la tua fidanzata, e lui ha fatto retromarcia.»

«Sei sicura? Posso licenziare quel bastardo» dice con rabbia.

Sospiro, resa audace dal vino. «Devi davvero lasciarmi combattere le mie battaglie. Non puoi costantemente anticipare le mie mosse e cercare di proteggermi. È soffocante, Christian. Non crescerò mai se continui a interferire. Ho bisogno di un po' di libertà. Io non mi sognerei mai di immischiarmi nei tuoi affari.»

Lui sbatte le palpebre. «Voglio solo che tu sia al sicuro, Anastasia. Se dovesse succederti qualcosa, io...» Si ferma.

«Lo so. Capisco perché ti senti così portato a difendermi e una parte di me lo apprezza. So che, se avessi bisogno di te, tu ci saresti, così come io ci sarei per te. Ma se vogliamo avere qualche speranza di un futuro insieme, devi fidarti di me e del mio giudizio. Sì, ogni tanto sbaglio, commetto errori, ma devo imparare.»

Christian mi fissa. La sua espressione ansiosa mi spinge a girare intorno al bancone per avvicinarmi a lui, che è seduto sullo sgabello. Gli prendo le braccia e me le avvolgo intorno alla vita, poi appoggio le mie mani sui suoi avambracci.

«Non puoi interferire con il mio lavoro. È sbagliato. Non ho bisogno che tu parta alla carica come un cavaliere sul suo cavallo bianco per salvarmi ogni giorno. So che vorresti avere tutto sotto controllo, e ne capisco il perché, ma non puoi. È un obiettivo impossibile... Devi imparare a lasciar andare.» Alzo una mano e gli accarezzo il volto, mentre lui mi guarda con gli occhi sgranati. «E se riuscirai a farlo, io mi trasferirò da te» aggiungo dolcemente.

Lui inspira forte, sorpreso. «Davvero?» sussurra.

«Sì.»

«Ma non mi conosci.» Si acciglia e all'improvviso sembra sconvolto e nel panico, molto poco l'uomo di tenebra.

«Ti conosco abbastanza, Christian. Niente di quello che

307

potrai dirmi su di te mi spaventerà tanto da farmi scappare.» Lo accarezzo sulla guancia con le nocche della mano. La sua espressione si trasforma da ansiosa in dubbiosa. «Se solo potessi essere un po' più tollerante con me...» lo supplico.

«Ci sto provando, Anastasia. Non potevo starmene zitto e lasciarti andare a New York con quel... quel depravato. Ha una reputazione terribile. Nessuna delle sue assistenti è rimasta per più di tre mesi, né è stata confermata dall'azienda. Non voglio questo per te, piccola.» Sospira. «Non voglio che ti capiti niente. Se ti succedesse qualcosa di male... Il solo pensiero mi riempie di paura. Non posso prometterti di non interferire. Non se penserò che potresti farti del male.» Si ferma e prende fiato. «Io ti amo, Anastasia. Farò qualsiasi cosa in mio potere per proteggerti. Non posso immaginare la mia vita senza di te.»

Lo fisso a bocca aperta, scioccata.

Tre semplici parole. Il mio mondo si ferma, si inclina, poi riprende a girare su un nuovo asse. E io assaporo il momento, guardando Christian nei suoi occhi grigi, bellissimi e sinceri.

«Ti amo anch'io.» Mi protendo in avanti e lo bacio, e il bacio diventa appassionato.

Taylor, che è entrato nella stanza senza essere visto, si schiarisce la gola. Christian si tira indietro, fissandomi attentamente. Si alza, il suo braccio intorno alla mia vita.

«Sì?» dice rivolto a Taylor.

«Mrs Lincoln sta salendo, signore.»

«Cosa?»

Taylor si stringe nelle spalle, a mo' di scuse. Christian sospira pesantemente e scuote la testa.

«Be', questo sarà interessante» mormora e mi fa un sorriso di traverso, rassegnato.

"Accidenti!" Perché quella maledetta donna non ci lascia in pace?

12

«Hai parlato con lei oggi?» chiedo a Christian mentre aspettiamo l'arrivo di Mrs Robinson.

«Sì.»

«Che cosa le hai detto?»

«Le ho spiegato che non vuoi vederla, e che capivo le tue ragioni. Le ho detto anche che non apprezzavo il suo agire alle mie spalle.» Il suo sguardo è impassibile e non lascia trasparire nulla.

"Oh, bene." «E lei cos'ha risposto?»

«Ha liquidato il tutto come solo Elena sa fare.» Le sue labbra si tendono in una linea sghemba.

«Perché pensi che sia venuta?»

«Non ne ho idea.» Christian si stringe nelle spalle.

Taylor entra nel salone di nuovo. «Mrs Lincoln» annuncia.

"Ed eccola qui…" Perché è così dannatamente attraente? È vestita di nero: jeans attillati, una camicetta che mette in risalto il suo fisico perfetto, e un alone lucente di capelli.

Christian mi attira più vicino a sé. «Elena» la saluta, il tono perplesso.

Lei mi guarda sconvolta, raggelata. Sbatte le palpebre prima di ritrovare la sua voce vellutata. «Mi dispiace. Non sapevo che avessi compagnia, Christian. È lunedì» dice, come se questo spiegasse perché è qui.

«La mia fidanzata» ribatte lui a mo' di spiegazione. Piega la testa di lato e le rivolge un sorriso gelido.

Sul viso di lei si apre, lentamente, un luminoso sorriso diretto interamente a lui. È inquietante.

«Certo. Ciao, Anastasia. Non sapevo che fossi qui. So che non vuoi parlare con me. Va bene.»

«Davvero?» chiedo con calma, guardandola e cogliendo tutti noi di sorpresa. Aggrottando lievemente la fronte, lei avanza nella stanza.

«Sì, ho afferrato il messaggio. Non sono qui per vedere te. Come ho detto, Christian di rado ha compagnia durante la settimana.» Fa una pausa. «Ho un problema, e ho bisogno di parlarne con lui.»

«Oh!» Christian raddrizza la schiena. «Vuoi qualcosa da bere?»

«Sì, grazie» risponde lei.

Christian va a prendere un bicchiere, mentre Elena e io restiamo in piedi a guardarci. Lei giocherella con un grosso anello d'argento al dito medio, mentre io non so dove guardare. Alla fine, mi fa un piccolo sorriso tirato e si avvicina al bancone della cucina, per sedersi su uno degli sgabelli. Ovviamente conosce bene il posto e si sente a proprio agio nel muoversi.

Devo restare? Devo andare? "Oh, è così difficile." Il mio subconscio è decisamente ostile nei confronti di questa donna.

Vorrei dirle tante cose, nessuna delle quali è un complimento. Ma è un'amica di Christian. La sua unica amica. E, nonostante l'odio che provo per lei, sono beneducata per natura. Decido di restare e mi siedo, con tutta la grazia di cui sono capace, sullo sgabello vuoto di Christian. Lui versa il vino nei nostri bicchieri e si siede tra noi e il bancone della colazione. Riesce a percepire quanto è strano tutto questo?

«Cosa succede?» le chiede.

Elena mi guarda nervosamente, e Christian mi rassicura con un gesto affettuoso.

«Anastasia sta con me, adesso» dice rispondendo alla sua domanda inespressa e mi stringe la mano. Io arrossisco, e il mio subconscio si distende, lasciandomi alle spalle quella ostilità.

I lineamenti di Elena si addolciscono, come se lei fosse felice per lui. Davvero felice. Non capisco affatto questa donna, mi sento nervosa e a disagio in sua presenza.

Lei fa un profondo respiro e si muove sullo sgabello, restando appollaiata sul bordo, con l'aria agitata. Si guarda le mani ansiosa, e inizia a girarsi maniacalmente intorno al dito il grosso anello d'argento.

Che cosa le succede? È la mia presenza? Le faccio quest'effetto? Io mi sento nello stesso modo... non la voglio qui. Lei alza la testa e guarda Christian direttamente negli occhi.

«Qualcuno mi sta ricattando.»

"Porca miseria." Non è quello che mi sarei aspettata di sentire dalla sua bocca. Christian si irrigidisce. Qualcuno ha scoperto la sua inclinazione a picchiare e scopare ragazzini? Reprimo la mia repulsione, e penso che prima o poi tutti i nodi vengono al pettine. Il mio subconscio non riesce a nascondere la gioia. "Bene."

«Come?» chiede Christian, l'orrore chiaramente percepibile nella sua voce.

Lei fruga nella sua gigantesca borsa di pelle firmata, tira fuori un biglietto e glielo passa.

«Appoggialo lì e aprilo.» Christian le indica il bancone con il mento.

«Non vuoi toccarlo?»

«No. Impronte digitali.»

«Christian, sai che non posso andare con questo dalla polizia.»

Perché sto ascoltando tutto ciò? Si sta scopando qualche altro ragazzino?

Lei gli mette il biglietto davanti, e Christian si china per leggerlo.

«Chiedono solo cinquemila dollari» dice quasi soprappensiero. «Qualche idea su chi possa essere? Qualcuno della comunità?»

«No» risponde lei con la sua voce dolce e vellutata.

«Linc?»

"Linc? Chi è?"

«Cosa…? Dopo tutto questo tempo? Non credo» brontola lei.

«E Isaac lo sa?»

«Non gliel'ho detto.»

"Chi è Isaac?"

«Credo che dovrebbe saperlo» dice Christian. Lei scuote la testa, e ora mi sento un'intrusa. Non voglio sapere niente di questa storia. Cerco di togliere la mia mano da quella di Christian, ma lui aumenta la stretta e si volta per guardarmi.

«Cosa c'è?»

«Sono stanca. Credo che andrò a letto.»

I suoi occhi cercano i miei. Per leggervi cosa? Biasimo? Disapprovazione? Ostilità? Mantengo un'espressione più neutra possibile.

«Okay» dice. «Non ci metterò molto.»

Mi lascia andare e io mi alzo. Elena mi guarda perplessa. Io non apro bocca e contraccambio il suo sguardo, senza lasciar trapelare niente.

«Buonanotte, Anastasia.» Elena mi fa un piccolo sorriso.

«Buonanotte» mormoro, e la mia voce è fredda. Mi volto per andarmene. La tensione è troppo forte per me. Mentre mi allontano, loro continuano la conversazione.

«Non penso che ci sia molto che posso fare, Elena» dice Christian. «Se è una questione di denaro…» La sua voce si smorza. «Potrei chiedere a Welch di investigare.»

«No, Christian, volevo solo che tu ne fossi al corrente» ribatte lei.

Quando sono fuori dalla stanza, sento lei che dice: «Mi sembri molto felice».

«Lo sono» conferma Christian.

«Te lo meriti.»

«Mi piacerebbe che fosse vero.»

«Christian» lo rimprovera lei.

Mi immobilizzo, ascoltando attentamente. Non posso farne a meno.

«Lei sa quanto sei negativo verso te stesso? Riguardo a tutti i tuoi problemi?»

«Mi conosce meglio di chiunque altro.»

«Ahi! Questo fa male.»

«È la verità, Elena. Non devo fare giochetti con lei. Lasciala in pace, dico sul serio.»

«Qual è il suo problema?»

«Tu... Quello che tu e io siamo stati. Ciò che abbiamo fatto. Lei non capisce.»

«E tu faglielo capire.»

«È il passato, Elena. Perché dovrei guastare ciò che prova per me raccontandole della nostra relazione malata? Ana è buona, dolce e innocente, e per qualche strano miracolo mi ama.»

«Non è un miracolo, Christian» lo prende benevolmente in giro Elena. «Abbi un po' di fiducia in te stesso. Sei un buon partito. Te l'ho detto e ripetuto. E anche lei mi sembra adorabile, forte, capace di tenerti testa.»

Non riesco a sentire la replica di Christian. E così sono forte? Di certo non mi sento tale.

«Non ti manca?» continua Elena.

«Cosa?»

«La tua stanza dei giochi.»

Smetto di respirare.

«Questi non sono davvero affari tuoi» ribatte Christian.

"Oh."

«Mi dispiace» sbuffa Elena, ma non è sincera.

«Penso che sia meglio che tu vada. E, per favore, la prossima volta chiama prima di venire qui.»

«Christian, mi dispiace» ripete lei e, a giudicare dal suo tono, questa volta lo pensa davvero. «Da quando sei così sensibile?» Lo sta rimproverando di nuovo.

«Elena, tu e io abbiamo un rapporto d'affari che ha portato a entrambi enorme profitto. Lasciamo le cose come stanno. Quello che c'è stato tra noi appartiene al passato. Anastasia è il mio futuro, e non voglio compromettere la nostra relazione in nessun modo, perciò basta con queste stronzate.»

"Il suo futuro!"

«Capisco.»

«Senti, mi dispiace per il tuo problema. Forse dovresti affrontare la cosa e smascherare il loro gioco.» Il suo tono è più dolce.

«Non voglio perderti, Christian.»

«Non sono tuo, perciò non puoi perdermi, Elena» ribatte lui ancora.

«Non è quello che intendevo.»

«E cosa intendevi?» Ora è brusco, arrabbiato.

«Senti, non voglio discutere con te. La tua amicizia significa moltissimo per me. Starò lontana da Anastasia. Ma sono qui, se hai bisogno di me. Ci sarò sempre.»

«Anastasia pensa che tu mi abbia incontrato sabato scorso. Mi hai chiamato, tutto qui. Perché le hai detto una cosa diversa?»

«Volevo che sapesse quanto ti ha ferito quando se n'è andata. Non voglio che ti faccia del male.»

«Lo sa. Gliel'ho detto io. Smettila di interferire. Davvero, ti stai comportando come una madre iperprotettiva.» Christian sembra più rassegnato, ed Elena ride, ma c'è una certa tristezza nella sua risata.

«Lo so. Mi dispiace. Sai che tengo a te. Non avrei mai pensato che ti saresti innamorato, Christian. È molto gratificante vederlo. Ma non potrei tollerare che lei ti facesse del male.»

«Correrò il rischio» dice lui secco. «Ora, sei sicura di non volere che Welch faccia qualche indagine?»

Lei sospira pesantemente. «Immagino che non sarebbe una cattiva idea.»

«Okay. Lo chiamo domattina.»

Ascolto il loro battibecco, cercando di capire. Sembrano davvero vecchi amici, proprio come dice Christian. Solo amici. Ed Elena tiene a lui. Forse un po' troppo. Be', chiunque lo conoscesse terrebbe a lui, no?

«Grazie, Christian. E mi dispiace. Non volevo essere invadente. Vado. La prossima volta chiamerò.»

«Bene.»

"Oh, no, sta andando via!" Mi dileguo nel corridoio, infilandomi nella stanza di Christian. Mi siedo sul letto. Christian entra pochi minuti più tardi.

«Se n'è andata» dice guardingo, lanciandomi un'occhiata furtiva per vedere la mia reazione.

Lo guardo, cercando di formulare la mia domanda. «Mi dirai tutto? Sto cercando di capire perché pensi che lei ti abbia aiutato.» Mi fermo, soppesando la frase successivo. «Io la detesto, Christian. Penso che ti abbia causato danni incalcolabili. Tu non hai amici. Li ha tenuti lei lontano da te?»

Lui sospira e si passa una mano tra i capelli.

«Perché cazzo vuoi sapere di lei? Abbiamo avuto una relazione molto lunga, spesso mi faceva uscire di testa, e l'ho scopata in modi che non riusciresti nemmeno a immaginarti. Fine della storia.»

Impallidisco. "È arrabbiato. Con me." «Perché sei così infuriato?»

«Perché tutta questa merda è finita!» grida, fissandomi minaccioso. Sospira esasperato e scuote la testa.

Io sbianco. Abbasso gli occhi sulle mie mani, strette in grembo. Voglio solo capire.

Lui si siede accanto a me. «Che cosa vuoi sapere?» chiede in tono stanco.

«Non devi dirmelo per forza. Non voglio essere invadente.»

«Anastasia, non si tratta di questo. Non mi piace parlare di questa merda. Ho vissuto in una bolla per anni, senza che niente mi toccasse e senza dovermi giustificare con nessuno. Lei è sempre stata qui, come mia confidente. E ora il mio passato e il mio futuro sono in collisione, in un modo che non avrei mai pensato possibile.»

Lo guardo. Lui mi sta fissando, con gli occhi sgranati.

«Non avrei mai pensato di avere un futuro con nessuno, Anastasia. Tu mi hai dato la speranza e mi hai fatto pensare a tutte le possibilità che ho» continua.

«Ho ascoltato» sussurro e torno a fissare le mie mani.

«Che cosa? La nostra conversazione?»

«Sì.»

«E allora?» Sembra rassegnato.

«Lei ci tiene a te.»

«Sì, ci tiene. E io, a modo mio, ci tengo a lei. Ma non si avvicina neanche un po' a quello che sento per te, se è di questo che stiamo parlando.»

«Non sono gelosa.» Mi ferisce che lui possa pensare che lo sia. "O invece lo sono? Forse è proprio questo il punto." «Tu non la ami» mormoro.

Lui sospira di nuovo. È davvero arrabbiato. «Molto tempo fa pensavo di amarla» dice a denti stretti.

"Oh." «Quando eravamo in Georgia... hai detto che non l'amavi.»

«È vero... Amavo te allora, Anastasia» mi sussurra. «Sei l'unica persona per vedere la quale mi sono fatto un viaggio di cinquemila chilometri.»

"Oddio." Non capisco. Allora vuole ancora che sia la sua Sottomessa.

«I sentimenti che nutro per te sono molto diversi da qualsiasi cosa io possa aver mai provato per Elena» dice a mo' di spiegazione.

«Quando l'hai scoperto?»

Si stringe nelle spalle. «Per ironia della sorte, è stata Elena a farmelo notare. Mi ha incoraggiato a venire in Georgia.»

"Lo sapevo!" Me lo sentivo, quand'eravamo a Savannah. Lo fisso inespressiva.

Che cosa devo fare? Forse lei è dalla mia parte e ha solo paura che lo faccia soffrire. Il pensiero è doloroso. Io non vorrei mai fargli del male. Elena ha ragione: Christian ha già sofferto abbastanza.

Forse lei non è poi tanto male. Scuoto la testa. Non voglio accettare la relazione che ha avuto con Christian. La disapprovo. Sì, proprio così. È un personaggio ripugnante, che ha circuito un ragazzino vulnerabile, derubandolo degli anni dell'adolescenza.

«Perciò la desideravi? Quando eri più giovane.»

«Sì.»

"Ah."

«Ho imparato tantissimo da lei. Mi ha insegnato a credere in me stesso.»

"Ah." «Ma ti ha anche picchiato selvaggiamente.»

Lui sorride con affetto. «Sì, lo ha fatto.»

«E a te piaceva?»

«All'epoca sì.»

«Così tanto da farti desiderare di farlo ad altri?»

I suoi occhi si allargano e si fanno seri. «Sì.»

«E ti ha aiutato a farlo?»

«Sì.»

«Si è sottomessa a te?»

«Sì.»

«E ti aspetti che lei mi piaccia?» La mia voce suona fredda e amara.

«No. Anche se renderebbe la mia vita dannatamente più semplice» risponde stancamente. «Comprendo la tua reticenza.»

«Reticenza! Accidenti, Christian, se si fosse trattato di tuo figlio, come ti sentiresti?»

Lui sbatte le palpebre come se non capisse la domanda. Poi si acciglia. «Non ero costretto a stare con lei. È stata una mia scelta, Anastasia» mormora.

Questa discussione non mi sta portando da nessuna parte.

«Chi è Linc?»

«Il suo ex marito.»

«Lincoln, il magnate del legno?»

«Lui.» Sorride con malizia.

«E Isaac?»

«Il suo attuale Sottomesso.»

"Oddio."

«Ha più di venticinque anni, Anastasia… È adulto e consenziente» si affretta ad aggiungere, decifrando correttamente il mio sguardo disgustato.

«La tua età» mormoro io.

«Guarda, Anastasia, come ho detto anche a lei, Elena fa parte del mio passato. Tu sei il mio futuro. Non lasciare che lei si metta tra noi. E poi, francamente, quest'argomento mi sta stancando. Vado a lavorare un po'.» Si alza e mi guarda. «Lascia perdere, per favore.»

Io lo fisso testardamente.

«Oh, quasi mi dimenticavo» aggiunge. «La tua macchina è arrivata con un giorno di anticipo. È nel garage. Taylor ha la chiave.»

"Wow… La SAAB?" «Posso guidarla domani?»

«No.»

«Perché no?»

«Lo sai perché no. E questo mi ricorda una cosa: se devi uscire dal tuo ufficio, fammelo sapere. Sawyer era là, a controllarti. Sembra proprio che io non possa fidarmi di te.» Mi rimprovera, facendomi sentire, una volta di più, come una bambina colta in fallo. Sarei pronta a discuterne, ma lui è già fuori di sé per Elena, e non voglio esagerare. Non riesco, però, a evitare di fare un commento.

«Sembra che nemmeno io possa fidarmi di te» mormoro. «Avresti potuto dirmi che Sawyer mi teneva d'occhio.»

«Vuoi litigare anche su questo?» ribatte.

«Non sapevo che stessimo litigando. Pensavo che stessimo comunicando» borbotto infastidita.

Lui chiude gli occhi un attimo, come se si stesse sforzando di non perdere le staffe. Io deglutisco e lo guardo ansiosa. Non so come potrà finire.

«Devo lavorare» mi dice con calma. Dopodiché esce dalla stanza.

Espiro. Non mi ero accorta di trattenere il fiato. Mi sdraio sul letto, e fisso il soffitto.

Riusciremo mai ad avere una conversazione normale, che non degeneri in una lite? È estenuante.

Noi due non ci conosciamo molto bene, tutto qui. Voglio davvero trasferirmi da lui? Non so neppure se dovrei fargli una tazza di tè o di caffè mentre lavora. O forse non dovrei disturbarlo affatto? Non ho idea di cosa gli piaccia o cosa non gli piaccia.

Evidentemente è stanco di tutta la storia di Elena. E ha ragione. Devo andare avanti. Lasciar perdere. Be', quantomeno non si aspetta che le diventi amica, e spero che lei adesso la smetta di insistere perché ci incontriamo.

Scendo dal letto e mi avvicino alla finestra. Faccio scattare la serratura della portafinestra del terrazzo, la apro, esco e passeggio fino alla balaustra di vetro. La sua trasparenza mi inquieta. L'aria è pungente e fredda, e io sono così in alto.

Guardo verso le scintillanti luci di Seattle. Christian sembra così lontano da tutto, quassù nella sua fortezza. "Ha appena detto che mi ama, quand'ecco che saltano fuori tutte queste stronzate per colpa di quella donna terribile." Alzo gli occhi al cielo. La sua vita è così complicata. Lui è così complicato.

Con un sospiro pesante e un'ultima occhiata a Seattle, distesa come un abito d'oro lucente ai miei piedi, decido di chiamare Ray. Non gli parlo da tempo. La conversazione è breve, come sempre, ma mi dà modo di accertare che lui sta bene e che sto interrompendo un'importante partita di pallone.

«Spero che vada tutto bene con Christian» mi dice Ray con noncuranza, e so che sta cercando di ottenere delle informazioni ma non vuole farmi domande.

«Sì, alla grande.» Più o meno. E sto per trasferirmi da lui. Anche se non abbiamo ancora fatto un programma.

«Ti voglio bene, papà.»

«Ti voglio bene anch'io, Annie.»

Chiudo la comunicazione e guardo l'orologio. Sono solo le dieci di sera. A causa della nostra discussione, mi sento stranamente carica e sveglia.

Mi faccio una rapida doccia e torno in camera, dove decido di indossare una delle camicie da notte che Caroline Acton mi ha procurato. Christian si lamenta sempre perché uso le sue T-shirt. Ce ne sono tre. Scelgo quella rosa pallido e me la infilo. La stoffa mi scivola sulla pelle, piacevolmente aderente, e mi avvolge tutto il corpo. Ha un'aria sontuosa: il raso più fine e sottile. "Wow!" Nello specchio sembro una diva del cinema degli anni Trenta. Alta, elegante… molto diversa da me.

Mi metto anche la vestaglia abbinata e decido di andare a scegliere un libro in biblioteca. Potrei leggere sul mio iPad, ma in questo momento voglio il conforto di reggere fisicamente un libro tra le mani. Lascerò in pace Christian. Forse ritroverà il suo buonumore una volta che avrà finito di lavorare.

Ci sono così tanti libri nella biblioteca di Christian. Per scorrere tutti i titoli ci vorrebbe una vita. Lancio un'occhiata al tavolo da biliardo e arrossisco ricordando la serata di ieri. Sorrido quando vedo che il righello è ancora per terra. Lo prendo e mi colpisco il palmo della mano. Ahi! Fa male.

Perché non posso sopportare un po' più di dolore per il

mio uomo? Sconsolata, appoggio il righello sulla scrivania e continuo la mia ricerca di una buona lettura.

La maggior parte dei volumi sono prime edizioni. Come può aver accumulato una collezione come questa in così poco tempo? Forse tra i requisiti di Taylor c'è anche quella di esperto di libri rari. Mi decido per *Rebecca*, di Daphne du Maurier. Non lo leggo da tanto tempo. Sorrido e mi rannicchio in una delle poltrone troppo imbottite, e leggo la prima riga.

"La scorsa notte ho sognato che ritornavo a Manderley…"

Mi sveglio di soprassalto quando Christian mi solleva tra le braccia.

«Ehi» mormora «ti sei addormentata. Non riuscivo a trovarti.» Strofina il naso tra i miei capelli. Assonnata, gli metto le braccia al collo e respiro il suo profumo. Oh, ha un odore così buono. Lui mi riporta in camera. Mi distende sul letto e mi copre.

«Dormi, piccola» sussurra e mi preme le labbra sulla fronte.

Mi sveglio all'improvviso per un brutto sogno e rimango disorientata per qualche istante. Controllo ansiosamente l'altra metà del letto, ma non c'è nessuno. Dal salone mi giungono le note smorzate di una complessa melodia al pianoforte.

Che ore sono? Guardo la sveglia. Le due del mattino. Christian non è mai venuto a letto? Mi libero le gambe dalla vestaglia che indosso ancora e scendo dal letto.

Nel salone rimango in piedi nell'ombra, ad ascoltare. Christian è perso nella musica. Sembra al sicuro dentro la sua bolla di luce. E la melodia che sta suonando ha una musicalità cadenzata, che in parte mi suona familiare, ma molto complessa. "È bravo." Perché questo mi sorprende sempre?

L'intera scena risulta in qualche modo diversa, noto che il coperchio del pianoforte è abbassato, consentendomi una visione senza impedimenti. Lui alza lo sguardo e i nostri occhi si incontrano, i suoi sono grigi e soffusi di una luce morbida nel bagliore della lampada. Continua a suonare senza intoppi, mentre mi avvicino. I suoi occhi mi seguono, assorbono la mia immagine, ardono, illuminandosi ancora di più. Quando lo raggiungo, si ferma.

«Perché hai smesso? Era splendida.»

«Hai idea di quanto sei desiderabile in questo momento?» mi dice con voce vellutata.

"Oh." «Vieni a letto» sussurro, e i suoi occhi bruciano mentre mi porge la mano. Quando la prendo, lui inaspettatamente mi dà uno strattone, tanto che gli cado sulle ginocchia. Mi avvolge tra le braccia e si strofina contro il mio collo, dietro l'orecchio, facendomi provare un brivido.

«Perché litighiamo?» dice, mentre mi mordicchia il lobo.

Il mio cuore manca un battito, poi riprende a pulsare, diffondendo calore in tutto il corpo.

«Perché ci stiamo conoscendo, e tu sei testardo, irascibile, lunatico e difficile» mormoro senza fiato, inclinando il capo per dargli miglior accesso alla mia gola. Lui mi accarezza il collo con il naso, e lo sento sorridere.

«Io sono tutte queste cose, Miss Steele. C'è da chiedersi come tu riesca a sopportarmi.» Mi pizzica il lobo e io gemo. «È sempre così?» sospira.

«Non ne ho idea.»

«Nemmeno io.» Tira la cintura della mia vestaglia, che si apre, e la sua mano mi accarezza scendendo lungo il corpo, sul seno. I miei capezzoli si induriscono sotto il suo tocco leggero, si tendono contro il raso. Lui prosegue, fino alla vita, fino ai fianchi.

«Sei così bella sotto questo tessuto, e riesco a vedere tutto, anche questo.» Mi pizzica piano il pube attraverso la stoffa, facendomi trasalire, mentre con l'altra mano mi stringe i capelli sotto la nuca. Tirandomi indietro la testa, mi bacia e la sua lingua è insistente, incessante, bisognosa. Gemo e accarezzo il suo caro, carissimo volto. La sua mano mi solleva lentamente la camicia da notte, senza fretta, stuzzicante finché non mi scopre il sedere e inizia ad accarezzarmi l'interno delle cosce con il pollice.

All'improvviso si alza, facendomi spaventare, e mi solleva sul pianoforte. I miei piedi appoggiano sui tasti, producendo suoni disarmonici, note incoerenti, e le sue mani mi percorrono le gambe e mi aprono le ginocchia. Afferra le mie mani.

«Sdraiati» mi ordina, sorreggendomi mentre mi adagio all'indietro sul pianoforte. Il coperchio è duro e rigido sotto la mia schiena. Mi lascia andare e mi fa aprire ancora di più le gambe, i miei piedi danzano sui tasti, sulle note più alte e quelle più basse.

"Oddio." So cosa sta per fare, e l'attesa…

Gemo forte mentre mi bacia l'interno delle ginocchia. Il raso morbido della camicia da notte si solleva ancora di più, scivolando sulla mia pelle sensibile, mentre lui spinge in su il tessuto. Fletto i piedi, e i tasti suonano di nuovo. Chiudo gli occhi, mi arrendo a lui e la sua bocca raggiunge l'apice delle mie cosce.

Mi bacia… *lì*. Poi soffia delicatamente, prima di accarezzarmi il clitoride con la lingua, muovendola in cerchio. Mi spinge a spalancare ancora di più le gambe. Mi sento così aperta, così esposta. Mi tiene ferma, le mani appena sopra alle mie ginocchia, mentre la sua lingua mi tortura, non mi dà requie né sollievo… né tregua. E io mi consumo, sollevando i fianchi, andandogli incontro, unendomi al suo ritmo.

«Oh, Christian, per favore» gemo.

«Oh, no, piccola, non ancora» mi stuzzica lui, e io mi sento sempre più eccitata mentre lo fa, ma lui si ferma.

«No» piagnucolo.

«Questa è la mia vendetta, Ana» ringhia dolcemente. «Discuti con me e io me la prenderò con il tuo corpo, in qualche modo.» Mi lascia una scia di baci sulla pancia, le sue mani che mi percorrono le cosce, accarezzando, premendo, stuzzicando. La sua lingua disegna cerchi intorno al mio ombelico, mentre la sua mano... "E i suoi pollici... oh, i suoi pollici..." raggiungono la sommità delle mie cosce.

«Ah!» grido mentre lui ne spinge uno dentro di me. L'altro continua a tormentarmi, con lentezza, straziandomi, disegnando cerchi, ripetutamente. La mia schiena si inarca, staccandosi dal pianoforte, mentre mi contorco sotto le sue carezze. È quasi insopportabile.

«Christian!» grido, a un ritmo vertiginoso, fuori controllo per il desiderio.

Lui ha pietà di me e smette. Solleva i miei piedi dai tasti e mi spinge in avanti; slitto senza sforzo sul piano, scivolando sul raso, e lui mi segue, chinandosi solo un attimo per infilarsi il preservativo. Mi domina dall'alto e io ansimo, mentre lo guardo desiderandolo in modo quasi rabbioso, e mi rendo conto che è nudo. Quando si è tolto i vestiti?

Mi guarda, e c'è una richiesta nei suoi occhi, una richiesta d'amore e di passione. Toglie il fiato.

«Ti desidero così tanto» mi dice e molto lentamente, meravigliosamente, affonda dentro di me.

Sono distesa sopra di lui, scarmigliata, le membra pesanti e languide, sulla sommità del pianoforte a coda. "Oddio." È molto più comodo che stare stesi sul piano. Facendo attenzione a non toccargli il torace, appoggio la guancia a lui e rimango immobile. Christian non fa obiezioni, e io ascolto il suo respiro mentre si placa come il mio. Mi accarezza i capelli delicatamente.

«Bevi tè o caffè alla sera?» gli chiedo assonnata.

«Che strana domanda» mi dice un po' annebbiato.

«Ho pensato che potevo portarti una tazza di tè, nello studio, e mi sono resa conto che non sapevo se l'avresti gradito.»

«Oh, capisco. Acqua o vino alla sera, Ana. Anche se potrei provare il tè.»

La sua mano si muove ritmicamente su e giù per la mia schiena, accarezzandomi con tenerezza.

«Sappiamo davvero poco l'una dell'altro» mormoro.

«Lo so» dice lui, e la sua voce è dolente. Mi siedo e lo guardo.

«Che cosa c'è?» gli chiedo. Lui scuote la testa, come se volesse liberarsi di qualche pensiero spiacevole, e sollevando la mano mi accarezza la guancia, gli occhi luminosi e sinceri.

«Ti amo, Ana Steele» dice.

La sveglia si accende con le notizie sul traffico delle sei del mattino, e vengo brutalmente strappata al mio inquietante sogno su una donna troppo bionda e una bruna. Non riesco ad afferrare di cosa si tratti, e vengo subito distratta perché Christian Grey è avvolto intorno a me come un drappo di seta, i capelli in disordine sul mio petto, la mano sul mio seno e la sua gamba su di me, che mi tiene ferma. Sta ancora dormendo, e io ho caldo. Ma ignoro il disagio, e provo a far scorrere dolcemente le dita tra i suoi capelli, mentre si sveglia. Solleva i luminosi occhi grigi e mi sorride assonnato. "Oddio, è adorabile."

«Buongiorno» dice.

«Buongiorno a te» gli sorrido di rimando. Lui mi bacia, si districa da me, e si solleva sul gomito, guardandomi.

«Dormito bene?» chiede.

«Sì, nonostante l'interruzione del mio sonno stanotte.»

Il suo sorriso si allarga. «Mmh... Tu puoi interrompermi in quel modo ogni volta che vuoi.» Mi bacia di nuovo.

«E tu? Hai dormito bene?»

«Dormo sempre bene con te, Anastasia.»

«Niente più incubi?»

«No.»

Aggrotto la fronte e provo a fargli una domanda. «Che tipo di incubi sono?»

Lui si acciglia e il suo sorriso svanisce. "Accidenti a me e alla mia stupida curiosità!"

«Si tratta di flashback della mia prima infanzia, o così dice il dottor Flynn. Alcuni sono vividi, altri meno.» La voce cala e uno sguardo distante e tormentato gli attraversa il volto. Soprappensiero, sfiora con le dita la mia clavicola, distraendomi.

«Ti svegli piangendo e urlando?» Provo invano ad alleggerire il tono.

Mi guarda sconcertato. «No, Anastasia. Non ho mai pianto. Per quanto mi ricordi.» Aggrotta la fronte, come se stesse cercando di penetrare in profondità nei ricordi. Oh, no, è un posto troppo oscuro per andarci a quest'ora, ne sono certa.

«Hai qualche ricordo felice della tua infanzia?» mi affretto a chiedergli, soprattutto per distrarlo. Lui mi guarda pensieroso per un attimo, continuando a far scorrere il dito sulla mia pelle.

«Ricordo la puttana drogata che faceva una torta. Ricordo il profumo. Una torta di compleanno, penso. Per me. E poi l'arrivo di Mia, con mia madre e mio padre. Mia madre era preoccupata per la mia reazione, ma io ho adorato la piccola Mia fin dal primo istante. La mia prima parola è stata "Mia". E ricordo la prima lezione di pianoforte. Miss Katie, la mia insegnante, era fantastica. Allevava anche cavalli.» Sorride nostalgico.

«Hai detto che tua madre ti ha salvato. In che modo?» Interrompo le sue fantasticherie, e lui mi guarda come se non riuscissi a fare due più due.

«Mi ha adottato» risponde semplicemente. «La prima volta che l'ho incontrata, ho pensato che fosse un angelo. Era vestita di bianco ed era così gentile e calma, mentre mi visitava. Non lo dimenticherò mai. Se lei avesse detto no, o se Carrick avesse detto no...» Scrolla le spalle e poi lancia un'occhiata alla sveglia. «Questo è un discorso un po' troppo profondo per la mattina presto» mormora.

«Ho giurato a me stessa di arrivare a conoscerti meglio.»

«Davvero, Miss Steele? Pensavo che volessi sapere se preferisco il tè o il caffè.» Mi sorride con malizia. «Comunque, credo che ci sia un modo per far sì che tu mi conosca meglio.» Spinge i fianchi contro di me a mo' di suggerimento.

«Credo di conoscerti già abbastanza bene sotto quell'aspetto.» La mia voce è arrogante e piena di rimprovero, e lo fa sorridere ancora di più.

«Non penso che ti conoscerò mai abbastanza bene sotto quell'aspetto» sussurra lui. «Ci sono indubbi vantaggi nello svegliarsi accanto a te.» La sua voce è vellutata e talmente seducente da farmi sciogliere.

«Non devi alzarti?» La mia voce è bassa e roca. "Oh… che cosa mi fa…"

«Non stamattina. C'è solo un posto dove voglio stare in questo momento, Miss Steele.» E i suoi occhi luccicano maliziosi.

«Christian!» Sussulto scioccata. Lui si sposta improvvisamente, tanto da mettersi sopra di me, premendomi contro il letto. Mi afferra le mani, me le tira sopra la testa e inizia a baciarmi la gola.

«Oh, Miss Steele.» Sorride, con la bocca sulla mia pelle, diffondendo in me un delizioso formicolio, mentre la sua mano mi percorre il corpo e comincia a sollevare lentamente la mia camicia da notte di raso. «Oh, quello che mi piacerebbe farti» mormora.

E io sono perduta. L'interrogatorio è finito.

A colazione, Mrs Jones prepara pancake e bacon per me, e omelette e bacon per Christian. Siamo seduti vicini, al bancone, in un silenzio rilassato.

«Quando incontrerò Claude, il tuo personal trainer, così vediamo cosa sa fare?» chiedo. Christian mi guarda e sogghigna.

«Dipende se vuoi andare a New York questo fine settimana oppure no… A meno che tu non voglia incontrarlo una delle prossime mattine. Chiederò ad Andrea di controllare i suoi impegni e fartelo sapere.»

«Andrea?»

«La mia assistente personale.»

Ah, sì. «Una delle tue tante bionde» scherzo io.

«Lei non è mia. Lavora per me. Tu sei mia.»

«Io lavoro per te» mormoro, acida.

Lui sorride, come se se ne fosse dimenticato. «È vero.» Il suo sorriso smagliante è contagioso.

«Forse Claude può insegnarmi il kick boxing» lo metto in guardia.

«Ah, sì? Per aumentare le tue possibilità contro di me?» Christian alza un sopracciglio, divertito. «Continua a provocare, Miss Steele.» È così terribilmente felice rispetto al pessimo umore di ieri sera, quando Elena è andata via. È totalmente disarmante. Forse è tutto questo sesso… Forse è questo che lo rende così esuberante.

Sbircio il pianoforte dietro di me, riassaporando il ricordo di ieri notte. «Hai alzato di nuovo il coperchio.»

«Stanotte l'avevo chiuso per non disturbarti. Non ha funzionato, evidentemente, ma ne sono contento.» Le labbra di Christian si sollevano in un sorriso lascivo mentre addenta un boccone di omelette. Io divento scarlatta e gli rispondo con un mezzo sorriso.

"Oh, sì… momenti magici sul pianoforte."

Mrs Jones posa davanti a me il sacchetto di carta che contiene il mio pranzo.

«Questo è per dopo, Ana. Tonno va bene?»

«Oh, sì. Grazie, Mrs Jones.» Le rivolgo un sorriso, che lei contraccambia con calore prima di lasciare il salone. Sospetto che se ne vada per concederci un po' di privacy.

«Posso chiederti una cosa?» Mi rivolgo a Christian.

La sua espressione divertita sparisce. «Certo.»

«E non ti arrabbierai?»

«Riguarda Elena?»

«No.»

«Allora non mi arrabbierò.»

«Ma ho una domanda supplementare.»

«Ah.»

«Che riguarda lei.»

Alza gli occhi al cielo. «Di che si tratta?» dice, e ora so che è esasperato.

«Perché ti arrabbi sempre quando ti chiedo di lei?»

«Onestamente?»

Lo fisso torva. «Pensavo che fossi sempre onesto con me.»

«Tento di esserlo.»

Stringo gli occhi. «Questa mi sembra una risposta molto evasiva.»

«Sono sempre onesto con te, Ana. Non voglio fare giochetti. Be', non quel tipo di giochetti» specifica, mentre il suo sguardo si arroventa.

«Che tipo di giochetti ti piacerebbe fare?»

Lui piega la testa di lato e mi fa un mezzo sorriso. «Miss Steele, ti lasci distrarre così facilmente.»

Ridacchio. Ha ragione. «Mr Grey, tu mi distrai in così tanti modi.» Guardo i suoi occhi grigi, illuminati dall'ilarità.

«Il suono che preferisco al mondo è quello della tua risata, Anastasia. Ma qual era la tua domanda di partenza?» mi chiede dolcemente, e penso che stia ridendo di me.

Cerco di piegare le labbra in una smorfia di disappunto, ma mi piace Christian quando scherza. È divertente. Mi piace qualche punzecchiatura di prima mattina. Aggrotto la fronte, cercando di ricordare.

«Ah, sì. Vedevi le tue Sottomesse solamente nei fine settimana?»

«Sì, è così» risponde, fissandomi nervoso.

Gli sorrido. «Perciò niente sesso durante la settimana.»

Lui ride. «Ah, era qui che volevi arrivare.» Sembra vagamente sollevato. Ora sta davvero ridendo di me, ma non m'importa. Vorrei fare i salti di gioia. Un'altra prima volta. Be', tante prime volte.

«Sembri molto compiaciuta di te stessa, Miss Steele.»

«Lo sono, Mr Grey.»

«Fai bene a esserlo.» Mi sorride. «Ora mangia la tua colazione.»

Oh, Christian autoritario… Non si allontana mai troppo.

Siamo sul sedile posteriore dell'Audi. Taylor sta guidando per lasciare al lavoro prima me e poi Christian. Sawyer è al suo fianco.

«Non avevi detto che il fratello della tua coinquilina arriva oggi?» mi chiede Christian, quasi con indifferenza, la voce e l'espressione impassibili.

«Ethan!… Me l'ero dimenticato. Oh, Christian, grazie per avermelo ricordato. Devo tornare al mio appartamento.»

La sua espressione si rabbuia. «A che ora?»

«Non so bene quando arriverà.»

«Non voglio che tu vada da nessuna parte per conto tuo» dice tagliente.

«Ma certo» mormoro e resisto all'impulso di alzare gli occhi al cielo di fronte a Mr Reazione Esagerata. «Sawyer farà la spia… Ehm… Sarà di ronda, oggi?» Lancio una timida occhiata in direzione di Sawyer e vedo il retro del suo orecchio diventare rosso.

«Sì» ribatte Christian, lo sguardo glaciale.

«Se guidassi la SAAB sarebbe più facile» borbotto seccata.

«Sawyer avrà una macchina, e potrà portarti al tuo appartamento.»

«Okay. Ethan probabilmente mi contatterà in giornata. Ti farò sapere quali sono i suoi piani.»

Lui mi fissa, senza dire niente. A cosa sta pensando?

«Okay» acconsente. «Da nessuna parte da sola. Mi hai capito?» Fa ondeggiare davanti a me il suo indice.

«Sì, caro» mormoro.

L'ombra di un sorriso aleggia sulle sue labbra. «E magari dovresti tenere acceso il tuo BlackBerry. Ti manderò lì le mail. Così eviteremo che il tizio del mio ufficio informatico passi una mattinata interessante, okay?» La sua voce è sardonica.

«Sì, Christian.» Non riesco a resistere. Alzo gli occhi, e lui mi sorride malizioso.

«Oh, Miss Steele, credo proprio che tu mi stia facendo prudere le mani.»

«Ah, Mr Grey, a te le mani prudono perennemente. Che cosa possiamo farci?»

Ride e poi viene distratto dal suo BlackBerry, che dev'essere in modalità vibrazione, perché non suona. Si rabbuia quando vede da chi proviene la chiamata.

«Che cosa c'è?» ringhia nell'apparecchio, poi ascolta attentamente. Colgo l'occasione per studiare i suoi tratti stupendi: il suo naso dritto, i capelli arruffati che gli ricadono sulla fronte. Di tanto in tanto lancio occhiate furtive alla sua espressione, che passa dall'incredulità all'ilarità. Faccio attenzione.

«Stai scherzando... Per una scenata... Quando te l'ha detto?» Christian non riesce a trattenersi dal ridacchiare. «No, non ti preoccupare. Non devi scusarti. Sono contento che ci sia una spiegazione logica. Mi sembrava un prezzo ridicolmente basso... Non ho dubbi che tu abbia pianificato qualcosa di diabolico e creativo per la tua vendetta. Povero Isaac.» Sorride. «Bene... Ciao.» Chiude il telefono con un colpo secco e mi guarda. I suoi occhi si fanno improvvisamente guardinghi ma, stranamente, lui sembra anche sollevato.

«Chi era?» chiedo.

«Vuoi davvero saperlo?» mi domanda tranquillo.

Adesso so di chi si tratta. Scuoto la testa e fisso desolata l'odierno grigiore di Seattle, fuori dal finestrino. Perché quella donna non può lasciarlo in pace?

«Ehi.» Lui mi prende la mano e bacia ogni nocca, e all'improvviso mi succhia il mignolo, forte. Poi lo morde delicatamente.

"Wow!" Ha una linea erotica diretta con il mio basso ventre, sussulto e guardo nervosamente Taylor e Sawyer, poi Christian. I suoi occhi si sono fatti più scuri. Mi fa un sorriso lento, carnale.

«Non ti agitare, Anastasia» mormora. «Lei è il passato.»

E mi bacia il palmo della mano, mandandomi brividi dappertutto. La mia momentanea irritazione è dimenticata.

«'giorno, Ana» borbotta Jack mentre mi dirigo alla mia scrivania. «Bel vestito.»

Arrossisco. L'abito fa parte del mio nuovo guardaroba, per gentile concessione del mio incredibilmente ricco fidanzato. È un tubino senza maniche, di lino blu chiaro, piuttosto aderente. Indosso anche sandali color crema con il tacco alto. A Christian piacciono i tacchi, credo. Sorrido segretamente a quel pensiero, ma recupero in fretta il mio sorriso blando e professionale per il mio capo.

«'giorno, Jack.»

Mi metto a preparare una cartella per portare le sue brochure a stampare. Lui fa capolino dalla porta dell'ufficio.

«Potrei avere un caffè, per favore, Ana?»

«Certo.» Vado in cucina e mi imbatto in Claire della reception, anche lei a preparare il caffè.

«Ciao, Ana» mi saluta allegra.

«Ciao, Claire.»

Scambiamo qualche battuta sul suo raduno familiare, durante il weekend, dove si è divertita immensamente, poi io le racconto della mia gita in barca con Christian.

«Il tuo fidanzato è un sogno, Ana» mi dice, e il suo sguardo si perde nel vuoto.

Sono tentata di alzare gli occhi al cielo anche con lei.

«Non è male.» Sorrido, poi entrambe iniziamo a ridere.

«Te la sei presa comoda!» brontola Jack, quando gli porto il caffè.

"Oh!" «Mi dispiace.» Arrossisco, poi aggrotto la fronte. Non ho impiegato più tempo del solito. Qual è il suo problema? Forse è nervoso per via di qualcosa.

Scuote la testa. «Mi dispiace, Ana. Non volevo inveire contro di te, dolcezza.»

"Dolcezza?"

«Sta succedendo qualcosa ai piani alti, e non so di cosa si tratti. Tieni le orecchie aperte, okay? Se sentissi qualcosa... So quanto chiacchierate voi ragazze.» Mi sorride, e a me viene il voltastomaco. Non ha nessuna idea di come noi "ragazze" chiacchieriamo. Inoltre, io so già cosa sta succedendo.

«Me lo farai sapere, d'accordo?»

«Certo» mormoro. «Ho mandato le brochure allo stampatore. Saranno pronte per le due.»

«Ottimo. Ecco.» Mi passa una pila di manoscritti. «Mi serve il riassunto del primo capitolo, poi archiviali pure.»

«Ci penso io.»

Sono sollevata di uscire dal suo ufficio e sedermi alla mia scrivania. Oh, è sgradevole essere al corrente di tutto. Cosa farà Jack quando lo scoprirà? Mi si raggela il sangue. Qualcosa mi dice che ne sarà contrariato. Lancio uno sguardo al mio BlackBerry e sorrido. C'è una mail di Christian.

Da: Christian Grey
A: Anastasia Steele
Data: 14 giugno 2011 09.23
Oggetto: Alba

Adoro svegliarmi accanto a te la mattina.

Christian Grey
Amministratore delegato, Completamente e Totalmente
Innamorato Cotto, Grey Enterprises Holdings Inc.

Sorrido da un orecchio all'altro.

Da: Anastasia Steele
A: Christian Grey
Data: 14 giugno 2011 09.35
Oggetto: Tramonto

Caro Completamente e Totalmente Innamorato Cotto,
anch'io adoro svegliarmi con te. Ma amo essere a letto
con te e negli ascensori e sui pianoforti e sui tavoli da
biliardo e sulle barche e sulle scrivanie e nelle docce
e nelle vasche da bagno e su certe croci di legno
con manette e letti a quattro piazze con lenzuola
di raso rosso e rimesse per le barche e camerette
da ragazzo.
Tua
Sessualmente Folle e Insaziabile xx

Da: Christian Grey
A: Anastasia Steele
Data: 14 giugno 2011 09.37
Oggetto: Hardware bagnato

Cara Sessualmente Folle e Insaziabile,
ho appena schizzato caffè su tutta la mia tastiera.
Non penso che mi sia mai capitato prima.
Ammiro una donna così concentrata
sulla geografia.
Devo dedurre che tu mi vuoi solo per il mio corpo?

Christian Grey
Amministratore delegato, Completamente e Totalmente
Scioccato, Grey Enterprises Holdings Inc.

Da: Anastasia Steele
A: Christian Grey
Data: 14 giugno 2011 09.42
Oggetto: Ridacchiando… bagnata anch'io

Caro Completamente e Totalmente Scioccato,
sempre.
Devo lavorare.
Smettila di importunarmi.
SF&I XX

Da: Christian Grey
A: Anastasia Steele
Data: 14 giugno 2011 09.50
Oggetto: Devo?

Cara SF&I,
come sempre, ogni tuo desiderio è un ordine.
Adoro che tu stia ridacchiando e sia bagnata.
A più tardi, piccola.
x

Christian Grey
Amministratore delegato, Completamente e
Totalmente Innamorato Cotto, Scioccato e
Stregato, Grey Enterprises Holdings Inc.

Metto giù il BlackBerry e riprendo a lavorare.

All'ora di pranzo Jack mi chiede di andare in rosticceria per lui. Chiamo Christian non appena esco dall'ufficio di Jack.
«Anastasia.» Mi risponde subito, la voce calda e carezzevole. Come fa quest'uomo a farmi sciogliere al telefono?
«Christian, Jack mi ha chiesto di comprargli il pranzo.»
«Pigro bastardo» brontola.

Lo ignoro. «Perciò sto uscendo. Sarebbe meglio mi dessi il numero di Sawyer, così non dovrei disturbare te.»

«Non è un disturbo, piccola.»

«Sei da solo?»

«No. In questo momento ci sono sei persone che mi stanno fissando, domandandosi con chi diavolo stia parlando.»

«Davvero?» ansimo nel panico.

«Sì, davvero. È la mia fidanzata» annuncia staccandosi dal telefono.

"Accidenti!" «Probabilmente pensavano tutti che fossi gay, sai.»

Lui ride. «Sì, probabilmente.» Sento il suo sorriso.

«Ehm… forse è meglio che vada.» Sono sicura che non si rende conto di quanto sono imbarazzata per averlo interrotto.

«Lo farò sapere a Sawyer.» Ride ancora. «Hai notizie del tuo amico?»

«Non ancora. Sarai il primo a saperlo, Mr Grey.»

«Bene. A più tardi, piccola.»

«Ciao, Christian.» Sorrido. Ogni volta che mi saluta così, mi fa sorridere…

Sono uscita dall'ufficio, e Sawyer mi sta aspettando sui gradini dell'edificio.

«Miss Steele» mi saluta formalmente.

«Sawyer.» Gli faccio un cenno in risposta e insieme ci dirigiamo verso la rosticceria.

Con Sawyer non mi sento a mio agio tanto quanto con Taylor. Lui non cessa di scrutare la strada mentre percorriamo a piedi l'isolato. A dire il vero, mi fa sentire ancora più nervosa, e mi ritrovo a scrutare in giro come lui.

Leila è qui? Oppure ci siamo fatti prendere tutti dalla paranoia di Christian? Tutto questo fa parte delle sue cinquanta sfumature di tenebra? Quanto darei per una mezz'ora di onesta chiacchierata con il dottor Flynn!

Non c'è niente che non va. Solo l'ora di pranzo, Seattle, la gente che corre per mangiare, per fare acquisti, per incontrare amici. Osservo due ragazze che si abbracciano.

Mi manca Kate. Sono solo due settimane che è via, ma mi sembrano le due settimane più lunghe di tutta la mia vita. Sono successe così tante cose. Non mi crederà mai quando gliele racconterò. Be', quando le racconterò la versione riveduta e corretta, nel rispetto dell'accordo di riservatezza. Mi rabbuio. Devo parlare con Christian di questo. Cosa ne farà Kate di queste informazioni? Sbianco al pensiero. Forse tornerà anche lei con Ethan. Mi sento eccitata all'idea, ma credo che sia improbabile. È più verosimile che continui la vacanza con Elliot.

«Dove sta quando aspetta?» chiedo a Sawyer mentre ci mettiamo in fila per il pranzo. Lui è davanti a me, con la faccia rivolta alla porta, e continua a monitorare la strada e tutti quelli che entrano. È inquietante.

«Sto seduto al bar dall'altra parte della strada, Miss Steele.»

«E non si annoia mortalmente?»

«No, Miss Steele. È il mio lavoro» risponde, rigido.

Arrossisco. «Mi dispiace, non volevo insinuare...» La mia voce sfuma di fronte alla sua espressione gentile e comprensiva.

«Non si preoccupi, Miss Steele. Il mio lavoro è proteggerla. Ed è questo che faccio.»

«Nessun segno di Leila?»

«No, Miss Steele.»

Aggrotto la fronte. «Come fa a sapere che aspetto ha?»

«Ho visto una sua fotografia.»

«Oh, ce l'ha qui con sé?»

«No.» Si picchietta sulla tempia. «L'ho memorizzata.»

Certo. Mi piacerebbe molto vedere una foto di Leila, per capire che aspetto aveva prima di diventare la Ragazza Fantasma. Mi domando se Christian me ne farebbe avere una copia. Sì, probabilmente lo farebbe. Per la mia sicurezza. Organizzo un piano, e il mio subconscio gongola senza nascondere la sua approvazione.

Le brochure vengono consegnate in ufficio e, con mio grande sollievo, sono venute benissimo. Ne porto una a Jack. Il suo sguardo s'illumina. Non so se per me o per la brochure. Scelgo di credere che sia per la seconda.

«È meravigliosa, Ana.» La sfoglia pigramente. «Sì, bel lavoro. Vedi il tuo fidanzato stasera?» Le sue labbra si piegano in una smorfia quando dice "fidanzato".

«Sì. Viviamo insieme.» In un certo senso. Be', è così, al momento. E io ho ufficialmente accettato di trasferirmi, perciò in fondo è solo una mezza bugia. Spero che sia abbastanza per togliermi Jack di torno.

«E lui avrebbe qualcosa in contrario se tu uscissi per un drink veloce stasera? Per festeggiare il tuo buon lavoro?»

«Un mio amico arriva da fuori città stasera, e usciremo a cena.» E sarò impegnata ogni sera, Jack.

«Capisco.» Sospira, esasperato. «Magari quando torno da New York, allora?» Alza un sopracciglio, speranzoso, e il suo sguardo si fa allusivamente più intenso.

"Oh, no." Faccio un sorriso vago, reprimendo un brivido.

«Vuoi un caffè o un tè?» chiedo.

«Caffè, grazie.» La sua voce è bassa e roca, come se mi stesse domandando qualcos'altro. 'Fanculo. Non si ritirerà in buon'ordine. Adesso lo capisco. "Oh… Cosa faccio?"

Una volta uscita dal suo ufficio, tiro un sospiro di sollievo. Jack mi rende nervosa. Christian ha ragione su di lui. E una parte di me è infastidita per questo.

Mi siedo alla scrivania e il mio BlackBerry suona. Un numero che non conosco.

«Ana Steele.»

«Ciao, Steele!» La pronuncia strascicata di Ethan mi coglie in contropiede per un attimo.

«Ethan! Come stai?» squittisco, piacevolmente sorpresa.

«Felice di essere tornato. Non ne potevo davvero più del sole e dei cocktail al rum, e della mia sorellina perdutamente innamorata del suo ragazzone. È stato un inferno, Ana.»

«Sì! Sole, mare e cocktail al rum, sembra proprio l'inferno dantesco.» Ridacchio. «Dove sei?»

«Sono all'aeroporto di Seattle, ad aspettare il mio bagaglio. Che cosa stai facendo?»

«Sono al lavoro. Sì, remunerativamente impiegata» rispondo al suo sussulto. «Vuoi venire qui in ufficio a prendere le chiavi? Poi possiamo vederci più tardi a casa.»

«Mi sembra perfetto. Ci vediamo tra quarantacinque minuti, forse un'ora. Qual è l'indirizzo?»

Gli do l'indirizzo della SIP.

«A presto, Ethan.»

«A più tardi» dice lui e riaggancia. Cosa? Anche Ethan? No! E poi mi viene in mente che ha appena passato una settimana con Elliot. Digito in fretta una mail a Christian.

Da: Anastasia Steele
A: Christian Grey
Data: 14 giugno 2011 14.55
Oggetto: Ospiti da terre assolate

Carissimo Completamente e Totalmente ICS&S,
Ethan è arrivato e sta venendo qui
a prendere le chiavi di casa.
Mi piacerebbe molto assicurarmi che si sistemi bene.
Perché non passi a prendermi dopo il lavoro? Possiamo andare
all'appartamento, poi TUTTI fuori a mangiare, magari? Offro io.
Tua, Ana x
Sempre SF&I

Anastasia Steele
Assistente di Jack Hyde, Direttore editoriale, SIP

Da: Christian Grey
A: Anastasia Steele
Data: 14 giugno 2011 15.05
Oggetto: Cena fuori

Approvo il tuo piano. Eccetto la parte in cui vuoi offrire! Offro io.
Passo a prenderti alle sei.
x
PS: Perché non stai usando il tuo BlackBerry?!

Christian Grey
Amministratore delegato, Completamente e Totalmente
Contrariato, Grey Enterprises Holdings Inc.

Da: Anastasia Steele
A: Christian Grey
Data: 14 giugno 2011 15.11
Oggetto: Prepotenza

Oh, non essere così scontroso e irritabile.
È tutto in codice.
Ci vediamo alle sei.
Ana x

Da: Christian Grey
A: Anastasia Steele
Data: 14 giugno 2011 15.18
Oggetto: Donna Impossibile

Scontroso e irritabile! Te lo do io lo scontroso e irritabile.
E non vedo l'ora.

Christian Grey
Amministratore delegato, Completamente e Totalmente
Più Contrariato, ma Sorridente per qualche Sconosciuta
Ragione, Grey Enterprises Holdings Inc.

Da: Anastasia Steele
A: Christian Grey
Data: 14 giugno 2011 15.23
Oggetto: Promesse. Promesse

Fatti sotto, Mr Grey.
Anch'io non vedo l'ora. :D
Ana X

Anastasia Steele
Assistente di Jack Hyde, Direttore editoriale, SIP

Lui non risponde, ma non mi aspetto che lo faccia. Me lo immagino lamentarsi dei segnali confusi, e il pensiero mi fa ridere. Per un attimo, sogno a occhi aperti quello che potrebbe farmi, e mi accorgo che mi sto contorcendo sulla sedia. Il mio subconscio disapprova totalmente. "Continua a lavorare."

Un po' più tardi il mio telefono squilla. È Claire della reception.

«C'è un tipo davvero carino che ti cerca. Dobbiamo uscire a bere qualche volta, Ana. Conosci un sacco di bei ragazzi» sibila con fare cospiratorio attraverso la cornetta.

Ethan! Prendo le chiavi dalla borsa e corro nell'atrio.

Porca miseria... capelli biondi schiariti dal sole, un'abbronzatura irresistibile e luminosi occhi castani che si alzano a guardarmi dal divano verde di pelle. Nel vedermi, Ethan rimane a bocca aperta e balza in piedi per venirmi incontro.

«Wow, Ana.» Mi guarda serio mentre si china per abbracciarmi.

«Hai un aspetto magnifico.» Gli sorrido.

«Tu sei... wow... diversa. Più sofisticata, mondana. Cos'è successo? Hai cambiato pettinatura? Vestiti? Non lo so, Steele, ma sei sexy!»

Arrossisco violentemente. «Oh, Ethan. Sono solo i miei abiti da lavoro» lo rimprovero, mentre Claire ci osserva con un sopracciglio alzato e un sorriso ironico.

«Com'era Barbados?»

«Divertente» dice.

«Quando torna Kate?»

«Lei e Elliot hanno il volo venerdì. Quei due fanno maledettamente sul serio.» Ethan alza gli occhi al cielo.

«Mi è mancata.»

«Sì? E a te com'è andata con Mr Pezzo Grosso?»

«Mr Pezzo Grosso?» Ridacchio. «Be', è stato interessante. Ci porta fuori a cena stasera.»

«Fico!» Ethan sembra sinceramente contento.

«Ecco.» Gli consegno le chiavi. «Conosci l'indirizzo?»

«Sì. A più tardi.» Si china su di me e mi bacia sulla guancia.

«Adesso parli come Elliot?»

«Sì, sono quelle cose che ti rimangono appiccicate.»

«Già. A più tardi.» Gli sorrido mentre solleva da terra il suo borsone a tracolla ed esce dall'edificio.

Quando mi volto, Jack mi sta guardando dalla parte opposta dell'atrio, l'espressione indecifrabile. Gli sorrido radiosa e ritorno alla mia scrivania, sentendomi i suoi occhi addosso per tutto il tempo. Sta cominciando a darmi sui nervi. Cosa faccio? Non ne ho idea. Devo aspettare finché Kate sarà tornata. Lei si inventerà un piano. Il pensiero dissipa il mio cattivo umore, e mi metto a leggere il manoscritto successivo.

Alle sei meno cinque il mio telefono squilla di nuovo. È Christian.

«Scontroso e Irascibile arrivato» dice e io sorrido. È ancora il Christian scherzoso. La mia dea interiore batte le mani con gioia come una bambina piccola.

«Bene, qui Sessualmente Folle e Insaziabile. Immagino che tu sia fuori» dico seccamente.

«Lo sono, infatti, Miss Steele. Non vedo l'ora di vederti.»

La sua voce è calda e seducente, e il mio cuore inizia a palpitare selvaggiamente.

«Idem, Mr Grey. Arrivo subito.» Riappendo.

Spengo il computer e raccolgo la mia borsa e il cardigan color crema.

«Me ne sto andando, Jack» grido.

«Okay, Ana. Grazie per oggi! Buona serata.»

«Anche a te.»

Perché non può essere così tutto il tempo? Non lo capisco.

L'Audi è parcheggiata vicino al marciapiede, e Christian scende mentre mi avvicino. Si è tolto la giacca e indossa i suoi pantaloni grigi, i miei preferiti, quelli che gli cadono sui fianchi in quel modo... "Com'è possibile che questo dio greco fosse destinato a me?" Sorrido come un'idiota, nell'avvicinarmi, in risposta al suo sorriso parimenti idiota.

Ha passato tutto il giorno a comportarsi come un fidanzato innamorato. Innamorato di me. Quest'uomo adorabile, complicato, imperfetto è innamorato di me, e io di lui. La gioia mi scoppia dentro inaspettatamente, e assaporo il momento, mentre ho la sensazione che potrei conquistare il mondo.

«Miss Steele, sei affascinante proprio come stamattina.»

Christian mi attira tra le sue braccia e mi bacia con passione.

«Anche tu, Mr Grey.»

«Andiamo a prendere il tuo amico.» Mi sorride e apre la portiera della macchina.

Mentre Taylor si dirige all'appartamento, Christian mi parla della sua giornata, che è andata molto meglio di ieri, a quanto pare. Lo guardo adorante, mentre lui cerca di spiegarmi di un qualche progresso che ha fatto il dipartimento di Scienze ambientali alla Washington State University di Vancouver. Non capisco quasi niente di quello che mi dice, ma sono catturata dalla sua passione e dal suo interesse per l'argomento. Forse così è come il nostro rapporto sarà, nei giorni buoni e in quelli cattivi, e se i giorni buoni sono così, non avrò molto di cui lamentarmi. Mi passa un foglio.

«Questi sono gli orari in cui Claude è libero questa settimana» dice.

"Oh! Il personal trainer."

Mentre l'auto accosta davanti a casa mia, Christian estrae il BlackBerry dalla tasca.

«Grey» risponde. «Ros, cosa c'è?» Ascolta con attenzione, e capisco che è una conversazione importante.

«Vado a prendere Ethan. Ci metto un paio di minuti» mormoro, alzando due dita.

Lui annuisce, evidentemente distratto dalla telefonata. Taylor mi apre la portiera, sorridendomi con calore. Contraccambio con un largo sorriso. Premo il pulsante del citofono e mi annuncio allegramente.

«Ciao, Ethan, sono io. Fammi entrare.»

La porta d'ingresso si apre con un ronzio e io salgo all'appartamento. Mi viene in mente che non ci sono più stata da sabato mattina. Mi sembra passato un sacco di tempo. Ethan ha lasciato gentilmente la porta socchiusa. Metto un piede dentro e, non so perché, mi raggelo istintivamente. Mi ci vuole un attimo per capire che è per via della figura pallida e smunta in piedi vicino al bancone della cucina, con un piccolo revolver tra le mani e lo sguardo impassibile fisso su di me.

13

"Oddio!"

Lei è qui. Mi guarda con un'espressione assente, sconcertante e tiene una pistola in mano. Io sbatto ripetutamente le palpebre in direzione di Leila e la mia mente comincia a lavorare freneticamente. "Come ha fatto a entrare? Dov'è Ethan? Accidenti! Dov'è?"

Una morsa di gelo mi stringe il cuore, e mi viene la pelle d'oca per il terrore. E se lei gli avesse fatto del male? Inizio a respirare rapidamente, mentre l'adrenalina e la paura mi entrano in circolo. "Stai calma, stai calma." Ripeto mentalmente il mantra più volte.

Lei piega il capo di lato, guardandomi come se fossi un fenomeno da baraccone. Accidenti, non sono io il fenomeno da baraccone qui.

Mi sembra di averci messo un'eternità a elaborare questi pensieri, quando in realtà è passata solo una manciata di secondi. L'espressione di Leila rimane assente. Il suo aspetto è sciatto e trascurato come sempre. Indossa ancora quel sudicio trench e sembra avere più che mai bisogno di una doccia. I suoi capelli sono unti e appiccicati alla testa, i suoi occhi sono di un color castano opaco, offuscati e vagamente confusi.

Benché abbia la bocca secca, cerco di parlare. «Ciao. Leila, vero?» dico stridula. Lei sorride, ma è più un'inquietante torsione delle labbra che un sorriso.

«Lei parla» sussurra, e la sua voce è morbida e ruvida al tempo stesso, un suono spaventoso.

«Sì, parlo» dico gentile, come rivolgendomi a un bambino. «Sei qui da sola?» Dov'è Ethan? Il mio cuore impazzisce al pensiero che gli possa essere successo qualcosa.

La sua espressione si rabbuia, tanto che penso che stia per scoppiare a piangere. Sembra così disperata.

«Sola» sussurra. «Sola.» E la profondità della tristezza in quella parola mi devasta il cuore. Che cosa intende? Io sono sola? Lei è sola? È sola perché ha fatto del male a Ethan? Oh, no. Devo combattere il terrore che mi artiglia la gola, mentre le lacrime minacciano di scendere.

«Che cosa ci fai qui? Posso aiutarti?» La interrogo in tono calmo, gentile, nonostante la paura soffocante. Lei aggrotta la fronte, come se la mia domanda l'avesse completamente confusa. Ma non fa alcuna mossa violenta. La mano che regge la pistola è rilassata. Adotto una tattica diversa, cercando di ignorare la pelle d'oca.

«Vuoi un tè?» Perché le sto chiedendo se vuole un tè? È la risposta di Ray a ogni situazione difficile, che affiora inopportuna. Accidenti, gli prenderebbe un colpo se mi vedesse in questo momento. Avrebbe rispolverato il suo addestramento nell'esercito e l'avrebbe disarmata. In realtà, Leila non sta puntando la pistola contro di me. Forse posso muovermi. Lei scuote la testa, poi la piega da una parte e dall'altra, come se stesse facendo stretching al collo.

Faccio un profondo respiro, cercando di calmarmi, e mi dirigo verso l'isola della cucina. Lei aggrotta le sopracciglia, come se non riuscisse a capire che cosa sto facendo e si sposta un po', per continuare a guardarmi in faccia. Prendo il bollitore e con mano tremante lo riempio sotto il rubinetto. Mentre mi muovo, il mio respiro si regolarizza. Sì, se mi volesse morta, di certo mi avrebbe già sparato. Leila mi osserva con curiosità divertita e assente. Quando accendo il bollitore, mi sento affliggere dal pensiero di Ethan. È ferito? Legato?

«C'è qualcun altro nell'appartamento?» le chiedo timidamente.

Lei piega la testa, e con la mano destra, quella che non regge la pistola, afferra una ciocca dei suoi capelli lunghi e unti e inizia ad arrotolarsela intorno al dito, giocherellandoci, tirandola e torcendola. È ovviamente un tic nervoso e, mentre mi lascio distrarre da ciò, rimango colpita ancora una volta da quanto questa donna mi assomigli. Trattengo il fiato, aspettando una sua risposta, l'ansia che cresce dentro di me a un livello quasi insopportabile.

«Sola. Tutta sola» mormora. Lo trovo confortante. Forse Ethan non è qui. Il sollievo mi dà forza.

«Sei sicura di non volere un tè o un caffè?»

«Non ho sete» risponde piano, e fa un passo verso di me, guardinga. La mia sensazione di forza svanisce. "Accidenti!" Mi si mozza il fiato per la paura, che mi entra in circolo in tutto il corpo. Ciò nonostante, mi volto e prendo un paio di tazze dalla credenza.

«Cos'hai che io non ho?» mi domanda, e la sua voce assume il tono cantilenante di un bambino.

«Che cosa vuoi dire, Leila?» le chiedo il più gentilmente possibile.

«Il Padrone... Mr Grey... lascia che tu lo chiami con il suo nome.»

«Non sono la sua Sottomessa, Leila. Ehm... Il Padrone capisce che sono incapace, inadeguata a ricoprire quel ruolo.»

Lei piega la testa dall'altra parte. È un gesto inquietante e innaturale.

«I-na-de-gua-ta.» Prova a ripetere la parola, a pronunciarla, per capire come suona sulla sua lingua. «Ma il Padrone è contento. L'ho visto. Ride e sorride. Queste reazioni sono rare... molto rare per lui.»

"Oh."

«Tu mi assomigli.» Leila cambia approccio, sorprendendomi, e i suoi occhi sembrano mettermi a fuoco per la prima volta. «Al Padrone piacciono le obbedienti che assomigliano a te e a me. Le altre, lo stesso... lo stesso... Tu dormi anche nel suo letto. Ti ho vista.»

"Oddio!" Era nella stanza. Non lo immaginavo.

«Mi hai visto nel suo letto?» sussurro.

«Io non ho mai dormito nel letto del Padrone» mormora. È come un'apparizione eterea e sfumata. Una mezza persona. Sembra così leggera e, a dispetto della pistola che tiene in mano, all'improvviso mi sento travolgere dalla compassione per lei. Le sue mani si stringono intorno all'arma, e i miei occhi si allargano, minacciando di schizzarmi fuori dalle orbite.

«Perché al Padrone piacciamo così? Mi fa pensare a qualcosa... qualcosa... Il Padrone è oscuro... Il Padrone è un uomo oscuro, ma io lo amo.»

"No, no, non lo è" mi arrabbio mentalmente. Non è oscuro. È un buono, e non è immerso nel buio. Mi ha raggiunta nella luce. E ora lei è qui, a cercare di trascinarlo indietro con l'idea perversa di essere innamorata di lui.

«Leila, vuoi dare a me la pistola?» le chiedo dolcemente. La sua mano la stringe forte, e se la preme contro il petto.

«Questa è mia. È tutto quello che mi rimane.» Accarezza dolcemente l'arma. «Così lei può unirsi al suo amore.»

"Quale amore... Christian?" È come se mi avesse dato un pugno nello stomaco. So che lui sarà qui a momenti per scoprire che cosa mi sta trattenendo nell'appartamento. Significa che gli sparerà? Il pensiero è talmente orribile che mi si forma un groppo in gola, impedendomi quasi di respirare, e la paura mi attanaglia.

Con un tempismo perfetto la porta si spalanca e Christian appare sulla soglia. Taylor è dietro di lui.

Christian mi squadra rapidamente e noto una scintilla di

sollievo nei suoi occhi. Ma la sua gioia è effimera, nel momento in cui il suo sguardo saetta su Leila e si ferma, focalizzandosi su di lei senza vacillare. Lui la fissa con un'intensità che non gli ho mai visto, i suoi occhi sono spalancati, selvaggi, furiosi e spaventati.

"Oh, no... oh, no."

Leila sgrana gli occhi e, per un momento, sembra che le ritorni la ragione. Sbatte le palpebre rapidamente, mentre la sua mano si stringe intorno alla pistola.

Il fiato mi si mozza in gola, e il mio cuore prende a martellare così forte che sento il sangue pulsarmi nelle orecchie.

"No, no, no!"

Il mio mondo vacilla nelle mani di questa povera donna pazza. Sparerà? A entrambi? Solo a Christian? Il pensiero mi paralizza.

Ma dopo un'eternità, mentre il tempo è come sospeso intorno a noi, lei abbassa leggermente la testa e fissa Christian da sotto le lunghe ciglia, con espressione contrita.

Lui alza una mano, segnalando a Taylor di restare dov'è. Il volto cereo di Taylor tradisce la sua furia. Non l'ho mai visto così, ma lui rimane immobile, mentre Christian e Leila si fissano.

Mi rendo conto che sto trattenendo il fiato. Che cosa farà lei? Che cosa farà lui? Continuano solo a guardarsi. L'espressione di Christian è gelida, piena di qualche emozione senza nome. Potrebbe essere pietà, paura, affetto... Oppure è amore? No, per favore, non amore!

Lui la trafigge con lo sguardo e, in una lenta agonia, l'atmosfera nell'appartamento cambia. La tensione cresce, tanto che riesco a sentire il loro legame, la carica elettrica tra loro.

"No!" All'improvviso ho la sensazione di essere io l'intrusa, quella che si immischia, mentre loro rimangono in piedi a guardarsi. Sono un'estranea, una guardona, una che spia una scena proibita, intima, dietro le tende chiuse.

Lo sguardo intenso di Christian brucia e risplende ancora di più, e il suo portamento cambia sottilmente. Sembra più alto, più spigoloso in qualche modo, più freddo e più distante. Riconosco questo atteggiamento. L'ho già visto prima... nella sua stanza dei giochi.

Mi viene di nuovo la pelle d'oca. Questo è il Christian Dominatore, e come sembra a suo agio! Se sia nato così oppure abbia imparato a impersonare il ruolo, proprio non lo so, ma con il cuore che mi sprofonda nel petto e lo stomaco in rivolta, osservo la reazione di Leila: le sue labbra si schiudono, il suo respiro si accorcia, mentre un po' di rossore le colora le guance. "No!" È uno sgradito scorcio del passato di Christian, straziante da osservare.

Alla fine, lui muove le labbra formulando una parola. Non riesco a capire che parola sia, ma l'effetto su Leila è immediato. Lei si lascia cadere in ginocchio, il capo chino, e la pistola scivola inutile sul pavimento.

Christian raggiunge con calma il punto in cui l'arma è caduta e si china a raccoglierla. La osserva con malcelato disgusto, e poi se la infila nella tasca della giacca. Guarda ancora una volta Leila, mentre lei rimane servilmente inginocchiata.

«Anastasia, va' con Taylor» ordina. Taylor oltrepassa la soglia e mi fissa.

«Ethan» sussurro.

«Al piano di sotto» mi risponde in tono distaccato. I suoi occhi non lasciano mai Leila.

Al piano di sotto. Non qui. Ethan sta bene. Il sollievo scorre veloce e impetuoso nel mio sangue, e per un momento credo di essere sul punto di svenire.

«Anastasia!» Il tono di Christian è tagliente.

All'improvviso non riesco a muovermi. Non voglio lasciarlo. Non voglio lasciarlo con lei. Lui le si avvicina, mentre lei è sempre in ginocchio ai suoi piedi. Torreggia su di lei, protettivo. Leila è così immobile. È una cosa innaturale. Non riesco a distogliere gli occhi da loro due... insieme...

«Per l'amor di Dio, Anastasia, vuoi fare quello che ti viene detto per una volta nella vita?» Gli occhi di Christian si fissano nei miei, mentre lui mi guarda torvo. La sua voce è una gelida lama di ghiaccio. La rabbia, dietro la calma delle sue parole, è palpabile.

È arrabbiato con me? Ma no. Per favore, no! Mi sento come se mi avesse dato uno schiaffo. Perché vuole restare con lei?

«Taylor, porta Miss Steele di sotto. Ora.»

Taylor annuisce mentre io fisso Christian.

«Perché?» sussurro.

«Vai. Torna al mio appartamento.» I suoi occhi ardono nei miei. «Ho bisogno di restare da solo con Leila» dice con urgenza.

Penso che stia cercando di lanciarmi un messaggio, ma sono così scossa da tutto quello che è successo che non ne sono sicura. Guardo Leila e noto un lieve sorriso sulle sue labbra, mentre per il resto rimane del tutto impassibile. Una vera Sottomessa. "Porca miseria!" Il cuore mi si raggela.

Questo è ciò di cui lui ha bisogno. Questo è ciò che gli piace. "No!" Voglio urlare.

«Miss Steele. Ana.» Taylor mi tende la mano, implorandomi di andare. Sono immobilizzata dal terribile spettacolo di fronte a me, che conferma le mie peggiori paure e fa leva su tutte le mie insicurezze: Christian e Leila insieme, il Dominatore e la sua Sottomessa.

«Taylor» lo incalza Christian, e Taylor si china e mi prende tra le braccia. L'ultima cosa che vedo mentre usciamo è Christian che accarezza gentilmente la testa di Leila e le mormora qualcosa.

"No!"

Mentre Taylor mi porta giù dalle scale, io mi lascio mollemente andare tra le sue braccia, cercando di capire quello che è successo negli ultimi dieci minuti. Oppure ne sono passati di più? Di meno? Ho perso la cognizione del tempo.

Christian e Leila, Leila e Christian… insieme? Che cosa sta facendo con lei adesso?

«Gesù, Ana! Che cazzo sta succedendo?»

Sono sollevata di vedere Ethan, che cammina avanti e indietro nell'atrio, ancora con il suo borsone. "Oh, per fortuna, lui sta bene!" Quando Taylor mi mette giù, praticamente mi avvento su Ethan, gettandogli le braccia al collo.

«Ethan! Oh, grazie a Dio!» Lo abbraccio, tenendolo stretto. Ero così preoccupata e, per un istante, mi sento sollevata dal panico per quello che sta avvenendo nell'appartamento al piano di sopra.

«Che cazzo succede, Ana? Chi è questo qui?»

«Oh, scusa, Ethan, lui è Taylor. Lavora con Christian. Taylor, questo è Ethan, il fratello della mia coinquilina.»

I due si scambiano un cenno di saluto con la testa.

«Ana, che cosa sta succedendo di sopra? Stavo cercando le chiavi dell'appartamento quando un paio di tizi sono saltati fuori dal nulla e me le hanno prese. Uno di loro era Christian...» La voce di Ethan si affievolisce.

«Sei in ritardo... Grazie a Dio.»

«Sì. Ho incontrato un amico. Abbiamo bevuto qualcosa. Allora, che cosa succede?»

«C'è una ragazza, una ex di Christian. Nel nostro appartamento. È andata fuori di testa, e Christian è...» La mia voce si spezza, e gli occhi mi si riempiono di lacrime.

«Ehi» sussurra Ethan e mi stringe a sé. «Qualcuno ha chiamato la polizia?»

«No, non è quel tipo di situazione.» Singhiozzo contro il suo petto e, ora che ho iniziato a piangere, non riesco più a fermarmi, la tensione si scioglie attraverso il pianto. Ethan stringe le braccia intorno a me, ma so che è confuso.

«Ehi, Ana, andiamo a bere qualcosa.» Mi dà qualche goffo colpetto sulla schiena. Improvvisamente anch'io mi sento goffa, e imbarazzata e, in tutta onestà, vorrei starmene da sola. Ma annuisco, accettando la sua offerta. Desidero andarmene da qui, allontanarmi da qualsiasi cosa stia succedendo al piano di sopra.

Mi volto verso Taylor.

«L'appartamento era stato controllato?» chiedo tra le lacrime, asciugandomi il naso con il dorso della mano.

«Questo pomeriggio.» Taylor scrolla le spalle come per scusarsi e mi passa un fazzoletto. Ha l'aria distrutta. «Mi dispiace, Ana» mormora.

Accidenti, ha un'aria così colpevole. Non voglio farlo sentire ancora peggio.

«Sembra proprio che Leila abbia la sorprendente abilità di sfuggirci» aggiunge Taylor, incupendosi.

«Ethan e io beviamo qualcosa e poi andiamo all'Escala.» Mi asciugo gli occhi.

Taylor sposta il proprio peso da un piede all'altro, a disagio. «Mr Grey vuole che lei torni subito all'appartamento» dice pacato.

«Be', adesso sappiamo dov'è Leila.» Non riesco a evitare l'amarezza nella voce. «Perciò non c'è bisogno di tutta questa sorveglianza. Dica a Christian che ci vediamo dopo.»

Taylor apre la bocca per ribattere, ma poi saggiamente la richiude.

«Vuoi lasciare il tuo borsone a Taylor?» chiedo a Ethan.

«No, lo porto con me, grazie.»

Ethan fa un cenno di saluto a Taylor, poi mi accompagna alla porta. Solo in quel momento mi ricordo di aver lasciato la borsa sul sedile posteriore dell'Audi. Non ho niente con me.

«La mia borsa…»

«Non ti preoccupare» mormora Ethan, pieno di riguardo. «Va bene così. Faccio io.»

Scegliamo un bar dall'altra parte della strada, sistemandoci sugli sgabelli di legno vicino alla vetrina. Voglio vedere che cosa succede: chi viene e, ancora più importante, chi va. Ethan mi passa una bottiglia di birra.

«Problemi con una ex?» chiede, gentile.

«È un po' più complicato di così» mormoro, improvvisamente sulla difensiva. Non posso parlare di questo argomento. Ho firmato un accordo di riservatezza. E per la prima volta, mi dispiace davvero, come del fatto che Christian non abbia accennato alla possibilità di annullarlo.

«Ho tempo» dice Ethan gioviale e beve una lunga sorsata di birra.

«Si tratta di una ex di diversi anni fa. Aveva lasciato il marito per un ragazzo, ma qualche settimana fa lui è rimasto ucciso in un incidente d'auto, e ora lei sta dietro a Christian.» Mi stringo nelle spalle. Ecco, questo non rivela poi troppo.

«Gli sta dietro?»

«Aveva una pistola.»

«Cazzo!»

«In realtà, non ha minacciato nessuno. Penso che volesse fare del male a se stessa. Ero preoccupata per te, perché non sapevo se tu fossi nell'appartamento.»

«Capisco. Lei sembra una squilibrata.»

«Sì, lo è.»

«E cosa sta facendo Christian con lei, ora?»

Il sangue mi defluisce dal volto e la bile mi sale in gola. «Non lo so» sussurro.

Ethan spalanca gli occhi. Alla fine ci è arrivato.

"Questo è il nocciolo del mio problema. Che cosa stanno facendo? Parlando, spero. Solo parlando." Eppure, tutto quello che riesco a vedere è la sua mano che le accarezza dolcemente i capelli.

"Leila è mentalmente disturbata e Christian ci tiene a lei. Tutto qui" penso razionalmente. Ma nei meandri della mia mente la tristezza prende il sopravvento.

È più di questo. Leila era in grado di soddisfare i suoi bisogni in un modo in cui io non riesco. Il pensiero è deprimente.

Cerco di concentrarmi su tutto quello che abbiamo fatto insieme negli ultimi giorni: la sua dichiarazione d'amore, il suo umorismo civettuolo, la sua giocosità. Ma le parole di Elena continuano a tornarmi in mente per perseguitarmi. È vero ciò che si dice di chi origlia.

"Non ti manca... la tua stanza dei giochi?"

Finisco la birra a tempo di record, e Ethan me ne mette davanti un'altra. Non sono di grande compagnia, ma, ciò nonostante, lui rimane con me, a chiacchierare, a cercare di sollevarmi il morale, mi parla di Barbados, di Kate e delle pagliacciate di Elliot, che è una fantastica distrazione. Ma è solo questo: una distrazione.

La mia mente, il mio cuore, la mia anima sono ancora in quell'appartamento con Christian e la donna che un tempo è stata la sua Sottomessa. Una donna che pensa di amarlo ancora. Una donna che mi assomiglia.

Alla terza birra una grossa auto con i vetri oscurati si ferma vicino all'Audi. Riconosco il dottor Flynn che ne esce, accompagnato da una donna che indossa quello che sembra un camice azzurro. Scorgo Taylor che tiene loro aperto il portone d'ingresso.

«Chi è quello?» mi chiede Ethan.

«È il dottor Flynn. Christian lo conosce.»

«Che tipo di dottore?»

«Uno strizzacervelli.»

«Ah.»

Rimaniamo entrambi a guardare. Pochi minuti dopo escono. Christian porta Leila in braccio, avvolta in un lenzuolo. "Cosa?" Li osservo inorridita mentre salgono sull'auto e partono.

Ethan mi lancia un'occhiata comprensiva, e io mi sento devastata, completamente devastata.

«Posso avere qualcosa di un po' più forte?» chiedo, con un filo di voce.

«Certo. Cosa vuoi?»

«Un brandy. Per favore.»

Ethan annuisce e va al bancone. Guardo fuori, verso l'ingresso del palazzo dov'è il mio appartamento. Qualche minuto più tardi ne esce Taylor, che sale sull'Audi e si dirige all'Escala... o segue Christian? Non lo so.

Ethan mi mette di fronte un grosso bicchiere di brandy.

«Avanti, Steele. Prendiamoci una sbronza.»

Suona come la migliore proposta che mi abbiano fatto da un po'. Facciamo tintinnare i bicchieri, e io bevo un sorso di quel liquore ambrato; il suo calore bruciante è una distrazione gradita dall'orribile pena che mi cresce nel cuore.

È tardi e mi sento confusa. Ethan e io siamo chiusi fuori dall'appartamento. Lui insiste per accompagnarmi a piedi all'Escala, ma non si tratterrà. Ha chiamato l'amico che ha incontrato prima per un drink e ha combinato di sistemarsi da lui per la notte.

«E così è qui che vive il Pezzo Grosso.» Ethan emette un fischio tra i denti, impressionato.

Io annuisco.

«Sei sicura che non vuoi che entri con te?» mi chiede.

«No, ho bisogno di affrontare la situazione. Oppure di andarmene a dormire.»

«Ci vediamo domani?»

«Sì. Grazie, Ethan.» Lo abbraccio.

«Ce la farai, Steele» mi mormora nell'orecchio. Mi lascia andare e resta a guardarmi mentre mi dirigo verso l'edificio.

«A più tardi» grida. Gli faccio un debole sorriso, lo saluto con la mano, e premo il pulsante.

Esco dall'ascensore e mi appresto a entrare nell'appartamento di Christian. Taylor non è lì in attesa, il che è insolito. Apro la porta e mi dirigo verso il salone. Christian è al telefono e passeggia accanto al pianoforte.

«È qui» esclama. Si volta per fissarmi e chiude la comunicazione. «Dove cazzo sei stata?» ringhia, ma non accenna ad avvicinarsi.

È arrabbiato con me? Ha appena passato Dio solo sa quanto tempo con la sua ex fidanzata sciroccata ed è lui a essere arrabbiato con me?

«Hai bevuto?» mi chiede, sgomento.

«Un po'.» Non pensavo che fosse così evidente.

Lui sussulta e si passa una mano tra i capelli. «Ti avevo detto di tornare qui.» La sua voce è minacciosamente tranquilla. «Sono le dieci e un quarto di sera. Mi stavo preoccupando per te.»

«Sono andata a bere un paio di birre con Ethan, mentre tu ti prendevi cura della tua ex» sibilo verso di lui. «Non sapevo per quanto tempo saresti rimasto... con lei.»

Lui stringe gli occhi e fa un paio di passi verso di me, ma si ferma.

«Perché dici così?»

Faccio spallucce e abbasso gli occhi sulle mie mani.

«Ana, cosa c'è che non va?» E per una volta, sento qualcosa di diverso dalla rabbia nella sua voce. Cos'è? Paura?

Deglutisco, cercando di capire cosa voglio dire. «Dov'è Leila?» gli chiedo guardandolo negli occhi.

«In un ospedale psichiatrico a Fremont» dice, e il suo sguardo sta scrutando il mio viso. «Ana, che cosa c'è?» Si avvicina. Adesso è di fronte a me. «Cosa c'è che non va?» mormora.

Scuoto la testa. «Non vado bene per te.»

«Cosa?» esclama, gli occhi sgranati. «Perché lo pensi? Com'è possibile che tu lo pensi?»

«Non posso essere tutto quello di cui hai bisogno.»

«Tu sei tutto quello di cui ho bisogno.»

«Il solo vederti con lei...» La voce mi muore in gola.

«Perché mi fai questo? Questa faccenda non riguarda te, Ana. Riguarda lei.» Inspira forte, passandosi di nuovo la mano tra i capelli. «In questo momento è una ragazza molto malata.»

«Ma io ho sentito... quello che condividevate.»

«Cosa? No.» Fa per toccarmi, ma io mi ritraggo istintivamente. Lui lascia cadere la mano, e mi guarda sbattendo le palpebre. Sembra in preda al panico.

«Stai scappando?» sussurra mentre i suoi occhi si dilatano per la paura.

Rimango in silenzio, mentre cerco di radunare i miei pensieri confusi.

«Non puoi» mi prega.

«Christian... io...» Mi sforzo di raccogliere le idee. Che cosa sto cercando di dire? Ho bisogno di tempo. Tempo per elaborare la situazione. Dammi tempo.

«No. No!» dice lui.

«Io...»

Si guarda intorno concitatamente. In cerca d'ispirazione? Di un intervento divino? Non lo so.

«Non puoi andartene. Ana, io ti amo!»

«Anch'io ti amo, Christian, è solo che...»

«No... no!» dice disperato e si afferra la testa tra le mani.

«Christian...»

«No» mormora, gli occhi sgranati per il panico, e all'improvviso crolla in ginocchio davanti a me, con il capo chino, le mani sulle cosce. Fa un respiro profondo e non si muove.

"Cosa?" «Christian, cosa stai facendo?»

Continua a guardare giù, senza sollevare gli occhi.

«Christian! Che cosa stai facendo?» ripeto con voce acuta. Lui non si muove. «Christian, guardami!» gli ordino, nel panico.

Alza la testa senza esitazione, e mi fissa impassibile con i suoi occhi grigi e freddi. È quasi sereno... in attesa.

"Porca miseria..." Christian. Il Sottomesso.

14

Christian in ginocchio ai miei piedi, che mi tiene avvinta con il suo sguardo grigio. Lui colpisce e raggela più di ogni altra cosa che abbia mai visto, più ancora di Leila con la pistola. La mia vaga confusione alcolica svanisce all'istante, presto sostituita dalla pelle d'oca e da uno strisciante senso di tragedia, che mi assale mentre il sangue mi defluisce dal viso.

Inspiro forte per lo shock. "No. No, questo è sbagliato, del tutto sbagliato e inquietante."

«Christian, per favore, non fare così. Non voglio.»

Lui continua a fissarmi passivo, senza muoversi, senza dire niente.

"Oh, merda. Il mio povero Christian." Mi si stringe il cuore. Che cosa gli ho fatto? Le lacrime mi pungono gli occhi.

«Perché stai facendo questo? Parlami» sussurro.

Lui sbatte le palpebre una volta.

«Che cosa vorresti che ti dicessi?» mi chiede dolce, mite e per un momento sono sollevata che stia parlando, ma non in questo modo. "No. No."

Le lacrime iniziano a scorrermi lungo le guance. È troppo per me vedere Christian nella stessa posizione di prostrazione di quella patetica creatura che è Leila. L'immagine di un uomo potente, che in realtà è ancora un ragazzino, che è stato orribilmente abusato e trascurato, che si sente indegno dell'amore della sua famiglia perfetta e della sua assai meno perfetta fidanzata... il mio bambino smarrito... spezza il cuore.

Compassione, perdita e sconforto, tutti insieme mi gonfiano il cuore, e mi sento soffocare dalla disperazione. Dovrò lottare per riaverlo, per riportare indietro il *mio* Mr Cinquanta Sfumature.

Il pensiero di me che domino chicchessia è orribile. Il pensiero di dominare Christian è nauseante. Mi farebbe diventare come lei, la donna che gli ha fatto questo.

Rabbrividisco all'idea, lottando contro la bile in gola. Impossibile che possa farlo. Impossibile che voglia farlo.

A mano a mano che le idee mi si schiariscono, riesco a vedere un solo modo. Senza togliergli gli occhi di dosso, mi inginocchio di fronte a Christian.

Il parquet è duro contro la mia pelle. Mi asciugo alla meglio le lacrime con il dorso della mano.

Così siamo alla pari. Siamo sullo stesso livello. Questo è l'unico modo in cui posso salvarlo.

I suoi occhi si dilatano leggermente mentre lo fisso, ma al di là di questo la sua espressione e la sua posizione non cambiano.

«Christian, non devi fare così» lo supplico. «Io non scapperò. Te l'ho detto e ridetto. Non scapperò. Tutto quello che è successo... è sconvolgente. Ho solo bisogno di un po' di tempo per riflettere... un po' di tempo per me stessa. Perché pensi sempre al peggio?» Mi si stringe il cuore di nuovo, perché lo so: è perché lui è così pieno di dubbi, così pieno di odio verso se stesso.

Le parole di Elena tornano a tormentarmi. "Lei sa quanto sei negativo verso te stesso? Riguardo a tutti i tuoi problemi?"

"Oh, Christian." La paura mi assale e inizio a balbettare: «Stavo per suggerire che potrei tornare al mio appartamento stasera. Non mi hai mai dato tempo… tempo per riflettere bene sulle cose». Singhiozzo, e un accenno di cipiglio gli oscura il viso. «Tempo per pensare, e basta. Ci conosciamo a stento, e tutto questo fardello che ti porti appresso… Ho bisogno… ho bisogno di tempo per riflettere. E ora che Leila è… be', ovunque sia… non è più là fuori e non è una minaccia… pensavo… pensavo…» La mia voce si affievolisce e lo guardo fisso. Lui mi osserva attentamente e credo che mi stia ascoltando.

«Vederti con Leila…» Chiudo gli occhi, mentre il penoso ricordo della sua interazione con l'ex Sottomessa mi divora. «È stato un tale shock. Ho avuto una fugace visione di quella che è stata la tua vita… e…» Abbasso gli occhi sulle mie dita intrecciate, le lacrime continuano a scorrermi lungo le guance. «Ha a che fare con il mio non essere abbastanza per te. È stato un presentimento sulla tua vita, e ho così tanta paura che ti stanchi di me, e che poi te ne andrai… e che io finirò come Leila… un'ombra. Ti amo, Christian, e se tu mi lasci, sarà come vivere in un mondo senza luce. Vagherò nell'oscurità. Non voglio scappare. Sono solo spaventata dall'idea che tu mi lasci…»

Mentre pronuncio queste parole, con la speranza che lui stia ascoltando, mi rendo conto di qual è il mio vero problema. Non capisco perché gli piaccio. Non ho *mai* capito perché gli piaccio.

«Non capisco perché mi trovi attraente» mormoro. «Tu sei, be', tu sei tu… e io…» Mi stringo nelle spalle e lo guardo. «È solo che non lo capisco. Tu sei bellissimo, sensuale, di successo, buono, gentile e amorevole… tutte queste cose. E io no. E non posso fare quello che a te piace fare. Non posso darti quello di cui hai bisogno. Come potresti essere felice con me? Come potrei mai riuscire a tenerti legato a me?» La mia voce è un sussurro, mentre esprimo le mie più cupe paure. «Non ho mai capito cosa vedi in me. E osservarti con lei ha portato tutto a galla.» Tiro su con il naso e mi asciugo le guance con il dorso della mano, fissando la sua espressione impassibile.

Oh, è così esasperante. "Parlami, dannazione!"

«Te ne starai qui in ginocchio tutta la notte? Perché lo farò anch'io!» esclamo.

Mi pare che la sua espressione si ammorbidisca, che lui sia persino vagamente divertito. Ma è così difficile a dirsi.

Potrei allungare una mano verso di lui e toccarlo, ma questo sarebbe un enorme abuso della posizione in cui mi ha messo. Non voglio. Ma non so che cosa vuole, o cosa sta cercando di dirmi. Proprio non capisco.

«Christian, per favore… per favore… parlami» lo imploro, torcendomi le mani in grembo. Sto scomoda sulle ginocchia, ma resto così, fissando i suoi occhi grigi, seri, bellissimi e aspetto.

E aspetto.

E aspetto.

«Per favore» lo prego ancora una volta.

Il suo sguardo intenso si incupisce all'improvviso. Sbatte le palpebre.

«Ho avuto così tanta paura» sussurra.

Oh, grazie a Dio! La mia vocina tira un respiro di sollievo.

"Sta parlando!" Mi sento sommergere da un senso di gratitudine, e deglutisco, cercando di contenere l'emozione e il nuovo afflusso di lacrime.

La sua voce è dolce e bassa. «Quando ho visto Ethan fuori dal palazzo, ho capito che qualcuno ti aveva fatta entrare nell'appartamento. Taylor e io siamo balzati fuori dall'auto. Avevamo capito. E vedere lei là, in quello stato, con te, e armata… Penso di essere morto un migliaio di volte, Ana. Qualcuno che minaccia la tua vita… La realizzazione di tutte le mie peggiori paure. Ero così arrabbiato con lei, con te, con Taylor, con me stesso.»

Scuote la testa, rivelando la sua agonia. «Non sapevo quanto lei potesse essere instabile. Non sapevo cosa fare.

Non sapevo come avrebbe reagito.» Si ferma e aggrotta la fronte. «E poi lei mi ha dato la chiave. Aveva l'aria così contrita. E allora ho saputo quello che dovevo fare.» Fa una pausa e mi guarda, cercando di misurare la mia reazione.

«Va' avanti» sussurro.

Lui deglutisce. «Vederla in quello stato, sapere di aver avuto a che fare in qualche modo con il suo stato...» Chiude gli occhi un attimo, poi li riapre. «È sempre stata così maliziosa e vivace.» Rabbrividisce e fa un respiro aspro, che suona quasi come un singhiozzo. È una tortura sentirlo così, ma rimango in ginocchio, attenta, bevendo ogni parola del suo sfogo.

«Avrebbe potuto farti del male. E sarebbe stata colpa mia.» I suoi occhi vagano altrove, pieni di orrore e sconcerto. Lui rimane in silenzio.

«Ma non l'ha fatto» sussurro. «E tu non sei responsabile dello stato in cui si trova, Christian.» Sbatto le palpebre, incoraggiandolo a continuare.

Poi mi viene in mente che tutto quello che ha fatto è stato proteggermi, e forse anche Leila, perché tiene anche a lei. Ma quanto ci tiene a lei? La domanda rimane nella mia testa, sgradita. Ha detto di amarmi, ma poi è stato così ruvido quando mi ha buttata fuori dal mio stesso appartamento.

«Volevo solo che tu andassi via» mormora, con la sua inquietante abilità di leggermi nel pensiero. «Ti volevo lontana dal pericolo e... Tu. Proprio. Non. Te. Ne. Andavi.» sibila a denti stretti e scuote la testa. La sua esasperazione è palpabile.

Mi guarda attentamente. «Anastasia Steele, sei la donna più testarda che conosca.» Chiude gli occhi di nuovo e scuote la testa, incredulo.

"Oh, è tornato." Faccio un lungo e purificante sospiro di sollievo.

Lui riapre gli occhi, e la sua espressione è desolata. Sincera. «Non stavi scappando?» mi chiede.

«No!»

Chiude gli occhi ancora una volta e tutto il suo corpo si rilassa. Quando li riapre, riesco a vedere il suo dolore e la sua angoscia.

«Pensavo...» Si ferma. «Questo sono io, Ana. Tutto ciò che sono... E sono tutto tuo. Che cosa devo fare per fartelo capire? Per dimostrarti che ti voglio in tutti i modi possibili. Che ti amo.»

«Anch'io ti amo, Christian, e vederti così...» Singhiozzo e le lacrime riprendono a scorrere. «Pensavo di averti spezzato.»

«Spezzato? Me? Oh, no, Ana. Proprio l'opposto.» Mi prende la mano. «Tu sei la mia ancora di salvezza» sussurra, e mi bacia le nocche prima di premere il mio palmo contro il suo.

Con gli occhi spalancati e pieni di paura, tira la mia mano verso di sé e se l'appoggia al petto, nella zona off-limits. Il suo respiro accelera. Il cuore gli batte a un ritmo frenetico, martellando sotto le mie dita. Lui non distoglie gli occhi dai miei; la sua mascella è tesa, i denti serrati.

Sussulto. "Oh, Christian!" Si sta lasciando toccare. Ed è come se tutta l'aria nei miei polmoni si fosse vaporizzata. Andata. Il sangue mi pompa nelle orecchie, mentre il ritmo del mio cuore accelera per adeguarsi al suo.

Mi libera la mano, lasciandola però sopra al suo petto. Io fletto leggermente le dita, percependo il calore della sua pelle sotto la stoffa fine della camicia. Sta trattenendo il fiato. Non posso tollerarlo. Faccio per togliere la mano.

«No» dice velocemente e copre la mia mano con la sua, premendosi le mie dita addosso. «Non farlo.»

Incoraggiata da queste parole, mi avvicino, in modo che le nostre ginocchia si tocchino e lentamente sollevo l'altra mano, perché sappia esattamente quello che ho intenzione di fare. I suoi occhi si allargano, ma non mi ferma.

Delicatamente, inizio a slacciargli i bottoni della camicia. È complicato con una mano sola. I miei occhi non lasciano i suoi mentre gliela apro, rivelando il torace.

Lui deglutisce, e le sue labbra si schiudono mentre il respiro si fa più veloce, e sento che il panico cresce in lui, ma non mi allontana. È ancora in modalità sottomesso? Non ne ho idea.

Posso? Non voglio fargli del male, né fisicamente né psicologicamente. La vista di lui che si offriva a me è stata un campanello d'allarme.

La mia mano indugia, di poco staccata dal suo torace, e lo fisso... chiedendogli il permesso. Quasi impercettibilmente, lui piega la testa di lato, facendosi coraggio in attesa del mio tocco, ed emana tensione, ma stavolta non è arrabbiato, ha paura.

Esito. Posso davvero fargli questo?

«Sì» dice lui d'un fiato, rispondendo ancora una volta a una mia domanda inespressa.

Distendo le dita tra i peli del suo petto, accarezzandoli leggermente, all'altezza dello sterno. Lui chiude gli occhi, e il suo viso si raggrinzisce, come se stesse provando un dolore insopportabile. È intollerabile da guardare, perciò allontano subito le dita, ma lui mi afferra veloce la mano e la riporta lì con fermezza, piatta sul suo torace nudo, tanto che i peli mi punzecchiano il palmo.

«No» dice, la voce tesa. «Ne ho bisogno.»

I suoi occhi sono serrati. Dev'essere un'agonia. È davvero un tormento guardarlo. Con cautela, lascio che le mie dita gli accarezzino il torace fino al cuore, meravigliandomi della sensazione di lui e temendo che questo possa essere un passo falso.

Lui apre gli occhi: sono un fuoco grigio, roventi nei miei.

"Porca miseria." Il suo sguardo è tagliente, selvaggio, più che intenso, e il suo respiro è rapido. Il sangue mi ribolle. Mi sento a disagio.

Non mi ha fermata, perciò faccio scorrere la punta delle dita sul suo petto. La sua bocca si distende. Sta ansimando, e non so se per paura o per qualcos'altro.

Desidero baciarlo *lì* da così tanto tempo che mi sporgo sulle ginocchia e mantengo gli occhi nei suoi per un momento, rendendo perfettamente chiare le mie intenzioni. Poi mi piego e delicatamente gli poso un bacio sul cuore, sentendo la sua pelle calda e profumata sotto le labbra.

Il suo gemito strozzato mi colpisce a tal punto che mi blocco, nel timore di quello che gli vedrò in faccia. I suoi occhi sono serrati, ma lui non si è mosso.

«Ancora» sussurra, e io mi piego verso il suo petto di nuovo, stavolta per baciare una delle sue cicatrici. Trasalisce, e gliene bacio un'altra, e un'altra. Lui geme forte, e all'improvviso le sue braccia sono intorno a me, e la sua mano è tra i miei capelli che mi tira dolorosamente su la testa, così che le mie labbra incontrino la sua bocca insistente. Ci baciamo, le mie dita intrecciate nei suoi capelli.

«Oh, Ana» sospira, e mi stringe e mi tira giù sul pavimento, sotto di lui. Sollevo le mani per incorniciare il suo bellissimo volto e, in questo momento, sento le sue lacrime.

"Sta piangendo... no. No!"

«Christian, per favore, non piangere. Facevo sul serio quando ho detto che non ti avrei mai lasciato. Sono qui. Se ti ho dato l'impressione di volermene andare, mi dispiace... Per favore, per favore, perdonami. Ti amo. Ti amerò per sempre.»

Incombe su di me, guardandomi in viso, e la sua espressione è così addolorata.

«Cosa c'è?»

I suoi occhi si dilatano.

«Qual è questo segreto per cui pensi che possa scappare a gambe levate? Che ti fa credere così fermamente che me ne andrei?» Lo prego con voce tremante. «Dimmelo, Christian, per favore...»

Lui si tira su a sedere, incrociando le gambe. Io faccio altrettanto. Mi chiedo distrattamente se saremo mai in grado di alzarci dal pavimento. Ma non voglio interrompere il flusso dei suoi pensieri. Finalmente sta per confidarsi con me.

Lui mi guarda, e ha un'aria totalmente distrutta. "Oh, no. Brutto segno."

«Ana...» Si ferma, cercando le parole, l'espressione addolorata... Dove diavolo ci porterà tutto questo?

Fa un respiro profondo e deglutisce. «Sono un sadico, Ana. Mi piace frustare le ragazze brune come te perché assomigliate alla puttana drogata... alla mia madre biologica. Immagino che tu possa capire perché.» Lo dice d'un fiato, come se avesse quella frase in testa da giorni e sentisse la voglia disperata di liberarsene.

Il mio mondo si ferma.

Non è quello che mi aspettavo. Questo è male. È male davvero. Lo guardo, cercando di capire le implicazioni di quello che ha appena detto. Questo spiega perché ci assomigliamo tutte.

Il mio primo pensiero è che Leila avesse ragione: "Il Padrone è oscuro".

Ricordo la prima conversazione che ho avuto con lui riguardo alle sue tendenze, quando eravamo nella Stanza Rossa delle Torture.

«Hai detto che non eri un sadico» sussurro, cercando disperatamente di capire, di trovargli una qualche scusante.

«No, ti ho detto che ero un Dominatore. Se ti ho mentito, è stata una bugia di omissione. Mi dispiace.» Abbassa gli occhi per un istante, sulle sue unghie curate.

Penso che sia mortificato. Mortificato per avermi mentito? O per via di ciò che è?

«Quando mi hai fatto quella domanda, immaginavo una relazione completamente diversa tra noi» mormora. Riesco a capire dal suo sguardo che è terrorizzato.

Poi un pensiero mi colpisce come un maglio demolitore. Se è un sadico, ha davvero bisogno di tutto quello schifo delle frustate e delle vergate. "Accidenti." Mi prendo la testa tra le mani.

«Dunque è così» sussurro, guardandolo. «Non posso darti quello di cui hai bisogno.» Questo è quanto. Significa che davvero siamo incompatibili.

Il mondo inizia a crollarmi addosso, collassando intorno a me mentre il panico mi afferra la gola. Questo è quanto. Non possiamo farlo.

Lui aggrotta le sopracciglia. «No, no, no. Ana. No. Tu puoi. Tu davvero mi dai ciò di cui ho bisogno.» Serra i pugni. «Per favore, credimi» mormora, nelle sue parole c'è una supplica appassionata.

«Non so cosa credere, Christian. È una situazione così incasinata» sussurro, la mia gola è arrochita e dolorante mentre si chiude, strozzandomi con le lacrime non versate.

I suoi occhi sono grandi e luminosi quando mi guarda ancora.

«Ana, credimi. Quando mi hai lasciato dopo che ti ho punito, la mia visione del mondo è cambiata. Non stavo scherzando quando ho detto che avrei evitato di sentirmi in quel modo un'altra volta.» Mi guarda con una dolorosa supplica. «Quando hai detto di amarmi, è stata una rivelazione. Non me l'aveva mai detto nessuno prima, ed è stato come se io avessi messo una pietra sopra a tutto, o forse come se tu avessi messo una pietra sopra a tutto, non lo so. Il dottor Flynn e io ne stiamo ancora discutendo.»

"Oh." Per un istante la speranza si allarga nel mio cuore. Forse staremo bene. Voglio che stiamo bene. "Non è così?" «Che cosa significa tutto questo?» sussurro.

«Significa che non ho bisogno di quelle cose. Non adesso.» "Che cosa?" «Come fai a saperlo? Come fai a esserne così sicuro?»

«Lo so e basta. Il pensiero di farti male... in qualsiasi modo reale... è aberrante per me.»

«Non capisco. E che ne è delle regole? Delle sculacciate e di tutte le perversioni sessuali?»

Fa scorrere una mano tra i capelli e sembra sul punto di sorridere, poi invece sospira mestamente. «Parlo di tutta la merda più pesante, Anastasia. Dovresti vedere cosa posso fare con un bastone o con un flagellatore.»

La mia bocca si spalanca, stupefatta. «Meglio di no.»

«Lo so. Se tu volessi fare quelle cose, allora andrebbe bene... Ma non vuoi e io lo accetto. Posso non fare tutte quelle stronzate con te, se non vuoi. Te l'ho già detto una volta, hai tutto il potere. E ora, da quando sei tornata, non sento più quell'impulso.»

Lo fisso a bocca aperta per un attimo cercando di assorbire tutto questo. «Quando ci siamo incontrati, era quello che volevi, giusto?»

«Sì, indubbiamente.»

«Come può il tuo impulso sparire e basta, Christian, come se io fossi una panacea, e tu fossi, diciamo così, guarito? Non riesco ad afferrarlo.»

Lui sospira ancora una volta. «Non direi guarito... Non mi credi?»

«È solo che lo trovo... incredibile. Il che è diverso.»

«Se tu non mi avessi lasciato, probabilmente non mi sentirei così. Il tuo allontanarti da me è stata la cosa migliore che tu abbia mai fatto... Per noi. Mi ha fatto capire quanto ti volessi. Solo te. E quando dico che ti vorrei in tutti i modi possibili, lo intendo davvero.»

Lo guardo. Posso credere a questo? Mi fa male la testa solo a pensarci, e dentro, nel profondo, mi sento... svuotata.

«Sei ancora qui. Pensavo che, a questo punto, te ne saresti già andata» sussurra.

«Perché? Perché potrei pensare che sei uno psicopatico che fustiga e si scopa le donne che assomigliano a sua madre? Che cosa ti ha dato quest'impressione?» sibilo.

Lui sbianca di fronte alle mie parole dure.

«Be', non l'avrei messa proprio in questi termini, ma... sì» dice. I suoi occhi sono grandi e feriti.

La sua espressione è pensierosa e rimpiango il mio sfogo. Aggrotto le sopracciglia, sentendomi pungere dalla colpa.

"Oh, che cosa farò?" Lo guardo e mi sembra contrito, sincero... Sembra il solito Christian.

E mi viene in mente la fotografia nella sua camera da ragazzo, e in questo istante capisco perché quella donna mi sembrasse così familiare. Assomigliava a lui. Doveva essere la madre biologica.

Ricordo il modo in cui l'ha liquidata: "Nessuno di importante...". È lei la responsabile di tutto questo... E io le assomiglio...

Lui mi fissa, gli occhi freddi, e so che sta aspettando la mia prossima mossa. Mi sembra sincero. Ha detto di amarmi, ma io sono davvero confusa.

È tutto un tale casino. Mi ha rassicurato riguardo a Leila, ma ora sono più che mai certa di sapere come lei era capace di eccitarlo. Il pensiero è spiacevole e sconfortante.

«Christian, sono esausta. Possiamo discuterne domani? Voglio andare a letto.»

Lui mi guarda e sbatte le palpebre, sorpreso. «Non te ne vai?»

«Vuoi che me ne vada?»

«No! Pensavo che te ne saresti andata, quando avessi saputo.»

Il pensiero di tutte le volte in cui lui ha accennato al fatto che me ne sarei andata una volta che avessi conosciuto i suoi più oscuri segreti mi saetta nella mente... E ora li conosco. "Merda. Il Padrone è oscuro."

Dovrei andarmene? Fisso quest'uomo folle che amo. Sì, amo.

Posso lasciarlo? L'ho fatto una volta, e il dolore ha quasi devastato me... e lui. Io lo amo. Lo so, nonostante questa rivelazione.

«Non lasciarmi» sussurra.

«Oh, devo gridarlo forte: no! Non me ne andrò!» urlo ed è catartico. Ecco, l'ho detto. Non me ne andrò.

«Davvero?» Sgrana gli occhi.

«Cosa devo fare per farti capire che non scapperò? Cosa posso dire?»

Lui mi guarda, rivelandomi ancora la sua paura e la sua angoscia. Deglutisce. «Una cosa che puoi fare c'è.»

«Cosa?» chiedo.

«Sposami» sussurra.

"Che cosa? Ha davvero detto…?"

Per la seconda volta in meno di mezz'ora il mio mondo vacilla.

"Porca miseria." Fisso l'uomo profondamente devastato che amo. Non posso credere a quello che ha appena detto.

"Sposarlo?" Mi sta proponendo di sposarlo? Scherza? Non posso farci niente… dal profondo mi sfugge una risatina nervosa, incredula, come un'eruzione. Mi mordo il labbro superiore per fermarmi prima che diventi una risata isterica su larga scala, ma fallisco miseramente. Giaccio supina sul pavimento e mi arrendo, ridendo come non ho mai riso prima, di una risata fragorosa, catartica e guaritrice.

E per un momento sono da sola, a guardare dall'alto questa situazione assurda, una ragazza sopraffatta dalle risate accanto a un bellissimo uomo disturbato. Mi copro il viso con il braccio, mentre lacrime calde mi salgono agli occhi. "No, no… questo è troppo."

Quando l'isteria svanisce, Christian mi solleva dolcemente il braccio dal volto. Io mi giro e lo guardo.

Torreggia su di me. La sua bocca ha una piega amaramente divertita, ma i suoi occhi sono di un grigio bruciante, forse feriti. "Oh, no."

Gentilmente mi asciuga una lacrima con le nocche. «Trovi che la mia proposta sia divertente, Miss Steele?»

"Oh, Christian!" Sollevo una mano e gli accarezzo la guancia con tenerezza, godendo della sensazione della sua barba corta sotto le mie dita. Dio, io amo quest'uomo.

«Mr Grey… Christian. Il tuo tempismo è senza dubbio…» Alzo gli occhi su di lui, non trovando la parola.

Mi fa un piccolo sorriso, ma le rughe intorno ai suoi occhi mi rivelano che è ferito. Mi colpisce.

«Così mi ferisci, Ana. Mi sposerai?»

Mi siedo e mi protendo verso di lui, appoggiando le mani sulle sue ginocchia. Fisso il suo viso adorabile. «Christian, ho incontrato la tua psicotica ex con una pistola, sono stata cacciata dal mio appartamento, mi sono ritrovata con te che diventavi un turbine...»

Apre la bocca per parlare, ma io alzo la mano. Lui, obbediente, richiude la bocca.

«Mi hai appena rivelato qualche informazione francamente scioccante riguardo a te stesso, e ora mi chiedi di sposarti.»

Lui muove la testa da una parte e dall'altra, come se stesse considerando i fatti. È divertito. Grazie al cielo.

«Sì, credo che sia un'analisi giusta e accurata» dice seccamente.

Scuoto la testa. «Cos'è successo all'appagamento ritardato?»

«L'ho superato, ora sono un deciso sostenitore dell'appagamento immediato. Carpe diem, Ana» mormora.

«Guarda, Christian, ti conosco da circa tre minuti, e ci sono ancora tante cose che devo sapere. Ho bevuto troppo, ho fame, sono stanca e voglio andare a letto. Ho bisogno di riflettere sulla tua proposta, proprio come ho avuto bisogno di riflettere sul contratto che mi hai dato. E, a essere sincera...» stringo le labbra per mostrargli il mio disappunto, ma anche per alleggerire l'atmosfera tra noi «... non è stata la proposta più romantica del mondo.»

Lui piega la testa di lato e le sue labbra si curvano in un sorriso. «Un punto per te, Miss Steele» sospira, nella sua voce c'è un certo sollievo. «Perciò non è un no?»

«No, Mr Grey, non è un no, ma non è neanche un sì. Me lo chiedi solo perché hai paura, e non ti fidi di me.»

«No, te lo chiedo perché ho finalmente trovato qualcuno con cui voglio passare il resto della mia vita.»

"Oh." Il mio cuore manca un battito e, dentro di me, mi sciolgo. Com'è possibile che, nel mezzo della più bizzarra delle situazioni, lui riesca a dire le cose più romantiche? La mia bocca si spalanca per lo stupore.

«Non avrei mai pensato che mi sarebbe capitato» continua. La sua espressione è un concentrato di sincerità.

Lo guardo a bocca aperta, cercando le parole giuste.

«Posso pensarci… per favore? E pensare anche a tutto quello che è successo oggi? A quello che mi hai appena detto? Mi hai chiesto pazienza e fiducia. Bene, chiedo le stesse cose a te, Grey. Ne ho bisogno adesso.»

I suoi occhi cercano i miei e, dopo un attimo, lui si protende verso di me e mi sistema una ciocca di capelli dietro l'orecchio.

«Posso farcela.» Mi bacia velocemente sulle labbra. «Non molto romantico, eh?» Inarca le sopracciglia e io gli rispondo scuotendo la testa per ammonirlo. «Cuori e fiori?» chiede dolcemente.

Io annuisco e lui accenna a un sorriso.

«Hai fame?»

«Sì.»

«Non hai mangiato.» I suoi occhi diventano di ghiaccio e la sua mascella si indurisce.

«No, non ho mangiato.» Mi siedo sui talloni e lo guardo con aria indifferente. «Essere cacciata dal mio appartamento dopo essere stata testimone dell'intima interazione del mio fidanzato con la sua ex Sottomessa mi ha considerevolmente guastato l'appetito.» Lo fisso truce e mi pianto i pugni chiusi sui fianchi.

Christian scuote la testa e si alza in piedi con grazia. "Oh, finalmente ci spostiamo dal pavimento." Mi porge la mano.

«Lascia che ti prepari qualcosa da mangiare» dice.

«Non possiamo andarcene a letto e basta?» mormoro stancamente mentre metto la mano nella sua.

Mi tira su. Sono indolenzita. Mi guarda dolcemente.

«No, hai bisogno di mangiare. Vieni.» Il Christian autoritario è tornato, ed è un sollievo.

Mi porta nella zona cucina e mi spinge verso uno sgabello del bancone, mentre lui va ad aprire il frigo. Do un'occhiata all'orologio: sono quasi le undici e mezzo. Domani mattina devo alzarmi per andare al lavoro.

«Christian, non ho poi tanta fame.»

Lui mi ignora apposta, mentre rovista nell'enorme frigorifero. «Formaggio?» mi chiede.

«Non a quest'ora.»

«Pretzel?»

«Freddi di frigorifero? No» esclamo.

Si volta verso di me e sorride. «Non ti piacciono i pretzel?»

«Non alle undici e mezzo di sera. Christian, vado a letto. Puoi startene lì a rovistare nel frigorifero per il resto della notte, se vuoi. Sono stanca, e ho avuto una giornata fin troppo impegnativa. Una giornata che vorrei dimenticare.» Scivolo giù dallo sgabello e lui mi lancia uno sguardo di rimprovero, ma in questo momento non me ne importa. Voglio andare a letto. Sono esausta.

«Maccheroni al formaggio?» Solleva una ciotola bianca coperta da un foglio d'alluminio. Sembra così speranzoso e tenero.

«Ti piacciono i maccheroni al formaggio?» chiedo.

Lui annuisce entusiasta, e il mio cuore si scioglie. All'improvviso sembra così giovane. Chi l'avrebbe detto? A Christian Grey piace il cibo da bambini.

«Ne vuoi un po'?» mi chiede. Non posso resistergli, e poi sono affamata.

Annuisco e gli faccio un debole sorriso. Il sorriso che mi fa lui in risposta è mozzafiato. Toglie il foglio d'alluminio dalla ciotola e la infila nel microonde. Io mi siedo di nuovo sullo sgabello e osservo quella bellezza che è Mr Christian Grey, l'uomo che vuole sposarmi, che si muove con grazia e a suo agio per la cucina.

«Allora sai usare il microonde?» lo prendo in giro dolcemente.

«Se il cibo è confezionato, di solito riesco a farci qualcosa. È con quello vero che ho problemi.»

Non riesco a credere che questo sia lo stesso uomo che era in ginocchio davanti a me nemmeno mezz'ora fa. È il solito lunatico. Dispone i piatti, le posate e le tovagliette sul bancone.

«È molto tardi» borbotto.

«Non andare a lavorare domani.»

«Io devo andare a lavorare domani. Il mio capo è in partenza per New York.»

Christian si acciglia. «Vuoi andarci questo fine settimana?»

«Ho controllato le previsioni del tempo e pare che pioverà» dico scuotendo la testa.

«Oh, allora che cosa ti va di fare?»

Il trillo del microonde annuncia che la nostra cena è riscaldata.

«In questo momento voglio solo affrontare un giorno alla volta. Tutta questa eccitazione è... sfiancante.» Alzo un sopracciglio, che lui giudiziosamente ignora.

Christian posa la ciotola tra i nostri due posti e si siede accanto a me. Pare immerso nei suoi pensieri, distratto. Distribuisco i maccheroni nei piatti. Hanno un profumo divino, e mi viene l'acquolina. Improvvisamente ho una fame da lupo.

«Mi dispiace per Leila» mormora.

«Perché?» Mmh... il sapore dei maccheroni è ottimo tanto quanto il profumo. Il mio stomaco brontola grato.

«Dev'essere stato uno shock terribile per te trovarla nel tuo appartamento. Taylor lo aveva controllato prima. È molto turbato.»

«Non biasimo Taylor.»

«Nemmeno io. È stato fuori a cercarti.»

«Davvero? Perché?»

«Non sapevo dove fossi. Hai lasciato la borsa, il telefono in macchina. Non potevo neppure rintracciarti. Dove sei andata?» mi chiede. La sua voce è dolce, ma c'è un sottofondo inquietante nelle sue parole.

«Ethan e io siamo semplicemente andati nel bar dall'altra parte della strada. Così potevo guardare cosa succedeva.»

«Capisco.» L'atmosfera tra noi è cambiata sottilmente. Non è più leggera.

"Okay, bene... possiamo giocare in due a questo gioco. Aspetta che ti rendo la pariglia, Christian." Cerco di assumere un tono noncurante, volendo alleviare la mia bruciante curiosità ma temendo la risposta, e chiedo: «E tu cos'hai fatto con Leila nell'appartamento?».

Lo guardo, e lui si blocca con la forchettata di maccheroni sospesa a mezz'aria. "Oh, no, questo non va bene."

«Vuoi saperlo davvero?»

Un nodo mi stringe lo stomaco e l'appetito sparisce. «Sì» sussurro. "Lo vuoi? Lo vuoi davvero?" La mia vocina mostra tutto lo sgomento e l'orrore.

La bocca di Christian si tende in una linea. Lui esita. «Abbiamo parlato, e le ho fatto un bagno.» La sua voce è roca. Viso che io non replico, aggiunge in fretta: «E le ho fatto indossare qualcuno dei tuoi vestiti. Spero che non ti dispiaccia. Era sporca».

"Accidenti. Le ha fatto il bagno?"

Che cosa inappropriata. Vacillo, fissando i maccheroni che non ho mangiato. La loro vista adesso mi nausea.

"Cerca di razionalizzarlo" mi suggerisce la vocina. Una parte del mio cervello sa che Christian lo ha fatto solo perché Leila era sporca. Ma è troppo dura. La me stessa fragile e gelosa non riesce a tollerarlo.

All'improvviso voglio piangere. Ma non soccombere alle lacrime in modo composto, lasciandomi rigare le guance decorosamente. Voglio ululare alla luna singhiozzando. Faccio un respiro profondo per sopprimere questo impulso, ma ho la gola arida e dolorante per il pianto e i singhiozzi trattenuti.

«Era tutto ciò che potevo fare, Ana» mi dice dolcemente. «Provi ancora dei sentimenti per lei?»

«No!» esclama, sgomento, e chiude gli occhi, la sua espressione è angosciata. Io mi volto, fissando il cibo che mi fa rivoltare lo stomaco. Non sopporto di guardare Christian.

«L'ho vista così... così diversa, così distrutta. Tengo a lei, come ogni essere umano tiene a un altro.» Scrolla le spalle come per togliersi di dosso un ricordo spiacevole. Accidenti, si aspetta la mia comprensione?

«Ana, guardami.»

Non posso. So che se lo facessi scoppierei a piangere. Questo è davvero troppo da mandar giù. Sono come una tanica di benzina traboccante, piena al di là della sua capacità. Non ci sta più nient'altro. Semplicemente, non ce la faccio a sopportare qualche altra stronzata. Prenderei fuoco ed esploderei, e sarebbe orribile. Accidenti!

Christian che si prende cura della sua ex Sottomessa in un modo così intimo. L'immagine guizza nel mio cervello. Lui le fa il bagno, maledizione... e lei è nuda. Un brivido doloroso mi squassa il corpo.

«Ana.»

«Cosa?»

«Non significa niente. È stato come prendersi cura di un bambino, un bambino distrutto» mormora.

Che diavolo ne sa lui di come ci si prende cura di un bambino? Quella era una donna con cui ha avuto un'intensa relazione sessuale depravata.

"Oh, fa male." Faccio un lungo respiro per riprendere l'equilibrio. O forse lui si sta riferendo a se stesso. È lui il bambino distrutto. Questo ha più senso... o forse non ha affatto senso. Tutto ciò è così folle, e all'improvviso io sono stanchissima. Ho bisogno di dormire.

«Ana?»

Mi alzo, porto il mio piatto nel lavello, butto gli avanzi nella pattumiera.

«Ana, per favore.»

Mi giro e lo guardo. «Smettila, Christian! Smettila di dire: "Ana, per favore!"» gli grido, e le lacrime iniziano a scorrermi sul viso. «Ne ho abbastanza di tutta questa merda per oggi. Sto andando a letto. Sono stanca ed emotivamente provata. Ora lasciami perdere.»

Giro i tacchi e praticamente scappo in camera da letto, portando con me il ricordo dei suoi grandi occhi che mi fissano sconvolti. Posso sconvolgerlo anch'io: buono a sapersi. Mi tolgo i vestiti in fretta e furia, e dopo aver rovistato nel suo cassetto, tiro fuori una T-shirt e vado in bagno.

Mi fisso allo specchio, e stento a riconoscermi nell'ombra scarna, con gli occhi rossi e le guance chiazzate, che mi fissa. È troppo. Mi affloscio sul pavimento e mi arrendo all'emozione schiacciante che non posso più contenere, abbandonandomi a singhiozzi squassanti e lasciando finalmente scorrere le lacrime senza controllo.

15

«Ehi» mi dice Christian dolcemente e mi attira a sé. «Per favore, Ana, non piangere» mi prega. È sul pavimento del bagno, e io gli sono seduta in grembo. Lo circondo con le braccia e piango contro il suo collo. Lui sussurra gentile tra i miei capelli, e mi accarezza la schiena, la testa.

«Mi dispiace, piccola» sussurra, il che mi fa piangere ancora di più e abbracciarlo più stretto.

Restiamo lì seduti per sempre. Alla fine, quando ho pianto tutte le mie lacrime, Christian si alza, reggendomi tra le braccia, e mi porta nella sua stanza, dove mi depone sul letto. In pochi secondi è accanto a me e le luci sono spente. Mi attira a sé, tenendomi stretta, e io finalmente scivolo in un sonno oscuro e tormentato.

Mi sveglio di soprassalto. Mi gira la testa e ho troppo caldo. Christian è avvinghiato a me come un rampicante. Borbotta nel sonno mentre mi sfilo dal suo abbraccio, ma non si sveglia. Mi tiro su a sedere e guardo l'ora. Sono le tre del mattino. Ho bisogno di un'aspirina e di bere. Scivolo fuori dal letto e vado in cucina.

Nel frigorifero trovo un cartone di succo d'arancia e me ne verso un bicchiere. Mmh… è delizioso, e il cerchio alla testa si placa immediatamente. Frugo nella credenza alla ricerca di un analgesico e trovo una scatola di plastica piena di medicinali. Prendo due aspirine e mi verso un altro bicchiere di succo d'arancia.

Mi avvicino alla grande vetrata e guardo Seattle che dorme. Le luci brillano e ammiccano sotto il castello in cielo di Christian, o dovrei dire la sua fortezza? Premo la fronte contro il vetro freddo. È un sollievo. Ho tanto a cui pensare dopo tutte le rivelazioni di ieri. Mi giro, appoggiandomi con la schiena alla vetrata, e scivolo a terra. Il salone ha un aspetto cupo, l'unica luce proviene dalle tre lampade sopra l'isola della cucina.

Potrei mai vivere qui sposata con Christian? Dopo tutto quello che lui ha fatto qui? Con tutta la storia che questo posto nasconde per lui?

Matrimonio. È quasi incredibile e completamente inaspettato. Ma allora, qualsiasi cosa riguardo a Christian è inaspettata. Cinquanta Sfumature di tenebra.

Il mio sorriso svanisce. Assomiglio a sua madre. Questo mi ferisce profondamente, e all'improvviso mi manca l'aria. Assomigliamo tutte a sua madre.

Come diavolo faccio ad andare avanti dopo questa rivelazione? Non mi stupisce che non volesse dirmelo. Ma sicuramente non può ricordarsi molto di sua madre. Mi domando se dovrei parlarne con il dottor Flynn. Christian me lo permetterà? Forse lui potrebbe colmare le lacune.

Scuoto la testa. Mi sento stanca del mondo, ma mi piace la calma serenità del salone e le sue bellissime opere d'arte: fredde e austere, ma a loro modo meravigliose nell'ombra, e sicuramente di grandissimo valore. Potrei vivere qui? Nella buona e nella cattiva sorte? In salute e in malattia? Chiudo gli occhi e appoggio la testa contro il vetro, facendo un respiro profondo, purificatore.

La tranquillità pacifica viene lacerata da un urlo viscerale, primordiale, che mi fa rizzare i capelli in testa e scattare sull'attenti. "Christian! Cosa succede?" Balzo in piedi e raggiungo di corsa la camera da letto prima che l'eco di quell'orribile suono sia svanito, il cuore che mi martella per la paura.

Premo uno dei due interruttori della luce. Christian si sta rigirando nel letto, contorcendosi in agonia. «No!» Urla di nuovo, e quel suono inquietante, devastante, mi trafigge.

"Oh, no... un incubo!"

«Christian!» mi chino su di lui, lo prendo per una spalla, e lo scuoto per svegliarlo. Lui apre gli occhi, stravolti e vacui, che perlustrano rapidamente la stanza vuota prima di fermarsi su di me.

«Te ne sei andata, te ne sei andata, devi essertene andata» borbotta, e il suo sguardo stralunato diventa uno sguardo d'accusa. Lui ha un'aria così persa che mi strazia il cuore. Povero Christian.

«Sono qui.» Mi siedo sul letto di fianco a lui. «Sono qui» mormoro dolcemente nel tentativo di rassicurarlo. Gli appoggio il palmo della mano sul volto, cercando di tranquillizzarlo.

«Te n'eri andata» sussurra affannosamente. I suoi occhi sono ancora stravolti e spaventati, ma sembra che si stia calmando.

«Sono andata a prendere da bere. Avevo sete.»

Lui chiude gli occhi e si stropiccia il viso. Quando li riapre, sembra così afflitto.

«Sei qui. Oh, grazie a Dio.» Mi afferra e mi attira accanto a sé.

«Sono andata solo a bere» mormoro.

"Oh, l'intensità della sua paura... riesco a sentirla." La sua T-shirt è madida di sudore, e il suo cuore martella mentre lui mi abbraccia forte. Mi sta fissando come per rassicurarsi che sono davvero lì. Gli accarezzo dolcemente i capelli e poi la guancia.

«Christian, sono qui. Non vado da nessuna parte» dico cercando di calmarlo.

«Oh, Ana» dice in un sospiro. Mi prende il mento per tenermi fermo il viso e poi la sua bocca è sulla mia. Il desiderio lo attraversa, e il mio corpo risponde spontaneamente. È così legato e in sintonia con il suo. Le sue labbra sono sul mio orecchio, sulla mia gola, poi di nuovo sulla bocca; i denti che mordono delicatamente il mio labbro inferiore, la sua mano che percorre il mio corpo dal fianco al seno, infilandosi sotto la T-shirt. Accarezzandomi e insinuandosi nei meandri del mio corpo, lui mi strappa la solita, familiare reazione; il suo tocco mi manda brividi ovunque. Gemo mentre la sua mano racchiude il mio seno in una coppa e le sue dita si stringono sul capezzolo.

«Ti voglio» mormora.

«Sono qui per te. Solo per te, Christian.»

Lui geme e mi bacia ancora una volta, appassionatamente, con un fervore e una disperazione che non gli avevo mai sentito prima. Afferro l'orlo della sua T-shirt e gliela tiro su; lui mi aiuta, sfilandosela dalla testa. Poi, inginocchiandosi tra le mie gambe, mi fa alzare in fretta e sfila anche la mia T-shirt.

I suoi occhi sono seri, pieni di desiderio e di oscuri segreti… rivelati. Mi prende il viso tra le mani e mi bacia, ed entrambi sprofondiamo di nuovo sul letto, la sua coscia tra le mie, così che per metà è sopra di me. La sua erezione preme contro il mio fianco, attraverso i boxer. Mi vuole, ma le parole che mi ha detto riguardo a sua madre scelgono questo momento per tornare a tormentarmi… Ed è come una secchiata di acqua fredda sulla mia libido. "Accidenti. Non posso farlo. Non ora."

«Christian… fermati. Non posso» sussurro con urgenza contro la sua bocca, la mia mano che preme sul suo avambraccio.

«Cosa? Cosa c'è che non va?» mormora e inizia a baciarmi il collo, facendo correre la punta della lingua leggera giù per la mia gola. "Oh…"

«No, per favore. Non posso farlo, non ora. Ho bisogno di tempo, per favore.»

«Oh, Ana, non pensare troppo a quello» sussurra mentre mi mordicchia il lobo.

«Ah!» Sussulto, sentendolo nel mio basso ventre, e il mio corpo si inarca, tradendomi. Sono così disorientata.

«Io sono quello di prima, Ana. Ti amo e ho bisogno di te. Toccami. Per favore.» Strofina il suo naso contro il mio, e la sua supplica sincera mi commuove e mi fa sciogliere.

"Toccarlo. Toccarlo mentre facciamo l'amore. Oddio."

Si erge su di me, guardandomi negli occhi, e nella penombra della debole lampada sul comodino riesco a capire che sta aspettando la mia decisione, ed è catturato dalla mia magia.

Esitante, alzo una mano e accarezzo la morbida peluria sopra il suo sterno. Lui sussulta e stringe gli occhi come se sentisse dolore, ma stavolta non tolgo la mano. La sposto sulla sua spalla, sentendo il tremito che lo percorre tutto. Geme, e io lo attiro verso di me, e appoggio tutte e due le mani sulla sua schiena, dove non l'ho mai toccato prima, sulle sue scapole, trattenendolo. Il suo gemito strozzato mi eccita come mai prima d'ora.

Nasconde la testa contro il mio collo, baciandolo, succhiandolo, mordendolo, prima di percorrerlo con il naso fino al mio mento, baciandomi ancora. La sua lingua si impadronisce della mia bocca, le sue mani si muovono su tutto il mio corpo, di nuovo. Le sue labbra scendono... scendono... e scendono sul mio seno, adoranti, e le mie mani rimangono sulle sue spalle e sulla sua schiena, a gustarsi il guizzare dei suoi muscoli finemente cesellati, la pelle ancora sudata dopo l'incubo. Le sue labbra si chiudono sul mio capezzolo, tirandolo e succhiandolo, tanto che questo si solleva per incontrare la sua bocca stupenda ed esperta.

Gemo e faccio correre le unghie sulla sua schiena. Lui ansima. Un singhiozzo strozzato.

«Oh, cazzo, Ana» boccheggia, a metà tra il lamento e il gemito. Mi si stringe il cuore, ma, al tempo stesso, ogni muscolo sotto il girovita si tende. "Oh, cosa gli farei!" Adesso ansimo, all'unisono con lui.

La sua mano scende sulla mia pancia, e più sotto, proprio *lì*, e le sue dita sono su di me, poi dentro di me. Ansimo mentre lui muove le dita in circolo, e spingo il bacino verso l'alto per accogliere le sue carezze.

«Ana» sussurra. All'improvviso si stacca da me e si mette seduto. Si toglie i boxer e si protende verso il comodino per prendere la bustina del preservativo. I suoi occhi sono di un grigio ardente mentre me la passa. «Lo vuoi fare? Puoi ancora dire di no. Puoi sempre dire di no» mormora.

«Non darmi la possibilità di pensare, Christian. Anch'io ti desidero.» Apro la bustina con i denti, mentre lui si china tra le mie gambe, e con dita tremanti gli infilo il preservativo.

«Attenta» mi dice. «Così mi smonti, Ana.»

Mi meraviglio di quello che posso fare a quest'uomo toccandolo. Si allunga verso di me, e per il momento scaccio i miei dubbi e li rinchiudo nei recessi della mente. Sono intossicata da quest'uomo, il mio uomo, il mio Christian. Lui si sposta all'improvviso, cogliendomi del tutto di sorpresa, e io mi trovo sopra di lui. "Wow!"

«Prendimi tu» mormora, i suoi occhi brillano di un'intensità selvaggia.

"Oddio." Lentamente, oh, molto lentamente, affondo sopra di lui. Christian getta la testa all'indietro, chiude gli occhi e geme. Gli prendo le mani e inizio a muovermi, crogiolandomi nella pienezza del possesso, godendo della sua reazione, osservandolo mentre ansima sotto di me. Mi sento una dea. Mi protendo su di lui e gli do un bacio sul mento, facendo correre i denti lungo la sua mascella coperta da un accenno di barba. Il sapore è delizioso. Lui mi afferra i fianchi e stabilizza il mio ritmo, lento e disinvolto.

«Ana, toccami... ti prego.»

"Oh." Mi chino in avanti e mi tengo in equilibrio con le mani sul suo torace. Lui grida, e il suo grido è quasi un singhiozzo, e si spinge ancora più profondamente dentro di me.

«Ah» gemo e faccio scorrere delicatamente le unghie sul suo petto, tra i suoi peli. Lui mugola forte e si contorce, e all'improvviso sono ancora una volta sotto di lui.

«Basta» ansima. «Basta, per favore.» Ed è una supplica che viene dal cuore.

Gli prendo il volto tra le mani, sentendo che le sue guance sono bagnate, e lo attiro verso le mie labbra, per poterlo baciare. Le mie mani scivolano sulla sua schiena.

Il suo gemito è profondo e basso, gutturale, mentre lui si muove dentro di me, spingendo, ma io non riesco a venire. La mia mente è annebbiata dai problemi. Sono troppo concentrata su di lui.

«Lasciati andare, Ana» mi dice.

«No.»

«Sì!» esclama. Si muove piano, facendo roteare i fianchi, ripetutamente.

"Accidenti... ah!"

«Avanti, piccola, ne ho bisogno. Vieni con me.»

Esplodo, il mio corpo è schiavo del suo; mi avvolgo intorno a lui, aggrappata come un rampicante mentre lui grida il mio nome, e viene con me, per poi lasciarsi andare, con tutto il suo peso, premendomi contro il materasso.

Cullo Christian tra le braccia, la sua testa sul mio petto, mentre restiamo sdraiati nel piacevole ricordo del rapporto appena consumato. Faccio scorrere le dita tra i suoi capelli e ascolto il suo respiro tornare normale.

«Non lasciarmi mai» sussurra, e io alzo gli occhi al cielo, nella consapevolezza che non può vedermi.

«So che stai alzando gli occhi» mormora, e sento una punta di ilarità nella sua voce.

«Mi conosci bene» replico piano.

«Vorrei conoscerti meglio.»

«E io vorrei conoscere meglio te, Grey. Cosa c'era nel tuo incubo?»

«Il solito.»

«Raccontamelo.»

Lui deglutisce e s'irrigidisce prima di emettere un lungo sospiro. «Devo avere all'incirca tre anni, e il magnaccia della puttana drogata è di nuovo fuori di sé. Fuma, una sigaretta dopo l'altra, e non riesce a trovare il posacenere.» Si ferma, e io rabbrividisco mentre il gelo mi afferra il cuore.

«Fa male» dice. «È il dolore che ricordo. È quello che mi fa avere gli incubi. Quello, e il fatto che lei non facesse niente per fermarlo.»

"Oh, no. È insopportabile." Mi stringo di più a lui, le mie gambe e le mie braccia lo tengono saldamente contro di me, e cerco di non lasciare che la disperazione che provo mi soffochi. Come si può trattare un bambino in quel modo? Lui alza la testa e mi tiene avvinta con il suo intenso sguardo grigio.

«Tu non sei come lei. Non pensarlo neanche per un istante. Per favore.»

Lo guardo e sbatto le palpebre. È davvero rassicurante sentirlo. Riappoggia la testa sul mio petto e penso che abbia finito, invece prosegue, sorprendendomi.

«Qualche volta nei miei sogni lei è distesa sul pavimento, e penso che stia dormendo. Ma non si muove. Non si muove mai. E io ho fame. Sono davvero affamato.»

"Porca miseria."

«C'è un rumore sonoro e lui è di ritorno, e mi colpisce forte, imprecando contro la puttana. La sua prima reazione era sempre quella di usare i pugni o la cintura.»

«È per questo che non ti piace essere toccato?»

Chiude gli occhi e si stringe ancora di più a me. «È complicato» mormora. Si struscia contro il mio seno, inspirando profondamente, cercando di distrarmi.

«Rispondimi» lo incalzo.

Lui sospira. «Lei non mi voleva bene. Io non ne volevo a lei. Il solo modo di toccare che conoscevo era... violento. Viene tutto da lì. Flynn lo spiega meglio di me.»

«Posso vedere Flynn?»

Lui alza la testa e mi guarda. «Mr Cinquanta Sfumature ti sta contagiando?»

«Molto di più. Mi piace come mi sta contagiando in questo momento.» Sotto di lui, mi dimeno in modo provocante e Christian sorride.

«Sì, Miss Steele, piace anche a me.» Si tira su e mi bacia. I nostri sguardi restano agganciati per un momento.

«Sei così preziosa per me, Ana. Facevo sul serio riguardo al matrimonio. Potremo conoscerci meglio, così. Io mi prenderò cura di te e tu potrai prenderti cura di me. Potremo avere dei bambini, se vorrai. Metterò il mondo ai tuoi piedi, Anastasia. Ti desidero, corpo e anima, per sempre. Per favore, pensaci.»

«Ci penserò, Christian. Lo farò» lo rassicuro, vacillando ancora. "Bambini? Accidenti." «Mi piacerebbe davvero molto parlare con il dottor Flynn, sempre che non ti dispiaccia.»

«Qualsiasi cosa per te, piccola. Qualsiasi. Quando vorresti vederlo?»

«Il prima possibile.»

«Okay. Domani mattina prenderò un appuntamento.» Lancia un'occhiata all'orologio. «È tardi. Dovremmo dormire.» Allunga una mano per spegnere la luce e mi attira contro di sé.

Guardo la sveglia. "Merda." Sono le tre e quarantacinque.

Lui stringe le braccia intorno a me, abbracciandomi da dietro, e si strofina contro il mio collo. «Ti amo, Ana Steele, e ti voglio al mio fianco, sempre» mormora e mi bacia sul collo. «Ora dormi.»

Chiudo gli occhi.

Riluttante, sollevo le palpebre pesanti e una luce forte riempie la stanza. Piagnucolo. Mi sento intorpidita, disconnessa dalle mie membra di piombo, e Christian è avvinghiato a me come l'edera. Come sempre, ho troppo caldo. Non può essere più tardi delle cinque di mattina. La sveglia non è ancora suonata. Mi muovo per dissipare un po' di calore, girandomi tra le sue braccia, e lui borbotta qualcosa di incomprensibile nel sonno. Guardo l'orologio. Le otto e quarantacinque.

"Accidenti, farò tardi al lavoro!" Scendo di corsa dal letto e mi fiondo in bagno. In meno di cinque minuti ho fatto la doccia.

Christian è seduto sul letto e mi osserva, con divertimento e diffidenza malcelati, mentre finisco di asciugarmi e prendo i vestiti. Forse sta aspettando che reagisca alle sue rivelazioni di ieri. In questo preciso momento non ho tempo.

Controllo i miei indumenti. Pantaloni neri, camicetta nera. Fanno molto Mrs Robinson, ma non ho tempo per cambiare idea. In fretta, indosso reggiseno e mutandine nere, sapendo che lui sta osservando ogni mia mossa. È... inquietante. La lingerie è okay.

«Stai bene» mugola Christian dal letto. «Puoi chiamare e dire che sei malata, lo sai.» Mi fa quel suo sorriso di traverso, devastante, assolutamente erotico. Oh, è una tentazione così forte. La mia dea interiore mi fa il broncio provocatoriamente.

«No, Christian, non posso. Non sono un amministratore delegato megalomane con un bellissimo sorriso, che può andare e venire a suo piacimento.»

«Adoro venire a mio piacimento.» E il suo meraviglioso sorriso raggiunge la perfezione di un film in alta definizione.

«Christian!» lo rimprovero. Gli getto addosso l'asciugamano e lui ride.

«Bellissimo sorriso, eh?»

«Sì. Lo sai che effetto mi fa.» Mi metto l'orologio.

«Davvero?» Sbatte le palpebre con aria innocente.

«Sì che lo sai. Lo stesso effetto che fa su tutte le donne. È davvero irritante vederle andare in estasi.»

«Ah, sì?» Inarca un sopracciglio, ancora più divertito.

«Non fare l'innocente, Mr Grey, non ti si addice» borbotto distrattamente mentre mi accioncio i capelli in una coda e mi infilo le scarpe nere con il tacco alto. Ecco, così ci siamo.

Quando mi chino per salutarlo con un bacio, lui mi afferra e mi attira sul letto, stendendosi su di me, con un sorriso da un orecchio all'altro. "Oddio." È così bello: occhi pieni di malizia, capelli arruffati, sorriso abbagliante. Adesso è giocoso.

Io sono stanca, ancora scossa dalle rivelazioni di ieri, mentre lui è arzillo e sexy da morire. "Oh, mio esasperante Mr Cinquanta Sfumature!"

«Cosa posso fare per convincerti a rimanere?» mi chiede con dolcezza, e il mio cuore manca un battito e poi inizia ad accelerare. È la tentazione personificata.

«Non puoi fare nulla» mormoro, divincolandomi per tirarmi su a sedere. «Lasciami andare.»

Fa il broncio e io mi arrendo. Sorridendo, sfioro con le dita le sue labbra scolpite. Lo amo con tutti i suoi colossali casini. Non ho neppure iniziato a esaminare gli eventi di ieri e il mio stato d'animo in proposito.

Lo bacio, ringraziando Dio di essermi lavata i denti. Lui risponde con un bacio lungo e pieno di passione, poi, velocemente, mi rimette in piedi, lasciandomi stordita, senza fiato e leggermente tremante.

«Taylor ti accompagnerà. È più veloce che cercare posto per il parcheggio. Ti sta aspettando fuori» mi dice Christian, gentile, e sembra sollevato. Temeva per la mia reazione di stamattina? Di certo stanotte... ehm, stamattina... gli ho provato che non sto per scappare.

«Okay. Grazie» mormoro, delusa di essere in piedi, e vagamente irritata di non poter guidare la mia SAAB. Ma ha ragione, ovviamente. Farò prima con Taylor.

«Goditi la tua mattinata di riposo, Mr Grey. Mi piacerebbe restare, ma il proprietario della società per cui lavoro potrebbe non approvare che i suoi impiegati non vadano in ufficio solo per un po' di sesso.» Prendo la borsa.

«Personalmente, Miss Steele, non ho dubbi che approverebbe. In effetti potrebbe insistere su questo punto.»

«Perché te ne stai a letto? Non è da te.»

Lui incrocia le mani dietro la testa e mi sorride.

«Perché posso, Miss Steele.»

Scuoto la testa. «A più tardi, piccolo.» Gli soffio un bacio e sono fuori dalla porta.

Taylor mi sta aspettando e sembra aver capito che sono in ritardo, visto che guida come un pazzo e mi lascia davanti all'ufficio alle nove e un quarto. Gli sono grata quando accosta. Di essere viva. La sua guida mi ha spaventata. E grata di non essere terribilmente in ritardo... solo quindici minuti.

«Grazie, Taylor» mormoro, bianca in volto. Ricordo che Christian mi ha detto che guidava carri armati. Forse partecipa anche a gare automobilistiche.

«Ana.» Mi saluta con un cenno della testa, e io schizzo in ufficio, rendendomi conto, quando apro la porta della reception, che Taylor sembra aver superato la formalità del Miss Steele. La cosa mi fa sorridere.

Claire mi saluta con un ampio sorriso e io corro attraverso la reception per raggiungere la mia scrivania.

«Ana!» mi chiama Jack. «Vieni qui.»

"Oh, merda."

«È questa l'ora di arrivare?» esclama.

«Mi dispiace, non mi sono svegliata in tempo.» Arrossisco.

«Che non succeda più. Preparami un caffè, e poi ho bisogno che mi scrivi alcune lettere. Sbrigati» grida, facendomi sobbalzare.

Perché è così arrabbiato? Che cosa gli ho fatto? Corro in cucina e gli preparo il caffè. Forse non sarei dovuta venire. In questo momento avrei potuto essere... be', avrei potuto fare qualcosa di molto eccitante con Christian, o fare colazione con lui, o anche solo parlare. Questa sarebbe stata una novità.

Jack a stento si accorge di me quando rientro nel suo ufficio per portargli il caffè. Mi mette bruscamente sotto il naso un foglio, scritto a mano, in una calligrafia a malapena leggibile.

«Batti questa lettera al computer e riportamela da firmare, poi mandane una copia a tutti i nostri autori.»

«Sì, Jack.»

Non alza gli occhi quando esco. Dio, se è arrabbiato!

È con un certo sollievo che finalmente mi siedo alla scrivania. Bevo un sorso di tè mentre aspetto che il computer si accenda. Controllo le mail.

Da: Christian Grey
A: Anastasia Steele
Data: 15 giugno 2011 9.05
Oggetto: Mi manchi

Per favore, usa il tuo BlackBerry.
x

Christian Grey
Amministratore delegato, Grey Enterprises Holdings Inc.

Da: Anastasia Steele
A: Christian Grey
Data: 15 giugno 2011 9.27
Oggetto: Buon per te

Il mio capo è furioso.
È colpa tua che mi hai fatto tirare tardi con le tue… bricconate.
Dovresti vergognarti.

Anastasia Steele
Assistente di Jack Hyde, Direttore editoriale, SIP

Da: Christian Grey
A: Anastasia Steele
Data: 15 giugno 2011 9.32
Oggetto: Bricconate?

Non devi lavorare, Anastasia.
Non hai idea di quanto le mie bricconate
mi facciano inorridire.
Ma mi piace tenerti alzata fino a tardi ;)
Per favore, usa il BlackBerry.
Oh, e sposami, per favore.

Christian Grey
Amministratore delegato, Grey Enterprises Holdings Inc.

Da: Anastasia Steele
A: Christian Grey
Data: 15 giugno 2011 9.35
Oggetto: Devi guadagnartelo

Conosco la tua naturale
propensione a darmi il tormento,
ma ora smettila.
Devo parlare con il tuo strizzacervelli.
Solo allora potrò darti la mia risposta.
Non sono contraria a vivere
nel peccato.

Anastasia Steele
Assistente di Jack Hyde, Direttore editoriale, SIP

Da: Christian Grey
A: Anastasia Steele
Data: 15 giugno 2011 9.40
Oggetto: BLACKBERRY

Anastasia, se devi iniziare a discutere del
dottor Flynn, allora USA IL BLACKBERRY.
Questa non è una richiesta.

Christian Grey
Amministratore delegato, Ora Contrariato,
Grey Enterprises Holdings Inc.

"Oh, no. Adesso si è arrabbiato anche lui. Be', può fare
fuoco e fiamme, per quel che me ne importa." Prendo il
BlackBerry dalla borsa e lo guardo scettica. In quel momento, si mette a suonare. Non riesce a lasciarmi in pace?

«Sì?» rispondo secca.

«Ana, ciao…»

«José! Come stai?» Oh, che bello sentire la sua voce.

«Sto bene, Ana. Senti, ti vedi ancora con quel Grey?»

«Ehm… sì… perché?» Dove vuole arrivare?

«Bene, ha comprato tutte le tue foto, e pensavo che potrei
portarle io a Seattle. La mostra chiude giovedì, perciò potrei
recapitarvele venerdì sera. E magari potremmo bere qualcosa insieme. A dire la verità, speravo anche di trovare un
posto dove fermarmi per la notte.»

«José, è fantastico. Sì, sono sicura che possiamo organizzare qualcosa. Lasciami parlare con Christian e ti richiamo, okay?»

«Ottimo! Aspetto una tua chiamata. Ciao, Ana.»

«Ciao.»

Accidenti. Non ho più visto né sentito José dall'inaugurazione della sua mostra. Non gli ho neppure chiesto com'è
andata e se ha venduto altre fotografie. Bell'amica sono.

E così potrei passare il venerdì sera con José. Christian sarà d'accordo? Mi rendo conto che mi sto mordendo il labbro fino a farmi male. Quell'uomo usa due pesi e due misure. Può fare il bagno a quella sciroccata della ex amante, mentre io probabilmente dovrò subire una valanga di proteste per voler andare a bere qualcosa con José. Come gestirò la cosa?

«Ana!» Jack mi risveglia bruscamente dalle mie fantasticherie. È ancora arrabbiato? «Dov'è quella lettera?»

«Ehm… arriva.» "Cos'è che lo divora?"

Scrivo velocemente la lettera, la stampo e mi avvio nervosa verso il suo ufficio.

«Ecco qua.» L'appoggio sulla scrivania e mi volto per andarmene. Jack lancia un'occhiata critica e pungente al foglio.

«Non so che cosa tu stia facendo là fuori, ma io ti pago per lavorare» abbaia.

«Ne sono consapevole, Jack» borbotto, a mo' di scuse. Mi sento lentamente pungere dall'imbarazzo.

«È piena di errori!» esclama. «Rifalla.»

"Porca miseria." Sta iniziando ad assomigliare a qualcuno che conosco, ma la ruvidezza di Christian è qualcosa che posso tollerare. Jack, invece, mi dà sui nervi.

«E portami un altro caffè, già che ci sei.»

«Scusa» sussurro e mi precipito fuori dal suo ufficio il più velocemente possibile.

"Accidenti. Sta diventando insopportabile." Mi siedo di nuovo alla scrivania, correggo in fretta la lettera, che conteneva due errori, e la controllo accuratamente prima di stamparla. Ora è perfetta. Gli preparo un altro caffè, facendo sapere a Claire, con un'alzata d'occhi, che sono nei guai fino al collo. Faccio un bel respiro e ritorno nell'ufficio di Jack.

«Meglio» bofonchia riluttante e firma la lettera. «Fotocopiala, tieni l'originale e spediscila a tutti gli autori. Hai capito?»

«Sì.» Non sono un'idiota. «Jack, c'è qualcosa che non va?»

Lui alza la testa, i suoi occhi azzurri si incupiscono mentre il suo sguardo mi squadra. Il sangue mi si gela nelle vene.

«No.» La sua risposta è concisa, maleducata e sprezzante. Rimango lì in piedi come l'idiota che ho appena detto di non essere e poi esco dal suo ufficio abbattuta. Forse anche lui soffre di un disturbo della personalità. "Accidenti, sono circondata!" Vado alla fotocopiatrice che, ovviamente, è inceppata, e quando riesco a farla funzionare, scopro che manca la carta. Decisamente oggi non è la mia giornata.

Quando finalmente sono di nuovo alla scrivania, a infilare la lettera nelle buste, il mio BlackBerry ronza. Attraverso il vetro, vedo che Jack è al telefono. Rispondo. È Ethan.

«Ciao, Ana. Com'è andata ieri sera?»

Ieri sera. Un rapido collage di immagini mi attraversa la mente. Christian in ginocchio, la sua confessione, la sua proposta di matrimonio, i maccheroni al formaggio, il mio pianto, il suo incubo, il sesso, il fatto di poterlo toccare…

«Ehm… bene» mormoro in modo poco convincente.

Ethan non risponde subito, poi decide di stare al gioco. «Fantastico. Posso passare a riprendere le chiavi dell'appartamento?»

«Certo.»

«Sarò lì tra mezz'ora. Hai tempo per un caffè?»

«Non oggi. Sono arrivata tardi, e il mio capo ha un diavolo per capello e un'edera velenosa attaccata al sedere.»

«Sembra terribile.»

«Terribile e orribile» ridacchio.

Ethan ride e il mio umore si solleva un pochino. «Okay. Ci vediamo tra mezz'ora.» Riaggancia.

Alzo lo sguardo e Jack mi sta fissando. "Oh, merda." Lo ignoro deliberatamente e continuo a imbustare le lettere.

Mezz'ora dopo il mio telefono squilla. È Claire. «È di nuovo qui, in reception. Il dio biondo.»

Ethan è una visione rasserenante dopo tutta l'angoscia di ieri e il cattivo umore che il mio capo mi sta infliggendo oggi, ma mi saluta fin troppo velocemente.

«Ci vediamo stasera?»

«Probabilmente rimarrò da Christian.» Arrossisco.

«Ti ha preso di brutto» osserva Ethan di buonumore.

Mi stringo nelle spalle. Non è neanche la metà di quello che sento, e in quel momento mi rendo conto che mi ha preso più che di brutto. Mi sono innamorata perdutamente. E il fatto sorprendente è che, a quanto pare, la stessa cosa vale anche per Christian. Ethan mi abbraccia in fretta.

«A più tardi, Ana.»

Ritorno alla scrivania, arrovellandomi sulla mia scoperta. Oh, cosa darei per avere una giornata per conto mio, solo per pensare a tutto questo.

«Dove sei stata?» All'improvviso, Jack incombe su di me.

«Avevo una cosa da fare in reception.» Sta davvero mettendo alla prova i miei nervi.

«Voglio il mio pranzo. Il solito» dice bruscamente e torna con passo pesante nel suo ufficio.

"Perché non sono rimasta a casa con Christian?" La mia dea interiore incrocia le braccia sul petto e fa il broncio. Anche lei vuole una risposta a quella domanda. Prendo la borsa e il BlackBerry e mi avvio verso la porta. Controllo i messaggi.

Da: Christian Grey
A: Anastasia Steele
Data: 15 giugno 2011 09.06
Oggetto: Mi manchi

Il mio letto è troppo grande senza di te.
A quanto pare dovrò andare anch'io al lavoro.
Anche i direttori generali megalomani
hanno bisogno di fare qualcosa.

X

Christian Grey
Amministratore delegato che si gira i pollici,
Grey Enterprises Holdings Inc.

Ce n'è un altro suo, di un po' più tardi.

Da: Christian Grey
A: Anastasia Steele
Data: 15 giugno 2011 9.50
Oggetto: Discrezione

È la miglior virtù.
Per favore, sii discreta… Le mail dal tuo
posto di lavoro sono monitorate.
QUANTE VOLTE TE LO DEVO DIRE?
Sì. Maiuscole urlanti, come dici tu. USA IL TUO BLACKBERRY.
Il dottor Flynn ci può incontrare domani sera.
x

Christian Grey
Amministratore delegato ancora contrariato,
Grey Enterprises Holdings Inc.

E un altro successivo… Oh, no.

Da: Christian Grey
A: Anastasia Steele
Oggetto: Sleale
Data: 15 giugno 2011 12.15

Non ho più tue notizie.
Per favore, dimmi che è tutto okay.
Sai quanto mi preoccupo.
Manderò Taylor a controllare!
x

Christian Grey
Amministratore delegato iperansioso,
Grey Enterprises Holdings Inc.

Alzo gli occhi al cielo e lo chiamo. Non voglio che si preoccupi.

«Ufficio di Christian Grey, sono Andrea Parker.»

"Oh." Sono talmente sconcertata che non sia Christian a rispondere che mi blocco in mezzo alla strada, e il giovane dietro di me borbotta irritato mentre mi sorpassa per evitare di venirmi addosso. Mi fermo sotto il tendone verde della rosticceria.

«Pronto? Posso aiutarla?» Andrea riempie il vuoto del mio silenzio impacciato.

«Mi dispiace… ehm… speravo di parlare con Christian…»

«Mr Grey è in riunione in questo momento» mi informa, energica ed efficiente. «Vuole lasciare un messaggio?»

«Può dirgli che lo ha chiamato Ana?»

«Ana? Come Anastasia Steele?»

«Ehm… sì.» La sua domanda mi lascia confusa.

«Attenda un momento in linea, Miss Steele.»

Ascolto attentamente mentre lei abbassa il ricevitore, ma non riesco a capire cosa sta succedendo. Pochi secondi più tardi Christian è in linea. «Stai bene?»

«Sì, benissimo.»

Lui fa un sospiro di sollievo.

«Christian, perché non dovrei stare bene?» sussurro rassicurante.

«Di solito sei così veloce a rispondere alle mie mail. Dopo quello che ti ho raccontato ieri, ero preoccupato» dice piano, e poi si rivolge a qualcun altro nel suo ufficio.

«No, Andrea. Di' loro di aspettare» dice severo. Oh, conosco quel tono di voce.

Non sento la replica di Andrea.

«No. Ho detto di aspettare» esclama.

«Christian, sei chiaramente impegnato. Ti ho chiamato solo per farti sapere che sto bene, ed è vero. Ho una giornata molto piena, tutto qui. Jack continua a far schioccare la frusta. Ehm… voglio dire…» Arrossisco e rimango in silenzio.

Christian non dice niente per un minuto buono.

«Fa schioccare la frusta, eh? Be', un tempo lo avrei definito un uomo fortunato» commenta, con umorismo caustico. «Non farti mettere i piedi in testa, piccola.»

«Christian!» lo rimprovero e so che sta sorridendo.

«Tienilo solo d'occhio, tutto qui. Senti, sono felice che tu stia bene. A che ora devo passare a prenderti?»

«Ti manderò una mail.»

«Dal BlackBerry» dice lui, severo.

«Sì, signore» ribatto.

«A più tardi, piccola.»

«Ciao…»

È ancora in linea.

«Riaggancia» lo rimprovero sorridendo.

Lui sospira pesantemente attraverso il telefono. «Vorrei che non fossi mai andata al lavoro stamattina.»

«Anch'io. Ma sono occupata. Riaggancia.»

«Riaggancia tu.» Sento il suo sorriso. Oh, il Christian scherzoso. Amo il Christian scherzoso. Mmh… Amo Christian. Punto.

«Ci siamo già passati.»

«Ti stai mordendo il labbro.»

"Accidenti, ha ragione. Come fa a saperlo?"

«Vedi? Tu pensi che io non lo sappia, Anastasia. Ma io ti conosco meglio di quanto tu creda» mormora in quel modo seducente che mi fa sentire debole, ed eccitata.

«Christian, parleremo più tardi. Ora, davvero, anch'io vorrei non averti lasciato stamattina.»

«Aspetto la tua mail, Miss Steele.»

«Buona giornata, Mr Grey.»

Chiudo la conversazione e mi appoggio alla vetrina della rosticceria. Oddio, anche per telefono mi possiede. Scuoto la testa per liberarla dal pensiero di Christian, ed entro nel negozio, depressa al pensiero di Jack.

È accigliato, quando torno.

«Va bene per te se adesso vado a mangiare?» chiedo timidamente. Lui mi fissa e si acciglia ancora di più.

«Se proprio devi» ribatte tagliente. «Quarantacinque minuti. Per recuperare il quarto d'ora di ritardo di stamattina.»

«Jack, posso chiederti una cosa?»

«Cosa?»

«Mi sembri fuori di te, oggi. Ho fatto qualcosa che ti ha offeso?»

Lui sbatte le palpebre. «Non credo di essere dell'umore per farti una lista delle tue mancanze, in questo momento. Sono impegnato.» Riprende a fissare lo schermo del computer, congedandomi a tutti gli effetti.

"Ehi... Che cos'ho fatto?"

Mi volto e lascio il suo ufficio, e per un attimo penso di essere sul punto di scoppiare a piangere. Perché tutt'a un tratto mi sembra che mi abbia presa tanto in antipatia? Mi viene in mente un'idea molto sgradevole, ma la ignoro. Non ho bisogno di queste stronzate, adesso. Ne ho abbastanza per conto mio.

Esco dall'edificio e raggiungo lo Starbucks più vicino, ordino un latte macchiato e mi siedo accanto alla vetrina. Prendo l'iPod dalla borsa e infilo gli auricolari. Scelgo una canzone a caso e premo il tasto REPEAT, per riascoltarla più volte. Ho bisogno della musica per pensare.

La mia mente va alla deriva. Christian il sadico. Christian il Sottomesso. Christian l'intoccabile. Christian con gli impulsi edipici. Christian che fa il bagno a Leila. Sbuffo e chiudo gli occhi mentre quest'ultima immagine mi perseguita.

Posso davvero sposare quest'uomo? Devo accettare così tanto di lui. È complesso e difficile, ma nel profondo so che non voglio lasciarlo nonostante tutti i suoi problemi. Non potrei mai. Lo amo. Sarebbe come tagliarmi il braccio destro.

Non mi sono mai sentita tanto viva come in questo momento, tanto vitale. Da quando l'ho conosciuto, ho sperimentato tutta una serie di nuove esperienze e sentimenti sconcertanti e profondi. Non ci si annoia mai con lui.

Ripensando alla mia vita prima di Christian, è come se tutto fosse in bianco e nero, come le fotografie di José. Adesso il mio mondo è fatto di colori vividi, brillanti, saturi. Mi sono alzata in volo su un raggio di luce abbagliante. La luce abbagliante di Christian. Io continuo a essere Icaro, che vola troppo vicino al suo sole. Sbuffo. Volare con Christian. Chi potrebbe resistere a un uomo che sa volare?

Posso rinunciare a lui? Voglio rinunciare a lui? È come se Christian avesse premuto un interruttore, accendendomi da dentro. Conoscerlo mi ha fatto crescere. Ho scoperto più cose di me nelle ultime settimane che in tutti gli anni precedenti. Ho imparato a conoscere il mio corpo, i miei limiti assoluti, i miei limiti relativi, la tolleranza, la pazienza, la compassione, la capacità di amare.

E mi colpisce nel profondo la consapevolezza che quello che lui ha bisogno di ricevere da me, quello che può avere, è amore incondizionato. Non ne ha mai ricevuto dalla puttana drogata che lo ha partorito. Posso amarlo incondizionatamente? Posso accettarlo per quello che è nonostante le rivelazioni di ieri notte?

So che è disturbato, ma penso che possa curarsi. Sospiro ricordando le parole di Taylor: "È un brav'uomo, Miss Steele".

Ho avuto prove inconfutabili della sua bontà d'animo. Le sue attività di beneficenza, l'etica del lavoro, la sua generosità. Eppure lui non le vede in se stesso. Non sente di meritare l'amore di nessuno. Considerate la sua storia e le sue inclinazioni, ho il sospetto che si disprezzi. Ecco perché non lascia avvicinare nessuno. "Riuscirò a oltrepassare le sue barriere?"

Una volta mi ha detto che non potevo nemmeno immaginare l'abisso della sua depravazione. Be', ora me ne ha parlato e, visti i primi anni della sua vita, non sono rimasta sorpresa… Anche se è stato uno shock sentirglielo dire ad alta voce. Perlomeno si è aperto con me. E mi sembra più felice ora che l'ha fatto. Ora che so tutto.

Questo rende il suo amore meno prezioso per me? No, penso di no. Lui non ha mai provato sentimenti simili prima d'ora e nemmeno io. Entrambi abbiamo fatto tanta strada.

Le lacrime mi affiorano agli occhi e mi annebbiano la vista mentre ricordo le ultime barriere che sono cadute stanotte, quando ha lasciato che lo toccassi. E ci sono volute Leila e tutta la sua follia per portarci a questo punto.

Forse dovrei esserle grata. Il fatto che lui le abbia fatto il bagno non mi lascia più l'amaro in bocca, adesso. Mi domando quali dei miei vestiti le abbia dato. Spero non quello color prugna. Mi piaceva.

Dunque posso amare quest'uomo incondizionatamente, nonostante tutti i suoi problemi? Perché lui non merita niente di meno di questo. Deve ancora imparare a darsi dei limiti e altre piccole cose come l'empatia, e a essere meno autoritario. Dice di non provare più l'impulso di farmi del male. Forse il dottor Flynn sarà in grado di gettare un po' di luce su questo punto.

Fondamentalmente, è questa la cosa che mi preoccupa di più: che lui ne abbia bisogno e che abbia sempre trovato donne con le stesse inclinazioni. Aggrotto la fronte. Sì, questa è la rassicurazione che mi serve. Voglio essere tutto per quest'uomo, il suo alfa e il suo omega, e tutto quello che c'è in mezzo, perché lui è tutte queste cose per me.

Spero che Flynn abbia le risposte, e forse allora potrò dire di sì. Christian e io potremo trovare il nostro angolo di paradiso vicino al sole.

Guardo fuori dalla vetrina l'affaccendata Seattle dell'ora di pranzo. Mr Christian Grey… chi l'avrebbe mai detto? Lancio un'occhiata all'orologio. "Accidenti!" Scatto in piedi e corro verso la porta. Un'ora intera stando solo seduta a pensare. Come passa in fretta il tempo. Jack andrà su tutte le furie!

Mi siedo alla scrivania senza dare nell'occhio. Per fortuna lui non è in ufficio. A quanto pare ce l'ho fatta. Concentro l'attenzione sullo schermo del computer, senza quasi vederlo, cercando di rimettere insieme le idee e ripristinare l'assetto lavorativo.

«Dove sei stata?»

Sobbalzo. Jack è in piedi dietro di me, con le braccia incrociate sul petto.

«Ero nel seminterrato, a fare fotocopie» mento. Le labbra di Jack si stringono in una linea sottile e intransigente.

«Uscirò dall'ufficio alle sei e mezzo per prendere l'aereo. Ho bisogno che tu rimanga fino ad allora.»

«Okay.» Gli sorrido, il più gentilmente possibile.

«Vorrei che mi stampassi il mio itinerario a New York e ne facessi dieci fotocopie. E impacchetta le brochure. E portami un caffè!» esclama sgarbatamente e ritorna nel suo ufficio.

Sospiro di sollievo e gli faccio la linguaccia non appena chiude la porta. "Bastardo."

Alle quattro Claire mi chiama dalla reception.

«C'è Mia Grey in linea per te.»

Mia? Spero che non voglia andare al centro commerciale.

«Ciao, Mia!»

«Ana, ciao. Come stai?» Il suo entusiasmo è asfissiante.

«Bene. Oggi sono un po' presa. Tu?»

«Sono così annoiata! Ho bisogno di qualcosa da fare, perciò sto organizzando la festa di compleanno di Christian.»

Il compleanno di Christian? Oh, non ne avevo idea. «Quando è?»

«Lo sapevo. Lo sapevo che non te l'avrebbe detto. È sabato. Mamma e papà ci vogliono tutti a cena per festeggiare. Ti sto invitando ufficialmente.»

«Oh, è fantastico. Grazie, Mia.»

«Ho già chiamato Christian e gliel'ho detto, e lui mi ha dato il tuo numero dell'ufficio.»

«Benissimo.» La mia mente è in fermento: che diavolo posso regalare a Christian per il suo compleanno? Che cosa si compra a un uomo che ha già tutto?

«E magari un giorno della settimana prossima potremmo pranzare insieme?»

«Certo. Che ne dici di domani? Il mio capo parte per New York.»

«Oh, sarebbe fantastico. A che ora?»

«Dodici e quarantacinque?»

«Ci sarò. Ciao, Ana.»

«Ciao.» Riappendo.

Christian. Compleanno. Che diavolo gli prendo?

Da: Anastasia Steele
A: Christian Grey
Data: 15 giugno 2011 16.11
Oggetto: Antidiluviano

Caro Mr Grey,
quando, esattamente, me lo avresti detto?
Che cosa posso regalare al mio vecchietto per il suo compleanno?
Magari delle batterie nuove per il suo apparecchio acustico?
X

Anastasia Steele
Assistente di Jack Hyde, Direttore editoriale, SIP

Da: Christian Grey
A: Anastasia Steele
Data: 15 giugno 2011 16.20
Oggetto: Preistorico

Non si sfottono i più anziani.
Felice che tu sia viva e vegeta.
E che Mia si sia fatta sentire.

Le batterie sono sempre utili.
Non mi piace festeggiare il mio compleanno.
X

Christian Grey
Amministratore delegato, Sordo come una
Campana, Grey Enterprises Holdings Inc.

Da: Anastasia Steele
A: Christian Grey
Data: 15 giugno 2011 16.24
Oggetto: Mmh

Caro Mr Grey,
riesco a immaginarti mentre facevi il broncio
e scrivevi l'ultima frase.
Mi fa un certo effetto.
XOX

Anastasia Steele
Assistente di Jack Hyde, Direttore editoriale, SIP

Da: Christian Grey
A: Anastasia Steele
Data: 15 giugno 2011 16.29
Oggetto: Occhi al cielo

Miss Steele,
USA IL TUO BLACKBERRY!!!
X

Christian Grey
Amministratore delegato, con le Mani che
Prudono, Grey Enterprises Holdings Inc.

Alzo gli occhi al cielo. È sempre così suscettibile riguardo alle mail.

Da: Anastasia Steele
A: Christian Grey
Data: 15 giugno 2011 16.33
Oggetto: Ispirazione

Caro Mr Grey,
ah… le tue mani che prudono non
riescono più a stare ferme, vero?
Mi domando che cosa ne direbbe il dottor Flynn.
Ma ora so che cosa regalarti per il tuo compleanno.
E spero che mi faccia male…
;)
A x

Da: Christian Grey
A: Anastasia Steele
Data: 15 giugno 2011 16.38
Oggetto: Angina

Miss Steele,
non credo che il mio cuore potrebbe sopportare
il colpo di un'altra mail come quella, o i miei
pantaloni, per quel che importa.
Comportati bene.
x

Christian Grey
Amministratore delegato, Grey Enterprises Holdings Inc.

Da: Anastasia Steele
A: Christian Grey
Data: 15 giugno 2011 16.42
Oggetto: Difficile

Christian,
sto cercando di lavorare per il mio capo, che mi mette a dura prova.
Per favore, smettila di importunarmi e non
mettermi anche tu a dura prova.
La tua ultima mail mi ha quasi mandato in combustione.
A x

PS: Puoi passare a prendermi alle 18.30?

Da: Christian Grey
A: Anastasia Steele
Data: 15 giugno 2011 16.47
Oggetto: Ci sarò

Niente mi darebbe maggior piacere.
A dire il vero, mi vengono in mente diverse cose che mi
darebbero un piacere ancora maggiore, e tutte riguardano te.
x

Christian Grey
Amministratore delegato, Grey Enterprises Holdings Inc.

Arrossisco leggendo questa risposta e scuoto la testa. Punzecchiarsi via mail è divertente, ma abbiamo davvero bisogno di parlare. Forse dopo che avremo visto Flynn. Metto via il mio BlackBerry e finisco di compilare la nota spese.

Per le sei e un quarto l'ufficio è deserto. Ho tutto pronto per Jack. Il suo taxi fino all'aeroporto è prenotato e devo solo consegnargli i documenti. Getto un'occhiata ansiosa al vetro del suo ufficio, ma lui è ancora immerso in una conversazione telefonica, e non voglio interromperlo. Non se è ancora arrabbiato.

Mentre aspetto che finisca, mi viene in mente che oggi non ho mangiato. "Oh, no, Christian non la prenderà bene." Velocemente, sgattaiolo in cucina per vedere se è rimasto qualche dolcetto.

Mentre apro la scatola dei biscotti, Jack appare all'improvviso sulla soglia, spaventandomi.

"Oh. Cosa ci fa qui?"

Mi fissa. «Bene, Ana, penso che questo sia il momento giusto per discutere delle tue mancanze.» Fa un passo in avanti, chiudendosi la porta alle spalle. Deglutisco a fatica, mentre un campanello d'allarme suona forte e insistente nella mia testa.

Lui piega le labbra in un sorriso grottesco, e i suoi occhi si illuminano di un blu cobalto scuro e profondo. «Alla fine, ti ho qui tutta sola» dice, e si passa lentamente la lingua sul labbro inferiore.

"Cosa?"

«Ora... farai la brava ragazza e ascolterai attentamente quello che ti dirò?»

16

Gli occhi di Jack scintillano, mentre lui sogghigna e mi squadra con un'occhiata lasciva.

La paura mi soffoca. Che cosa succede? Che cosa vuole? Da qualche parte dentro di me, e nonostante la bocca arida, trovo la risolutezza e il coraggio di tirar fuori qualche parola. Il mio mantra di autodifesa "Continua a farlo parlare" mi gira e rigira nel cervello come una sentinella.

«Jack, questo non mi sembra il momento giusto. Il tuo taxi arriverà tra dieci minuti, e devo consegnarti tutti i documenti.» La mia voce è tranquilla ma roca, e mi tradisce.

Lui sorride, ed è un dispotico sorriso da ora-ti-fotto che alla fine raggiunge i suoi occhi. Brillano nel crudo bagliore della luce al neon sopra di noi, nella scialba stanzetta senza finestre. Fa un passo verso di me, fissandomi truce, senza mai distogliere lo sguardo. Le sue pupille si dilatano mentre lo guardo, il nero eclissa l'azzurro. "Oh, no." La mia paura cresce.

«Sai, ho dovuto lottare con Elizabeth per darti questo lavoro...» La sua voce sfuma mentre fa un altro passo avanti, e io ne faccio uno indietro, contro la credenza. "Continua a farlo parlare, continua a farlo parlare, continua a farlo parlare."

«Jack, qual è esattamente il problema? Se vuoi esporre le tue lamentele, allora forse dovremmo chiedere a qualcuno dell'ufficio Risorse umane di essere presente. Possiamo parlarne con Elizabeth in un contesto più formale.»

"Dov'è la sicurezza? Gli addetti sono ancora nell'edificio?"

«Non abbiamo bisogno che l'ufficio Risorse umane interferisca, Ana» sogghigna. «Quando ti ho assunta, ho pensato che saresti stata una lavoratrice infaticabile. Pensavo che avessi delle potenzialità. Ma adesso non lo so. Sei diventata distratta e negligente. E mi domandavo… se fosse il tuo fidanzato a fuorviarti» pronuncia la parola "fidanzato" con un disprezzo che mette i brividi.

«Ho deciso di controllare il tuo account mail per cercare una risposta. E sai cos'ho trovato, Ana? Cosa c'era di strano? Le sole mail personali nel tuo account erano quelle al tuo arrogante fidanzato.» Fa una pausa, per valutare la mia reazione. «Così ho pensato: dove sono le mail che manda lui? Non ce ne sono. *Nada*. Niente. Allora, che cosa sta succedendo, Ana? Com'è possibile che quelle mail ti arrivino e non siano sul nostro sistema? Sei una spia aziendale messa qui dall'organizzazione di Grey? È così?»

"Oh, no. Le mail. Che cos'ho detto?"

«Jack, di cosa stai parlando?» Cerco di sembrargli sconcertata, e sono piuttosto convincente. Questa conversazione non sta andando come mi aspettavo, e non mi fido di lui neanche un po'. Quest'uomo è arrabbiato, pericoloso e totalmente imprevedibile. Cerco di ragionare con lui.

«Hai appena detto che hai dovuto persuadere Elizabeth ad assumermi. Perciò come potrei essere una spia messa qui da qualcuno? Pensaci, Jack.»

«Ma è stato Grey a mandare all'aria il viaggio a New York, vero?»

"Oh, merda."

«Come c'è riuscito, Ana? Che cos'ha fatto il tuo ricco fidanzato?»

Il poco colore che mi è rimasto in viso sparisce, e penso di essere sul punto di svenire. «Non so di cosa tu stia parlando, Jack» sussurro. «Il tuo taxi sarà qui tra poco. Posso portarti le tue cose?» "Oh, per favore, lasciami andare. Smettila."

Jack prosegue, godendosi il mio disagio. «Lui pensa che vorrei provarci con te?» Sorride malizioso e il suo sguardo si riscalda. «Be', voglio che pensi a qualcosa mentre sono a New York. Ti ho dato questo lavoro, e mi aspetto che tu mi dimostri un po' di gratitudine. In effetti, ne ho diritto. Ho dovuto lottare per averti. Elizabeth voleva qualcuno più qualificato, ma io... ho visto qualcosa in te. Perciò dobbiamo fare un patto. Un patto in cui tu mi rendi felice. Mi segui, Ana?»

"Accidenti!"

«Vedila come una ridefinizione delle tue mansioni, se vuoi. E se mi farai felice, io non indagherò oltre su come il tuo fidanzato stia manovrando dietro le quinte, ungendo i suoi contatti o riscuotendo favori da qualcuno dei suoi leccapiedi.»

Rimango a bocca aperta. "Mi sta ricattando. Per sesso!" Cosa posso dire? La notizia dell'acquisizione di Christian deve rimanere segreta per altre tre settimane. Non riesco quasi a crederci. Sesso... con me!

Jack si avvicina ancora di più. Adesso è di fronte a me, e mi guarda negli occhi. L'odore nauseante della sua acqua di colonia mi invade le narici, facendomi rivoltare lo stomaco, e, se non mi sbaglio, il suo fiato puzza di alcol. "Merda, ha bevuto... Quando?"

«Sei una tale cacasotto, una fica di legno, lo sai, Ana? Sei una che provoca e poi non la dà» sussurra a denti stretti.

"Cosa? Una che provoca e poi non la dà... Io?"

«Jack, non so di cosa tu stia parlando» sussurro, mentre sento l'adrenalina scorrere nel mio corpo. È ancora più vicino adesso. Sto aspettando per fare la mia mossa. Ray sarebbe orgoglioso di me. Ray mi ha insegnato cosa fare. Ray sa come difendersi. Se Jack mi tocca, se anche solo mi alita vicino, lo butto a terra. Il mio respiro è leggero. "Non devo svenire, non devo svenire."

«Guardati.» Mi lancia un'occhiata lasciva. «Sei arrapata, lo vedo. E mi hai provocato. In fondo, lo vuoi. Lo so.»

Sta completamente delirando. La mia paura ha superato il livello di guardia, minacciando di travolgermi. «No, Jack. Non ti ho mai provocato.»

«Invece lo hai fatto, puttanella ritrosa. So interpretare i segnali.» Alza una mano e mi accarezza il viso con il dorso, fino al mento. Il suo dito indice mi sfiora la gola, e il cuore mi batte fortissimo mentre io cerco di vincere la repulsione. Lui raggiunge la base del mio collo, dove il bottone della camicetta nera è aperto, e mi preme la mano sul petto.

«Tu mi desideri. Ammettilo, Ana.»

Mantenendo gli occhi fissi nei suoi e concentrandomi su quello che devo fare, piuttosto che sulla repulsione e sulla paura crescenti, metto piano la mano sulla sua, come per fargli una carezza. Lui sorride trionfante. Afferro il suo mignolo e lo piego all'indietro, strattonandolo con forza e all'improvviso.

«Ahi!» urla Jack, per il dolore e la sorpresa, e mentre perde l'equilibrio, io alzo il ginocchio, veloce e decisa, fino al suo inguine e centro perfettamente il bersaglio. Poi, mentre lui collassa con un gemito sul pavimento della cucina, le mani strette tra le gambe, lo schivo abilmente a sinistra.

«Non provare mai più a toccarmi» gli ringhio contro. «Il tuo itinerario e le brochure sono nella busta sulla mia scrivania. Io me ne vado a casa. Buon viaggio. E in futuro, fattelo da solo il tuo dannatissimo caffè.»

«Brutta puttana!» grida a mezza voce, rivolto a me, ma io sono già fuori dalla porta.

Raggiungo a tutta velocità la mia scrivania, afferro la giacca e la borsa e schizzo come un fulmine nella reception, ignorando i lamenti e le imprecazioni del bastardo ancora disteso sul pavimento della cucina. Scappo fuori dall'edificio e mi fermo un momento quando sento l'aria fresca sul viso. Faccio un bel respiro e mi ricompongo. Non ho mangiato niente in tutto il giorno e, mentre la scarica di adrenalina che avrei preferito non provare diminuisce, le mie gambe cedono e mi affloscio a terra.

Osservo con blando distacco il film al rallentatore che mi scorre davanti: Christian e Taylor, con i loro abiti scuri e le camicie bianche, saltano fuori dalla macchina in cui aspettavano e corrono verso di me. Christian crolla in ginocchio al mio fianco e, a qualche livello della mia coscienza, tutto quello che riesco a pensare è: "È qui. Il mio amore è qui".

«Ana, Ana! Cosa c'è?» Mi prende in grembo e mi tasta le braccia, su e giù, controllando che non ci siano segni di lesione. Poi mi afferra la testa tra le mani e guarda con i suoi occhi grigi sgranati, terrorizzati, dentro i miei. Mi abbandono nel suo abbraccio, improvvisamente sopraffatta dal sollievo e dalla fatica. "Oh, le braccia di Christian. Non c'è nessun altro posto dove vorrei trovarmi."

«Ana.» Mi scuote dolcemente. «Cosa c'è? Stai male?»

Muovo la testa e mi rendo conto che devo iniziare a comunicare.

«Jack» sussurro, e percepisco, piuttosto che vedere, l'occhiata veloce che Christian lancia a Taylor, il quale improvvisamente scompare dentro l'edificio.

«Cazzo!» Christian mi avvolge tra le braccia. «Che cosa ti ha fatto quel depravato?»

A quel punto mi esce una risata. Ricordo lo shock di Jack quando gli ho afferrato il dito.

«È per quello che gli ho fatto io.» Inizio a ridere e non riesco a fermarmi.

«Ana!» Christian mi scuote di nuovo. «Ti ha toccata?»

«Solo una volta.»

I muscoli di Christian si tendono, mentre la rabbia si impadronisce di lui. Si alza in fretta, potente, forte come una roccia, tenendomi in braccio. È furioso. "No!"

«Dov'è quello stronzo?»

Da dentro l'edificio sentiamo provenire grida attutite. Christian mi rimette in piedi.

«Riesci a reggerti da sola?»

Annuisco.

«Non andare. Non farlo, Christian.» All'improvviso mi torna la paura, paura di ciò che Christian farà a Jack.

«Sali in macchina» mi grida rabbioso.

«Christian, no.» Gli afferro il braccio.

«Entra in quella dannata macchina, Ana.» Mi scrolla via da sé.

«No! Per favore!» lo supplico. «Rimani. Non lasciarmi da sola.» Uso la mia ultima arma.

Fremendo di rabbia, Christian si passa una mano tra i capelli e mi guarda truce, chiaramente dilaniato dall'indecisione. Le grida all'interno dell'edificio si intensificano, e poi cessano di colpo.

"Oh, no. Che cosa ha fatto Taylor?"

Christian tira fuori il suo BlackBerry.

«Christian, Jack ha le mie mail.»

«Cosa?»

«Le mail che ti ho mandato. Voleva sapere dove finiscono le tue. Stava cercando di ricattarmi.»

Christian ha lo sguardo assassino.

"Oh, no."

«Cazzo!» esclama strizzando gli occhi verso di me. Digita un numero sul suo BlackBerry.

"Oddio, sono nei guai. Chi sta chiamando?"

«Barney. Grey. Ho bisogno che tu acceda al server centrale della SIP e cancelli tutte le mail che Anastasia Steele mi ha mandato. Poi accedi ai file di dati di Jack Hyde e accertati che non siano archiviate lì. Se ci sono, cancellale... Sì, cancella tutto. Adesso. Fammi sapere quando hai fatto.»

Chiude la chiamata rabbiosamente e compone un altro numero.

«Roach. Grey. Hyde. Lo voglio fuori. Adesso. All'istante. Chiama la sicurezza. Fagli sgomberare subito la scrivania, oppure la prima cosa che farò domani mattina sarà liquidare questa società. Hai già tutte le giustificazioni di cui hai bisogno per dargli il benservito. Mi hai capito?» Rimane in ascolto un attimo, poi riaggancia e sembra soddisfatto.

«BlackBerry» sibila verso di me a denti stretti.

«Per favore, non essere arrabbiato con me.» Lo guardo sbattendo le palpebre.

«Sono arrabbiato con te proprio adesso» ringhia e si passa un'altra volta la mano nei capelli. «Sali in macchina.»

«Christian, per favore…»

«Sali in quella dannata macchina, Anastasia, o che Dio m'aiuti, ti ci chiuderò dentro io» mi minaccia, gli occhi che ardono furiosi.

"Oh, merda." «Non fare niente di stupido, per favore» lo prego.

«STUPIDO!» esplode. «Ti ho detto mille volte di usare quel cazzo di BlackBerry. Non venirmi a parlare di cose stupide. Entra in quella fottutissima macchina, Anastasia. ORA!» urla, e mi sento attraversare da un brivido di paura. Questo è il Christian molto arrabbiato. Non l'ho mai visto tanto furioso prima d'ora. Mantiene a stento l'autocontrollo.

«Okay» mormoro cercando di placarlo. «Ma per favore, sta' attento.»

Stringendo le labbra, lui mi indica furioso la macchina, fissandomi con ferocia.

"Va bene, ho afferrato il messaggio!"

«Per favore, sii prudente. Non voglio che ti succeda niente. Ne morirei» mormoro. Lui sbatte le palpebre e si immobilizza, abbassando le braccia mentre fa un respiro profondo.

«Starò attento» dice, e il suo sguardo si addolcisce. "Oh,

grazie a Dio." I suoi occhi mi bruciano sulla schiena mentre mi dirigo alla macchina, apro la portiera del passeggero ed entro. Una volta che sono al sicuro nell'Audi, lui scompare dentro l'edificio, e il cuore mi schizza in gola. Che cosa ha in mente di fare?

Rimango seduta e aspetto. Cinque minuti eterni. Il taxi di Jack si ferma di fronte all'Audi. Dieci minuti. Quindici. Accidenti, che cosa stanno facendo là dentro, e come sta Taylor? L'attesa è un'agonia.

Venticinque minuti più tardi, Jack emerge dall'edificio aggrappato a una scatola di cartone che si tiene stretta al petto. Dietro di lui c'è l'addetto alla sicurezza. Dov'era prima? E dopo di loro arrivano Christian e Taylor. Jack ha un aspetto sofferente. Punta dritto verso il taxi, e sono contenta che l'Audi abbia i finestrini scuri, in modo che lui non possa vedermi. Il taxi parte, e non credo proprio che si stia dirigendo all'aeroporto. Nel frattempo Christian e Taylor raggiungono la macchina.

Christian apre la portiera del guidatore, probabilmente perché mi sono seduta davanti, e Taylor sale dietro di me. Nessuno dei due dice una parola mentre Christian s'immette nel traffico. Arrischio un'occhiata verso di lui. Ha l'aria tesa, ma sembra distratto. Il telefono della macchina squilla.

«Grey» risponde Christian.

«Mr Grey, sono Barney.»

«Barney, sono con il vivavoce, e ci sono altre persone in macchina» lo avverte Christian.

«Signore, tutto fatto. Ma ho bisogno di parlare con lei di qualcos'altro che ho trovato nel computer di Mr Hyde.»

«Ti chiamerò non appena arrivo a destinazione. E grazie, Barney.»

«Nessun problema, Mr Grey.»

Barney riaggancia. Dalla voce sembra più giovane di quello che mi aspettavo.

"Cos'altro c'è nel computer di Jack?"

«Hai intenzione di parlarmi?» gli chiedo con garbo.

Christian mi guarda, prima di tornare a fissare la strada davanti a lui, e capisco che è ancora arrabbiato.

«No» borbotta imbronciato.

Oh, ci risiamo… Quanto è infantile. Incrocio le braccia e guardo fuori dal finestrino oscurato. Forse dovrei chiedergli di lasciarmi al mio appartamento. Così potrebbe "non parlare" con me a distanza di sicurezza e risparmiare a entrambi l'inevitabile litigio. Ma non voglio lasciarlo rimuginare, non dopo ieri.

Alla fine, si ferma di fronte all'Escala, e scende dalla macchina. Muovendosi con eleganza intorno alla vettura, viene ad aprirmi la portiera.

«Scendi» ordina, mentre Taylor prende il suo posto alla guida. Io accetto la mano che mi porge e lo seguo fino all'ascensore. Non mi lascia andare.

«Christian, perché sei così arrabbiato con me?» sussurro mentre aspettiamo.

«Lo sai il perché» borbotta mentre entriamo nell'ascensore e digita il codice del suo piano. «Dio, se ti fosse capitato qualcosa, a questo punto quell'uomo sarebbe morto.» Il tono di Christian mi penetra gelido dentro le ossa. Le porte dell'ascensore si chiudono.

«Per come stanno le cose, gli rovinerò la carriera, così che non possa più approfittarsi delle ragazze, cane miserabile che non è altro.» Scuote la testa. «Cristo, Ana!» All'improvviso mi afferra e mi imprigiona nell'angolo dell'ascensore.

Le sue mani mi tirano indietro i capelli, mentre lui mi fa sollevare il viso, e la sua bocca è sulla mia, per un bacio appassionato e disperato. Non so perché, ma la cosa mi sorprende. Assaporo il suo sollievo, il suo desiderio, e la rabbia residua mentre la sua lingua prende possesso della mia bocca. Si ferma e mi guarda, continuando a premermi contro la parete dell'ascensore, in modo che non posso muovermi. Mi lascia senza fiato, devo aggrapparmi a lui per avere sostegno, e fisso il suo bellissimo volto pieno di determinazione e senza traccia di buonumore.

«Se ti fosse successo qualcosa... Se lui ti avesse fatto del male...»

Lo sento rabbrividire. «BlackBerry» ordina pacato. «D'ora in avanti. Capito?»

Annuisco, deglutendo, incapace di interrompere il contatto con il suo sguardo spietato e ipnotico.

Lui si raddrizza, lasciandomi andare quando l'ascensore si ferma. «Ha detto che gli hai dato un calcio nelle palle.» Il tono di Christian è più leggero, con una traccia di ammirazione, e penso di essere stata perdonata.

«Sì» sussurro, pensando ancora all'intensità del suo bacio e al suo comando prepotente.

«Bene.»

«Ray è un ex militare. Mi ha istruita bene.»

«Sono veramente felice di sentirlo» dice con un sospiro e aggiunge, inarcando un sopracciglio: «Devo ricordarmelo». Mi prende per mano e mi porta fuori dall'ascensore. Lo seguo, sollevata. Penso che difficilmente potrò vederlo più arrabbiato di poco fa.

«Devo chiamare Barney. Non ci metterò molto.» Scompare nel suo studio lasciandomi sola nel salone. Mrs Jones sta dando gli ultimi tocchi alla nostra cena. Mi rendo conto di essere affamata, ma ho bisogno di fare qualcosa.

«Posso aiutarla?» chiedo.

Lei ride. «No, Ana. Le preparo un drink o qualcos'altro? Ha l'aria stanca.»

«Gradirei un bicchiere di vino.»

«Bianco?»

«Sì, grazie.»

Mi appollaio su uno degli sgabelli, e lei mi porge un bicchiere di vino bianco fresco. Non so cosa sia, ma è delizioso e mi scivola nella gola facilmente, calmando i miei nervi a pezzi. A che cosa stavo pensando stamattina? A quanto mi sento viva da quando ho incontrato Christian. A quanto eccitante è diventata la mia vita. Accidenti, avrò mai qualche giornata noiosa?

Che cosa starei facendo ora, se non avessi mai conosciuto Christian? Sarei rintanata nel mio appartamento, a confidarmi con Ethan, terrorizzata dall'incontro con Jack, sapendo di dover rivedere quel depravato venerdì. Per come stanno le cose ora, con ogni probabilità non lo vedrò mai più. Ma per chi lavorerò adesso? Aggrotto la fronte. Non ci avevo pensato. "Merda, ce l'ho ancora un lavoro?"

«'sera, Gail» dice Christian entrando nel salone e strappandomi ai miei pensieri. Punta dritto verso il frigo, e si versa un bicchiere di vino.

«Buonasera, Mr Grey. In tavola tra dieci minuti, signore?»

«Perfetto.»

Christian solleva il suo bicchiere.

«Agli ex militari che addestrano bene le loro figlie» dice, e i suoi occhi si addolciscono.

«Alla salute» mormoro alzando il mio bicchiere.

«Cosa c'è?» mi chiede Christian.

«Non so se ho ancora un lavoro.»

Piega la testa di lato. «Vuoi ancora averne uno?»

«Certo.»

«Allora ce l'hai ancora.»

Semplice. Visto? È il signore del mio universo. Alzo gli occhi al cielo e lui sorride.

Mrs Jones ha preparato un fantastico tortino di pollo, lasciandoci soli a gustarlo. Mi sento meglio dopo aver mangiato. Siamo seduti al bancone e, nonostante i miei tentativi di persuasione, Christian non vuole dirmi che cos'ha trovato Barney nel computer di Jack. Lascio cadere l'argomento, e decido di affrontare lo spinoso tema dell'impellente visita di José.

«Ha chiamato José» dico con noncuranza.

«Ah.» Christian si volta verso di me.

«Vuole consegnarti le foto venerdì.»

«Una consegna personale. Che gentile» borbotta Christian.

«Vorrebbe uscire. Per un drink. Con me.»

«Capisco.»

«E Kate e Elliot dovrebbero essere tornati» aggiungo velocemente.

Christian posa la forchetta e aggrotta la fronte.

«Che cosa mi stai chiedendo esattamente?»

Mi stizzisco. «Non ti sto chiedendo niente. Ti sto informando dei miei programmi per venerdì. Senti, vorrei vedere José, e lui vorrebbe fermarsi a dormire. Può stare qui oppure nel mio appartamento, ma se starà là, allora dovrei esserci anch'io.»

Gli occhi di Christian si allargano. Sembra sbalordito.

«Ci ha provato con te.»

«Christian... settimane fa. Era ubriaco, io ero ubriaca, tu hai salvato la situazione. Non succederà più. Non è Jack, per l'amor di Dio.»

«C'è Ethan là. Può tenergli lui compagnia.»

«Vuole vedere me, non Ethan.»

Christian mi guarda torvo.

«È solo un amico» dico con enfasi.

«Non mi piace.»

"E allora?" Accidenti, a volte è irritante. Faccio un respiro profondo. «È un mio amico, Christian. Non lo vedo dall'inaugurazione della mostra, ed è stato un incontro troppo breve. So che tu non hai amici, a parte quella donna orrenda, ma non mi lamento quando la vedi!» esclamo. Christian sbatte le palpebre, sciocccato. «Voglio vederlo. Sono stata una pessima amica per lui.» La mia vocina interiore mi mette in allarme. "Stai battendo i piedini? Basta adesso!"

I suoi occhi grigi ardono. «È questo ciò che pensi?» sussurra.

«Che penso di cosa?»

«Di Elena. Preferiresti che non la vedessi?»

«Esattamente. Preferirei che non la vedessi.»

«Perché non l'hai detto?»

«Perché non sta a me dirlo. Tu pensi che lei sia la tua unica amica.» Mi stringo nelle spalle, esasperata. Lui non capisce davvero. Com'è che questa conversazione è finita su di lei? Non voglio nemmeno pensare a quella donna. Cerco di riportare l'argomento su José. «Proprio come non sta a te dire se posso o non posso vedere José. Lo capisci?»

Christian mi guarda, perplesso. "A cosa sta pensando?"

«Può stare qui, suppongo» borbotta. «Così posso tenerlo d'occhio.» Sembra infastidito.

"Alleluia!"

«Grazie! Sai, se verrò a vivere qui anch'io…» La voce mi viene meno. Christian annuisce. Sa cosa stavo per dire. «Non è che ti manchi lo spazio.» Sorrido.

Le sue labbra si piegano lentamente verso l'alto. «Lo stai facendo per me quel sorrisetto, Miss Steele?»

«Assolutamente sì, Mr Grey.» Mi alzo, nel caso in cui le mani cominciassero a prudergli, pulisco i piatti, e poi li metto nella lavastoviglie.

«Lo farà Gail.»

«L'ho fatto io adesso.» Rimango in piedi a guardarlo. Lui mi fissa intensamente.

«Devo lavorare per un po'» mi dice scusandosi.

«Fantastico. Troverò qualcosa da fare.»

«Vieni qui» mi ordina, ma la sua voce è dolce e seducente, il suo sguardo ardente. Non esito a obbedire, aggrappandomi a lui, appollaiato sullo sgabello. Mi avvolge tra le sue braccia, mi attira a sé, e mi stringe forte.

«Tutto okay?» mi sussurra tra i capelli.

«Okay?»

«Dopo quello che è successo con quello stronzo? Dopo quello che è successo ieri?» aggiunge e la sua voce è tranquilla.

Lo guardo negli occhi seri, intensi. "Sono okay?" «Sì» sussurro.

Lui mi stringe ancora più forte, e io mi sento al sicuro, adorata e amata, tutto in una volta sola. È delizioso. Chiudo gli occhi e mi godo la sensazione che mi dà essere tra le sue braccia. Amo quest'uomo. Amo il suo profumo inebriante, la sua forza, il suo umore volubile.

«Non litighiamo» mormoro. Lui mi bacia i capelli e inspira a fondo. «Hai un profumo meraviglioso come sempre, Ana.»

«Anche tu» sussurro e lo bacio sul collo.

Lui mi lascia andare, troppo presto. «Ne avrò per un paio d'ore.»

Vago svogliatamente per l'appartamento. Christian sta ancora lavorando. Ho fatto la doccia e ho indossato un paio di pantaloni della tuta e una T-shirt delle mie, e sono annoiata. Non ho voglia di leggere. Se rimango ferma, mi vengono in mente Jack e le sue mani su di me.

Do un'occhiata alla mia vecchia stanza, la stanza delle Sottomesse. José può dormire qui. La vista gli piacerà. Sono le otto e un quarto e il sole sta iniziando a tramontare a ovest. Le luci della città scintillano sotto di me. È magnifico. Sì, a José piacerà qui. Mi domando pigramente dove Christian appenderà le foto che mi ha fatto José. Preferirei che non lo facesse. Non ci tengo a vedermi ogni minuto.

Percorrendo il corridoio, mi ritrovo fuori dalla stanza dei giochi e, senza pensarci, abbasso la maniglia. Christian di solito la tiene chiusa a chiave ma, con mia sorpresa, la porta si apre. Che strano. Sentendomi come un bambino che marina la scuola e vagabonda nella foresta proibita, entro. È buio. Premo l'interruttore e le luci sotto la cornice del soffitto si illuminano di un bagliore morbido. È come me la ricordo. Una specie di grembo protetto.

Immagini dell'ultima volta in cui sono stata qui mi attraversano la mente. La cintura... Faccio una smorfia nel ricordare. Ora pende con aria innocente, in fila con le altre, sulla rastrelliera accanto alla porta. Timidamente, faccio scorrere le dita sulle cinture, sui frustini e sugli sculacciatori. Accidenti. Questo è ciò che devo affrontare con il dottor Flynn. Una persona con questo stile di vita può semplicemente smettere? Sembra improbabile. Raggiungo il letto e mi siedo sulle morbide lenzuola di raso rosso, guardando tutte le attrezzature che mi circondano.

Qui accanto c'è la panca, e sopra quell'assortimento di verghe. "Così tante! Non ne basta una?" Be', meno se ne parla e meglio è. E il grande tavolo. Non lo abbiamo mai provato, qualsiasi cosa ci faccia lui. Lo sguardo mi cade sul divano Chesterfield. Vado a sedermici. È solo un sofà, niente di straordinario, niente a cui legare qualche ricordo. Lancio un'occhiata dietro di me, e adocchio il cassettone stile museo. La mia curiosità è solleticata. Che cosa ci tiene dentro?

Mentre apro il primo cassetto, mi rendo conto che il sangue mi sta martellando nelle vene. Perché sono così nervosa? Sembra tanto proibito, come se stessi sconfinando, il che ovviamente è vero. Ma se mi vuole sposare, be'...

Accidenti, cos'è tutta questa roba? Un assortimento di strumenti e attrezzi bizzarri è ordinatamente disposto nel cassetto a scomparti. Non ho idea di cosa siano, o a cosa servano. Ne prendo uno. È a forma di proiettile con una specie di manico. "Mmh... che diavolo ci fai con questo?" Rimango allibita, anche se credo di avere un'idea. Ce ne sono di quattro misure diverse! Mi si rizzano i capelli e alzo gli occhi.

Christian è in piedi sulla porta, che mi fissa con un'espressione indecifrabile. Da quanto tempo è lì? Mi sento come se mi avesse colta con le mani nel barattolo della marmellata.

«Ciao.» Sorrido nervosamente, e so di avere gli occhi sgranati e di essere mortalmente pallida.

«Che cosa stai facendo?» mi chiede dolcemente, ma c'è qualcos'altro nel suo tono.

"Oh, merda. È arrabbiato?" Avvampo. «Ehm… ero annoiata e curiosa» borbotto, imbarazzata di essere stata scoperta. Aveva detto che sarebbe stato occupato un paio d'ore.

«Una combinazione molto pericolosa.» Si passa l'indice sul labbro inferiore, in quieta contemplazione, senza distogliere gli occhi da me. Io deglutisco a fatica.

Lentamente, Christian entra nella stanza e si chiude la porta alle spalle, i suoi occhi ardono. "Oddio." Si appoggia con noncuranza al cassettone, ma penso che la sua disinvoltura sia ingannevole. La mia dea interiore non riesce a capire se sia tempo di lottare o scappare.

«Dunque, che cosa ti incuriosisce, esattamente, Miss Steele? Forse posso illuminarti.»

«La porta era aperta… Io…» Guardo Christian, trattenendo il fiato e sbattendo le palpebre, incerta come sempre sulla sua reazione o su quello che dovrei dire. I suoi occhi sono cupi. Credo che sia divertito, ma è difficile da dire. Si appoggia con i gomiti sul cassettone e posa il mento sulle mani giunte.

«Sono entrato qui stamattina, domandandomi cosa fare di tutto questo. Devo essermi dimenticato di chiudere.» Si acciglia per un attimo, come se lasciare la porta aperta fosse una terribile mancanza. Io aggrotto la fronte. Non è da lui essere tanto smemorato.

«Ah.»

«Ma ora eccoti qua, curiosa come sempre.» La sua voce è dolce, sorpresa.

«Non sei arrabbiato?» sussurro, con il fiato che mi rimane.

Lui piega la testa di lato, e le sue labbra si contraggono divertite.

«Perché dovrei essere arrabbiato?»

«Mi sento come se avessi sconfinato… e tu ce l'hai con me.» La mia voce è tranquilla, come se fossi sollevata. La fronte di Christian si increspa.

«Sì, hai sconfinato, ma non sono arrabbiato. Spero che un

giorno vivrai qui con me, e tutto questo...» indica la stanza con un gesto della mano «... sarà anche tuo.»

La stanza dei giochi...? Lo guardo a bocca aperta. È una cosa difficile da capire.

«È per questo che sono stato qui oggi. Cercavo di decidere cosa fare.» Si picchietta sulle labbra con l'indice. «Sono sempre arrabbiato con te? Non lo ero stamattina.»

"Oh, è vero." Sorrido al ricordo di Christian quando ci siamo svegliati, e questo mi distrae dal pensiero di quel che sarà della stanza dei giochi. Era un Christian così divertente stamattina.

«Eri allegro. Mi piace il Christian allegro.»

«Davvero?» Inarca un sopracciglio, e le sue adorabili labbra si incurvano in un sorriso. Un sorriso timido. "Wow!"

«Cos'è questo?» Sollevo la cosa che sembra un proiettile d'argento.

«Sempre a caccia d'informazioni, Miss Steele. Quello è un dilatatore anale» mi dice dolcemente.

«Oh...»

«L'ho comprato per te.»

"Cosa?" «Per me?»

Lui annuisce lentamente, il volto ora serio e guardingo.

Aggrotto la fronte. «Compri... ehm... giocattoli nuovi... per ogni Sottomessa?»

«Alcune cose. Sì.»

«Dilatatori anali?»

«Sì.»

Okay... Deglutisco. Un dilatatore anale. È di metallo duro... Sarà spiacevole? Ricordo la nostra discussione riguardo ai giocattoli sessuali e ai limiti assoluti, dopo la mia laurea. All'epoca, credo di aver detto che avrei provato. Ora, vedendomene davanti uno vero, non so se è qualcosa che voglio fare. Lo esamino ancora una volta e lo rimetto al suo posto nel cassetto.

«E questo?» Tiro fuori un oggetto gommoso, lungo e nero,

composto da una serie di sferette di dimensioni decrescenti, unite insieme. La prima è la più grande, l'ultima è la più piccola. Sono otto in totale.

«Sfere anali» dice Christian, osservandomi con attenzione.

"Oh!" Le esamino affascinata e orripilata. Tutte queste, dentro di me... "Là!" Non ne avevo idea.

«Fanno un certo effetto se le tiri fuori durante l'orgasmo» aggiunge in tono pragmatico.

«Sono per me?» sussurro.

«Per te.» Annuisce lentamente.

«Dunque questo è il cassetto anale?»

Lui fa un sorrisetto malizioso. «Se preferisci.»

Lo chiudo in fretta, sentendo che sto diventando rossa come un semaforo.

«Non ti piace il cassetto anale?» mi chiede con aria innocente, divertito. Io lo guardo e mi stringo nelle spalle, cercando di trarmi d'impaccio con un po' di faccia tosta.

«Non è proprio in cima alla mia lista "cose da fare con Christian"» borbotto con nonchalance. Timidamente, apro il secondo cassetto. Lui sogghigna.

«Quello contiene una selezione di vibratori.»

Lo richiudo velocemente.

«E quello dopo?» sussurro, livida, ma per l'imbarazzo.

«Quello è più interessante.»

"Oh!" Esitante, lo apro, senza distogliere gli occhi dal volto bellissimo, ma anche molto compiaciuto, di Christian. Dentro c'è una varietà di oggetti di metallo e alcune mollette da bucato. Mollette da bucato! Prendo degli arnesi che assomigliano a delle pinze.

«Pinze genitali» spiega Christian. Si sposta, venendomi accanto. Rimetto subito via l'oggetto e scelgo qualcosa di più delicato: due pinzette unite da una catena.

«Alcuni di questi sono per il dolore, ma la maggior parte sono per il piacere» mormora.

«Che cos'è questo?»

«Pinze per capezzoli. Per entrambi.»

«Entrambi? I capezzoli?»

Christian sorride con malizia. «Be', ci sono due mollette, piccola. Sì, entrambi i capezzoli, ma non è quello che intendevo. Queste sono sia per il piacere sia per il dolore.»

"Oh." Me le toglie di mano.

«Dammi il mignolo.»

Faccio come mi dice, e lui mi pizzica la punta del dito con una pinza.

Non è troppo stretto.

«La sensazione è molto intensa, ma è quando si tolgono che si provano il dolore e il piacere più forti.» Tolgo la pinza. Mmh... potrebbe essere divertente. Il pensiero mi eccita.

«Mi piace la foggia» mormoro, e Christian sorride.

«Lo sai, Miss Steele? Credo che ci avrei scommesso.»

Annuisco timida e rimetto le pinze nel cassetto. Christian si sporge in avanti per prenderne altre due.

«Queste sono regolabili.» Le solleva per farmele ispezionare.

«Regolabili?»

«Le puoi mettere molto strette... oppure no. Dipende dall'umore.»

Come fa a far sembrare tutto così erotico? Deglutisco, e per distogliere la sua attenzione prendo in mano un aggeggio che assomiglia alla rotella da cucina per tagliare la pasta.

«E questo?» Lo guardo perplessa. Di certo non si cucina nella stanza dei giochi.

«Quella è una rotella neurologica di Wartenberg.»

«Per?»

La prende. «Dammi la mano. Con il palmo in su.»

Gli tendo la sinistra e lui la prende delicatamente, accarezzandomi le nocche con il pollice. Mi sento attraversare da un brivido. La sua pelle contro la mia non manca mai di eccitarmi. Fa scorrere la rotella sul mio palmo.

«Ah!» Mi sento pungere la pelle... Non c'è solo il dolore, ma qualcosa in più. In effetti, è stuzzicante.

«Immaginala sul seno» mormora Christian.

"Oh!" Arrossisco e strappo via la mano. Il mio respiro e le pulsazioni del cuore aumentano.

«C'è una linea di confine molto sottile tra piacere e dolore, Anastasia» continua dolcemente, mentre si china per rimettere l'oggetto nel cassetto.

«Mollette da bucato?» sussurro.

«Si possono fare parecchie cose con una molletta da bucato.» I suoi occhi ardono.

Chiudo il cassetto.

«È tutto?» Christian sembra divertito.

«No...» Apro il quarto cassetto, e rimango confusa di fronte a un ammasso di pelle e cinghie. Prendo una delle cinghie... Sembra attaccata a una pallina.

«È una *ball gag*. Una specie di bavaglio. Per tenerti buona» spiega Christian, ancora una volta divertito.

«Limiti relativi» mormoro.

«Ricordo» dice. «Puoi comunque respirare. I denti afferrano la pallina.» La prende e con le dita mima una bocca che tiene stretta la pallina.

«Hai mai indossato una *ball gag*?» chiedo.

Lui si irrigidisce e mi guarda. «Sì.»

«Per soffocare le urla?»

Lui chiude gli occhi, e penso che sia per esasperazione. «No, non è fatta per questo.»

"Ah, no?"

«Ha a che fare con il controllo, Anastasia. Quanto indifesa ti sentiresti legata e senza poter parlare? Quanto ti dovresti fidare, sapendo che ho potere su di te? che devo saper leggere il tuo corpo e le tue reazioni, piuttosto che sentire le tue parole? Ti rende più dipendente, e dà a me il controllo definitivo.»

Deglutisco.

«Ne parli come se ti mancasse.»

«È ciò che conosco» mormora. I suoi occhi sono grandi e seri, e l'atmosfera tra noi è cambiata; è come se lui si stesse confessando.

«Tu hai potere su di me. Sai di averlo» sussurro.

«Ce l'ho? Mi fai sentire… indifeso.»

«No!» "Oh, Christian…" «Perché?»

«Perché sei la sola persona che conosco che possa davvero farmi male.» Mi sposta una ciocca di capelli dietro l'orecchio.

«Oh, Christian… Questo vale per entrambi. Se tu non mi volessi…» Rabbrividisco, abbassando gli occhi sulle mie dita intrecciate. È qui che sta l'altra mia segreta riserva riguardo a noi. Se lui non fosse così… disturbato, mi vorrebbe? Scuoto la testa. Devo cercare di non pensarci.

«L'ultima cosa che voglio è farti male. Ti amo» mormoro. Alzo entrambe le mani e faccio scorrere le dita tra le sue basette, accarezzandogli dolcemente le guance. Lui appoggia il volto contro le mie dita, lascia cadere la *ball gag* nel cassetto e mi circonda la vita con le mani. Mi attira a sé.

«Abbiamo finito con la presentazione e descrizione del campionario?» chiede, la sua voce è dolce e seducente. Le sue mani mi accarezzano la schiena, su fino alla nuca.

«Perché, cosa vuoi fare?»

Mi bacia dolcemente, e io mi abbandono al suo abbraccio.

«Ana, oggi sei stata quasi aggredita.» Il tono di voce è gentile ma guardingo.

«Allora?» chiedo, beandomi della sensazione della sua mano sulla schiena e della sua vicinanza. Lui mi tira indietro la testa e mi guarda severo.

«Cosa significa "allora"?» mi rimprovera.

Guardo il suo viso adorabile e scontroso, e rimango abbagliata.

«Christian, sto bene.»

Lui mi stringe a sé. «Quando penso a ciò che poteva succedere» dice in un sospiro, seppellendo la faccia tra i miei capelli.

429

«Quando imparerai che sono più forte di quello che sembro?» gli sussurro contro il collo, rassicurante, inspirando il suo profumo delizioso. Non c'è nulla di meglio al mondo che essere tra le braccia di Christian.

«Io lo so che sei forte» rimugina lui, pacato. Mi dà un bacio sui capelli ma, con mio enorme disappunto, mi lascia andare.

Chinandomi, tiro fuori un altro aggeggio dal cassetto aperto. Diverse manette attaccate a una sbarra. Le sollevo.

«Questa» dice Christian, con lo sguardo intenso «è una barra divaricatrice con manette per mani e piedi.»

«Come funziona?» domando, genuinamente affascinata.

«Vuoi che te lo mostri?» mormora sorpreso, chiudendo gli occhi per un istante. I suoi occhi sono ardenti, quando li riapre.

«Sì, voglio una dimostrazione. Mi piace essere legata» sussurro mentre la mia dea interiore balza dalla sua tana alla chaise longue.

«Oh, Ana» mormora lui. Di colpo sembra angosciato.

«Cosa c'è?»

«Non qui.»

«Cosa vuoi dire?»

«Ti voglio nel mio letto, non qui. Vieni.» Prende la sbarra dalla mia mano e mi porta nella sua stanza.

Perché ce ne andiamo? Mi lancio un'occhiata alle spalle mentre usciamo. «Perché non qui?»

Christian si ferma sulle scale e mi guarda con un'aria seria.

«Ana, tu puoi anche essere pronta a tornare là dentro, ma io no. L'ultima volta che ci siamo stati tu mi hai lasciato. Quando lo capirai?» Si acciglia e mi lascia andare, per poter gesticolare con la mano libera. «Di conseguenza, tutto il mio atteggiamento è cambiato. Tutta la mia visione della vita è radicalmente mutata. Te l'ho detto. Ciò che non ti ho detto è...» Si ferma e si passa una mano tra i capelli, cercando le parole giuste. «Sono come un alcolista in recupero, okay? È l'unico paragone che mi viene in mente. L'impulso è sparito, ma non voglio avere tentazioni. Non voglio farti del male.»

Sembra così pieno di rimorsi, e in questo momento un dolore acuto mi attraversa come una lancia. Che cos'ho fatto a quest'uomo? Ho migliorato la sua vita? Era felice prima di incontrarmi, no?

«Non posso sopportare l'idea di farti del male perché ti amo» aggiunge guardandomi negli occhi, la sua espressione è assolutamente sincera, come quella di un ragazzino che sta dicendo la verità pura e semplice.

Il suo candore mi toglie il fiato. Lo adoro più che mai. Lo amo incondizionatamente.

Mi lancio su di lui con tanta foga che deve lasciar cadere la barra che ha in mano per prendermi, mentre lo spingo contro la parete. Afferro il suo volto tra le mani, attiro le sue labbra contro le mie, assaporando la sua sorpresa, e spingo la lingua nella sua bocca. Sono in piedi sullo scalino sopra il suo, per cui ci troviamo alla stessa altezza, e io mi sento euforica e potente. Baciandolo appassionatamente, le mie dita si intrecciano ai suoi capelli, e ho voglia di toccarlo, dappertutto, ma mi trattengo, sapendo della sua paura. Ciò nonostante, il mio desiderio si scatena, caldo e intenso, sbocciando nelle profondità del mio corpo. Lui emette un gemito e mi prende per le spalle, allontanandomi.

«Vuoi che ti scopi qui sulle scale?» mormora, con il respiro affannoso. «Perché in questo momento lo farei.»

«Sì» mormoro. Il mio sguardo è intenso quanto il suo, ne sono certa.

Mi fissa, gli occhi velati dalle ciglia. «No. Ti voglio nel mio letto.» Mi solleva all'improvviso, mi carica su una spalla, facendomi strillare, e mi sculaccia forte sul sedere, tanto da farmi strillare ancora. Mentre scende per le scale, si ferma per raccogliere la barra divaricatrice.

Mrs Jones sta uscendo dalla lavanderia quando attra-

431

versiamo il corridoio. Ci sorride e io la saluto con la mano, come per scusarmi. Non credo che Christian la noti.

In camera, mi rimette in piedi e lascia cadere la barra sul letto.

«Non penso che mi farai del male» mormoro.

«Nemmeno io penso che ti farò del male» dice lui. Mi prende la testa tra le mani e mi bacia, a lungo, intensamente, facendo avvampare il mio sangue già ardente.

«Ti desidero così tanto» mi sussurra contro la bocca, ansimando. «Sei sicura dopo... dopo oggi?»

«Sì, anch'io ti desidero. Voglio spogliarti.» Non vedo l'ora di toccarlo... Le mie dita smaniano dal desiderio di accarezzarlo.

I suoi occhi si dilatano e lui esita per un istante, forse per considerare la mia richiesta.

«Okay» dice cauto.

Allungo le mani verso i bottoni della sua camicia e lo sento trattenere il fiato.

«Non ti toccherò, se non vuoi» sussurro.

«No» si affretta a replicare. «Fallo pure. È fantastico. Sto bene» mormora lui.

Slaccio delicatamente un bottone e le mie dita passano al successivo, scivolando sulla sua camicia. I suoi occhi sono grandi e luminosi, le sue labbra si schiudono mentre il suo respiro diventa superficiale. È così bello, anche quando ha paura... proprio perché ha paura. Slaccio il terzo bottone e vedo i suoi morbidi peli affacciarsi dalla scollatura.

«Voglio baciarti *lì*» mormoro.

Fa un respiro profondo. «Baciarmi?»

«Sì» sussurro.

Lui sussulta mentre slaccio il bottone successivo e molto lentamente mi chino in avanti, rendendo chiare le mie intenzioni. Lui sta trattenendo il fiato, ma rimane immobile mentre poso un bacio delicato sulla peluria. Slaccio l'ultimo bottone e mi rialzo. Lui mi sta guardando, c'è un'aria di soddisfazione, calma e... aspettativa sul suo volto.

«Sta diventando più facile, vero?» chiedo piano.

Lui annuisce, mentre lentamente gli faccio scivolare la camicia giù dalle spalle e la lascio cadere sul pavimento.

«Che cosa mi hai fatto, Ana? Dimmelo» mormora. «Qualunque cosa sia, non ti fermare.» E mi prende tra le braccia, infilando entrambe le mani nei miei capelli e spingendomi la testa all'indietro, così da avere libero accesso alla mia gola.

Le sue labbra corrono sul mio mento, mordicchiandolo dolcemente. Mugolo. Oh, desidero quest'uomo. Le mie dita giocherellano con la cintura dei suoi pantaloni, slacciando il bottone e tirando giù la cerniera.

«Oh, piccola» mormora senza fiato mentre mi bacia dietro l'orecchio. Sento la sua erezione, dura e decisa, spingere contro di me. Lo voglio. In bocca. All'improvviso faccio un passo indietro e mi lascio cadere in ginocchio.

«Ehi...» ansima lui.

Gli tiro giù i pantaloni e i boxer con un movimento brusco, e lo libero. Prima che lui possa fermarmi, glielo prendo in bocca e inzio a succhiare, godendo del suo sbalordimento. Mi guarda, osservando ogni mia mossa, gli occhi così intensi e pieni di carnale beatitudine. Oddio. Tengo a bada i denti e lo succhio più forte. Lui chiude gli occhi e si abbandona a questo godimento. So che effetto gli faccio, ed è un piacere edonistico, liberatorio e terribilmente sensuale. La sensazione che provo mi dà alla testa. Non sono solo potente... sono onnisciente.

«Cazzo» sibila, e mi tiene con delicatezza la testa, mentre muove i fianchi così da entrare più in profondità nella mia bocca. Oh, sì, lo voglio e lo lavoro con la lingua, succhiando forte... più volte...

«Ana.» Cerca di tirarsi indietro.

"Oh, no, non lo farai, Grey. Ti voglio." Gli afferro con fermezza i fianchi, raddoppiando i miei sforzi, e capisco che è vicino.

«Per favore» ansima. «Sto per venire, Ana» geme.

Bene. La mia dea interiore getta la testa all'indietro in estasi, e lui viene, gridando, nella mia bocca.

Apre i suoi occhi grigi e luminosi, abbassandoli su di me, e io gli sorrido, leccandomi le labbra. Il sorriso che mi fa in risposta è malizioso e salace.

«Oh, dunque è questo il gioco a cui stiamo giocando, Miss Steele?» Si china, mi mette le mani sotto le ascelle e mi tira su in piedi. All'improvviso la sua bocca è sulla mia. Ansima.

«Sento il mio sapore. Il tuo è migliore» mormora contro le mie labbra. Mi sfila la maglietta e la getta sul pavimento, poi mi solleva e mi butta sul letto. Mi afferra i pantaloni della tuta e me li toglie con una sola mossa: sotto sono nuda. Sono sdraiata sul suo letto. In attesa. Vogliosa. I suoi occhi assaporano la mia immagine.

«Sei una donna bellissima, Anastasia» mormora con ammirazione.

Mmh... Piego la testa di lato, civettuola, e gli sorrido.

«Tu sei un uomo bellissimo, Christian, e hai un sapore meraviglioso.»

Mi fa un sorriso furbo e prende la barra divaricatrice. Mi afferra la caviglia sinistra e velocemente la chiude nella cavigliera, ma non troppo stretta. Verifica quanto spazio ho, inserendo il mignolo tra la cavigliera e la mia pelle. Non distoglie gli occhi dai miei. Non ha bisogno di vedere cosa sta facendo. Mmh... Lo ha già fatto prima.

«E ora vediamo di cosa sai tu. Se ricordo bene, sei una leccornia straordinariamente squisita, Miss Steele.»

"Oh."

Mi prende l'altra caviglia e, in modo rapido ed efficiente, la chiude nell'altra cavigliera, così che i miei piedi rimangono a una distanza di mezzo metro.

«La cosa bella di questo divaricatore è che si può allungare» dice a bassa voce. Preme un pulsante sulla barra, e le mie gambe si aprono ancora di più. "Wow, quasi un metro." Spalanco la bocca e faccio un bel respiro. "Accidenti, questo sì che è erotico." Sono eccitata, inquieta e vogliosa.

Christian si passa la lingua sulle labbra.

«Oh, ci divertiremo un mondo con questa, Ana.» Afferra la barra e la ruota, cosicché mi ribalto sulla pancia. La cosa mi prende alla sprovvista.

«Vedi cosa posso farti?» dice cupo e ruota di nuovo la barra bruscamente, cosicché torno sdraiata sulla schiena, a fissarlo a bocca aperta, senza fiato.

«Queste manette sono per i polsi. Penserò se mettertele oppure no. Dipende se ti comporterai bene oppure no.»

«Quando non mi comporto bene?»

«Mi vengono in mente alcune infrazioni» risponde dolcemente, facendomi scorrere le dita sotto i piedi. Mi fa il solletico, ma la barra mi tiene in posizione anche quando cerco di sottrarmi al suo tocco.

«Il BlackBerry, per esempio.»

Sussulto. «Che cosa mi farai?»

«Oh, non rivelo mai i miei piani.» Mi sorride, i suoi occhi brillano di pura malizia.

"Wow." È così sexy da togliere il fiato. Sale carponi sul letto, per trovarsi in ginocchio davanti alle mie gambe, splendidamente nudo, e io sono perduta.

«Mmh… Sei così aperta, Miss Steele.» Mi sfiora delicatamente l'interno di ciascuna coscia, in modo lento ma deciso, disegnando piccoli cerchi. Non interrompe mai il contatto visivo.

«È tutta una questione di attesa, Ana. Che cosa ti farò?» Queste parole pronunciate dolcemente penetrano nella parte più profonda e oscura di me. Mi contorco sul letto e mugolo. Le sue dita continuano il lento assalto alle mie gambe, oltrepassando il retro delle ginocchia. D'istinto, vorrei chiudere le gambe, ma non posso.

«Ricordati: se qualcosa non dovesse piacerti, basta che tu mi dica di fermarmi» mormora. Chinandosi su di me, mi bacia il ventre, morbidi baci che mi succhiano, mentre le sue mani continuano la loro lenta tortura spostandosi su per l'interno della mia coscia, accarezzando, solleticando.

«Oh, per favore, Christian» lo supplico.

«Oh, Miss Steele. Ho scoperto che sai essere impietosa nei tuoi assalti amorosi su di me. Credo di poter contraccambiare il favore su di te.»

Stringo la trapunta con le dita, mentre mi arrendo a lui. La sua bocca scende e le sue mani salgono, fino al culmine delle mie gambe, esposto e vulnerabile. Emetto un lamento, mentre lui fa scivolare le dita dentro di me, e sollevo i fianchi per andargli incontro. Christian geme in risposta.

«Non la finisci mai di sorprendermi, Ana. Sei così bagnata» mormora contro la mia pelle, nel punto in cui i peli del mio pube si congiungono al ventre. Mi inarco mentre la sua bocca mi trova.

"Oddio."

Inizia il suo assalto lento e sensuale, la lingua che turbina più volte mentre le dita si muovono dentro di me. Poiché non posso chiudere le gambe, o muovermi in alcun modo, la sensazione è intensa, molto intensa. Inarco la schiena mentre cerco di assorbirla.

«Oh, Christian» uggiolo.

«Lo so, piccola» sospira, e facendosi largo verso di me, soffia dolcemente sulla parte più sensibile del mio corpo.

«*Ah!* Per favore!» lo supplico.

«Di' il mio nome» ordina.

«Christian» lo chiamo, riconoscendo a stento la mia voce. È così stridula, così eccitata.

«Ancora» dice d'un fiato.

«Christian, Christian, Christian Grey» grido forte.

«Sei mia.» La sua voce è dolce e letale. All'ultimo assalto della sua lingua cedo, abbandonandomi all'orgasmo, in modo spettacolare, e visto che ho le gambe aperte, va avanti ripetutamente e io sono perduta.

Mi rendo conto a stento che Christian mi ha girata.

«Stiamo per provare questo, piccola. Se non ti piace, o è troppo scomodo, dimmelo e io mi fermerò.»

Cosa? Sono troppo persa nei postumi dell'orgasmo per formulare qualsiasi pensiero coerente. Mi ritrovo seduta in grembo a Christian. Com'è successo?

«Stenditi, piccola» mi sussurra all'orecchio. «Testa e torace sul letto.»

Intontita, obbedisco. Lui mi tira indietro entrambe le mani e le assicura con le manette alla sbarra, vicino alle caviglie. "Oh…" Ho le ginocchia flesse, il sedere in aria, vulnerabile, completamente suo.

«Ana, sei bellissima.» Ha la voce piena di desiderio. Strappa la bustina del preservativo. Fa scorrere le dita dalla base della mia schiena, poi ancora più sotto, *lì*, prima di fermarsi un istante sul sedere.

«Quando sarai pronta, voglio anche questo.» Il suo dito indugia sopra di me. Ansimo forte mentre mi tendo tutta sotto la leggera pressione. «Non oggi, dolce Ana, ma un giorno… Ti voglio in ogni modo. Voglio possedere ogni centimetro di te. Sei mia.»

Penso al dilatatore anale, e ogni muscolo dentro di me si tende. Le sue parole mi strappano un gemito, e le sue dita si muovono su e giù su un territorio più familiare.

Un momento dopo, mi penetra con forza. «*Ahi!* Piano!» mi lamento, e lui si ferma.

«Stai bene?»

«Fa' piano… Fammici abituare.»

Lui scivola fuori e poi mi penetra di nuovo, delicatamente, riempiendomi… due, tre volte. Sono inerme.

«Sì, bene, ora ci sono» sussurro, beandomi di quella sensazione.

Lui geme, riprende il suo ritmo. E si muove, si muove… implacabile… riempiendomi tutta… ed è favoloso. C'è gioia nella mia vulnerabilità, gioia nella mia resa a lui, e nella consapevolezza che può perdersi in me nel modo che vuole. Questo lo posso fare. Christian mi conduce in luoghi oscuri, luoghi di cui ignoravo l'esistenza, e insieme li riempiamo di una luce accecante. Oh, sì... abbagliante, sfolgorante.

E mi lascio andare, mi beo di quello che mi fa, trovando la mia dolce, dolcissima liberazione, e vengo di nuovo, gridando forte, urlando il suo nome. Lui si ferma, versando in me il suo cuore e la sua anima.

«Ana, piccola» grida e crolla accanto a me.

Slaccia con destrezza cavigliere e manette e mi massaggia le caviglie e i polsi. Quando ha finito e finalmente sono libera, mi attira tra le sue braccia e io mi lascio andare alla deriva, esausta.

Quando riemergo, gli sono rannicchiata a fianco e lui mi sta guardando. Non ho idea di che ore siano.

«Potrei osservarti dormire per ore, Ana» mormora e mi bacia sulla fronte.

Sorrido e mi strofino languidamente contro di lui.

«Non vorrei mai lasciarti andare» mi dice dolcemente e mi avvolge tra le braccia.

Mmh... «Non voglio andarmene mai. Non lasciarmi andare via» mormoro assonnata, le palpebre che rifiutano di sollevarsi.

«Ho bisogno di te» sussurra, ma la sua voce è distante, eterea, fa parte dei miei sogni. Lui ha bisogno di me... bisogno di me... e mentre finalmente scivolo nell'oscurità, il mio ultimo pensiero è per un bambino con gli occhi grigi e i capelli ramati, sporchi e in disordine che mi sorride timidamente.

17

Mmh...

Christian sta strofinando il naso contro il mio collo mentre mi sveglio lentamente.

«Buongiorno, piccola» sussurra e mi mordicchia il lobo dell'orecchio. Sbatto le palpebre velocemente. La luce brillante del primo mattino inonda la stanza, e Christian mi accarezza dolcemente il seno, provocandomi. Poi mi afferra i fianchi, mentre è disteso dietro di me, e mi stringe forte.

Mi stiracchio, godendomi il suo tocco, e sento la sua erezione contro il mio sedere. Oddio. La sveglia di Christian Grey.

«Sei contento di vedermi» mormoro mezza addormentata, contorcendomi in modo provocante addosso a lui. Sento il suo sorriso contro il mento.

«Sono molto contento di vederti» dice e fa scivolare la mano sul mio ventre e più in basso, fino a racchiudervi la vagina ed esplorarla con le dita. «Ci sono indubbi vantaggi nello svegliarsi accanto a te, Miss Steele» mi provoca e gentilmente mi fa girare, cosicché mi trovo sdraiata sulla schiena.

«Dormito bene?» mi chiede mentre le sue dita continuano la loro sensuale tortura. Lui mi sorride. Il suo abbagliante sorriso perfetto. Mi toglie il respiro.

I miei fianchi cominciano a ondeggiare al ritmo della danza che le sue dita hanno iniziato. Lui mi bacia castamente sulle labbra e poi scende verso il collo, mordicchiando debolmente, baciando, succhiando. Gemo. È delicato e la sua carezza è leggera e divina. Le sue dita intrepide scendono, e lentamente si infilano dentro di me.

«Oh, Ana» mormora adorante contro la mia gola. «Sei sempre pronta.» Muove le dita al tempo dei suoi baci e le sue labbra scivolano lentamente sulla mia clavicola e poi giù, sul mio seno. Uno alla volta, tormenta i miei capezzoli con i denti, ma in modo così... oh... così delicato, ed essi si induriscono e si allungano in dolce risposta.

Mugolo di piacere.

«Mmh...» Fa un ringhio sommesso e solleva la testa per lanciarmi il suo sguardo grigio e ardente. «Ti voglio adesso.» Si protende verso il comodino, puntellandosi sui gomiti per scavalcarmi. Sfrega il naso contro il mio. E con il ginocchio mi fa aprire le gambe. Strappa la bustina del preservativo.

«Non vedo l'ora che sia sabato» dice, gli occhi che brillano di maliziosa delizia.

«La tua festa?» ansimo.

«No. Così potrò smetterla di usare questi fottuti aggeggi.»

«Definizione calzante» ridacchio.

Lui sorride mentre si infila il preservativo. «Stai ridacchiando, Miss Steele?»

«No.» Cerco di fare una faccia seria, ma non ci riesco.

«Questo non è il momento di ridacchiare.» Scuote la testa per ammonirmi e la sua voce è bassa, severa, ma la sua espressione... oddio... la sua espressione è fuoco e ghiaccio allo stesso tempo.

Il fiato mi si smorza in gola. «Pensavo che ti piacesse quando rido» sussurro roca, fissando le profondità scure dei suoi occhi tempestosi.

«Non ora. Ho bisogno di fermarti, e penso di sapere come» dice, carico di promesse, e il suo corpo copre il mio.

«Che cosa desidera per colazione, Ana?»

«Prenderò solo un po' di cereali. Grazie, Mrs Jones.»

Arrossisco mentre mi siedo al bancone accanto a Christian. L'ultima volta che i miei occhi si sono posati sulla formale e compassata Mrs Jones venivo trascinata in camera da letto senza troppe cerimonie, sulla spalla di Christian.

«Sei adorabile» dice Christian con dolcezza. Indosso di nuovo la gonna antracite e la camicetta grigia di seta.

«Anche tu.» Gli sorrido. Lui porta una camicia azzurra e i jeans, e ha un aspetto fresco, elegante e perfetto, come sempre.

«Dovremmo comprarti qualche altra gonna» dice pragmaticamente. «Mi piacerebbe portarti a fare shopping.»

Mmh... Shopping. Odio lo shopping. Ma con Christian forse non sarebbe tanto male. Decido che la miglior tattica di difesa è la distrazione.

«Mi domando che cosa succederà oggi al lavoro.»

«Dovranno rimpiazzare il depravato.» Christian aggrotta la fronte come se si fosse appena imbattuto in qualcosa di molto sgradevole.

«Spero che prendano una donna come mio nuovo capo.»

«Perché?»

«Be', tu avresti meno da obiettare se andassi via con lei» lo punzecchio.

Lui contrae le labbra e inizia a mangiare la sua omelette.

«Cosa c'è di divertente?» chiedo.

«Tu sei divertente. Mangia i tuoi cereali: tutti, se non vuoi altro.»

Autoritario come sempre. Faccio una smorfia imbronciata, ma inizio a mangiare.

«Dunque, le chiavi vanno qui.» Christian indica l'accensione sotto la leva del cambio.

«Strano posto» borbotto. Ma ogni più piccolo dettaglio mi manda in estasi e mi fa saltellare come una bambina sul

441

comodo sedile di pelle. Finalmente Christian mi lascerà guidare la mia macchina.

Lui mi guarda gelido, ma nei suoi occhi c'è una scintilla di buonumore. «Sei piuttosto eccitata per tutto questo, eh?» dice divertito.

Annuisco, sorridendo. «Senti questo odore di macchina nuova. È ancora meglio del Modello Speciale Sottomessa… ehm… dell'A3» aggiungo velocemente, arrossendo.

Christian piega le labbra in un sorriso. «Modello Speciale Sottomessa, eh? Ci sai fare con le parole, Miss Steele.» Si appoggia allo schienale con uno sguardo di finta disapprovazione, ma non m'inganna. So che si sta divertendo.

«Bene, andiamo.» Fa un cenno con la mano verso l'uscita del garage.

Batto le mani, avvio la macchina, e il motore fa le fusa risvegliandosi. Inserisco la marcia, tolgo il piede dall'acceleratore e la SAAB si muove dolcemente. Taylor mette in moto l'Audi dietro di noi, e quando la sbarra automatica si alza, ci segue fuori dall'Escala e in strada.

«Possiamo accendere la radio?» chiedo mentre siamo fermi al primo stop.

«Voglio che ti concentri» risponde lui tagliente.

«Christian, per favore, riesco a guidare con la musica accesa.» Alzo gli occhi al cielo. Lui mi guarda torvo per un istante e poi allunga la mano verso la radio.

«Puoi attaccarci il tuo iPod e gli MP3, e anche metterci i CD» spiega.

Le voci sonore e dolci dei Police improvvisamente riempiono la macchina.

Christian spegne la musica. Mmh… «*King of Pain.*»

«Il tuo inno» lo punzecchio, ma subito me ne pento, quando la sua bocca si tende in una linea sottile. "Oh, no." «Ho quell'album, da qualche parte» mi affretto ad aggiungere per distrarlo. Mmh… da qualche parte nell'appartamento in cui ho passato pochissimo tempo.

442

Mi domando dove sia Ethan. Dovrei provare a chiamarlo oggi. Non avrò molto da fare al lavoro.

L'ansia mi si propaga nello stomaco. Cosa succederà quando entrerò in ufficio? Sapranno tutti di Jack? Sapranno tutti del coinvolgimento di Christian? Avrò comunque un lavoro? Accidenti, se non ho più un lavoro cosa faccio?

"Sposa l'ultramilionario, Ana!" La mia vocina è sarcastica. La ignoro.

«Ehi, Miss Lingua Biforcuta. Torna indietro.» Christian mi riporta alla realtà, mentre mi fermo al successivo semaforo.

«Sei molto distratta. Concentrati, Ana» mi rimprovera. «Gli incidenti capitano quando non ti concentri.»

"Oddio." E all'improvviso vengo catapultata indietro nel tempo, al periodo in cui Ray mi insegnava a guidare. Non ho bisogno di un altro padre. Di un marito, forse. Un marito pervertito. Mmh…

«Stavo solo pensando al lavoro.»

«Andrà tutto bene, piccola. Fidati.» Christian mi sorride.

«Per favore, non interferire. Voglio farcela da sola. È importante per me» dico, il più gentilmente possibile. Non voglio litigare. Le sue labbra si tendono di nuovo in una linea dura e caparbia, e penso che stia per rimproverarmi un'altra volta.

"Oh, no."

«Non litighiamo, Christian. Abbiamo passato una mattina meravigliosa. E ieri notte è stato…» Mi mancano le parole, l'altra notte è stato… «divino.»

Non dice niente. Gli lancio un'occhiata: ha gli occhi chiusi.

«Sì. Divino» dice con dolcezza. «Intendevo davvero quel che ho detto.»

«Cosa?»

«Non voglio lasciarti andare.»

«Non voglio andarmene.»

Lui sorride ed è questo sorriso nuovo e timido che dissolve tutto sul suo cammino. Accidenti, è potente.

«Bene» dice con semplicità, ed è visibilmente rilassato.

Entro nel parcheggio a mezzo isolato dalla SIP.

«Ti accompagno all'ingresso. Taylor mi verrà a prendere lì» si offre Christian. Esco goffamente dalla macchina, impedita nel movimento dalla gonna attillata, mentre Christian ne salta fuori con agilità, a proprio agio con il suo corpo, o quantomeno dando questa impressione. Mmh... Uno che non tollera di essere toccato non può essere così a proprio agio. Aggrotto le sopracciglia di fronte a questo pensiero futile.

«Non dimenticarti che vediamo il dottor Flynn stasera alle sette» dice mentre mi tende la mano. Premo il telecomando per chiudere l'auto e prendo la sua mano.

«Non lo dimenticherò. Compilerò una lista di domande da fargli.»

«Domande? Su di me?»

Annuisco.

«Posso rispondere io a qualsiasi tua domanda su di me.» Christian sembra offeso.

Gli sorrido. «Ma io voglio l'obiettiva e dispendiosa opinione del ciarlatano.»

Lui si acciglia, e all'improvviso mi stringe tra le braccia, tenendomi entrambe le mani dietro la schiena.

«È una buona idea?» mi chiede, la sua voce è bassa e roca. Mi scosto e vedo l'ansia incombere nei suoi occhi dilatati. Mi strazia l'anima.

«Se non vuoi che lo faccia, non lo farò.» Lo fisso sbattendo le palpebre. Vorrei poter cancellare la preoccupazione dal suo viso con una carezza. Do uno strattone per liberare una mano e lui la lascia andare. Gli tocco il volto teneramente. È appena sbarbato e liscio.

«Di che cos'hai paura?» chiedo con voce dolce e rassicurante.

«Che tu te ne vada.»

«Christian, quante volte te lo devo dire che non vado da nessuna parte? Mi hai già raccontato il peggio. Non ti lascio.»

«Allora perché non mi hai risposto?»

«Risposto?» dico in malafede.

«Sai a cosa mi riferisco, Ana.»

Sospiro. «Voglio sapere se sono abbastanza per te, Christian. Tutto qui.»

«E non ti fidi della mia parola?» esclama, esasperato, lasciandomi andare.

«Christian, tutto questo è successo così in fretta. E per tua stessa ammissione, hai cinquanta sfumature di tenebra dentro di te. Non posso darti quello che vuoi» mormoro. «Non è solo per me. Ma questo mi fa sentire inadeguata, soprattutto dopo averti visto con Leila. Chi mi dice che un giorno non incontrerai qualcuna a cui piace fare quello che fai tu? E chi mi dice che tu non… non ti innamorerai di lei? Qualcuna che sia più adatta alle tue necessità.» Il pensiero di Christian con chiunque altro mi fa stare male. Fisso le mie dita contratte.

«Conosco diverse donne a cui piace fare quello che mi piace. Nessuna di loro mi affascina nel modo in cui mi affascini tu. Non ho mai avuto un legame emotivo con nessuna di loro. Sarai solo tu per sempre, Ana.»

«Perché non hai mai dato loro una possibilità. Hai passato troppo tempo chiuso nella tua fortezza, Christian. Senti, ne discutiamo più tardi. Devo andare al lavoro. Forse il dottor Flynn saprà illuminarci.» Questa discussione è decisamente troppo impegnativa per essere fatta in un parcheggio alle otto e cinquanta del mattino e Christian, per una volta, sembra essere d'accordo. Annuisce, ma i suoi occhi sono guardinghi.

«Vieni» mi ordina, tendendomi la mano.

Quando raggiungo la mia scrivania, trovo un biglietto che mi dice di andare direttamente nell'ufficio di Elizabeth. Il cuore mi schizza in gola. "Oh, eccoci. Sto per essere licenziata."

«Anastasia.» Elizabeth mi sorride gentile, indicandomi una sedia davanti alla sua scrivania. Mi siedo e la fisso speranzosa, augurandomi che non riesca a sentire il mio cuore che martella. Si sistema i capelli folti e neri e mi guarda con i suoi occhi severi.

«Ho una notizia piuttosto brutta da darle.»

"Brutta! Oh, no."

«L'ho chiamata per informarla che Jack ha lasciato la casa editrice all'improvviso.»

Arrossisco. Questa non è una brutta notizia per me. Dovrei dirle che lo so?

«La sua partenza precipitosa ha lasciato il suo posto vacante, e noi vorremmo che lo prendesse lei, finché non troviamo un sostituto.»

Cosa? Sento il sangue defluirmi dal volto. "Io?"

«Ma sono qui solo da poco più di una settimana.»

«Sì, Anastasia, capisco, ma Jack ha sempre decantato le sue capacità. Aveva grandi speranze per lei.»

Smetto di respirare. "Aveva grandi speranze di vedermi nuda, questo è certo."

«Qui c'è una dettagliata descrizione delle mansioni previste dal ruolo. Dia un'occhiata. Ne discuteremo più tardi.»

«Ma…»

«Per favore, so che è una cosa improvvisa, ma lei ha già preso contatto con gli autori chiave di Jack. Le sue note sui manoscritti non sono passate inosservate agli altri direttori editoriali. Ha intuito, Anastasia. Pensiamo tutti che lei possa farcela.»

«Okay.» "Tutto questo è irreale."

«Senta, ci pensi. Nel frattempo può prendere l'ufficio di Jack.»

Si alza, congedandomi, e mi tende la mano. La stringo, completamente sconvolta.

«Sono contenta che lui se ne sia andato» sussurra e un'ombra le attraversa il volto. "Oh, merda." Che cosa le ha fatto?

Di ritorno alla mia scrivania, prendo il BlackBerry e chiamo Christian.

Mi risponde al secondo squillo. «Anastasia. Stai bene?» mi chiede preoccupato.

«Mi hanno appena dato il lavoro di Jack... Be', temporaneamente» dico in fretta.

«Stai scherzando?» replica, scioccato.

«Hai qualcosa a che fare con questo?» La mia voce è più tagliente di quanto avrei voluto.

«No, no, affatto. Voglio dire, con tutto il rispetto, Anastasia, sei lì da poco più di una settimana, e non lo dico per farti torto.»

«Lo so» replico, accigliata. «A quanto pare, Jack mi apprezzava davvero.»

«Ah, sì?» commenta Christian in tono gelido. Poi sospira. «Be', piccola, se pensano che tu possa farcela, sono sicuro che ce la farai. Congratulazioni. Forse dovremmo festeggiare dopo aver incontrato il dottor Flynn.»

«Mmh... Sei sicuro di non aver niente a che vedere con questo?»

Lui rimane in silenzio per un minuto. Poi aggiunge, con voce bassa e minacciosa: «Dubiti di me? Mi fa arrabbiare che tu lo faccia».

Deglutisco. Mio Dio, perde la pazienza così facilmente! «Mi dispiace» mormoro, contrita.

«Se hai bisogno di qualcosa, fammelo sapere. Io sono qui. E, Anastasia?»

«Cosa c'è?»

«Usa il BlackBerry» aggiunge laconico.

«Sì, Christian.»

Non riaggancia come mi aspetto, ma fa un respiro profondo.

«Dico davvero. Se hai bisogno di me, sono qui.» Le sue parole ora sono più dolci, concilianti. Oh, è così lunatico... Il suo umore oscilla come un metronomo.

«Okay» dico piano. «Sarà meglio che vada. Devo trasferire le mie cose.»

«Se hai bisogno di me… Davvero» dice lui, sottovoce.

«Lo so. Grazie, Christian. Ti amo.»

Percepisco il suo sorriso dall'altra parte del telefono. È tornato da me.

«Ti amo anch'io, piccola.» Oh, mi stancherò mai di sentirgli pronunciare queste parole?

«Ci sentiamo più tardi.»

«A più tardi, piccola.»

Chiudo la conversazione e lancio un'occhiata all'ufficio di Jack. Accidenti, Anastasia Steele, direttore editoriale ad interim. Chi l'avrebbe mai immaginato? Dovrei chiedere un aumento di stipendio.

Che cosa penserebbe Jack se lo sapesse? Rabbrividisco al pensiero e mi domando come stia passando la giornata. Ovviamente non a New York, come aveva programmato. Entro nel mio nuovo ufficio, mi siedo alla scrivania e inizio a leggere la descrizione delle mansioni.

Alle dodici e mezzo Elizabeth mi chiama al telefono.

«Ana, abbiamo bisogno di lei per un incontro all'una nella sala riunioni. Ci saranno Jerry Roach e Kay Bestie, sa, il presidente e il vicepresidente? Saranno presenti tutti i direttori editoriali.»

"Merda!"

«Devo preparare qualcosa?»

«No, è soltanto una riunione informale, che facciamo una volta al mese. Il pranzo è offerto.»

«Ci sarò.» Riaggancio.

"Accidenti!" Controllo la lista degli autori di Jack. Sì, ce li ho abbastanza ben presenti. Ho i cinque manoscritti che lui stava sostenendo, più altri due, che dovrebbero essere presi in seria considerazione per una pubblicazione. Faccio un bel respiro. Non riesco a credere che sia già l'ora di pranzo. La giornata sta volando, e io l'adoro. C'è stato tanto da assimilare stamattina. Un trillo della mia agenda elettronica annuncia un appuntamento.

"Oh, no... Mia!" In tutta questa eccitazione ho dimenticato il nostro pranzo. Recupero il mio BlackBerry e cerco freneticamente il suo numero.

Il telefono squilla.

«È lui. In reception.» La voce di Claire è un sussurro.

«Chi?» Per un secondo, penso che possa essere Christian.

«Il dio biondo.»

«Ethan?»

"Oh, cosa vuole?" Subito mi sento in colpa per non averlo chiamato.

Ethan, che indossa una camicia a quadri blu, una maglietta bianca e jeans, mi fa un ampio sorriso.

«Wow! Sei sexy, Steele» dice, annuendo in segno di apprezzamento. Mi abbraccia velocemente.

«Va tutto bene?» gli chiedo.

Lui aggrotta la fronte. «Tutto bene, Ana. Volevo solo vederti. È un po' che non ti sento e volevo assicurarmi che Mr Pezzo Grosso ti trattasse bene.»

Arrossisco e non riesco a trattenere un sorriso. «Okay!» esclama Ethan, alzando le mani. «Lo vedo dalla tua faccia. Non voglio sapere altro. Sono passato sperando di poter pranzare con te. Mi iscrivo ai corsi di psicologia qui a Seattle a settembre. Per la laurea specialistica.»

«Oh, Ethan. Sono successe così tante cose. Ho un sacco di novità da raccontarti, ma in questo momento proprio non posso. Ho una riunione.» Mi viene in mente un'idea. «Mi domandavo se tu potessi farmi un favore davvero grande.» Batto le mani in segno di supplica.

«Certo» dice, divertito dalla mia preghiera.

«Avrei dovuto pranzare con la sorella di Christian e Elliot, ma non riesco a mettermi in contatto con lei, e questa riunione mi è stata comunicata di punto in bianco. La porteresti tu fuori a pranzo, per favore? Ti prego!»

«Ehi, Ana! Non voglio fare da baby-sitter a qualche mocciosa.»

«Per favore, Ethan.» Gli faccio il più seducente sguardo occhi-azzurri-ciglia-lunghe in cui riesco a produrmi. Lui alza gli occhi al cielo e so di averlo in pugno.

«Mi cucinerai qualcosa?» mi chiede.

«Certo, qualsiasi cosa, quando vuoi.»

«Allora, dov'è lei?»

«Sarà qui a momenti.» E, con perfetto tempismo, sento la voce di Mia.

«Ana!» mi chiama dall'ingresso.

Ci voltiamo entrambi, ed eccola lì, tutta altezza e curve, con il suo caschetto nero lucente. Indossa un miniabito verde menta e scarpe dello stesso colore con il tacco alto e il cinturino alla caviglia. È bella in modo disarmante.

«La mocciosa?» mormora Ethan guardandola a bocca aperta.

«Sì, ha proprio bisogno del baby-sitter» gli sussurro in risposta. «Ciao, Mia.» L'abbraccio, mentre lei fissa piuttosto spudoratamente Ethan.

«Mia... questo è Ethan, il fratello di Kate.»

Lui fa un cenno con il capo, alzando le sopracciglia per la sorpresa. Mia sbatte le palpebre diverse volte mentre gli dà la mano.

«Piacere di conoscerti» mormora Ethan, e Mia sbatte di nuovo le palpebre. Una volta tanto, sta zitta. Arrossisce.

Oddio. Non penso di averla mai vista arrossire.

«Non posso uscire a pranzo» le dico debolmente. «Ma Ethan si è offerto di accompagnarti, se per te va bene. Possiamo rimandare a un'altra volta?»

«Certo» mi risponde lei, tranquilla. Mia tranquilla: questa sì che è una novità.

«Lo prendo come un impegno. A più tardi, Ana» dice Ethan, offrendo il braccio a Mia. Lei accetta con un sorriso timido.

«Ciao, Ana.» Mia si volta verso di me. "Oh, mio Dio!" dice con il labiale, lanciandomi una strizzata d'occhio esagerata. "Lui le piace!" Li saluto con la mano mentre lasciano l'edificio. Mi domando quale sia l'atteggiamento di Christian verso i fidanzati di sua sorella. Il pensiero mi rende nervosa. Mia ha la mia età, perciò lui non può avere da ridire, vero?

"Ma noi abbiamo a che fare con Christian." La mia vocina interiore è tornata, come la lingua biforcuta, il cardigan e la borsetta sul braccio. Scaccio l'immagine. Mia è un'adulta e Christian può essere ragionevole, giusto? Liquido quel pensiero e torno nell'ufficio di Jack... ehm... nel mio ufficio a prepararmi per la riunione.

Sono le tre e mezzo quando finisco. L'incontro è andato bene. Ho addirittura ottenuto l'approvazione per i due manoscritti che stavo promuovendo. È una sensazione inebriante.

Sulla mia scrivania c'è un enorme cesto di vimini pieno di stupende rose bianche e rosa chiaro. Wow, anche solo il profumo è divino. Sorrido mentre prendo il biglietto. So chi le ha mandate.

Congratulazioni, Miss Steele.
E tutto da sola!
Nessun aiuto dal tuo amministratore delegato
megalomane, iperamichevole, vicino di casa.
Con amore,
Christian

Prendo il mio BlackBerry per scrivere una mail.

Da: Anastasia Steele
A: Christian Grey
Data: 16 giugno 2011 15.43
Oggetto: Megalomane

... è il tipo di maniaco che preferisco. Grazie per i

bellissimi fiori. Sono arrivati in un grande cesto di vimini, che mi fa pensare a picnic e coperte.

A x

Da: Christian Grey
A: Anastasia Steele
Data: 16 giugno 2011 15.55
Oggetto: Aria fresca

Maniaco, eh? Il dottor Flynn potrebbe avere qualcosa da dire in proposito.

Vuoi fare un picnic?

Potremmo divertirci all'aria aperta, Anastasia…

Come sta andando la tua giornata, piccola?

Christian Grey
Amministratore delegato, Grey Enterprises Holdings Inc.

Oddio. Arrossisco leggendo la sua risposta.

Da: Anastasia Steele
A: Christian Grey
Data: 16 giugno 2011 16.00
Oggetto: Frenetica

La giornata è volata. Ho a stento un momento libero per pensare a qualcosa che non sia il lavoro.

Penso di potercela fare! Ti racconto tutto quando arrivo a casa.

L'aria aperta sembra… interessante.

Ti amo.

A x

PS: Non preoccuparti per il dottor Flynn.

Il mio telefono squilla. È Claire dalla reception, che non sta più nella pelle per sapere chi mi abbia mandato i fiori e che cosa sia successo a Jack. Rinchiusa in ufficio tutto il giorno, ho trascurato i pettegolezzi. Le rispondo che le rose erano da parte del mio fidanzato e che so poco delle dimissioni di Jack. Il BlackBerry ronza. Un'altra mail di Christian.

Da: Christian Grey
A: Anastasia Steele
Data: 16 giugno 2011 16.09
Oggetto: Ci proverò…

… non temere.
A più tardi, piccola. x

Christian Grey
Amministratore delegato, Grey Enterprises Holdings Inc.

Alle cinque e mezzo riordino la scrivania. La giornata è volata. Devo tornare all'Escala e prepararmi all'incontro con il dottor Flynn. Non ho neppure avuto il tempo di pensare alle domande da fargli. Forse oggi possiamo avere un incontro preliminare, e magari Christian lascerà che lo veda di nuovo. Mi scrollo di dosso quei pensieri mentre esco di corsa dall'ufficio, salutando al volo Claire.

Devo anche pensare al compleanno di Christian. So cosa gli regalerò. Voglio dargli il mio regalo stasera, prima che vediamo Flynn, ma come? Accanto al posto in cui ho parcheggiato c'è un negozietto che vende ninnoli per turisti. Mi viene un'ispirazione e dentro di me annuisco.

Entro nel salone, mezz'ora più tardi. Christian è al Black-Berry, in piedi e con lo sguardo rivolto verso la vetrata. Quando si volta e mi vede, si illumina e chiude velocemente la telefonata.

«Ros, è grandioso. Dillo a Barney e partiamo da quel punto… Ciao.»

Mi raggiunge mentre rimango timidamente sulla soglia. Ora si è cambiato e indossa una camicia bianca e i jeans, stile cattivo ragazzo pieno di ardore. "Wow!"

«Buonasera, Miss Steele» mormora mentre si china per baciarmi. «Congratulazioni per la tua promozione.» Mi avvolge tra le braccia. Ha un profumo delizioso.

«Ti sei fatto la doccia.»

«Mi sono appena allenato con Claude.»

«Ah.»

«Sono riuscito a stenderlo un paio di volte» annuncia, raggiante, infantile e compiaciuto di sé. Il suo sorriso è contagioso.

«Non succede spesso?»

«No. Dà una grande soddisfazione quando capita. Hai fame?»

Scuoto la testa.

«Cosa c'è?» Aggrotta le sopracciglia.

«Sono nervosa. Per il dottor Flynn.»

«Anch'io. Com'è andata la tua giornata?» Mi lascia andare, e io gli faccio un breve resoconto. Mi sta a sentire con attenzione.

«Ah, c'è un'ultima cosa» aggiungo. «Oggi sarei dovuta andare a pranzo con Mia.»

Lui solleva un sopracciglio, sorpreso. «Non me l'avevi detto.»

«Lo so, me ne sono dimenticata. Comunque, non ci sono potuta andare per via della riunione e allora Ethan si è offerto di prendere il mio posto.»

Il suo volto si rabbuia. «Capisco. Smettila di morderti il labbro.»

«Vado a darmi una rinfrescata» dico, cambiando argomento e andandomene prima che lui possa reagire.

Lo studio del dottor Flynn non è lontano dall'appartamento di Christian. "Molto utile" mi dico, pensierosa "per sedute d'emergenza."

«Di solito vengo da casa facendo una corsa» mi dice Christian mentre parcheggia la SAAB. «È una grande macchina.» Mi sorride.

«Lo penso anch'io.» Gli sorrido a mia volta. «Christian... io...» Lo guardo ansiosa.

«Cosa c'è, Ana?»

«Ecco.» Tiro fuori dalla borsa una piccola scatola regalo nera. «Questo è per te, per il tuo compleanno. Vorrei dartelo adesso... ma solo se mi prometti di non aprirlo fino a sabato, okay?»

Sbatte le palpebre, sorpreso, e deglutisce. «Okay» mormora cauto.

Facendo un respiro profondo, gli porgo il regalo, ignorando la sua espressione divertita. Lui scuote la scatoletta. Il rumore che proviene dall'interno lo incuriosisce. Aggrotta la fronte. So che desidera disperatamente vedere cosa contiene. Poi sorride, e i suoi occhi si illuminano di un'eccitazione infantile e spensierata. "Oh, accidenti..." Dimostra la sua età... ed è così meraviglioso.

«Non puoi aprirlo fino a sabato» lo metto in guardia.

«Ho capito» dice. «Perché me lo stai dando adesso?» Si infila la scatoletta nel taschino interno della giacca gessata.

"Molto azzeccato" penso, e gli sorrido maliziosa.

«Perché posso, Mr Grey.»

La sua bocca s'increspa.

«Ah, Miss Steele, mi rubi le battute.»

Veniamo accompagnati nel magnifico ufficio del dottor Flynn da un'amichevole quanto sbrigativa receptionist, che saluta Christian calorosamente. Un po' troppo calorosamente, visto che è abbastanza vecchia da poter essere sua madre, e lui la chiama per nome.

L'ambiente è sobriamente elegante – verde pallido, con

due divani verde scuro di fronte a due poltrone di pelle – e vi regna un'atmosfera da club per gentiluomini. Il dottor Flynn è seduto a una scrivania dalla parte opposta della stanza.

Quando entriamo, si alza e ci viene incontro vicino al divano. Indossa pantaloni neri e una camicia nera aperta sul collo. Niente cravatta. I suoi luminosi occhi azzurri sembrano non perdersi nulla.

«Christian.» Gli sorride amichevole.

«John.» Christian gli stringe la mano. «Ti ricordi di Anastasia?»

«Come potrei non ricordarmene? Benvenuta, Anastasia.»

«Ana, per favore» mormoro, mentre lui mi stringe la mano con decisione. Adoro il suo accento inglese.

«Ana» mi dice gentile, indicandomi i divani.

Christian mi fa cenno su quale dei due sedermi. Mi accomodo, cercando di sembrare rilassata, mentre lui si siede su quello accanto. Un tavolino con una semplice lampada ci divide. Noto con interesse una scatola di fazzolettini di carta lì accanto.

Non è come mi aspettavo. Mi ero immaginata una stanza bianca ed essenziale, con una chaise longue di pelle nera.

Con l'aria rilassata e padrone di sé, il dottor Flynn si siede su una delle poltrone e prende in mano un taccuino di pelle. Christian accavalla le gambe, la caviglia appoggiata al ginocchio, e allunga un braccio sullo schienale. Con l'altra mano prende la mia sul bracciolo e la stringe come per rassicurarmi.

«Christian ha chiesto che tu lo accompagnassi a una delle nostre sedute» esordisce il dottor Flynn, gentile. «Solo perché tu lo sappia, consideriamo questi incontri assolutamente riservati…»

Alzo un sopracciglio, guardando il dottore, e lui si ferma a metà della frase.

«Io… ehm… ho firmato un accordo di riservatezza» mormoro imbarazzata per quell'interruzione. Sia Flynn sia Christian mi fissano, e Christian mi lascia la mano.

«Un accordo di riservatezza?» Il dottor Flynn aggrotta la fronte e guarda Christian con aria interrogativa.

Christian si stringe nelle spalle.

«Inizi tutte le tue relazioni con una donna con un accordo di riservatezza?» gli chiede il dottor Flynn.

«Quelle contrattuali, sì.»

Le labbra del dottor Flynn si incurvano. «Hai altri tipi di relazioni con le donne?» gli domanda, e sembra divertito.

«No» risponde Christian dopo un attimo, e sembra divertito anche lui.

«Come pensavo.» Il dottor Flynn riporta la sua attenzione su di me. «Bene, immagino di non dovermi preoccupare della riservatezza, ma posso suggerire che voi due discutiate di questa faccenda, a un certo punto? Se ho capito bene, non ti stai più facendo coinvolgere in relazioni contrattuali.»

«Spero in un tipo di contratto diverso» risponde Christian con dolcezza, guardandomi. Io arrossisco e il dottor Flynn stringe gli occhi a fessura.

«Ana, devi perdonarmi, ma probabilmente conosco di te molto più di quanto pensi. Christian mi ha raccontato parecchie cose.»

Lancio un'occhiata nervosa a Christian. Che cosa gli ha detto?

«Un accordo di riservatezza?» prosegue. «Questo deve averti scioccata.»

Lo guardo sbattendo le palpebre. «Oh, credo che lo shock per quello sia diventato insignificante, viste le più recenti rivelazioni di Christian» rispondo, con la voce bassa ed esitante. Sembro nervosa.

«Ne sono sicuro.» Il dottor Flynn mi sorride gentile. «Allora, Christian, di cosa vorresti parlare?»

Christian si stringe nelle spalle come un ragazzino scontroso. «Anastasia voleva vederti. Forse dovresti chiederlo a lei.»

Il volto del dottor Flynn lascia trasparire la sua sorpresa. Mi guarda scaltro.

"Merda." È mortificante. Mi fisso le dita.

«Ti sentiresti più a tuo agio se Christian ci lasciasse per un po'?»

I miei occhi scattano verso Christian e lui mi guarda con l'aria di chi aspetta qualcosa. «Sì» sussurro.

Lui si acciglia e apre la bocca, ma poi la richiude in fretta e si alza con un movimento veloce e aggraziato.

"Oh, no."

«Grazie, Christian» dice il dottor Flynn, impassibile.

Lui mi lancia un lungo sguardo inquisitorio, poi esce dalla stanza, ma senza sbattere la porta. E subito mi rilasso.

«Ti intimidisce?»

«Sì. Ma non come una volta.» Mi sento sleale, ma è la verità.

«La cosa non mi sorprende, Ana. Come posso aiutarti?»

Abbasso lo sguardo sulle mie dita intrecciate. Che cosa posso dirgli?

«Dottor Flynn, non ho mai avuto una relazione prima, e Christian è... be', è Christian. Nell'ultima settimana o poco più sono successe parecchie cose. Non ho avuto la possibilità di riflettere con calma.»

«Su che cosa senti il bisogno di riflettere?»

Alzo lo sguardo. Il dottor Flynn ha la testa piegata di lato e mi fissa con compassione, credo.

«Be'... Christian mi dice di essere felice di rinunciare... ehm...» Incespico nelle parole e mi fermo. È più difficile di quanto immaginassi.

Il dottor Flynn sospira. «Ana, nel poco tempo in cui vi siete frequentati, hai fatto fare più progressi tu al mio paziente di quelli che gli ho fatto fare io negli ultimi due anni. Hai un effetto profondo su di lui. Devi saperlo.»

«Anche lui ha un effetto profondo su di me. È solo che non so se io basto… per soddisfare i suoi bisogni» riesco a bisbigliare.

«È questo che vuoi da me? Una rassicurazione?»

Annuisco.

«I bisogni cambiano» dice lui semplicemente. «Christian si è trovato in una situazione in cui i suoi metodi di relazione non funzionano più. Molto semplicemente, tu lo hai costretto a confrontarsi con qualcuno dei suoi demoni e a rimettersi in discussione.»

Sbatto le palpebre e lo guardo. Le sue parole riecheggiano quello che Christian mi ha detto.

«Sì, i suoi demoni» mormoro.

«Noi non ci dilunghiamo su quelli… Fanno parte del passato. Christian sa quali sono i suoi demoni, come lo so io… E ora sono certo che anche tu li conosci. Sono molto più preoccupato per il futuro e per il fatto di portare Christian là dove vuole essere.»

Aggrotto la fronte e lui alza un sopracciglio.

«Il termine tecnico è TBOS… Scusa.» Sorride. «Significa "terapia breve orientata alla soluzione". Essenzialmente è mirata al raggiungimento degli obiettivi. Ci concentriamo su dove Christian vuole andare e su come portarlo lì. È un approccio dialettico. Non c'è motivo di affrontare di petto il passato… Tutto ciò è già stato esaminato da ogni specialista, psicologo e psichiatra che Christian ha visto. Sappiamo perché lui è come è, ma è il futuro la cosa importante. Dove Christian immagina se stesso, dove vuole essere. È stato necessario che tu lo lasciassi perché lui cominciasse a prendere seriamente questa terapia. Si è reso conto che il suo obiettivo è una relazione d'amore con te. È semplice, ed è quello su cui stiamo lavorando adesso. Ovviamente ci sono degli ostacoli. La sua afefobia, per esempio.»

"La sua cosa?" sussulto.

«Scusa. Intendevo la sua paura di essere toccato» spiega

459

il dottor Flynn scuotendo la testa, come per rimproverarsi. «Una cosa di cui, sono sicuro, ti sei accorta.»

Arrossisco e annuisco. "Ah, quella!"

«E un certo morboso orrore per se stesso, di cui, sono sicuro, non ti sorprende sentirmi parlare. E, ovviamente, le sue parasonnie... ehm... i terrori notturni, per i non addetti ai lavori.»

Sbatto le palpebre cercando di assimilare tutti questi paroloni. So già tutto. Ma Flynn non ha parlato di quello che mi preoccupa più di tutto.

«Ma è un sadico. Sicuramente, come tale, ha dei bisogni che non posso soddisfare.»

Il dottor Flynn alza gli occhi al cielo, e la sua bocca si tende in una linea dura. «Questo non è più considerato un termine psichiatrico. Non so quante volte gliel'ho detto. Non è neppure più classificato come parafilia, non dagli anni Novanta.»

Mi sono persa di nuovo. Guardo il dottor Flynn sbattendo le palpebre. Lui mi sorride gentile.

«Questa è una mia piccola fissazione.» Scuote la testa. «Christian pensa solo il peggio di se stesso in ogni situazione. Fa parte dell'orrore che prova per se stesso. Certo, c'è il sadismo sessuale, ma non è una malattia. È una scelta di vita. E, se è praticato in una relazione sicura, sana, tra adulti consenzienti, allora non è un problema. Da quello che ho capito, Christian ha condotto tutte le sue relazioni sadomaso in questo modo. Tu sei la sua prima amante che non acconsente a ciò, e quindi nemmeno lui vuole praticarlo.»

"Amante!"

«Ma non può essere così semplice.»

«Perché no?» Il dottor Flynn si stringe nelle spalle, benevolo.

«Be'... le ragioni per cui lo fa.»

«Ana, questo è il punto. Nei termini della terapia breve

orientata alla soluzione, è semplice: Christian vuole stare con te, e per farlo, ha bisogno di rinunciare agli aspetti più estremi di quel tipo di relazione. Dopotutto, quello che chiedi non è irragionevole, giusto?»

Arrossisco. "Non è irragionevole, vero?"

«Non penso. Ma temo che per lui possa esserlo.»

«Christian lo ammette e si comporta di conseguenza. Non è malato.» Il dottor Flynn sospira. «In poche parole, non è un sadico, Ana. È un ragazzo arrabbiato, spaventato ma brillante, che ha dovuto affrontare l'orribile destino con cui era nato. Possiamo batterci il petto e analizzare i come, i quando e i perché fino alla morte… Oppure Christian può andare avanti e decidere come vuole vivere. Aveva trovato qualcosa che ha funzionato per lui per qualche anno, più o meno, ma da quando ti ha incontrata, non va più bene. E di conseguenza sta cambiando il suo modus operandi. Tu e io dobbiamo rispettare la sua scelta e aiutarlo.»

Lo guardo a bocca aperta. «Questa è la mia rassicurazione?»

«Bisogna prendere quel che viene, Ana. Non ci sono garanzie in questa vita.» Sorride. «E questa è la mia opinione professionale.»

Sorrido anch'io, debolmente. Le battute da medici… accidenti.

«Ma lui pensa a se stesso come a un alcolista in recupero.»

«Christian penserà sempre il peggio di sé. Come ho detto, fa parte dell'odio che prova per se stesso. È nel suo carattere. Naturalmente, non vede l'ora di apportare questo cambiamento nella sua vita. Potenzialmente si sta esponendo a un intero mondo di sofferenze emotive, che incidentalmente ha provato quando lo hai lasciato. Naturalmente è apprensivo.» Il dottor Flynn fa una pausa. «Non voglio sottolineare l'importanza del tuo ruolo nella sua conversione… sulla via di Damasco. Ma ce l'hai. Christian non sarebbe arrivato a questo punto, se non ti avesse incontrata.

Personalmente, non credo che l'analogia con l'alcolista sia valida, ma se per lui funziona, per adesso, allora penso che dovremmo dargli il beneficio del dubbio.»

Dare a Christian il beneficio del dubbio. Aggrotto la fronte a quel pensiero.

«Dal punto di vista emotivo, Christian è un adolescente, Ana. Ha totalmente bypassato quella fase della sua vita. Ha incanalato tutte le sue energie nel successo sul lavoro, e l'ha ottenuto al di là di tutte le aspettative. Il suo universo emotivo deve essere ridefinito.»

«Allora come posso aiutarlo?»

Il dottor Flynn ride. «Devi solo continuare a fare quello che stai facendo... Christian è innamorato cotto. È un piacere vederlo.»

Arrossisco, e la mia dea interiore si sta stringendo tra le braccia felice, ma qualcosa mi preoccupa. «Posso chiederle ancora una cosa?»

«Certo.»

Faccio un respiro profondo. «Una parte di me pensa che se non fosse così disturbato, lui... non mi vorrebbe.»

Il dottor Flynn inarca le sopracciglia per la sorpresa. «Questa è una cosa molto negativa da dire di se stessi, Ana. E francamente dice più di te di quanto dica di Christian. Non è al livello dell'odio che lui prova per se stesso, ma ne sono stupito.»

«Be', ma guardi lui... e poi guardi me.»

Il dottor Flynn si acciglia. «Lo faccio. Vedo un attraente giovane uomo, e vedo un'attraente giovane donna. Ana, non pensi di essere attraente?»

"Oh, no..." Non voglio che si parli di me. Abbasso gli occhi sulle mie dita. Improvvisamente, qualcuno bussa forte alla porta e mi fa sussultare. Christian ritorna nella stanza, fissando in tralice entrambi. Arrossisco e lancio un'occhiata veloce a Flynn, che gli sta sorridendo benevolmente.

«Bentornato, Christian» dice.

«Pensavo che il tempo fosse scaduto, John.»

«Quasi, Christian. Unisciti a noi.»

Christian si siede, al mio fianco stavolta, e mi mette una mano sul ginocchio, con fare possessivo. Il suo gesto non passa inosservato al dottor Flynn.

«Hai qualcos'altro da chiedermi, Ana?» domanda il dottor Flynn, e la sua preoccupazione è ovvia. "Merda... Non avrei dovuto fargli quella domanda." Scuoto la testa.

«Christian?»

«Non oggi, John.»

Flynn annuisce.

«Potrebbe essere un bene se veniste ancora insieme. Sono sicuro che Ana avrà delle altre domande.»

Christian annuisce riluttante.

Io arrossisco. "Merda... vuole approfondire." Christian mi afferra la mano e mi guarda attentamente.

«Tutto okay?» mi chiede con dolcezza.

Gli sorrido e annuisco. Sì, diamogli il beneficio del dubbio, per gentile concessione del buon dottore inglese.

Christian mi stringe la mano e si volta verso Flynn.

«Come sta lei?» gli chiede piano.

"Io?"

«Ce la farà» risponde il dottore, rassicurante.

«Bene. Tienimi aggiornato sui suoi progressi.»

«Lo farò.»

"Accidenti. Stanno parlando di Leila."

«Possiamo andare a festeggiare la tua promozione?» mi chiede Christian con una certa enfasi.

Io annuisco timidamente, mentre lui si alza.

Salutiamo velocemente il dottor Flynn, e Christian mi spinge verso la porta con una fretta sconveniente.

In strada, si volta verso di me. «Com'è andata?» C'è ansia nella sua voce.

«È andata bene.»

Lui mi guarda sospettoso. Io piego la testa di lato.

«Mr Grey, per favore, non guardarmi in quel modo. Per ordine del dottore, ti darò il beneficio del dubbio.»

«Che cosa vuol dire?»

«Vedrai.»

Le sue labbra si incurvano e i suoi occhi si stringono. «Sali in macchina» mi ordina aprendo la portiera del passeggero della SAAB.

Oh, cambio di direzione. Il mio BlackBerry suona. Lo tiro fuori dalla borsa.

"Merda. José!"

«Ciao!»

«Ana, ciao…»

Fisso Christian, che mi occhieggia sospettoso. "José" mimo con le labbra verso di lui. Mi fissa impassibile, ma il suo sguardo si indurisce. Pensa che non lo noti? Rivolgo di nuovo l'attenzione a José.

«Scusa, non ti ho chiamato. È per domani?» chiedo a José, ma guardo Christian.

«Sì. Senti, ho parlato con un tizio a casa di Grey, perciò so dove devo portare le foto. Dovrei arrivare tra le cinque e le sei… dopodiché sono libero.»

"Oh."

«Be', sto da Christian in questo momento e lui dice che, se vuoi, puoi rimanere a dormire a casa sua.»

Christian stringe le labbra in una linea dura. Mmh… che ospite!

José rimane in silenzio per un minuto, assorbendo la notizia. Io rabbrividisco. Non ho ancora avuto modo di parlargli di Christian.

«Okay» mi dice alla fine. «Questa cosa con Grey è seria?»

Volto le spalle alla macchina e passeggio fino al limite del marciapiede.

«Sì.»

«Quanto?»

Alzo gli occhi al cielo e sto zitta. Perché Christian dev'essere qui a sentire?

«Seria.»

«È lì con te? È per questo che parli a monosillabi?»

«Sì.»

«Okay. Ti è consentito uscire domani?»

«Certo.» Spero. Istintivamente incrocio le dita.

«Allora, dove ci incontriamo?»

«Puoi venire a prendermi al lavoro?»

«Okay.»

«Ti mando un messaggio con l'indirizzo.»

«A che ora?»

«Alle sei?»

«Certo. Va bene, Ana. Sono già in attesa. Mi manchi.»

Sorrido. «Fantastico. Ci vediamo.» Chiudo la comunicazione e mi volto.

Christian è appoggiato alla macchina e mi guarda attentamente. La sua espressione è impossibile da decifrare.

«Come sta il tuo amico?» mi chiede, gelido.

«Sta bene. Mi verrà a prendere al lavoro, e penso che usciremo a bere qualcosa. Vuoi venire con noi?»

Christian esita, i suoi occhi sono grigi e freddi. «Non pensi che ci proverà con te?»

«No!» Il mio tono è esasperato, ma mi trattengo dall'alzare gli occhi al cielo.

«Okay.» Lui solleva le mani in segno di resa. «Tu esci con il tuo amico, e noi ci vediamo più tardi in serata.»

Mi aspettavo di dover litigare, e il fatto che abbia acconsentito subito mi spiazza.

«Vedi? Posso essere ragionevole.» Mi sorride malizioso.

Le mie labbra si incurvano. "Staremo a vedere."

«Posso guidare?»

Christian sbatte le palpebre e mi guarda, sorpreso dalla richiesta.

«Preferirei che non lo facessi.»

«Perché?»

«Perché non mi piace che guidi qualcun altro, quando ci sono io.»

«Stamattina ce l'hai fatta, e sembri tollerare che Taylor guidi per te.»

«Mi fido ciecamente della guida di Taylor.»

«E della mia no?» Mi metto le mani sui fianchi. «Onestamente, la tua mania del controllo non conosce limiti. Guido da quando avevo quindici anni.»

Per tutta risposta, lui scrolla le spalle, come se non avesse importanza. Oh, se è esasperante! Beneficio del dubbio? Be', al diavolo.

«È la mia macchina?» gli chiedo.

Lui mi guarda accigliato. «Certo che è la tua macchina.»

«Allora dammi le chiavi, per cortesia. L'ho guidata due volte, e solo per andare e tornare dal lavoro. Mi stai rubando tutto il divertimento.» Sono in piena modalità broncio. Le labbra di Christian si piegano in un sorriso a stento trattenuto.

«Ma non sai dove stiamo andando.»

«Sono sicura che potrai illuminarmi, Mr Grey. Hai fatto un ottimo lavoro fin qui.»

Mi guarda, stupito, e poi sorride. È il suo nuovo sorriso timido, che mi disarma totalmente e mi toglie il fiato.

«Un ottimo lavoro, eh?» mormora.

Arrossisco. «In gran parte sì.»

«Be', in questo caso...» Mi consegna le chiavi e gira intorno alla macchina, fino alla portiera del conducente, che apre per me.

«Qui a sinistra» ordina Christian, e ci dirigiamo a nord, verso la I-5. «Accidenti, rallenta, Ana.» Si afferra al cruscotto.

"Oh, per l'amor di Dio." Alzo gli occhi al cielo, ma non mi volto per guardarlo. Van Morrison cantilena in sottofondo.

«Rallenta!»

«Sto rallentando!»

Christian sospira. «Cosa ti ha detto il dottor Flynn?» Sento l'ansia trapelare dalla sua voce.

«Te l'ho detto: mi ha suggerito di darti il beneficio del dubbio.» "Dannazione..." Forse avrei dovuto lasciare che fosse Christian a guidare. Così avrei potuto guardarlo. Infatti... Segnalo che devo accostare.

«Che cosa stai facendo?» esclama, allarmato.

«Ti lascio guidare.»

«Perché?»

«Così posso guardarti.»

Lui ride. «No, no. Hai voluto guidare tu. Allora guida, e ti guarderò io.»

Adesso lo guardo io, rabbuiata. «Tieni gli occhi sulla strada!» mi ordina.

Mi ribolle il sangue. "D'accordo!" Accosto subito prima di un semaforo, esco infuriata dalla macchina, sbattendo la portiera, e rimango in piedi sul marciapiede, con le braccia incrociate. Lo guardo con aria truce. Lui scende dalla macchina.

«Che cosa stai facendo?» mi chiede, fissandomi rabbioso.

«No, tu cosa stai facendo!?»

«Non puoi parcheggiare qui.»

«Lo so.»

«Allora perché l'hai fatto?»

«Perché ne ho abbastanza che mi abbi ordini. O guidi tu, oppure chiudi la bocca e lasci guidare me!»

«Anastasia, torna in macchina, prima che prendiamo una multa.»

«No.»

Mi guarda sbattendo le palpebre, del tutto spiazzato, poi si passa una mano tra i capelli, e la sua rabbia si trasforma in confusione. All'improvviso mi sembra così buffo che non posso fare a meno di sorridergli. Lui aggrotta la fronte.

«Cosa c'è?» esclama.

«Tu.»

«Oh, Anastasia! Sei la donna più irritante del pianeta.» Solleva le mani. «Benissimo. Guiderò io.» Gli afferro il bavero della giacca e lo attiro a me.

«No, tu sei l'uomo più irritante del pianeta, Mr Grey.»

Mi guarda, i suoi occhi sono scuri e intensi, poi mi avvolge le braccia intorno alla vita e mi abbraccia, tenendomi stretta.

«Allora, forse siamo fatti l'uno per l'altra» dice dolcemente e inspira forte, con il naso tra i miei capelli. Mi stringo a lui e chiudo gli occhi. Per la prima volta da questa mattina mi rilasso.

«Oh… Ana, Ana, Ana» sospira con le labbra premute contro i miei capelli. Mi stringo più forte a lui, e rimaniamo così, immobili, godendoci questo momento di inaspettata tranquillità per la strada. Poi mi lascia andare e mi apre la portiera del passeggero. Io salgo e mi siedo tranquilla, osservandolo mentre fa il giro della macchina.

Christian rimette in moto la SAAB e si infila di nuovo nel traffico, canticchiando Van Morrison, soprappensiero.

"Wow." Non l'ho mai sentito cantare, neppure sotto la doccia, mai. Aggrotto la fronte. Ha una bella voce. Ovviamente. Mmh… mi avrà sentita cantare?

"Non ti avrebbe chiesto di sposarlo se ti avesse sentita!" La mia vocina è, come al solito, molto rassicurante e sarcastica. Se potessi darle un volto, la immaginerei con le braccia incrociate sul petto e con un completo a scacchi di tessuto Burberry. La canzone finisce e Christian sorride.

«Sai, se avessimo preso la multa, la macchina è intestata a te.»

«Be', allora è un bene che abbia avuto una promozione. Posso permettermi le contravvenzioni» dico compiaciuta, fissando il suo bel profilo. Lui increspa le labbra. Inizia un'altra canzone di Van Morrison e sale sulla rampa d'accesso della I-5, puntando verso nord.

«Dove stiamo andando?»

«È una sorpresa. Cos'altro ti ha detto Flynn?»

Sospiro. «Ha detto qualcosa a proposito del TTBBOS o una roba del genere.»

«TBOS. L'ultimo ritrovato della psicologia» mormora lui. «Hai provato altri metodi?»

Christian sbuffa. «Piccola, li ho provati tutti. Cognitivismo, Freud, funzionalismo, terapia della Gestalt, comportamentismo... Citane uno, e io l'ho sperimentato» dice e il suo tono tradisce amarezza. Il risentimento nella sua voce è angosciante.

«Pensi che quest'ultimo approccio ti aiuterà?»

«Cosa dice il dottor Flynn?»

«Dice di non fissarsi sul tuo passato. Di focalizzarsi sul futuro... su dove tu vuoi essere.»

Christian annuisce ma al tempo stesso si stringe nelle spalle. La sua espressione è guardinga.

«Cos'altro?» insiste.

«Abbiamo parlato della tua paura di essere toccato, anche se l'ha chiamata in un modo diverso. E dei tuoi incubi e dell'odio verso te stesso.» Lo guardo e, nella luce della sera, lui è pensieroso, si mordicchia il pollice mentre guida. Mi lancia un'occhiata veloce.

«Occhi sulla strada, Mr Grey» lo redarguisco alzando un sopracciglio.

Lui sembra divertito e vagamente esasperato. «Avete parlato per un'eternità, Anastasia. Cos'altro ti ha detto?»

Deglutisco. «Non pensa che tu sia un sadico» rispondo con un filo di voce.

«Davvero?» dice Christian e aggrotta la fronte. L'atmosfera all'interno della macchina sembra scendere in picchiata.

«Sostiene che il termine non è riconosciuto in psichiatria. Non dagli anni Novanta» mi affretto a dire, cercando di ristabilire il buonumore tra noi.

Il volto di Christian si rabbuia, e lo sento sospirare lentamente.

«Flynn e io abbiamo opinioni diverse al riguardo» osservava pacato.

«Mi ha detto che pensi sempre il peggio di te stesso. So che è vero» mormoro. «Ha anche menzionato il sadismo sessuale, ma dice che è una scelta di vita, non una condizione psichiatrica. Forse è a questo che ti riferisci tu.»

Mi fulmina con lo sguardo e stringe le labbra in una linea severa.

«E così... ti è bastata una seduta con il buon dottore per diventare un'esperta» dice acido e torna a rivolgere gli occhi alla strada.

"Oh, cavolo..." sospiro.

«Senti, se non vuoi sentire quello che mi ha detto, allora non chiedermelo» ribatto tranquillamente.

Non voglio litigare. Tuttavia, lui ha ragione. Che diavolo ne so io di tutte queste stronzate? E poi, voglio davvero saperlo? Posso elencare i punti salienti – la sua mania del controllo, la possessività, la gelosia, l'iperprotettività – e capisco benissimo da dove tutto ciò arrivi. Riesco anche a capire perché non gli piaccia essere toccato. Ho visto le cicatrici che ha sul corpo. Posso solo immaginare quelle che ha nella psiche, e ho avuto solo un assaggio dei suoi incubi. E il dottor Flynn dice...

«Voglio sapere di cosa avete discusso.» Christian interrompe i miei pensieri prendendo l'uscita, e spingendosi a ovest, verso il sole che sta lentamente tramontando.

«Mi ha definita la tua amante.»

«Davvero?» Il suo tono è conciliante. «Be', è un termine appropriato. Credo che descriva accuratamente ciò che siamo. Non trovi?»

«Pensavi alle tue Sottomesse come amanti?»

Christian aggrotta la fronte di nuovo, ma stavolta è pensieroso. Fa svoltare dolcemente la SAAB verso nord. "Dove stiamo andando?"

«No. Loro erano partner sessuali» risponde, il tono di

nuovo guardingo. «Tu sei la mia unica amante. E voglio che tu sia anche di più per me.»

Oh... ecco quelle parole magiche, piene di possibilità. Mi fanno sorridere, e dentro di me mi abbraccio forte, cercando di controllare la mia gioia.

«Lo so» sussurro, provando a nascondere l'emozione. «Ho solo bisogno di tempo, Christian. Per pensare a quello che è successo in questi ultimi giorni.» Lui mi lancia un'occhiata strana, perplesso, la testa piegata di lato.

Dopo un attimo, il semaforo al quale ci siamo fermati diventa verde. Lui annuisce e alza il volume della musica, e la nostra discussione è finita.

Van Morrison sta ancora cantando, più ottimista, adesso, del fatto che sia una sera meravigliosa per ballare al chiaro di luna. Guardo fuori dal finestrino i pini e gli abeti immersi nella luce evanescente e dorata del sole, le lunghe ombre che si allungano sulla strada. Christian ha svoltato in un quartiere residenziale, e ci stiamo dirigendo verso il Sound.

«Dove stiamo andando?» chiedo di nuovo mentre giriamo in una via. Leggo al volo la scritta sul cartello stradale: 9th Ave NW. Sono senza parole.

«Sorpresa» dice lui e sorride misterioso.

18

Christian continua a guidare lungo un viale ben tenuto, con abitazioni di un solo piano rivestite di legno, dove i bambini giocano a basket nei cortili o girano in bicicletta o corrono per strada. Tutto sembra ricco e sano, con le case immerse tra gli alberi. Forse andiamo a fare visita a qualcuno? Chi?

Qualche minuto più tardi, svolta a sinistra e si ferma davanti a un cancello di metallo bianco, incastonato in un muro di arenaria alto due metri. Digita una combinazione sul tastierino numerico e il cancello si apre.

Mi guarda, e la sua espressione è cambiata. Sembra insicuro, nervoso.

«Che cosa c'è?» gli chiedo e non riesco a mascherare la preoccupazione nella mia voce.

«Un'idea» mi dice e guida la SAAB attraverso il cancello.

Procediamo lungo una stradina costeggiata dagli alberi, larga appena per due macchine. Da un lato c'è un'area boschiva molto folta, e dall'altro un vasto prato, dove una volta doveva esserci un campo coltivato, ora incolto. Erba e fiori selvatici lo hanno invaso, creando una specie di paradiso terrestre... La brezza serale soffia muovendo l'erba e il sole al tramonto colora d'oro i fiori selvatici. È un posto meravigliosamente tranquillo, e mi immagino distesa sul prato a fissare il cielo estivo azzurro sopra di me. L'idea è

allettante, eppure, per qualche strana ragione, provo un po'
di nostalgia di casa. Che strano.

La stradina fa una curva e si allarga nell'ampio viale d'accesso di un'impressionante casa di pietra rosa chiaro in stile mediterraneo. È magnifica. Tutte le luci sono accese, ogni finestra brilla nel crepuscolo. C'è un'elegante BMW parcheggiata di fronte al garage quadruplo, ma Christian si ferma davanti al grandioso portico.

"Mmh..." Mi domando chi viva qui. A chi stiamo facendo visita.

Christian spegne il motore e mi lancia uno sguardo pieno d'ansia.

«Continuerai ad avere una mente aperta?» mi chiede.

Aggrotto la fronte.

«Christian, ho avuto bisogno di una mente aperta dal giorno in cui ti ho conosciuto.»

Lui mi fa un sorriso ironico e annuisce. «Un punto per te, Miss Steele. Andiamo.»

La porta di legno scuro si apre, e una donna con i capelli castani, un sorriso sincero, e un abito attillato lilla, ci accoglie. Sono contenta di aver indossato il mio nuovo tubino blu scuro per fare bella impressione sul dottor Flynn. Okay, non ho i tacchi vertiginosi che ha questa donna, ma almeno non sono in jeans.

«Mr Grey.» Lei sorride calorosamente e si scambiano una stretta di mano.

«Miss Kelly» dice lui educato.

Lei mi sorride e mi porge la mano, che stringo. Il suo fugace sguardo da è-bello-come-un-sogno-e-vorrei-che-fosse-mio non passa inosservato.

«Olga Kelly» si presenta, spigliata.

«Ana Steele» mormoro in risposta. "Chi è questa donna?" Lei si fa da parte, accogliendoci in casa. Quando entro, provo uno shock. La casa è vuota. Completamente vuota. Ci troviamo in un grande ingresso. Le pareti sono di un color giallo primula, con alcuni segni dove un tempo dovevano essere stati appesi dei quadri. Tutto quello che rimane è l'antico lampadario di cristallo. I pavimenti sono di legno opaco. Ci sono porte chiuse sia alla nostra destra sia alla nostra sinistra, ma Christian non mi dà il tempo di rendermi conto di cosa sta succedendo.

«Vieni» dice, e mi prende per mano, guidandomi, attraverso un arco, in un ampio vestibolo. È dominato da un grande scalone con una ringhiera di ferro dal disegno complicato, ma Christian non si ferma. Attraversiamo il salone, che è vuoto a parte un enorme tappeto di un oro sbiadito... il tappeto più grande che abbia mai visto. Oh... ci sono anche quattro lampadari di cristallo.

Le intenzioni di Christian diventano chiare quando puntiamo verso una portafinestra e usciamo su una grande terrazza di pietra. Sotto di noi c'è un prato curatissimo grande almeno quanto mezzo campo da calcio, e oltre quello la vista. "Wow."

Il panorama, ininterrotto, mozza il fiato: è incredibile. Crepuscolo sul Sound. In lontananza si estende l'isola Bainbridge, e più in là, nella sera trasparente come il cristallo, il sole tramonta lentamente, ardendo sangue e fiamme arancio, al di là del Parco nazionale di Olympic. Sfumature rosso vermiglio si disperdono nel cielo ceruleo, con toni opale e acquamarina, e si mescolano con il viola scuro delle poche nubi a batuffolo e della terra sotto il Sound. È la natura al suo meglio, una sinfonia visiva orchestrata nel cielo e riflessa sulle acque profonde e immobili del Sound. Mi perdo di fronte a questa vista, cercando di assorbire tanta bellezza.

Mi rendo conto che sto trattenendo il fiato, in soggezione, e Christian mi sta ancora tenendo la mano. Quando, con riluttanza, riesco a distogliere gli occhi dal panorama, lui mi sta guardando, ansioso.

«Mi hai portata qui per ammirare il panorama?» sussurro.

Lui annuisce, la sua espressione è seria.

474

«È sconvolgente, Christian. Grazie» mormoro, lasciando ancora che i miei occhi godano quella scena meravigliosa. Lui mi lascia andare la mano.

«Come la vedresti se fosse così per il resto della tua vita?» mi dice a fior di labbra.

"Cosa?" A quelle parole, mi volto di scatto, occhi azzurri sgomenti in occhi grigi pensierosi. Spalanco la bocca, e lo fisso esterrefatta.

«Ho sempre desiderato vivere sulla costa. Navigavo su e giù sul Sound sognando queste case. Questo posto non rimarrà in vendita a lungo. Vorrei comprarlo, demolirlo, e costruire una nuova casa, per noi» sussurra, e i suoi occhi brillano, illuminati dalle speranze e dai sogni.

"Porca miseria." In qualche modo riesco a rimanere in piedi. La mia mente elabora. "Vivere qui! In questo paradiso! Per il resto della mia vita..."

«È solo un'idea» aggiunge lui, cautamente.

Lancio un'occhiata alle mie spalle per valutare la casa. "Quanto varrà? Circa... cinque, dieci milioni di dollari? Non ne ho idea."

«Perché vuoi demolirla?» chiedo, guardando di nuovo Christian. La sua espressione cambia. "Oh, no."

«Mi piacerebbe costruire una casa più ecosostenibile, usando le ultime tecnologie. Potrebbe occuparsene Elliot.»

Do un'altra occhiata all'edificio. Miss Olga Kelly è nell'ingresso. È l'agente immobiliare, ovviamente. Noto che il salone è enorme e l'altezza è il doppio del normale; assomiglia un po' al salone dell'Escala. C'è una balconata... dev'essere il ballatoio del piano superiore. Ci sono anche un enorme camino e una fila di portefinestre che si affacciano sulla terrazza. Ha un fascino da mondo antico.

«Possiamo dare un'occhiata alla casa?»

Christian mi guarda e sbatte le palpebre. «Certo.» Scrolla le spalle, stupito.

Il volto di Miss Kelly si illumina, quando torniamo dentro. È contenta di portarci a fare un giro e di propinarci la sua lezioncina.

La casa è enorme: più di mille metri quadrati su due ettari e mezzo di terreno. Oltre al salone, ci sono la cucina abitabile – o meglio, "banchettabile" – con un soggiorno annesso – un soggiorno! – una stanza della musica, una biblioteca, uno studio e, con mio sommo stupore, una piscina coperta e una sala fitness attrezzata con sauna e bagno turco. Al piano di sotto, nel seminterrato, ci sono un cinema – "Accidenti!" – e una sala giochi. "Mmh... che tipo di giochi si possono fare qui?"

Miss Kelly sottolinea ogni dettaglio, ma nella sostanza la casa è bellissima e, ovviamente, un tempo apparteneva a una famiglia felice. Ora è un po' trascurata, ma niente che cure amorevoli non possano sistemare.

Mentre seguiamo Miss Kelly su per il magnifico scalone che porta al piano superiore, riesco a stento a contenere l'emozione... Questa casa ha tutto quello che ho sempre desiderato in un'abitazione.

«Non potresti rendere più ecologica e sostenibile la casa esistente?»

Christian mi guarda perplesso. «Dovrei chiederlo a Elliot. È lui l'esperto.»

Miss Kelly ci conduce nella camera da letto padronale, dove finestre a tutta parete si aprono su un balcone; la vista è, come sempre, spettacolare. Potrei sedermi sul letto e guardare fuori per tutto il giorno, osservando le barche e il tempo che cambia.

Ci sono altre cinque stanze da letto a questo piano. "Bambini!" Allontano quel pensiero in fretta. Ho già tante cose su cui riflettere. Miss Kelly è impegnata a spiegare a Christian che la proprietà potrebbe ospitare scuderie e un recinto per i cavalli – "cavalli!", ricordi spaventosi delle mie poche lezioni di equitazione mi attraversano la mente come lampi – ma lui non sembra starla a sentire.

«Il recinto dovrebbe prendere il posto dell'attuale prato?» chiedo.

«Sì» Miss Kelly si illumina.

A me quel prato fa pensare a un luogo dove sdraiarmi tra l'erba folta e fare un picnic, non dove far pascolare creature di Satana con quattro lunghe zampe.

Tornati nel salone, Miss Kelly si allontana con discrezione, e Christian mi porta di nuovo sulla terrazza. Il sole è tramontato e le luci delle città della Penisola Olimpica scintillano dalla parte opposta del Sound.

Mi prende tra le braccia e mi solleva il mento con l'indice, guardandomi negli occhi.

«Molte cose a cui pensare?» mi chiede, l'espressione indecifrabile.

Annuisco.

«Volevo essere sicuro che ti piacesse prima di comprarla.»

«La vista?»

Lui annuisce.

«Adoro la vista, e mi piace la casa, così com'è.»

«Davvero?»

Gli sorrido timidamente. «Christian, mi avevi già conquistata con il prato.»

Le sue labbra si schiudono mentre inspira profondamente, poi il suo viso si trasforma, con un sorriso, e le sue mani all'improvviso sono tra i miei capelli, e la sua bocca sulla mia.

In macchina, mentre torniamo a Seattle, l'umore di Christian è notevolmente migliorato.

«Quindi la comprerai?» chiedo.

«Sì.»

«E metterai l'Escala in vendita?»

Lui aggrotta la fronte. «Perché?»

«Per pagare...» La mia voce si affievolisce. Certo. Arrossisco.

Lui mi sorride malizioso. «Fidati, me lo posso permettere.»

«Ti piace essere ricco?»

«Sì. C'è forse qualcuno a cui non piace?» dice cupo.

Okay, lasciamo perdere.

«Anastasia, imparerai anche tu a essere ricca, se dirai di sì» aggiunge dolcemente.

«La ricchezza è qualcosa a cui io non ho mai aspirato, Christian.» Mi acciglio.

«Lo so. Mi piace questo di te. Ma non hai nemmeno mai sofferto la fame» osserva con semplicità. Le sue parole fanno riflettere.

«Dove stiamo andando?» chiedo allegra, cambiando argomento.

«A festeggiare.» Christian si rilassa.

"Oh!" «Festeggiare cosa, la casa?»

«Te lo sei già dimenticato? Il tuo ruolo di direttore editoriale ad interim.»

«Oh, sì.» Sorrido. Incredibile. Me n'ero dimenticata.

«Dove?»

«Al mio club.»

«Il tuo club?»

«Sì. Uno dei miei club.»

Il Mile High Club è al settantaseiesimo piano della Columbia Tower, ben più in alto dell'appartamento di Christian. È molto alla moda e ha la vista più strabiliante di tutta Seattle.

«Cristal, signora?» Christian mi porge una coppa di champagne ghiacciato e io mi siedo sul bordo dello sgabello.

«Oh, grazie, *signore*.» Metto l'enfasi su quest'ultima parola con fare civettuolo, sbattendo le ciglia deliberatamente.

Lui mi osserva e il suo volto si fa serio. «Stai flirtando con me, Miss Steele?»

«Sì, Mr Grey. Che cosa hai intenzione di fare in proposito?»

«Sono sicuro che mi verrà in mente qualcosa» risponde, la voce bassa. «Vieni, il nostro tavolo è pronto.»

Mentre ci avviciniamo al tavolo, Christian mi prende per un gomito, fermandomi.

«Va' a toglierti le mutandine» mi sussurra.

"Oh?" Un brivido d'eccitazione mi percorre la schiena.

«Vai» ordina.

"Aspetta un attimo... Che cosa?" Non sta sorridendo. È terribilmente serio. Ogni muscolo al di sotto del mio girovita si tende. Gli passo la mia coppa di champagne, giro bruscamente sui tacchi e punto verso la toilette.

"Merda. Che cosa vuole fare adesso?"

Le toilette sono il top del design moderno: legno scuro, granito nero, e luci alogene sistemate in posizioni strategiche. Nella privacy di un gabinetto, sorrido e mi tolgo la biancheria intima. Ancora una volta, sono contenta di essermi cambiata mettendo l'abito blu. Avevo pensato che fosse appropriato per incontrare il buon dottor Flynn, ma non mi ero aspettata che la serata prendesse questa piega.

Sono già eccitata. Perché lui mi fa quest'effetto? Quasi mi dispiace la facilità con cui cedo al suo incantesimo. Ora so che non passeremo la serata a parlare di tutti i nostri problemi e avvenimenti recenti... Ma come posso resistergli?

Controllo il mio aspetto nello specchio. Ho gli occhi scintillanti e le guance arrossate per l'eccitazione. "Guarda, guarda..."

Faccio un respiro profondo e torno nella sala. Non è la prima volta che vado in giro senza slip. La mia dea interiore è avvolta in un boa di piume rosa e diamanti e cammina impettita con un paio di scarpe da sgualdrina.

Christian si alza cavallerescamente, quando ritorno al tavolo; la sua espressione è indecifrabile. È perfetto, come sempre, fico, calmo e padrone di sé. Certo, ora so che è diverso.

«Siediti accanto a me» mi dice. Mi accomodo e lui fa altrettanto. «Ho ordinato per te. Spero che non ti dispiaccia.» Mi passa la mia coppa di champagne a metà, guardandomi attentamente, e sotto il suo sguardo il sangue mi si infiamma. Lui appoggia le mani sulle sue cosce. Io mi irrigidisco e schiudo leggermente le gambe.

Il cameriere arriva con un vassoio di ostriche su ghiaccio tritato. "Ostriche." Il ricordo di noi due nella sua sala da pranzo privata all'Heathman mi invade la mente. Discutevamo del suo contratto. Oddio, ne è passato di tempo.

«Mi sembrava che ti fossero piaciute le ostriche, l'ultima volta che le hai mangiate.» La sua voce è bassa, seducente.

«L'unica volta che le ho mangiate.» Ansimo, la mia voce rivela quello che provo. Le sue labbra si piegano in un sorriso.

«Oh, Miss Steele, quando imparerai?» dice pensieroso.

Sceglie un'ostrica dal vassoio e solleva l'altra mano dalla coscia. Sussulto per l'attesa, ma lui prende una fetta di limone.

«Imparare cosa?» chiedo. Accidenti, il mio cuore batte all'impazzata. Le sue dita lunghe ed esperte schiacciano delicatamente il limone sull'ostrica.

«Mangia» mi dice avvicinandomi il guscio alla bocca. Schiudo le labbra, e lui appoggia il guscio al mio labbro inferiore. «Sposta lentamente indietro la testa» mormora. Faccio quello che mi dice e l'ostrica mi scivola giù per la gola. Christian non mi tocca, solo il guscio lo fa.

Anche lui mangia un'ostrica, poi me ne porge un'altra. Continuiamo questa straziante routine finché non le finiamo tutte e dodici. La sua pelle non sfiora mai la mia. Mi fa impazzire.

«Ti piacciono ancora le ostriche?» mi chiede mentre ingoio l'ultima.

Annuisco e arrossisco, bramando il suo tocco.

«Bene.»

Mi agito sulla sedia. Perché mai tutto questo è tanto sensuale?

Con aria indifferente, lui appoggia di nuovo la mano sulla sua coscia, e io mi sciolgo. "Ora. Per favore. Toccami." La mia dea interiore è in ginocchio, nuda, a parte le mutandine, e supplicante. Lui fa scorrere la mano su e giù per la coscia, solleva il palmo, poi lo riappoggia.

Il cameriere rabbocca le nostre coppe di champagne e toglie i piatti. Qualche minuto dopo ritorna con le nostre portate. Branzino. Magnifico! Servito con asparagi, patate saltate, e salsa olandese.

«Uno dei tuoi piatti preferiti, Mr Grey?»

«Assolutamente sì, Miss Steele. Anche se credo che il mio preferito sia il merluzzo come lo fanno all'Heathman.» La sua mano si muove su e giù per la coscia. Mi si mozza il respiro, ma ancora lui non mi tocca. È così frustrante. Cerco di concentrarmi sulla conversazione.

«Mi sembra di ricordare che fossimo nella tua sala da pranzo privata, allora, a discutere del contratto.»

«Giorni felici» mi dice lui, sorridendo malizioso. «Stavolta spero di arrivare a scoparti.» Muove la mano per prendere il coltello.

"Ah!"

Assaggia un boccone di branzino. Lo sta facendo apposta.

«Non contarci» borbotto con il broncio e lui mi guarda, divertito. «A proposito di contratti...» aggiungo «l'accordo di riservatezza?»

«Straccialo» mi dice semplicemente.

"Wow!"

«Che cosa? Davvero?»

«Sì.»

«Sei sicuro che non correrò al "Seattle Times" con le mie rivelazioni?» lo stuzzico.

Lui ride, ed è un suono meraviglioso. Ha un'aria così giovane.

«No, mi fido di te. Ti darò il beneficio del dubbio.»

"Oh." Gli sorrido timidamente. «Idem» mormoro.

I suoi occhi si illuminano. «Sono molto contento che indossi un vestito» dice piano. E, in men che non si dica, il desiderio scorre di nuovo nel mio sangue già surriscaldato.

«Allora perché non mi tocchi?» sibilo.

«Ti mancano le mie carezze?» mi chiede con un sorriso ferino. È divertito... il bastardo.

«Sì» rispondo, in fermento.

«Mangia» mi ordina.

«Non mi toccherai, è così?»

«No.» Scuote la testa.

"Cosa?" Ansimo sonoramente.

«Prova solo a immaginare come ti sentirai quando saremo a casa» sussurra. «Non vedo l'ora di portartici.»

«Sarà colpa tua se prenderò fuoco qui al settantaseiesimo piano» borbotto a denti stretti.

«Oh, Anastasia, troveremo il modo di estinguere l'incendio» dice, sorridendomi con malizia.

Furiosa, conficco la forchetta nel branzino, e la mia dea interiore resta in contemplazione, discreta e ambigua. Posso giocare anch'io a questo gioco. Ho imparato le regole fondamentali durante la nostra cena all'Heathman. Assaggio un boccone. È talmente buono che si scioglie in bocca. Chiudo gli occhi, assaporandolo. Quando li riapro, inizio il mio gioco di seduzione, sollevando molto lentamente il vestito e scoprendo un po' di più le cosce.

Christian si ferma un momento, la forchettata di pesce a mezz'aria.

"Toccami."

Dopo un istante riprende a mangiare. Prendo un altro boccone di branzino, ignorandolo. Poi, posando il coltello, faccio scorrere le dita in mezzo alle cosce, battendo leggermente sulla pelle. Il movimento distrae anche me, soprattutto perché bramo il suo tocco. Christian si ferma ancora.

«So cosa stai cercando di fare.» La sua voce è bassa e roca.

«So che lo sai, Mr Grey» replico sottovoce. «È questo il bello.» Sollevo un asparago per il gambo, guardo Christian da sotto le ciglia, e lo immergo nella salsa olandese, facendo vorticare la punta ripetutamente.

«Non rovescerai la situazione, Miss Steele.» Sorridendo, allunga la mano e mi prende l'asparago. E sorprendentemente, e fastidiosamente, riesce ancora una volta a non toccarmi. No, non è giusto, questi non erano gli accordi. Ah!

«Apri la bocca» mi ordina.

Sto perdendo la guerra dei nervi. Lo guardo di nuovo, e i suoi occhi brillano di un grigio ardente. Schiudo appena le labbra, e mi passo la lingua su quello inferiore. Christian sorride e i suoi occhi diventano più scuri.

«Apri di più» sussurra, le sue labbra si schiudono e posso vedere la sua lingua. Soffoco un gemito e mi mordo il labbro inferiore, poi faccio come mi dice.

Lo sento inspirare forte. Allora neanche lui è immune. Bene, alla fine vincerò io.

Mantenendo gli occhi nei suoi, prendo in bocca l'asparago e lo succhio piano... delicatamente, fino alla fine. La salsa olandese fa venire l'acquolina in bocca. Mastico, mugolando piano in segno di apprezzamento.

Christian chiude gli occhi. "Sì!" Quando li riapre, le sue pupille sono dilatate. L'effetto su di me è immediato. Emetto un gemito e allungo una mano per toccargli la coscia. Lui mi sorprende, afferrandomi il polso.

«Oh, no, non lo farai, Miss Steele» mormora dolcemente. Si porta la mia mano alla bocca e mi sfiora le nocche con le labbra. E io mi tendo tutta. Finalmente! "Ancora, per favore..."

«Non toccare» mi ammonisce e rimette la mia mano sul ginocchio. È così frustrante... questo breve e insoddisfacente contatto.

«Giochi slealmente.» Faccio il broncio.

«Lo so.» Alza la sua coppa di champagne per proporre un brindisi, e io lo imito.

«Congratulazioni per la promozione, Miss Steele.» Facciamo tintinnare i bicchieri e io arrossisco.

«Sì, piuttosto inaspettata» borbotto. Lui si acciglia, come se qualche pensiero spiacevole gli avesse attraversato la mente.

«Mangia» mi ordina. «Non ti porterò a casa finché non avrai finito la cena, e allora potremo davvero festeggiare.» La sua espressione è così veemente, così oscena, così autoritaria. Mi sto sciogliendo.

«Non sono affamata. Non di cibo.»

Lui scuote la testa, divertendosi un mondo, ma stringe gli occhi lo stesso mentre mi guarda.

«Mangia, oppure ti metterò sulle mie ginocchia, proprio qui, e intratterremo gli altri ospiti.»

Le sue parole mi fanno fremere. Non oserebbe! Lui e le sue mani che prudono. Stringo le labbra in una linea severa e lo fisso. Lui prende un asparago per il gambo e ne immerge la punta nella salsa olandese.

«Mangia questo» dice. La voce è bassa, seducente.

Io lo accontento di buon grado.

«Tu non mangi abbastanza. Hai perso peso da quando ti conosco.» Il suo tono è gentile.

Non voglio pensare al mio peso. La verità è che mi piace essere così magra. Mastico l'asparago.

«Voglio solo andare a casa e fare l'amore» mormoro sconsolata. Christian sorride.

«Anch'io, e lo faremo. Mangia.»

Riluttante, torno al cibo e comincio a mangiare. E dire che mi sono anche tolta le mutandine. Mi sento come un bambino a cui è stata negata una caramella. Lui mi stuzzica così tanto, ed è così sexy e dispettoso. Ed è tutto mio.

Mi fa domande su Ethan. E salta fuori che Christian fa affari con il padre di Kate e Ethan. Mmh… il mondo è piccolo. Sono sollevata che non faccia riferimenti al dottor Flynn o alla villa, visto che fatico a concentrarmi sulla conversazione. Voglio tornare a casa.

La trepidazione sessuale è alle stelle. Lui è molto bravo in questo. Nel farmi aspettare. Nel preparare la scena. Tra un boccone e l'altro si mette la mano sulla coscia, vicinissima alla mia, ma ancora non mi tocca e mi stuzzica di più.

Bastardo! Finalmente finisco di mangiare e poso coltello e forchetta sul piatto.

«Brava bambina» dice lui, e quelle parole sono cariche di promesse.

Lo guardo accigliata. «E adesso?» chiedo, mentre il desiderio mi artiglia il ventre. Oh, voglio quest'uomo.

«Adesso? Ce ne andiamo. Credo che tu abbia certe aspettative, Miss Steele. Che io intendo soddisfare al meglio delle mie capacità.»

"Wow!"

«Al meglio... delle tue... ca... pa... cità?» balbetto.

Lui sorride e si alza.

«Non dobbiamo pagare?» chiedo, senza fiato.

Lui piega la testa di lato. «Sono un socio del club. Mi manderanno il conto. Vieni, Anastasia, dopo di te.» Si fa di lato, e io mi alzo per andare, consapevole del fatto che non indosso le mutandine.

Lui mi guarda con cupo ardore, come se mi stesse spogliando, e io mi beo del suo apprezzamento. Mi fa sentire così sexy. Quest'uomo bellissimo desidera me. Mi piacerà sempre così tanto? Fermandomi deliberatamente davanti a lui, mi aggiusto il vestito sui fianchi.

Christian mi sussurra all'orecchio: «Non vedo l'ora di portarti a casa». Ma ancora non mi sfiora.

Verso l'uscita, dice qualcosa al maître a proposito della macchina, ma non ascolto. La mia dea interiore è incandescente. Accidenti, potrebbe illuminare tutta Seattle.

Davanti all'ascensore veniamo raggiunti da due coppie di mezza età. Quando le porte si aprono, Christian mi prende per il gomito e mi guida verso il fondo della cabina. Mi guardo intorno, e siamo circondati da specchi fumé. Mentre le altre coppie entrano, un uomo con un abito marrone che non gli dona saluta Christian.

«Grey.» Gli fa un cenno educato con la testa. Christian annuisce in risposta, ma in silenzio.

Le coppie sono in piedi di fronte a noi, rivolte verso le porte dell'ascensore. È evidente che si conoscono. Le donne chiacchierano a voce alta, eccitate e loquaci dopo la cena. Penso che siano tutti un po' brilli.

Quando le porte si chiudono, Christian, di fianco a me, si china per allacciarsi una stringa. Strano, le sue scarpe non sono slacciate. Senza dare nell'occhio, mi mette una mano sulla caviglia, facendomi sussultare, e mentre si alza, la sua mano scorre deliziosamente lungo la mia gamba fino in alto. "Wow!" Devo trattenere un gemito di sorpresa quando raggiunge il mio sedere. Christian si sposta alle mie spalle.

"Oddio." Fisso a bocca aperta le persone davanti a noi, le loro schiene e le loro teste. Non hanno idea di quello che stiamo facendo. Christian mi cinge la vita con un braccio, tenendomi ferma mentre le sue dita mi esplorano. "Non posso crederci... qui?" L'ascensore scende dolcemente, fermandosi al cinquantaduesimo piano per lasciar salire altre persone, ma io non sto facendo attenzione. Sono concentrata su ogni movimento che le sue dita compiono. Cerchi... Adesso si muovono in avanti, bramose, mentre noi arretriamo.

Soffoco di nuovo un gemito mentre le sue dita raggiungono l'obiettivo.

«Sempre pronta, Miss Steele» mi sussurra mentre fa scivolare un dito dentro di me. Mi tendo tutta e sussulto. Come può farmi questo in mezzo alla gente?

«Stai ferma e buona» mi sussurra all'orecchio.

Io arrossisco ancora, calda, vogliosa, intrappolata in un ascensore con sette persone, sei delle quali non sanno nulla di ciò che sta succedendo nell'angolo.

Le sue dita scivolano dentro e fuori, ripetutamente. Il mio respiro... Accidenti, è imbarazzante. Voglio dirgli di smetterla... E di continuare... E di smetterla. Mi lascio andare contro di lui, e Christian aumenta la stretta intorno a me, la sua erezione contro il mio fianco.

Ci fermiamo al quarantaquattresimo piano. "Oh... Quanto deve continuare ancora questa tortura? Dentro… fuori… dentro… fuori…" Impercettibilmente, spingo contro il suo dito insistente. Dopo tutto questo tempo senza toccarmi, sceglie di farlo ora! Qui! E mi fa sentire così… licenziosa.

«Ssh» sibila, senza sembrare affatto turbato, mentre altre due persone salgono nella cabina. L'ascensore sta diventando affollato. Christian e io arretriamo ulteriormente, tanto che adesso siamo schiacciati nell'angolo. Lui mi tiene ferma e continua a torturarmi. Strofina il naso nei miei capelli. Sono certa che sembreremmo una giovane coppia innamorata che si scambia effusioni, se qualcuno si desse la pena di voltarsi e guardare cosa stiamo facendo… E lui infila un secondo dito dentro di me.

Gemo, e ringrazio il cielo che le persone di fronte a noi stiano ancora chiacchierando, del tutto ignare.

"Oh, Christian, che cosa mi fai." Appoggio la testa contro il suo petto, chiudo gli occhi e mi arrendo alle sue dita implacabili.

«Non venire» mi sussurra. «Ti voglio dopo.» Allarga la mano sul mio ventre, premendo delicatamente, mentre continua la sua dolce persecuzione. La sensazione è divina.

Finalmente l'ascensore raggiunge il pianoterra. Con un trillo forte le porte si aprono e, quasi all'istante, i passeggeri iniziano a uscire. Lentamente, Christian sfila le dita e mi bacia la nuca. Mi volto per guardarlo, e lui mi sorride, poi fa un altro cenno con la testa a Mr Abito Marrone, il quale contraccambia ed esce dall'ascensore con sua moglie. Io quasi non lo noto, concentrata come sono a stare dritta e a tenere sotto controllo il respiro. Accidenti, mi sento indolenzita e abbandonata. Christian mi lascia andare, facendomi stare in piedi senza il suo appoggio.

Lo guardo di nuovo. Sembra freddo e imperturbabile, padrone di sé come sempre. "Mmh… non è giusto."

«Pronta?» mi chiede. I suoi occhi brillano maliziosi mentre si infila prima l'indice, poi il medio in bocca e li succhia. «Strepitoso, Miss Steele» sussurra. Per poco non ho le convulsioni.

«Non posso credere che tu l'abbia fatto» mormoro io, sul punto di andare in pezzi.

«Sarai sorpresa da quello che posso fare, Miss Steele» dice. Mi sposta una ciocca di capelli dietro l'orecchio, un lieve sorriso tradisce il suo divertimento.

«Voglio portarti a casa, ma forse non arriveremo più in là della macchina.» Mi sorride mentre mi prende per mano e mi conduce fuori dall'ascensore.

"Cosa? Sesso in macchina?" Non possiamo farlo qui sul marmo freddo del pavimento dell'atrio... per favore?

«Vieni.»

«Sì, lo voglio fare.»

«Miss Steele!» mi redarguisce con un'espressione di finto orrore.

«Non ho mai fatto sesso in macchina» borbotto. Christian si ferma e mi mette quelle stesse due dita sotto il mento, sollevandomi la testa e fissandomi negli occhi.

«Mi fa molto piacere saperlo. Devo dire che sarei stato molto sorpreso, per non dire arrabbiato, se l'avessi fatto.»

Arrossisco e sbatto le palpebre. Certo, ho fatto sesso solo con lui. Aggrotto la fronte.

«Non è ciò che intendevo.»

«Che cosa intendevi?» Il suo tono è inaspettatamente duro.

«Christian, è solo un modo di dire.»

«Il famoso detto "Non ho mai fatto sesso in macchina". Sì, ce l'avevo sulla punta della lingua.»

"Qual è il problema?"

«Christian, non stavo riflettendo. Per l'amor del cielo, hai appena... mmh... mi hai appena fatto quella cosa in un ascensore pieno di gente. Ho la testa confusa.»

Lui aggrotta la fronte. «Che cosa ti ho fatto?» mi sfida.

Io lo guardo accigliata. Vuole sentirmelo dire.

«Mi hai fatta eccitare, molto. Ora portami a casa e scopami.»

Lui rimane a bocca aperta. Poi ride, sorpreso. Ora ha l'aria molto giovane e sbarazzina. Oh, sentirlo ridere! Adoro la sua risata perché è così rara.

«Sei una romanticona, Miss Steele.» Mi prende per mano, e mi guida fuori dall'edificio, dove un addetto al parcheggio è in piedi accanto alla mia SAAB.

«E così vuoi fare sesso in macchina» mormora Christian, mentre gira la chiave dell'accensione.

«Molto francamente, sarei stata felicissima di farlo sul pavimento dell'atrio.»

«Credimi, Ana, anch'io. Ma non mi piace essere arrestato a quest'ora della notte, e non volevo scoparti in un gabinetto. Be', non oggi.»

"Cosa?!" «Intendi dire che era una possibilità?»

«Oh, sì.»

"Torniamo indietro."

Lui si volta verso di me e ride. La sua risata è contagiosa, perciò presto stiamo ridendo entrambi, in modo fantastico, catartico, con la testa gettata all'indietro. Poi lui mi posa una mano sul ginocchio, accarezzandolo delicatamente. Smetto di ridere.

«Abbi pazienza, Anastasia» mi dice e si immerge nel traffico di Seattle.

Parcheggia la SAAB nel garage dell'Escala e spegne il motore. All'improvviso, nei confini della macchina, l'atmosfera tra noi cambia. Lo fisso con lussuriosa attesa, cercando di tenere a freno il mio cuore palpitante. Si volta verso di me, appoggiandosi alla portiera, il gomito sul volante.

Si tira il labbro inferiore con il pollice e l'indice. La sua bocca mi distrae. La voglio su di me. Mi guarda attentamente, con i suoi occhi penetranti. Deglutisco a fatica. Mi fa un sorriso lento e sexy.

«Scoperemo in macchina quando e dove deciderò io. In

questo momento voglio prenderti su ogni superficie disponibile del mio appartamento.»

È come se parlasse direttamente con le mie parti intime… La mia dea interiore si produce in quattro arabesque e pas de basque.

«Sì.» Accidenti, sono senza fiato, disperata.

Mi sporgo un po' in avanti. Chiudo gli occhi, aspettando il suo bacio e pensando… "Finalmente". Ma non succede niente. Dopo alcuni secondi interminabili, riapro gli occhi e lui mi sta guardando. Non riesco a immaginare che cosa stia pensando, ma prima che possa dire qualcosa, mi distrae un'altra volta.

«Se mi baci adesso, non lo faremo nell'appartamento. Vieni.»

"Ah!" Potrebbe essere più frustrante? Scende dall'auto.

Aspettiamo l'ascensore, ancora una volta, e il mio corpo è in trepidante attesa. Christian mi tiene la mano, fa scorrere ritmicamente il pollice sulle mie nocche, e ogni sua carezza mi riecheggia dentro. Oh, voglio le sue mani su tutto il mio corpo. Questa tortura è durata abbastanza.

«Allora, cos'è successo all'appagamento immediato?» chiedo mentre aspettiamo.

«Non si addice a ogni situazione, Anastasia.»

«Da quando?»

«Da stasera.»

«Perché mi stai torturando così?»

«Occhio per occhio, Miss Steele.»

«Come ti sto torturando io?»

«Credo che tu lo sappia.»

Alzo lo sguardo su di lui, ma la sua espressione è difficile da decifrare. "Vuole la mia risposta… ecco cos'è."

«Anch'io credo nell'appagamento ritardato» sussurro sorridendogli timidamente.

All'improvviso, mi dà uno strattone alla mano, e sono

tra le sue braccia. Mi afferra per la nuca, facendomi piegare la testa all'indietro.

«Cosa devo fare per farti dire di sì?» mi chiede con fervore, cogliendomi di sorpresa un'altra volta. Lo guardo stupita, e sbatto le palpebre di fronte alla sua adorabile, seria e disperata espressione.

«Dammi un po' di tempo... per favore» dico piano. Lui sbuffa e, finalmente, mi bacia, a lungo e con passione. Poi entriamo nell'ascensore. Mani, bocche, lingue, labbra, dita e capelli sono un tutto unico. Il desiderio forte e intenso mi invade il corpo, ottenebrandomi la mente. Lui mi spinge contro la parete, intrappolandomi con i suoi fianchi, una mano tra i miei capelli, l'altra sul mio mento, per tenermi ferma.

«Io ti appartengo» sussurra. «Il mio destino è nelle tue mani, Ana.»

Le sue parole mi fanno girare la testa, già sovreccitata. Voglio strappargli tutti i vestiti. Gli spingo la giacca giù dalle spalle, mentre l'ascensore raggiunge l'appartamento, e incespichiamo fuori nell'atrio.

Christian mi preme contro la parete di fianco all'ascensore, la sua giacca cade sul pavimento, e la sua mano mi accarezza la gamba, le sue labbra non lasciano mai le mie. Mi solleva il vestito.

«La prima superficie è qui» mi dice d'un fiato, poi bruscamente mi solleva da terra. «Avvolgi le gambe intorno a me.»

Obbedisco. Lui si gira e mi fa distendere sul tavolo dell'atrio, rimanendo in piedi tra le mie gambe. Noto che il vaso di fiori che di solito è sopra il tavolo stavolta manca. Lui infila la mano nella tasca dei jeans, tira fuori la bustina del preservativo e me la passa, mentre si abbassa la cerniera.

«Ti rendi conto di quanto mi ecciti?»

«Che cosa?» ansimo. «No... io...»

«Be', lo fai» mi dice lui piano. «Tutte le volte.» Prende la bustina dalle mie mani. Oh, sta succedendo così in fretta, ma dopo che mi ha tanto stuzzicata, lo desidero disperatamente. Ora, subito. Mi guarda negli occhi mentre si infila il preservativo, poi mi allarga ancora di più le gambe.

Si mette in posizione e si ferma. «Tieni gli occhi aperti. Voglio vederti» sussurra e, afferrandomi entrambe le mani, si immerge dentro di me.

Cerco di tenere gli occhi aperti, ma la sensazione è così inebriante. È esattamente ciò che mi aspettavo, dopo tutte quelle provocazioni. "Oh, la pienezza... che sensazione..." Gemo e inarco la schiena sollevandomi dal tavolo.

«Occhi aperti!» ringhia lui, stringendomi più forte le mani e spingendosi ancor più dentro di me, tanto da farmi gridare.

Sbatto le palpebre e apro gli occhi, e lui mi fissa con gli occhi sbarrati.

Lentamente si ritira, poi si immerge di nuovo dentro di me, la sua bocca che si apre, ma non dice niente. Vedendo la sua eccitazione, la reazione che gli provoco, mi illumino dentro, e il sangue mi scorre infuocato nelle vene. I suoi occhi grigi bruciano nei miei. Lui stabilisce il ritmo e io mi ci adeguo, beandomene, mentre lo guardo. E lui guarda me. La sua passione, il suo amore... mentre veniamo insieme.

Grido ed esplodo, e Christian mi segue.

«Sì, Ana!» urla. Crolla su di me, lasciandomi andare le mani e appoggiando la testa contro il mio petto. Ho ancora le gambe allacciate alla sua vita, e sotto lo sguardo materno e paziente delle madonne dipinte, lo cullo con dolcezza e tento di recuperare il fiato.

Lui alza la testa e mi guarda. «Non ho ancora finito con te» mormora e, protendendosi, mi bacia.

Sono distesa, nuda, sul letto di Christian, abbandonata sul suo petto, senza fiato. "Porca miseria... Ma non gli mancano mai le energie?" Christian fa scorrere le dita su e giù per la mia schiena.

«Soddisfatta, Miss Steele?»

Io mormoro il mio assenso. Non ho la forza di parlare.

Alzo la testa e lo guardo senza riuscire a metterlo a fuoco, e mi crogiolo nel suo sguardo affettuoso. Deliberatamente, piego la testa in modo che sappia che sto per baciargli il petto.

Lui si irrigidisce per un attimo, e io gli accarezzo con un bacio i peli del petto, inspirando il suo profumo unico, mescolato con il sudore e con il sesso. Fa girare la testa. Christian si mette sul fianco, così mi trovo stesa accanto a lui, e mi guarda negli occhi.

«Il sesso è così per tutti? Mi sorprende che la gente riesca a uscire di casa» mormoro, sentendomi improvvisamente timida.

Sorride con malizia. «Non posso parlare per tutti, ma è dannatamente speciale con te, Anastasia.» Si china e mi bacia.

«Questo perché tu sei dannatamente speciale, Mr Grey» convengo, sorridendogli e facendogli una carezza sul viso. Lui mi guarda sbattendo le palpebre, smarrito.

«È tardi. Dormi» dice. Mi bacia, poi si stende, mi attira a sé e restiamo abbracciati.

«Non ti piacciono i complimenti.»

«Dormi, Anastasia.»

"Mmh… Ma lui è dannatamente speciale. Accidenti… perché non lo capisce?"

«Amo quella casa» mormoro.

Non dice niente per un minuto, ma lo sento sorridere.

«Io amo te. Ora, dormi.» Si strofina contro i miei capelli, e io scivolo nel sonno, al sicuro tra le sue braccia, sognando di tramonti, portefinestre e grandi scalinate… e di un bimbo con i capelli ramati che corre in un prato, gridando e ridendo mentre lo inseguo.

«Devo andare, piccola.» Christian mi dà un bacio dietro l'orecchio.

Apro gli occhi. È mattina. Mi volto verso di lui: è già in piedi, vestito, raggiante, delizioso.

«Che ore sono?» "Oh, no… Non voglio fare tardi."

«Non allarmarti. Ho una colazione di lavoro.» Strofina il naso contro il mio.

«Hai un buon profumo» mormoro, stiracchiandomi sotto di lui, i muscoli piacevolmente indolenziti dopo tutte le nostre performance di ieri. Gli circondo il collo con le braccia. «Non andare.»

Lui piega la testa di lato e solleva un sopracciglio. «Miss Steele, stai cercando di trattenere un uomo dall'andare a svolgere la sua onesta giornata di lavoro?»

Io annuisco, ancora mezza addormentata, e lui mi fa il suo nuovo sorriso timido.

«Per quanto tu sia una vera tentazione, devo andare.» Mi dà un bacio e si alza. Indossa un completo blu scuro davvero attillato, una camicia bianca, e una cravatta blu, ed è in tutto e per tutto l'amministratore delegato... sexy.

«A più tardi, piccola» dice e se ne va.

Guardo la sveglia, e noto che sono già le sette. Non devo averla sentita suonare. Bene, è ora di alzarsi.

Nella doccia mi viene un'ispirazione. Ho pensato a un altro regalo di compleanno per Christian. È così difficile comprare qualcosa a un uomo che ha tutto. Gli ho già dato il mio regalo più importante, e ho ancora l'altro, quello comprato nel negozietto per turisti, ma questo sarà un regalo soprattutto per me. Mi stringo tra le braccia in preda all'eccitazione e chiudo l'acqua della doccia. Non devo fare altro che prepararlo.

Nella cabina armadio indosso un abito rosso scuro, con la scollatura quadrata e piuttosto profonda. Sì, questo va benissimo per il lavoro.

"Ora, il regalo di Christian." Mi metto a frugare nei suoi cassetti, in cerca delle cravatte. Nell'ultimo cassetto trovo quei jeans sbiaditi e strappati che gli ho visto addosso nella stanza dei giochi, quelli che gli danno un look tanto sexy. Li accarezzo con una mano. Oddio, la stoffa è così morbida.

Sotto di essi adocchio una grande scatola di cartone, nera e piatta, che stuzzica immediatamente il mio interesse. Che cosa c'è dentro? La fisso, e ho la sensazione di stare oltrepassando un limite. La scuoto. È pesante, come se contenesse documenti o manoscritti. Non posso resistere e sollevo il coperchio, ma lo richiudo immediatamente. "Accidenti. Sono fotografie della Stanza Rossa." Lo shock mi fa sedere a terra mentre cerco di cancellare l'immagine dalla mia mente. "Perché ho aperto quella scatola? Perché lui ha tenuto le foto?"

Rabbrividisco. La vocina interiore mi ammonisce. "È successo prima di te. Dimenticatene."

Ha ragione. Quando mi alzo, mi accorgo che le cravatte di Christian sono appese alla fine dell'asta appendiabiti. Trovo la mia preferita ed esco velocemente.

"Quelle foto sono AA: avanti Ana." La mia vocina approva, ma è con il cuore pesante che vado nel salone per fare colazione. Mrs Jones mi sorride calorosamente e poi aggrotta la fronte.

«Va tutto bene, Ana?» mi chiede gentilmente.

«Sì» mormoro distratta. «Lei ha la chiave della… ehm… stanza dei giochi?»

Lei si ferma un attimo, sorpresa.

«Sì, certamente.» Sgancia un piccolo mazzo di chiavi dalla sua cintura. «Che cosa desidera per colazione, cara?» mi chiede mentre mi passa la chiave.

«Solo dei cereali. Torno subito.»

Adesso mi sento più incerta verso questo regalo, ma solo a causa della scoperta di quelle fotografie. "Non è cambiato niente!" ringhia la vocina, con severità. "L'unica foto che hai visto era piccante" interviene la mia dea interiore, e mentalmente la redarguisco. Sì, lo era. Troppo piccante per me.

Che cos'altro tiene nascosto Christian? Frugo in fretta nel cassettone della stanza dei giochi, prendo quello di cui ho bisogno, e richiudo a chiave la porta dietro di me. Non vorrei mai che José la trovasse aperta!

Riconsegno la chiave a Mrs Jones e mi siedo per mangiare in fretta la mia colazione, sentendomi strana senza Christian. L'immagine sulla fotografia continua a tormentare la mia mente. Mi domando chi ritragga. Leila, forse?

Lungo la strada verso l'ufficio cerco di decidere se dire o no a Christian che ho trovato le sue fotografie. "No" grida la mia vocina, e me la immagino sempre con il volto dell'*Urlo* di Edvard Munch. Decido che probabilmente ha ragione.

Mentre mi siedo alla scrivania, il mio BlackBerry vibra.

Da: Christian Grey
A: Anastasia Steele
Data: 17 giugno 2011 08.59
Oggetto: Superfici

Ho calcolato che ci sono almeno trenta superfici
da provare. Non vedo l'ora di sperimentarle tutte,
una per una. Poi ci sono i pavimenti, le pareti.
E non dimentichiamo il terrazzo.
Dopodiché c'è il mio ufficio…
Mi manchi. x

Christian Grey
Amministratore delegato priapeo, Grey Enterprises Holdings Inc.

La sua mail mi fa sorridere, e tutte le mie riserve evaporano. È me che vuole adesso, e il ricordo della nostra maratona di sesso di ieri notte mi scorre nella mente… L'ascensore, l'atrio, il letto. Priapeo… Giusto. Mi domando pigramente quale sia l'equivalente femminile.

Da: Anastasia Steele
A: Christian Grey
Data: 17 giugno 2011 09.03
Oggetto: Romantica?

Mr Grey,
hai una sola cosa in testa.
Mi sei mancato a colazione.
Ma Mrs Jones è stata molto premurosa.
A x

Da: Christian Grey
A: Anastasia Steele
Data: 17 giugno 2011 09.07
Oggetto: Intrigato

In cosa sarebbe stata premurosa Mrs Jones?
Che cosa stai combinando, Miss Steele?

Christian Grey
Amministratore delegato curioso, Grey Enterprises Holdings Inc.

Come fa a sapere?

Da: Anastasia Steele
A: Christian Grey
Data: 17 giugno 2011 09.10
Oggetto: È un segreto…

Aspetta e vedrai. È una sorpresa.
Devo lavorare… Lasciami in pace.
Ti amo.
A x

Da: Christian Grey
A: Anastasia Steele
Data: 17 giugno 2011 09.12
Oggetto: Frustrato

Detesto quando mi tieni nascoste le cose.

Christian Grey
Amministratore delegato, Grey Enterprises Holdings Inc.

Fisso il piccolo display del BlackBerry. La veemenza implicita nella sua mail mi sorprende. Perché si sente così? Non sono io che tengo nascoste fotografie erotiche dei miei ex.

Da: Anastasia Steele
A: Christian Grey
Data: 17 giugno 2011 09.14
Oggetto: Pazienza

È per il tuo compleanno.
Un'altra sorpresa.
Non essere così irritabile.
A x

Lui non mi risponde subito, e io vengo chiamata per una riunione, perciò non ho troppo tempo per rimuginarci.

Quando guardo di nuovo il mio BlackBerry, scopro con orrore che sono le quattro del pomeriggio. Dov'è finita tutta la giornata? Ancora nessun messaggio da Christian. Decido di mandargli un'altra mail.

Da: Anastasia Steele
A: Christian Grey
Data: 17 giugno 2011 16.03
Oggetto: Ciao

Non mi stai parlando apposta?
Non dimenticarti che vado a bere una cosa con José,
e che lui si fermerà a dormire da noi stanotte.
Per favore, ripensaci sul fatto di raggiungerci.
A x

Lui non risponde e io avverto un brivido di disagio. Spero che stia bene. Lo chiamo al cellulare, ma mi risponde la sua voce registrata. Dice soltanto: "Grey, lasciate un messaggio", con il suo tono più severo.

«Ciao... ehm... sono io. Ana. Stai bene? Chiamami» balbetto. Non gli ho mai lasciato un messaggio sulla segreteria prima d'ora. Arrossisco e riappendo. "Ovviamente saprà che sei tu, idiota!" mi ricorda la vocina. Sono tentata di telefonare alla sua assistente personale, Andrea, ma decido che sarebbe un azzardo. Riluttante, continuo a lavorare.

Il mio telefono suona inaspettatamente e il cuore mi balza in gola. "Christian!" Invece no, è Kate, la mia migliore amica. Finalmente!

«Ana!» grida da ovunque si trovi.

«Kate! Sei tornata? Mi sei mancata.»

«Anche tu a me. Ho un sacco di cose da raccontarti. Siamo all'aeroporto... Il mio uomo e io.» Ridacchia in un modo strano per lei.

«Fico. Anch'io ho un sacco di cose da raccontarti.»

«Ci vediamo dopo a casa?»

«Bevo qualcosa con José. Raggiungici.»

«José è in città? Certo! Mandami un messaggio con l'indirizzo.»

«Okay» esclamo radiosa.

«Stai bene, Ana?»

«Sì, benissimo.»

«Sempre con Christian?»

«Sì.»

«Bene. A più tardi!»

Oh, no, anche lei. L'influsso di Elliot non ha confini.

«Sì, a più tardi, piccola.» Sorrido e lei chiude la comunicazione.

"Wow, Kate è a casa." Come faccio a raccontarle tutto quello che è successo? Dovrei scrivermelo per non dimenticare niente.

Un'ora dopo il telefono del mio ufficio suona. "Christian?" No, è Claire.

«Dovresti vedere il ragazzo che chiede di te in reception. Com'è che conosci tutti questi tipi sexy, Ana?»

Dev'essere José. Lancio un'occhiata all'orologio. Sono le cinque e cinquantacinque e un brivido d'eccitazione mi percorre la schiena. Non lo vedo da una vita.

«Ana, wow! Sei meravigliosa. Così... adulta.» Mi sorride. Solo perché indosso un vestito alla moda... Accidenti!

Mi stringe forte a sé. «E alta» mormora sorpreso.

«Sono solo le scarpe, José. Anche tu non sei male.»

Indossa un paio di jeans, una maglietta nera e una camicia di flanella a quadri bianca e nera.

«Prendo le mie cose e andiamo.»

«Perfetto. Ti aspetto qui.»

Prendo le due Rolling Rock dal bancone affollato e mi dirigo verso il tavolo dove si è seduto José.

«Hai trovato l'appartamento di Christian senza problemi?»

«Sì. Non sono entrato. Ho lasciato le foto nell'ascensore di servizio. Un tizio di nome Taylor le ha portate su. Mi sembra un posto fantastico.»

«Lo è. Dovresti vederlo dentro.»

«Non vedo l'ora. *Salud*, Ana. Seattle ti approva.»

Arrossisco e facciamo tintinnare le bottiglie. È Christian che mi approva. «*Salud*. Dimmi della tua mostra: com'è andata?»

Lui s'illumina e si lancia nel racconto. Ha venduto tutte le sue foto a parte tre, e con il ricavato ha restituito il prestito studentesco, ma gli è anche rimasto qualcosa in tasca.

«L'ufficio del turismo di Portland mi ha commissionato alcuni paesaggi. Fico, vero?» annuncia, orgoglioso.

«Oh, José… è fantastico. Non interferisce con i tuoi studi, vero?» Aggrotto la fronte.

«No. Ora che voi ragazzi, e anche altri tre amici con cui uscivo, ve ne siete andati, ho più tempo.»

«Nessuna tipa caliente che ti tiene occupato? L'ultima volta che ti ho visto, avevi una mezza dozzina di donne che pendevano dalle tue labbra.» Alzo un sopracciglio.

«No, Ana. Nessuna di loro è abbastanza donna per me.» Fa lo spaccone.

«Oh, certo. José Rodriguez, lo sciupafemmine.» Ridacchio.

«Ehi, so darmi da fare, Steele.» Mi sembra vagamente ferito, e mi pento della battuta.

«Certo» lo rabbonisco.

«Allora, come sta Grey?» mi chiede, e il suo tono cambia, diventa più freddo.

«Sta bene. Stiamo bene» mormoro.

«Hai detto che è una cosa seria?»

«Sì. Seria.»

«Non è troppo vecchio per te?»

«Oh, José. Lo sai quello che dice sempre mia madre: io sono nata vecchia.»

Lui fa una smorfia sarcastica.

«Come sta tua madre?» E così usciamo dalla zona pericolosa.

«Ana!»

Mi volto. Ci sono Kate e Ethan. Lei è bellissima. Capelli biondo ambra schiariti dal sole, abbronzatura dorata, sorriso smagliante, e fisico perfetto nei jeans attillati e top. Tutti gli occhi sono su di lei. Mi alzo e vado ad abbracciarla. Oh, quanto mi è mancata!

Lei mi scosta, per esaminarmi da vicino. Io arrossisco sotto il suo sguardo intenso.

«Hai perso peso. Molto peso. E sembri diversa. Adulta. Che cosa sta succedendo?» dice, in pieno stile madre iperprotettiva. «Mi piace il tuo vestito. Ti sta bene.»

«Sono successe un sacco di cose da quando sei partita. Ti racconterò tutto quando saremo sole.» Non sono ancora pronta per il *terzo grado* di Katherine Kavanagh. Lei mi fissa sospettosa.

«Sei sicura di stare bene?» mi chiede gentile.

«Sì.» Sorrido, anche se sarei più felice se sapessi dov'è Christian.

«Ottimo.»

«Ciao, Ethan.» Gli sorrido, e lui mi abbraccia.

«Ciao, Ana» mi sussurra all'orecchio.

José lo guarda torvo.

«Com'è stato il pranzo con Mia?» chiedo a Ethan.

«Interessante» dice lui, criptico.

"Oh?"

«Ethan, conosci José?»

«Ci siamo incontrati una volta» borbotta José, studiando Ethan mentre gli stringe la mano.

«Sì, da Kate a Vancouver» aggiunge Ethan, sorridendo a José. «Bene. Chi beve qualcosa?»

Vado alla toilette. Da lì mando a Christian un messaggio con l'indirizzo del locale dove ci troviamo. Magari ci raggiungerà. Non ci sono chiamate senza risposta o mail. Non è da lui.

«Che cosa c'è, Ana?» mi chiede José quando torno al tavolo.

«Non riesco a raggiungere Christian. Spero che stia bene.»

«Starà benissimo. Vuoi un'altra birra?»

«Certo.»

Kate si protende sul tavolo. «Ethan dice che c'era una ex di Christian, una pazza con la pistola, nel nostro appartamento.»

«Be'… sì.» Mi stringo nelle spalle, a mo' di scuse. "Oh, accidenti, dobbiamo per forza parlarne adesso?"

«Ana, che diavolo sta succedendo?» Kate si ferma all'improvviso e guarda il telefono.

«Ciao, piccolo» risponde. "Piccolo!" La sua espressione si rabbuia e mi guarda. «Certo» dice e si volta verso di me. «È Elliot… vuole parlare con te.»

«Ana.» Il tono di Elliot è asciutto e serio. Mi viene la pelle d'oca.

«Cos'è successo?»

«Si tratta di Christian. Non è tornato da Portland.»

«Cosa? Che cosa significa?»

«Il suo elicottero è disperso.»

«*Charlie Tango*?» sussurro, mentre mi sento mancare l'aria. «No!»

19

Fisso le fiamme, ipnotizzata. Danzano e ondeggiano, di un arancione ardente e luminoso con punte blu cobalto, nel camino dell'appartamento di Christian. E nonostante il calore che proviene dal fuoco e la coperta intorno alle spalle, ho freddo. Ho freddo nelle ossa.

Sono consapevole delle voci che bisbigliano, molte voci che bisbigliano. Ma sono in sottofondo, un brusio lontano. Non sento le parole. Tutto quello che voglio sentire, tutto quello su cui voglio concentrarmi, è il sibilo del camino a gas.

I miei pensieri tornano alla villa che abbiamo visto ieri e all'enorme camino. Un camino vero, in cui far ardere la legna. Mi piacerebbe fare l'amore con Christian davanti a un fuoco vero. Mi piacerebbe fare l'amore con Christian davanti a questo fuoco. Sì, sarebbe divertente. Senza dubbio lui troverebbe il modo per renderlo indimenticabile, come tutte le volte in cui abbiamo fatto l'amore. Sbuffo sarcastica verso me stessa… anche le volte in cui abbiamo solo scopato. Sì, anche quelle sono state memorabili. "Dov'è Christian?"

Le fiamme oscillano e guizzano, tenendomi prigioniera, mantenendo il mio stato di torpore. Mi focalizzo solo sulla loro sgargiante e rovente bellezza. Mi stregano.

"Anastasia, sei stata tu a stregarmi."

Me l'ha detto la prima volta che ha dormito con me nel mio letto. "Oh, no…"

Mi stringo tra le braccia, mentre tutto il mondo mi crolla intorno e la realtà sanguina nella mia coscienza. Il vuoto strisciante dentro di me si espande. *Charlie Tango* è disperso.

«Ana. Ecco.» Mrs Jones mi blandisce gentilmente, la sua voce mi riporta nella stanza, nel momento attuale, nell'angoscia. Mi porge una tazza di tè. La prendo, grata, e il tintinnio della porcellana tradisce il tremito delle mie mani.

«Grazie» mormoro, ma la mia voce è roca per le lacrime non versate e per il nodo che ho in gola.

Mia è seduta davanti a me sull'enorme divano a forma di U, e tiene la mano a Grace. Mi guardano, dolore e ansia sono incisi sui loro volti. Grace sembra più vecchia, una madre in pena per suo figlio. Le guardo senza tradire emozioni e sbatto le palpebre. Non posso offrire loro un sorriso rassicurante, e neppure una lacrima. Non c'è niente, solo il vuoto crescente. Guardo Elliot, José, Ethan, che sono in piedi intorno al bancone della cucina, le facce serie, e discutono di qualcosa a voce bassa. Dietro di loro, Mrs Jones si tiene occupata riordinando.

Kate è nella stanza della tivù, a guardare il notiziario locale. Sento il debole gracchiare del televisore. Non riesco a vedere il servizio un'altra volta: Christian Grey, scomparso. Il suo bellissimo viso alla tivù.

Penso oziosamente che non ho mai visto tante persone in questa stanza, così grande da farle sembrare tutte piccole. Piccole isole sperdute e ansiose in casa di Christian. Cosa direbbe lui vedendoli qui?

Da qualche parte, Taylor e Carrick stanno parlando con le autorità, che ci forniscono informazioni con il contagocce, ma niente ha un senso. Rimane il fatto che lui è disperso da otto ore. Nessun segnale. Le ricerche sono state sospese. Questo è tutto ciò che so. È troppo buio. E non sappiamo dove sia. Potrebbe essere ferito, affamato, o peggio. "No!"

Offro un'altra silenziosa preghiera a Dio. "Per favore, fa' che Christian stia bene. Per favore, fa' che Christian stia bene." Lo ripeto più volte, nella mia testa. È il mio mantra, la mia ancora di salvezza, qualcosa di concreto a cui aggrapparmi nella mia disperazione. Mi rifiuto di pensare al peggio.

"Tu sei la mia ancora di salvezza."

Le parole di Christian tornano a perseguitarmi. Sì, c'è sempre una speranza. Non devo disperarmi. Le sue parole riecheggiano nella mia mente.

"Ora sono un deciso sostenitore dell'appagamento immediato. Carpe diem, Ana."

Perché non ho colto l'attimo?

"Te lo chiedo perché ho finalmente trovato qualcuno con cui voglio passare il resto della mia vita."

Chiudo gli occhi in silenziosa preghiera, cullandomi piano avanti e indietro. "Ti prego, fa' che il resto della sua vita non sia così breve. Per favore, per favore." Non abbiamo avuto abbastanza tempo… Abbiamo bisogno di più tempo. Abbiamo fatto così tante cose nelle ultime settimane, siamo arrivati fin qui. Non può finire. Tutti i nostri momenti di tenerezza: il rossetto; quando ha fatto l'amore per la prima volta con me all'Olympic Hotel; in ginocchio di fronte a me per offrirmi se stesso; quando finalmente sono riuscita a toccarlo.

"Io sono quello di prima, Ana. Ti amo e ho bisogno di te. Toccami. Per favore."

Oh, lo amo così tanto. Non sarei niente senza di lui, nient'altro che un'ombra… tutta la luce oscurata. "No, no, no… il mio povero Christian."

"Questo sono io, Ana. Tutto ciò che sono… E sono tutto tuo. Che cosa devo fare per fartelo capire? Per dimostrarti che ti voglio in tutti i modi possibili. Che ti amo."

E io amo te.

Apro gli occhi e guardo ancora una volta il fuoco, senza

vederlo. I ricordi del nostro tempo insieme mi tornano in mente come flash improvvisi: la sua gioia infantile quando stavamo navigando o volando; il suo sguardo dolce, sofisticato e sexy al ballo in maschera; quando abbiamo ballato, oh, sì, quando abbiamo ballato qui nel suo appartamento sulle note di Sinatra, volteggiando per la stanza; la sua silenziosa, ansiosa speranza ieri, alla villa... quella vista meravigliosa.

"Metterò il mondo ai tuoi piedi, Anastasia. Ti desidero, corpo e anima, per sempre."

Oh, per favore, fa' che stia bene. Non può essersene andato. È il centro del mio universo.

Un singhiozzo involontario mi sfugge dalla gola, e mi premo la mano sulla bocca. No. Devo essere forte.

José è improvvisamente al mio fianco, oppure è stato qui tutto il tempo? Non ne ho idea.

«Vuoi chiamare tua madre o tuo padre?» mi domanda gentilmente.

No! Scuoto la testa e gli stringo la mano. Non riesco a parlare, so che mi dissolverei se lo facessi, ma la stretta calda e affettuosa della sua mano non mi offre alcuna consolazione.

Oh, no! Mi tremano le labbra al pensiero di mia madre. Dovrei chiamarla? No. Non potrei affrontare la sua reazione. Magari Ray. Lui non dovrebbe lasciarsi andare all'emotività. Non si lascia mai prendere dalle emozioni, neanche quando perdono i Mariners.

Grace si alza per raggiungere i ragazzi, distraendomi. Dev'essere stato il tempo più lungo che ha mai passato seduta immobile. Anche Mia viene a sedersi accanto a me, e mi prende l'altra mano.

«Vedrai che tornerà» dice, e la sua voce, inizialmente determinata, si spezza sull'ultima parola. Ha gli occhi dilatati e arrossati, il volto pallido e tirato per la stanchezza.

Guardo Ethan, che sta osservando Mia e Elliot, il quale ha un braccio intorno a Grace. Lancio un'occhiata all'orologio. Sono le undici passate, la mezzanotte si sta avvicinando. "Accidenti al tempo!" A mano a mano che passano le ore, il vuoto si espande, mi consuma, mi soffoca. Dentro di me so che mi sto preparando al peggio. Chiudo gli occhi e prego ancora silenziosamente, stringendo sia la mano di Mia sia quella di José.

Apro gli occhi e fisso di nuovo le fiamme. Riesco a vedere il suo sorriso timido, la mia preferita tra tutte le sue espressioni, un barlume del mio vero Christian. È così tante persone: il maniaco del controllo, l'amministratore delegato, il dio del sesso, il Dominatore e, al tempo stesso, un bambino con i suoi giocattoli. Sorrido. La sua macchina, la sua barca, il suo aereo, il suo elicottero *Charlie Tango*... il mio bambino smarrito, smarrito davvero in questo momento. Il mio volto si oscura e il dolore mi ferisce come una lancia. Lo ricordo sotto la doccia, mentre gli lavavo via i segni del rossetto.

"Io non sono niente, Anastasia. Sono il guscio di un uomo. Io non ho un cuore."

Il nodo che ho in gola si allarga. Oh, Christian, sì invece, tu hai un cuore, ed è il mio. Voglio cullarlo per sempre. Anche se lui è così complicato e difficile, io lo amo. L'ho sempre amato. Non ci sarà mai nessun altro. Mai.

Mi ricordo quando mi sono seduta da Starbucks soppesando i pro e i contro del mio Christian. Tutti i contro, comprese le fotografie che ho trovato stamattina, diventano insignificanti adesso. C'è solo lui, sia che torni o meno. "Oh, ti prego, Signore, ridammelo, ti prego, fa' che stia bene. Andrò in chiesa... farò qualsiasi cosa." Oh, se lo riavessi, coglierei l'attimo. La sua voce mi riecheggia nella testa ancora una volta: "Carpe diem, Ana".

Fisso il fuoco ancora più intensamente, le fiamme lambiscono l'aria e si incurvano l'una sull'altra, ardendo brillanti. Poi Grace emette un grido strozzato, e tutti si muovono al rallentatore.

«Christian!»

Mi volto in tempo per vedere Grace attraversare il salone correndo verso l'entrata, dove c'è un Christian sgomento. È in camicia e pantaloni, e in mano tiene la giacca, le scarpe e i calzini. Sembra stanco, sporco e bellissimo.

"Oh, porca miseria... Christian." È vivo. Lo fisso freddamente, cercando di capire se sono vittima di un'allucinazione oppure lui è davvero qui.

La sua espressione è sbalordita. Deposita giacca e scarpe sul pavimento, appena in tempo per prendere Grace, che gli getta le braccia al collo e gli schiocca sonori baci sulle guance.

«Mamma?»

Christian la guarda, completamente smarrito.

«Pensavo che non ti avrei rivisto mai più» sussurra Grace, dando voce alla paura collettiva.

«Mamma, sono qui.» Sento la costernazione nella sua voce.

«Sono morta un migliaio di volte oggi» sussurra lei, la voce appena udibile che riecheggia i miei pensieri. Piange e singhiozza, senza più riuscire a trattenersi. Christian si acciglia, inorridito o mortificato – non saprei dire quale delle due cose – poi, dopo un istante, l'avvolge in un abbraccio, tenendola stretta.

«Oh, Christian» singhiozza lei, abbracciandolo e piangendo contro il suo collo, l'autocontrollo ormai perduto, e Christian non si tira indietro. Continua a stringerla, cullandola, dandole conforto. Lacrime calde mi annebbiano gli occhi. Carrick lancia un grido dal corridoio.

«È vivo! Merda... sei qui!» Esce dall'ufficio di Taylor, con il cellulare stretto in mano, e abbraccia moglie e figlio, gli occhi chiusi per il sollievo.

«Papà?»

Mia squittisce qualcosa di inintelligibile dal mio fianco, poi balza in piedi e corre a unirsi ai suoi genitori, abbracciandoli tutti insieme anche lei.

Alla fine le lacrime iniziano a scendere sulle mie guance. Lui è qui, sta bene. Ma non riesco a muovermi.

Carrick è il primo a staccarsi, asciugandosi gli occhi e battendo una mano sulla spalla di Christian. Anche Mia lo lascia andare, e infine Grace fa un passo indietro.

«Scusa» gli dice.

«Ehi, mamma, va tutto bene» rassicura Christian, la costernazione ancora evidente sul suo volto.

«Dove sei stato? Che cos'è successo?» chiede Grace piangendo e prendendosi la testa tra le mani.

«Mamma» mormora Christian. La stringe di nuovo tra le braccia e le dà un bacio sulla testa. «Sono qui. Sto bene. Mi ci è solo voluto un tempo infinito per tornare da Portland. Cos'è questo comitato di accoglienza?» Alza lo sguardo e scruta la stanza, finché i suoi occhi non incontrano i miei.

Lancia un'occhiata veloce a José, che lascia andare la mia mano. La sua bocca si indurisce. Io lo guardo annichilita, mentre un'ondata di sollievo mi travolge, lasciandomi sfinita, esausta ed esaltata. Ma le mie lacrime non si fermano. Christian si rivolge di nuovo a sua madre.

«Mamma, io sto bene. Cos'è successo?»

Lei gli mette le mani sulle guance. «Christian, sei stato dato per disperso. Il tuo piano di volo… Non l'hai mai comunicato a Seattle. Perché non ci hai contattati?»

Christian aggrotta la fronte sorpreso. «Non pensavo che mi ci sarebbe voluto così tanto.»

«Perché non hai chiamato?»

«Il mio cellulare aveva la batteria scarica.»

«Non potevi farci avere notizie… in qualche altro modo?»

«Mamma… è una lunga storia.»

«Oh, Christian! Non farmi mai più una cosa del genere! Hai capito?» Grace sta quasi urlando.

«Sì, mamma.» Le asciuga le lacrime con i pollici e la stringe ancora a sé. Quando lei si ricompone, lui la lascia andare per abbracciare Mia, che lo colpisce al torace con una mano.

«Ci hai fatti preoccupare!» esclama, anche lei in lacrime.

«Sono qui adesso, grazie al cielo» borbotta Christian.

Mentre Elliot si fa avanti, Christian affida Mia a Carrick, che ha già un braccio intorno a sua moglie e avvolge l'altro intorno alla figlia. Elliot abbraccia Christian velocemente, con grande sorpresa di quest'ultimo, e gli dà una gran pacca sulla schiena.

«È bello vederti» dice a voce alta, anche se un po' roca, cercando di nascondere le proprie emozioni.

Nonostante le lacrime che scorrono copiose sul mio viso, riesco a vedere tutto. L'amore incondizionato trionfa. Christian ne è completamente circondato. Non lo ha mai accettato fino a questo momento, e persino adesso ne è completamente sgomento.

"Guarda, Christian, tutte queste persone ti vogliono bene! Forse ora inizierai a crederci."

Kate è in piedi dietro di me, e mi accarezza i capelli dolcemente.

«È davvero qui, Ana» sussurra per confortarmi.

«Adesso vado a salutare la mia fidanzata» dice Christian ai suoi genitori. Entrambi annuiscono, sorridono e si fanno da parte.

Lui avanza verso di me, gli occhi grigi brillanti, anche se affaticati e ancora disorientati. Trovo in qualche modo la forza di alzarmi, vacillando, e di rifugiarmi tra le sue braccia aperte.

«Christian!» singhiozzo.

«Ssh…» dice lui e mi tiene stretta, nascondendo il volto nei miei capelli e inspirando a fondo. Alzo il viso bagnato dalle lacrime verso il suo, e lui mi bacia, troppo, troppo brevemente.

«Ciao» mormora.

«Ciao» sussurro di rimando, il nodo in fondo alla mia gola brucia.

«Ti sono mancato?»

«Un po'.»

Lui sorride. «Lo vedo.» E con una carezza gentile, mi asciuga le lacrime che si rifiutano di fermarsi.

«Pensavo… Pensavo…» dico con voce strozzata.

«Lo vedo. Ssh… Sono qui. Sono qui…» mormora e mi bacia castamente di nuovo.

«Stai bene?» gli chiedo, lasciandolo andare. Poi gli tocco il petto, le braccia, i fianchi – oh, la sensazione di quest'uomo caldo, vitale, sensuale sotto le mie dita – per accertarmi che sia davvero qui, di fronte a me. È tornato. Lui non si irrigidisce. Si limita a guardarmi attentamente.

«Sto bene. Non vado da nessuna parte.»

«Oh, grazie a Dio.» Lo stringo intorno alla vita e lui mi attira a sé. «Hai fame? Vuoi qualcosa da bere?»

«Sì.»

Faccio per scostarmi e andargli a prendere qualcosa, ma lui non mi lascia andare.

Mi mette un braccio intorno alle spalle e tende una mano verso José.

«Mr Grey» dice José pacatamente.

Christian sbuffa. «Christian, per favore» dice.

«Christian, bentornato. Mi fa piacere che tu stia bene e… ehm… grazie per l'ospitalità qui.»

«Non c'è di che.» Christian stringe gli occhi, ma è distratto da Mrs Jones, che all'improvviso è al suo fianco. Mi accorgo solo adesso che non è la solita, impeccabile Mrs Jones. Non l'avevo notato prima. Ha i capelli sciolti e indossa pantaloni grigi morbidi e un'ampia maglietta con la scritta WSU COUGARS che la fa sembrare piccola di statura… e molto più giovane.

«Posso portarle qualcosa, Mr Grey?» Si asciuga gli occhi con un fazzoletto di carta.

Christian le sorride affettuosamente. «Una birra, per favore, Gail. Una Budvar, e qualcosa da mangiare.»

«Te la prendo io» mormoro, volendo fare qualcosa per il mio uomo.

«No, non andartene» mi dice lui dolcemente, stringendomi con più forza a sé.

512

Il resto della famiglia si avvicina, e Ethan e Kate si aggiungono al gruppo. Christian stringe la mano di Ethan e bacia rapidamente Kate sulle guance. Mrs Jones torna con una bottiglia di birra e un bicchiere. Christian prende la bottiglia, ma rifiuta il bicchiere. Lei sorride e ritorna in cucina.

«Mi sorprende che tu non voglia qualcosa di più forte» dice Elliot.

«Allora, che cazzo ti è successo? La prima notizia che ho sentito è stata quando papà mi ha chiamato e mi ha detto che il tuo trabiccolo era disperso.»

«Elliot!» lo rimprovera Grace.

«Elicottero» ringhia Christian, correggendo Elliot, il quale sorride. Ho il sospetto che questo sia uno scherzo di famiglia.

«Sediamoci, così vi racconto.» Christian mi attira verso il divano, e tutti si siedono, con gli occhi fissi su di lui. Beve una generosa sorsata di birra, poi lancia un'occhiata verso l'ingresso, a Taylor, e gli fa un cenno con la testa. Taylor risponde con analogo cenno.

«Tua figlia?»

«Sta bene adesso. Falso allarme, signore.»

«Bene.» Christian sorride.

Figlia? Cos'è successo alla figlia di Taylor?

«Sono contento che siate tornato, signore. È tutto per ora?»

«Dobbiamo prelevare l'elicottero.»

Taylor annuisce. «Adesso? O domani mattina?»

«Domani mattina, penso, Taylor.»

«Molto bene, Mr Grey. Desidera altro, signore?»

Christian scuote la testa e solleva la bottiglia verso di lui. Taylor gli risponde con uno dei suoi rari sorrisi ed esce, probabilmente per raggiungere il suo ufficio o la sua stanza.

«Christian, cos'è successo?» chiede Carrick.

Lui comincia il racconto. Era a bordo di *Charlie Tango* con Ros, la sua vice, per andare a risolvere un problema di finanziamento alla Washington State University di Vancouver. Io riesco a seguirlo a fatica, sono così stordita. Mi limito a tenergli la mano e a fissare le sue unghie curate, le dita affusolate, le pieghe sulle sue nocche, l'orologio che ha al polso, un Omega con tre piccoli quadranti. Alzo gli occhi verso il suo bellissimo profilo, mentre lui continua a parlare.

«Ros non aveva mai visto monte Saint Helens, così, per festeggiare, sulla via del ritorno abbiamo fatto una piccola deviazione. Avevo sentito che il temporaneo divieto di sorvolo era stato revocato, e volevo dare un'occhiata. Be', è stata una fortuna che l'abbiamo fatto. Stavamo volando bassi, a circa sessanta metri dal livello del suolo, quando il pannello di controllo si è illuminato. Avevamo un incendio in coda… Non ho potuto far altro che spegnere tutta l'elettronica di bordo e atterrare.» Scuote la testa. «Mi sono fermato vicino a Silver Lake, ho fatto scendere Ros, e ho spento l'incendio.»

«Ha coinvolto entrambi i motori?» Carrick è inorridito.

«Sì.»

«Merda! Ma io pensavo…»

«Lo so» lo interrompe Christian. «È stato un colpo di fortuna che stessimo volando così bassi» mormora. Io rabbrividisco. Lui mi lascia la mano e mi circonda le spalle con un braccio.

«Hai freddo?» mi chiede. Io scuoto la testa.

«Come hai fatto a spegnere il fuoco?» chiede Kate, l'istinto della reporter d'assalto che si risveglia. Accidenti, sembra così brusca a volte.

«Estintori. Dobbiamo averli a bordo… per legge» le risponde Christian, impassibile.

Le sue parole di qualche tempo fa mi tornano in mente. "Ringrazio ogni giorno la divina Provvidenza che sia stata tu a venire a intervistarmi e non Katherine Kavanagh."

«Perché non hai chiamato o usato la radio?» chiede Grace.

Christian scuote la testa. «Con l'elettronica di bordo spenta, non avevamo la radio. E non ho voluto correre il rischio di riaccenderla, per via del fuoco. Il GPS funzionava ancora sul BlackBerry, così sono stato in grado di raggiungere la strada più vicina. Ci abbiamo messo quattro ore per arrivare qui. Ros aveva i tacchi» La bocca di Christian si piega in una smorfia di disapprovazione.

«Il cellulare non riceveva. Non c'è copertura a Gifford. La batteria di Ros è stata la prima a esaurirsi. La mia si è consumata lungo il tragitto.»

"Porca miseria." Mi irrigidisco e Christian mi fa sedere sulle sue ginocchia.

«Allora come hai fatto a tornare a Seattle?» gli chiede Grace, sbattendo le palpebre alla vista di noi due in quella posizione. Arrossisco.

«Abbiamo fatto l'autostop e unito le nostre risorse. Tra Ros e me avevamo seicento dollari, e abbiamo pensato di pagare qualcuno perché ci riportasse a casa. Poi si è fermato un camionista e ha accettato di darci un passaggio. Ha rifiutato i nostri soldi e diviso il suo pasto con noi.» Christian scuote la testa ancora incredulo. «C'è voluta una vita. Non avevamo un cellulare... strano ma vero. Non mi sono reso conto...» Si ferma e osserva la sua famiglia.

«... che eravamo preoccupati?» sbotta Grace. «Oh, Christian!» lo rimprovera. «Siamo impazziti!»

«Sei stato la notizia dell'ultima ora, fratello.»

Christian alza gli occhi al cielo. «Sì. Me lo sono immaginato quando sono arrivato qui sotto alla reception e ho visto uno stuolo di fotografi. Mi dispiace, mamma... Avrei dovuto chiedere al camionista di fermarsi per fare una telefonata. Ma ero ansioso di tornare a casa.» Lancia un'occhiata a José.

"Ah, è questo il motivo: perché José era qui!" Il pensiero mi fa aggrottare la fronte. Accidenti!

Grace scuote la testa. «Sono solo contenta che tu sia tornato e tutto intero, caro.»

Inizio a rilassarmi, appoggiando la testa sul petto di Christian. Sa di aria aperta, con un vago sentore di sudore, di bagnoschiuma, di Christian... il profumo che amo di più al mondo. Le lacrime iniziano a scendermi sul viso di nuovo, lacrime di gratitudine.

«Entrambi i motori?» chiede ancora Carrick, corrugando la fronte incredulo.

«Vai a capire!» Christian si stringe nelle spalle e mi fa scorrere una mano sulla schiena.

«Ehi» sussurra. Mi mette le dita sotto il mento e mi fa sollevare la testa. «Smettila di piangere.»

Mi asciugo le lacrime con il dorso della mano, in modo poco raffinato. «E tu smettila di scomparire.» Tiro su con il naso. Christian sorride.

«Un cortocircuito… È strano, no?» dice ancora Carrick.

«Sì, è venuto in mente anche a me, papà. Ma ora voglio solo andare a letto e non pensarci più fino a domani.»

«Allora i media sanno che Christian Grey è stato trovato sano e salvo?» chiede Kate.

«Sì. Andrea si occuperà dei media, insieme ai miei addetti alle pubbliche relazioni. Ros l'ha chiamata dopo che l'abbiamo accompagnata a casa.»

«È stata Andrea a telefonarmi per farmi sapere che eri ancora vivo.» Carrick sorride.

«Devo dare un aumento a quella donna. Caspita, è tardi» dice Christian.

«Signore e signori, penso che, con questa osservazione, il mio caro fratello ci stia dicendo che ha bisogno di un sonno ristoratore» lo prende in giro Elliot. Christian gli fa una smorfia.

«Cary, nostro figlio è salvo. Puoi portarmi a casa adesso.»

"Cary?" Grace guarda adorante il marito.

«Sì. Penso che anche a noi un po' di sonno possa giovare» replica Carrick, sorridendole.

«Fermatevi qui» dice Christian.

«No, tesoro, voglio andare a casa. Ora che so che sei al sicuro.»

Riluttante, Christian mi adagia sul divano e si alza. Grace lo abbraccia, stringendoglisi al petto, e chiude gli occhi, contenta. Lui la stringe a sé.

«Ero così preoccupata, tesoro» sussurra.

«Sto bene, mamma.»

Lei si scosta un po' e lo studia attentamente. «Sì, penso di sì» dice e lentamente fa scivolare lo sguardo su di me, sorridendo. Arrossisco un'altra volta.

Accompagniamo Carrick e Grace nell'atrio. Dietro di me sento Mia e Ethan bisbigliare animatamente, ma non riesco a capire quello che si dicono.

Mi volto e vedo che Mia sorride timidamente a Ethan, mentre lui la guarda a bocca aperta, scuotendo la testa. Improvvisamente, lei incrocia le braccia sul petto e gli volta le spalle. Lui si gratta la fronte, ovviamente frustrato.

«Mamma, papà, aspettatemi» li chiama Mia imbronciata. Forse anche lei è lunatica come suo fratello.

Kate mi abbraccia forte. «Scommetto che è successo qualcosa di serio, mentre ero a Barbados nella mia beata ignoranza. È piuttosto ovvio che voi due siate pazzi l'una dell'altro. Sono felice che Christian sia sano e salvo. Non solo per lui, Ana. Anche per te.»

«Grazie, Kate» sussurro.

«Sì. Chi avrebbe mai detto che avremmo trovato l'amore nello stesso momento?» Sorride. "Wow." Lo ammette, allora.

«E con due fratelli!» Ridacchio.

«Potremmo ritrovarci cognate» dice a mo' di battuta.

Io mi irrigidisco, poi mentalmente mi prendo a calci, quando Kate fa un passo indietro e mi fissa con quell'aria da cosa-non-mi-stai-dicendo. Dannazione, dovrei dirle che Christian mi ha chiesto di sposarlo?

«Dài, piccola» la chiama Elliot dall'ascensore.

«Ne parliamo domani, Ana. Devi essere esausta.»

Sono stata graziata. «Certo. Anche tu, Kate... Hai fatto un lungo viaggio oggi.»

Ci abbracciamo ancora una volta, poi lei e Elliot seguono

i Grey nell'ascensore. Ethan stringe la mano di Christian e mi abbraccia. Sembra distratto, ma li segue nell'ascensore e le porte si chiudono.

José si sta aggirando nel corridoio, quando noi rientriamo nell'appartamento.

«Sentite, io vado a dormire... Vi lascio, ragazzi» dice.

Arrossisco. Perché tutto ciò è così strano?

«Sai già dov'è la tua camera?» gli chiede Christian.

José annuisce.

«Sì, la governante...»

«Mrs Jones» intervengo io.

«Sì, Mrs Jones me l'ha mostrata prima. Hai proprio una bella casa, Christian.»

«Grazie» replica Christian educatamente, rimanendo al mio fianco e circondandomi le spalle con un braccio. Poi si china su di me e mi bacia i capelli.

«Vado a mangiare. Mrs Jones dovrebbe aver preparato qualcosa per me. Buonanotte, José.» Christian si avvia verso il salone, lasciando me e José nell'ingresso.

"Wow! Mi ha lasciata sola con José."

«Be', buonanotte.» José sembra improvvisamente a disagio.

«Buonanotte, José, e grazie per essere rimasto.»

«Prego, Ana. Ogni volta che il tuo ricco e arrogante fidanzato sarà disperso, io ci sarò.»

«José!» lo rimprovero.

«Sto scherzando, non arrabbiarti. Me ne andrò domani mattina presto. Ci vedremo ogni tanto? Mi sei mancata.»

«Certo, José. Presto, spero. Mi dispiace che stasera sia andata... di merda.» Gli sorrido a mo' di scuse.

«Sì.» Sogghigna. «Di merda.» Mi abbraccia. «Sul serio, Ana, sono contento che tu sia felice, ma sono qui se hai bisogno di me.»

Alzo lo sguardo su di lui. «Grazie.»

Lui mi scocca un sorriso triste, dolceamaro, e poi sale al piano superiore.

Torno nel salone. Christian è in piedi accanto al divano, e mi osserva con un'espressione imperscrutabile. Finalmente siamo soli e ci guardiamo.

«È ancora arrabbiato» mormora.

«Come fai a saperlo, Mr Grey?»

«Riconosco i sintomi, Miss Steele. Credo di soffrire della stessa malattia.»

«Pensavo che non ti avrei mai più rivisto» sussurro. Ecco, l'ho detto. Tutte le mie peggiori paure in un'unica breve frase, di cui ora mi sono liberata.

«Non è stato così brutto come sembra.»

Raccolgo dal pavimento la sua giacca e le scarpe, e lo raggiungo.

«Questa la prendo io» dice, allungando la mano verso la giacca.

Christian mi guarda come se fossi la sua sola ragione di vita. Uno sguardo che riflette il mio, ne sono sicura. È qui, lui è davvero qui. Mi prende tra le braccia e mi stringe.

«Christian» ansimo, e ricomincio a piangere.

«Ssh» mi calma, baciandomi i capelli. «Sai... nei pochi istanti di paura prima di atterrare, tutti i miei pensieri sono stati per te. Tu sei il mio talismano, Ana.»

«Ho creduto di averti perso» sussurro senza fiato. Restiamo in piedi, l'uno tra le braccia dell'altra, a riprendere il contatto e a rassicurarci l'un l'altro. Mentre mi stringo a lui, mi rendo conto di avere ancora in mano le sue scarpe. Le lascio cadere rumorosamente a terra.

«Vieni a fare la doccia con me» mormora lui.

«Okay.» Lo guardo. Non voglio lasciarlo andare. Lui mi solleva il mento con le dita.

«Sai, anche mentre piangi sei bellissima, Ana Steele.» Si china su di me e mi bacia, appassionatamente.

"Oddio... e pensare che avrei potuto perderlo... no..." Smetto di arrovellarmi e mi arrendo.

«Devo appoggiare la giacca» mormora.

«Lasciala cadere a terra» gli dico piano, contro le labbra.

«Non posso.»

Mi scosto da lui e lo guardo con aria interrogativa.

Mi sorride. «È per via di questa.» Dal taschino interno tira fuori la scatoletta che gli ho dato e che contiene il mio regalo. Poi getta la giacca sullo schienale del divano e vi appoggia sopra la scatolina.

"Cogli l'attimo, Ana" mi sprona la vocina interiore. Be', è mezzanotte passata, perciò, tecnicamente, è il giorno del suo compleanno.

«Aprila» sussurro, e il mio cuore inizia a martellare.

«Speravo che l'avresti detto» mormora. «Stavo per impazzire.»

Gli sorrido maliziosamente. Mi gira quasi la testa. Lui mi fa il suo sorriso timido e io mi sciolgo, nonostante il cuore che martella, deliziata dalla sua espressione divertita e affascinata. Scarta e apre la scatolina. Aggrotta la fronte quando tira fuori un portachiavi di plastica con una foto composta da tanti piccoli pixel che si accendono e si spengono sullo schermo a LED. Rappresenta lo skyline di Seattle, con la parola SEATTLE scritta in grassetto sopra.

Lui lo fissa per un minuto e poi mi guarda, divertito, con una ruga che gli solca la bella fronte.

«Giralo» sussurro, trattenendo il fiato.

Lui lo fa, e i suoi occhi scattano verso i miei, sbarrati e grigi, pieni di stupore e gioia. Le sue labbra si schiudono per l'incredulità.

La parola SÌ si accende e si spegne sul display del portachiavi.

«Tanti auguri» gli dico.

20

«Mi sposerai?» sussurra incredulo.

Io annuisco nervosamente, arrossendo, in ansia e senza riuscire del tutto a capacitarmi della sua reazione. La reazione di quest'uomo che pensavo perduto. Come può non capire quanto lo amo?

«Dillo» mi ordina dolcemente, il suo sguardo intenso e ardente.

«Sì, ti sposerò.»

Lui fa un profondo respiro e all'improvviso mi solleva e mi fa volteggiare per la stanza in un modo che si addice davvero poco a Christian. Ride, giovane e spensierato, pieno di gioiosa esultanza. Mi aggrappo alle sue braccia per tenermi, sentendo i suoi muscoli guizzare sotto le mie dita, e la sua risata contagiosa mi travolge: una sciocca, frastornata ragazza follemente innamorata del suo uomo. Mi rimette giù e mi bacia. Appassionatamente. Le sue mani sono sul mio volto, la sua lingua è insistente, persuasiva... eccitante.

«Oh, Ana» mormora contro le mie labbra, e il suo è un entusiasmo che mi lascia senza fiato. Mi ama, non c'è dubbio, e io assaporo il gusto di quest'uomo adorabile, che pensavo di non poter rivedere mai più. La sua gioia è evidente – gli occhi che brillano, il sorriso spensierato – e il suo sollievo quasi palpabile.

«Pensavo di averti perso» mormoro di nuovo, confusa e senza fiato per il bacio.

«Piccola, ci vuole molto più di un 135 in avaria per tenermi lontano da te.»

«Un 135?»

«*Charlie Tango*. È un Eurocopter EC135, uno dei più sicuri della sua categoria.» Un'emozione oscura e senza nome gli attraversa il volto per un attimo, distraendomi. Che cosa non mi sta dicendo? Prima che possa chiederglielo, lui si irrigidisce, corruga la fronte e per un istante penso che stia per dirmelo. Sbatto le palpebre e lo fisso nei suoi indagatori occhi grigi.

«Aspetta un attimo. Mi hai dato questo prima che vedessimo Flynn» dice sollevando il portachiavi. Sembra quasi inorridito.

Oddio, dove vuole arrivare? Annuisco, seria.

La sua bocca si spalanca per la sorpresa.

Io mi stringo nelle spalle, come a scusarmi. «Volevo che sapessi che qualsiasi cosa Flynn mi avesse detto non avrebbe fatto alcuna differenza per me.»

Christian sbatte le palpebre, incredulo. «Perciò ieri sera, quando ti pregavo di darmi una risposta, ce l'avevo già?» È sgomento. Io annuisco di nuovo, cercando disperatamente di valutare la sua reazione. Lui mi guarda, con stupefatta meraviglia, ma poi stringe gli occhi e piega la bocca in una smorfia di divertita ironia.

«Tutta quella preoccupazione» sussurra. Io gli sorrido e mi stringo nelle spalle ancora una volta. «Oh, non cercare di fare la furba con me, Miss Steele. In questo preciso momento, voglio...» Si passa una mano tra i capelli, poi scuote la testa e cambia idea.

«Non posso credere che tu mi abbia lasciato in sospeso.» Il suo sussurro è pieno di incredulità. La sua espressione cambia impercettibilmente, i suoi occhi brillano maliziosi, la sua bocca si piega in un sorriso sensuale.

Accidenti! Un brivido mi percorre. A cosa sta pensando?

«Credo che qui ci voglia una punizione, Miss Steele» mi dice dolcemente.

"Punizione? Oh, merda!" So che sta scherzando, ma faccio comunque un passo indietro.

Lui sorride. «È questo il gioco?» sussurra. «Perché io ti darò la caccia.» E i suoi occhi ardono di una luminosa e giocosa intensità. «E ti stai mordendo il labbro» aggiunge minaccioso.

Tutti i miei muscoli si tendono all'unisono. "Oddio." Il mio futuro marito vuole giocare. Faccio un altro passo indietro, poi mi volto per scappare via, ma invano. Christian mi afferra e mi solleva in un unico movimento fluido, mentre io squittisco deliziata, sorpresa e scioccata. Mi carica sulla spalla e attraversa il corridoio.

«Christian!» sibilo, ricordando che José è al piano di sopra, anche se dubito che possa sentirci. Mi tengo in equilibrio aggrappandomi alla sua schiena, poi, in un impeto di coraggio, gli do una sculacciata. E lui contraccambia, dandone una a me.

«Oh!» guaisco.

«È il momento di fare una doccia» dichiara trionfante.

«Mettimi giù!» Cerco di assumere un tono di disapprovazione, ci provo e fallisco. La mia è una lotta inutile. Il suo braccio mi trattiene con fermezza all'altezza delle cosce, e per qualche ragione non riesco a smettere di ridere.

«Sei affezionata a queste scarpe?» mi chiede, divertito, mentre apre la porta del suo bagno.

«Preferisco quando toccano il pavimento.» Cerco di assumere un tono duro, ma senza molto successo, visto che non riesco a trattenermi dal ridere.

«Ogni tuo desiderio è un ordine, Miss Steele.» Senza mettermi giù, mi toglie entrambe le scarpe e le lascia cadere a terra. Fermandosi davanti allo specchio, si svuota le tasche: il BlackBerry fuori uso, le chiavi, il portafoglio, il portachiavi. Posso solo immaginare come devo apparirgli da quell'angolazione nello specchio. Quando ha finito, punta dritto sulla doccia smisurata.

«Christian!» lo redarguisco ad alta voce. Le sue intenzioni ora sono chiare.

Lui apre l'acqua al massimo. "Accidenti!" Una doccia d'acqua gelida mi colpisce la schiena e lancio un grido. Poi mi zittisco, pensando di nuovo che José dorme sopra di noi. Fa freddo e io sono completamente vestita. L'acqua ghiacciata inzuppa il mio abito, le mutandine, il reggiseno. Sono fradicia, e ancora non riesco a smettere di ridere.

«No!» squittisco. «Mettimi giù!» Gli do un'altra pacca, più forte stavolta, e Christian mi lascia andare, facendomi scivolare giù per il suo corpo parimenti fradicio. La camicia bianca è appiccicata al suo torace e i pantaloni del completo sono zuppi. Anch'io grondo acqua, sono rossa in volto, sconvolta e senza fiato, e lui mi guarda sorridendo, ed è così... così sexy.

Torna serio, gli luccicano gli occhi, e mi prende il volto tra le mani, attirando le mie labbra verso le sue. Il suo bacio è dolce, adorante, e mi distrae totalmente. Non me ne importa più niente di essere completamente vestita e bagnata fradicia, nella doccia di Christian. Ci siamo solo noi due sotto la cascata d'acqua. Lui è tornato, è salvo, ed è mio.

Le mie mani scorrono involontariamente sulla sua camicia che aderisce ai muscoli del torace, rivelando la peluria umida sotto la stoffa bagnata. Gli sfilo la camicia dai pantaloni, e lui geme contro la mia bocca, ma le sue labbra non lasciano le mie. Mentre comincio a sbottonargli la camicia, lui raggiunge la cerniera del mio abito e lentamente comincia ad abbassarla. Le sue labbra diventano più insistenti, più provocanti, la sua lingua invade la mia bocca. E il mio corpo esplode di desiderio. Tiro forte i lembi della sua camicia, strappandogliela di dosso. I bottoni volano dappertutto, rimbalzando sulle piastrelle e scomparendo sul fondo della doccia. Mentre gli tolgo la stoffa fradicia dalle spalle e la faccio scivolare lungo le sue braccia, lo premo contro la parete, impedendogli di svestirmi. «I gemelli» mormora, sollevando i polsi, da cui la sua camicia pende molle e zuppa d'acqua.

Maldestramente tolgo i gemelli d'oro, uno alla volta, lasciandoli cadere sul pavimento e facendoli seguire dalla camicia. I suoi occhi scrutano i miei attraverso la cascata d'acqua, il suo sguardo brucia, sensuale e caldo. Afferro i suoi pantaloni alla cintura, ma lui scuote la testa e mi prende per le spalle, facendomi voltare. Finisce di far scorrere la cerniera verso il basso, mi scosta i capelli umidi dal collo e lo percorre con la lingua fino all'attaccatura dei capelli e poi indietro, baciandomi e succhiandomi la pelle.

Gemo. Lentamente mi fa scivolare il vestito dalle spalle, lo abbassa fino all'addome, e mi bacia il collo dietro l'orecchio. Slaccia il reggiseno e lo spinge in giù, liberandomi i seni, intorno ai quali le sue mani si avvolgono a coppa. Mormora il suo apprezzamento contro il mio orecchio.

«Sei così bella.»

Sono intrappolata dal reggiseno e dal vestito, che pende slacciato sotto il mio seno. Le braccia sono ancora infilate nelle maniche, ma ho le mani libere. Butto indietro la testa, concedendo a Christian un migliore accesso al mio collo e spingo i seni contro le sue magiche mani. Allungo una mano dietro di me, soddisfatta di sentirlo trasalire e trattenere il fiato, quando le mie dita sfiorano la sua erezione. Si spinge contro la mia mano. Accidenti, perché non lascia che gli tolga i pantaloni?

Mi pizzica i capezzoli, che si induriscono e si tendono sotto il suo tocco esperto, ogni pensiero sui suoi pantaloni scompare e il piacere, acuto e carnale, mi trafigge il ventre. Getto la testa all'indietro, contro di lui, e gemo.

«Sì» sospira e mi fa girare, catturando le mie labbra con le sue. Mi sfila il reggiseno, il vestito e le mutandine, che raggiungono la sua camicia in un cumulo fradicio sul piatto della doccia.

Prendo il bagnoschiuma accanto a noi. Christian si ferma mentre comprende quello che sto per fare. Lo guardo dritto negli occhi, mi verso un po' di gel profumato nella mano e glielo spalmo sul torace, aspettando una risposta alla mia domanda inespressa. I suoi occhi si allargano, poi lui annuisce impercettibilmente.

Appoggio delicatamente la mano sul suo sterno e inizio a sfregare il sapone sulla pelle. Il suo torace si solleva, mentre lui inala forte, ma rimane fermo. Dopo un attimo, le sue mani mi afferrano i fianchi, ma senza spingermi via. Mi guarda con diffidenza, il suo sguardo è più intenso che spaventato. Le sue labbra si schiudono, mentre il respiro diventa più affannoso.

«Va bene?» sussurro.

«Sì.» La sua risposta, rapida e ansimante, è quasi un sussulto. Mi vengono in mente le molte docce che abbiamo fatto insieme, ma quella all'Olympic è il ricordo più dolceamaro. Ebbene, ora posso toccarlo. Lo lavo disegnando cerchi delicati. Lavo il mio uomo, sotto le ascelle, sul torace, sul suo ventre piatto, verso quella peluria che disegna una linea retta fino alla cintura dei pantaloni.

«Tocca a me» sussurra lui, poi prende lo shampoo e, facendomi spostare insieme a lui dal getto d'acqua, me ne versa un po' sulla testa.

È il segnale per me di smettere di lavarlo, così infilo le dita nella cintura dei suoi pantaloni. Lui mi friziona i capelli con lo shampoo, le sue dita affusolate e abili mi massaggiano la cute. Gemo di piacere, chiudo gli occhi e mi abbandono a questa sensazione divina. Dopo tutto lo stress della serata è proprio ciò che ci vuole.

Sentendolo ridacchiare, apro gli occhi e scopro che sorride mentre mi guarda. «Ti piace?»

«Mmh…»

Sogghigna. «Anche a me» dice e si protende per darmi un bacio sulla fronte, mentre le sue dita continuano il loro dolce, deciso massaggio.

«Girati» mi dice autoritario. Obbedisco, e lui prosegue il lavoro sulla mia testa, lavandomi, rilassandomi, amandomi. Oh, è il paradiso. Prende un altro po' di shampoo e delicatamente lava le lunghe ciocche sulla mia schiena. Quando ha finito, mi rimette sotto il getto della doccia.

«Butta indietro la testa» mi dice.

Lo faccio di buon grado, e lui mi sciacqua con cura. Quando ha finito, mi giro verso di lui e punto ai suoi pantaloni.

«Voglio lavarti tutto» sussurro. Lui fa il suo sorriso di traverso e alza le mani in un gesto che dice: "Sono tutto tuo, piccola". Sogghigno. Sono felice come un bambino a Natale. In fretta, gli tiro giù la cerniera e presto lo libero dei pantaloni e dei boxer, gettandoli con il resto dei vestiti. Prendo di nuovo il bagnoschiuma e una spugna.

«Sembra che tu sia contento di vedermi» mormoro.

«Sono sempre contento di vederti, Miss Steele.» Mi sorride con malizia.

Insapono la spugna, e riprendo il mio viaggio lungo il suo torace. È più rilassato adesso, forse perché non lo sto toccando direttamente. Con la spugna punto verso il basso, attraverso il suo ventre, lungo la peluria addominale fino all'inguine e alla sua erezione.

Alzo lo sguardo su di lui: mi sta guardando con gli occhi socchiusi, in preda al desiderio. "Mmh… Mi piace questo sguardo." Lascio cadere la spugna e uso le mani, afferrandoglielo con decisione. Lui chiude gli occhi, getta la testa all'indietro e geme, spingendo i fianchi verso di me.

"Oh, sì! È così eccitante." La mia dea interiore si riaffaccia dopo una serata in cui era rimasta raggomitolata a piangere in un angolo, e indossa un rossetto rosso provocante.

Gli occhi ardenti di Christian all'improvviso si fissano nei miei. Si è ricordato di qualcosa.

«È sabato!» esclama, gli occhi illuminati da lasciva meraviglia, e mi afferra per la vita, attirandomi verso di sé e baciandomi selvaggiamente.

"Wow, cambio di ritmo!"

Una sua mano accarezza il mio corpo bagnato, scivoloso, fermandosi proprio *lì*, tra le cosce, dove le sue dita esplorano, titillano; la sua bocca è implacabile e mi lascia senza fiato. L'altra sua mano è tra i miei capelli grondanti e mi tiene ferma, mentre io accolgo il libero sfogo di tutta la sua passione. Le sue dita si muovono dentro di me.

«Ah» gemo nella sua bocca.

«Sì» sibila lui, e mi solleva, le sue mani sotto i miei glutei. «Allaccia le gambe intorno a me, piccola.» Obbedisco, e aderisco a lui come una ventosa. Poi mi fa appoggiare contro la parete della doccia e si ferma, guardandomi negli occhi.

«Occhi aperti» mormora. «Voglio vederti.»

Lo guardo sbattendo le palpebre, il cuore che martella, il sangue che pulsa caldo nelle vene, il desiderio, concreto e dilagante, che irrompe dentro di me. Poi lui mi penetra con un movimento deliziosamente lento, mi riempie, mi reclama, pelle contro pelle. E io mi spingo contro di lui e lo sento gemere forte. Quando è completamente dentro di me, si ferma; il suo volto è teso, intenso.

«Tu sei mia, Anastasia» sussurra.

«Sempre.»

Lui sorride vittorioso e si sposta, facendomi sussultare.

«E ora possiamo farlo sapere a tutti, perché tu mi hai detto di sì.» La sua voce è reverenziale. Si protende verso di me, catturando le mie labbra con le sue, e iniziando a muoversi... a un ritmo lento e dolcissimo. Chiudo gli occhi e getto la testa all'indietro, mentre il mio corpo si inarca, la mia volontà si sottomette alla sua, schiava del suo ritmo inebriante.

Con i denti mi sfiora la mandibola, il mento, e poi lungo il collo, mentre mi spinge in avanti, in su, in un altro pianeta, via dalla doccia scrosciante, dal terrore raggelante di questa sera. Siamo solo io e il mio uomo, che ci muoviamo all'unisono, come se fossimo una persona sola, completamente assorbiti l'una dall'altro, con i nostri ansimi e i nostri gemiti che si mescolano. Mi crogiolo nella squisita sensazione del suo possesso, mentre il mio corpo sboccia e fiorisce intorno a lui.

"Avrei potuto perderlo… E lo amo…" Lo amo così tanto, e all'improvviso sono sopraffatta dall'enormità del mio amore e dalla profondità dell'impegno che prenderò con lui. Passerò il resto della mia vita ad amare quest'uomo, e con questo pensiero che mi mette soggezione scoppio in un orgasmo catartico, lenitivo, gridando il suo nome mentre le lacrime mi scendono sulle guance.

Lui raggiunge l'apice del piacere e si riversa dentro di me, con il viso sepolto nel mio collo, e crolla sul pavimento, tenendomi stretta, baciandomi il viso, asciugandomi le lacrime con i suoi baci mentre l'acqua calda scende su di noi, lavandoci.

«Ho le dita raggrinzite» mormoro, mentre giaccio sul suo petto, appagata dal sesso. Lui prende le mie mani e se le porta alle labbra, baciando le dita.

«Dovremmo uscire da questa doccia.»

«Sto comoda qui.» Sono seduta tra le sue gambe e lui mi tiene stretta. Non voglio muovermi.

Christian mormora il suo assenso. Ma tutt'a un tratto mi sento stanchissima, come se il peso del mondo gravasse sulle mie spalle. Sono successe così tante cose in quest'ultima settimana, abbastanza per un'intera vita, e ora sto per sposarmi. Una risatina incredula mi sfugge dalle labbra.

«Qualcosa ti diverte, Miss Steele?» mi chiede affettuosamente.

«È stata una settimana faticosa.»

Sorride. «È vero.»

«Grazie a Dio sei tornato sano e salvo, Mr Grey» sussurro,

pensando a quello che sarebbe potuto accadere. Lui si irrigidisce e io mi pento subito di averglielo ricordato.

«Ho avuto paura» ammette, con mia sorpresa.

«Prima?»

Lui annuisce, la sua espressione è seria.

«Allora hai cercato di sdrammatizzare per rassicurare la tua famiglia?»

«Sì. Volavo troppo basso per atterrare bene. Ma in qualche modo ce l'ho fatta.»

"Merda." Alzo gli occhi su di lui. È serio, mentre l'acqua ci cade addosso. «Quanto ci sei andato vicino?» Lui mi guarda.

«Vicino.» Si ferma. «Per alcuni secondi, ho pensato che non ti avrei mai più rivista.»

Lo abbraccio forte. «Non posso immaginare la mia vita senza di te, Christian. Ti amo così tanto che ho paura.»

«Anch'io» dice lui d'un fiato. «La mia vita sarebbe vuota senza di te, ti amo così tanto.» Le sue braccia mi stringono e lui si strofina contro i miei capelli. «Non ti lascerò mai andare via.»

«Non vorrò mai andare via.» Lo bacio sul collo, e lui si protende verso di me e mi bacia dolcemente.

Dopo un attimo si muove. «Vieni. Asciughiamoci e andiamo a letto. Io sono esausto e tu hai l'aria distrutta.»

Inarco un sopracciglio di fronte alla sua scelta di parole. Lui piega la testa di lato e mi sorride malizioso.

«Qualcosa da dire, Miss Steele?»

Scuoto la testa e mi alzo sui piedi malfermi.

Sono seduta sul letto. Christian ha insistito per asciugarmi i capelli, rivelandosi piuttosto abile. Come abbia imparato è un pensiero spiacevole, perciò lo abbandono immediatamente. Sono le due del mattino passate, e sono pronta per dormire. Christian mi guarda e riesamina il portachiavi prima di mettersi a letto. Scuote la testa, ancora incredulo.

«È fantastico. Il miglior regalo di compleanno che abbia mai ricevuto.» Mi guarda, e i suoi occhi sono dolci e affettuosi. «Meglio del mio poster firmato da Giuseppe DeNatale.»

«Te l'avrei detto prima, ma visto che il tuo compleanno era imminente... Che cosa regaleresti a un uomo che ha tutto? Così ho pensato di regalarti... me stessa.»

Christian appoggia il portachiavi sul comodino e si rannicchia accanto a me, attirandomi tra le sue braccia.

«È perfetto. Come te.»

Faccio un sorrisetto compiaciuto, anche se lui non può vedere la mia espressione. «Sono ben lontana dalla perfezione, Christian.»

«Stai facendo un sorrisetto compiaciuto, Miss Steele?»

Come fa a saperlo? «Forse.» Ridacchio. «Posso chiederti una cosa?»

«Certo.» Strofina il naso contro il mio collo.

«Non hai chiamato durante il tuo viaggio di ritorno da Portland. Non l'hai fatto per via di José? Eri preoccupato del fatto che fossi qui da sola con lui?»

Christian non dice niente. Mi volto per guardarlo, e i suoi occhi sono sbarrati, mentre lo rimprovero.

«Ti rendi conto di quanto è ridicolo? Dello stress che hai fatto subire alla tua famiglia e a me? Ti amiamo tutti così tanto.»

Lui sbatte le palpebre un paio di volte e poi mi fa il suo sorriso timido. «Non avevo idea che foste tutti così preoccupati.»

Gli faccio il broncio. «Quando ti ficcherai in quella testa dura che sei amato?»

«Testa dura?» Aggrotta la fronte per la sorpresa.

Annuisco. «Sì. Testa dura.»

«Non penso che la durezza della mia testa superi quella di un'altra parte del mio corpo.»

«Sono seria! Smettila di cercare di farmi ridere. Sono ancora arrabbiata con te, anche se la mia rabbia è in parte eclissata dal fatto che sei a casa sano e salvo, quando pensavo...» La mia voce perde consistenza mentre ricordo l'ansia di poche ore fa. «Be', lo sai che cosa ho pensato.»

Il suo sguardo si addolcisce, mentre mi accarezza il viso. «Mi dispiace. Okay.»

«E la tua povera mamma! È stato molto commovente vederti con lei» sussurro.

Lui sorride timidamente. «Non l'avevo mai vista così.» Sbatte le palpebre al ricordo. «Sì, è stato davvero toccante. Di solito lei è così controllata. È stato quasi uno shock.»

«Lo vedi? Tutti ti vogliono bene.» Sorrido. «Forse adesso inizierai a crederci.» Mi chino su di lui e lo bacio dolcemente. «Buon compleanno, Christian. Sono contenta che tu sia qui per condividere questa giornata con me. E non hai ancora visto cosa ho preso per te domani... ehm... oggi.» Sogghigno.

«C'è qualcos'altro?» mi chiede, stupito, e sul suo volto si allarga un sorriso mozzafiato.

«Oh, sì, Mr Grey, ma dovrai aspettare.»

Mi sveglio all'improvviso per un sogno o un incubo, con il cuore che batte forte. Mi volto, nel panico, e con mio grande sollievo vedo Christian profondamente addormentato accanto a me. Dato che mi sono spostata, lui si stira nel sonno e si allunga verso di me, cingendomi con le braccia e appoggiandomi la testa sulla spalla, mentre sospira debolmente.

La stanza è inondata di luce. Sono le otto. Christian non dorme mai fino a quest'ora. Rimango sdraiata e il mio cuore si calma. Perché quest'ansia? Sono i postumi della notte scorsa?

Mi giro e lo osservo. È qui. È salvo. Faccio un respiro profondo, per ricompormi, e studio il suo dolcissimo viso. Un viso che ora è così familiare, tutti i suoi lineamenti sono eternamente scolpiti nella mia mente.

Sembra più giovane mentre dorme, e io sorrido perché

oggi ha un anno di più. Mi compiaccio al pensiero del mio regalo. Oh… che cosa farà lui? Forse dovrei iniziare con il portargli la colazione a letto. D'altra parte, José potrebbe essere ancora qui.

Trovo José al bancone della cucina, che fa colazione con i cereali. Non riesco a non arrossire, quando lo vedo. Sa che ho passato la notte con Christian. Perché devo sentirmi così timida tutt'a un tratto? In fondo, non sono nuda. Indosso una vestaglia di seta lunga fino a terra.

«'giorno, José.» Gli sorrido sfacciatamente.

«Ciao, Ana!» Il suo volto si illumina, ed è davvero contento di vedermi. Non c'è alcun accenno di malizia o ironico disprezzo nella sua espressione.

«Dormito bene?» gli chiedo.

«Certo. Che vista che c'è lassù.»

«Sì, è davvero speciale.» Come il proprietario di questo appartamento. «Non vuoi una colazione da vero uomo?» lo stuzzico.

«Mi piacerebbe.»

«Oggi è il compleanno di Christian. Gli porterò la colazione a letto.»

«È sveglio?»

«No, penso che sia distrutto da ieri.» Distolgo velocemente lo sguardo, puntando verso il frigo, così che José non possa vedermi arrossire. "Accidenti, è solo José!" Mentre prendo le uova e il bacon dal frigorifero, José sogghigna.

«Ti piace davvero tanto, vero?»

Faccio una smorfia con le labbra. «Lo amo, José.»

Lui spalanca gli occhi per un attimo, e poi sorride. «Come si potrebbe non amare?» mi chiede, indicandomi il salone che ci circonda.

Lo guardo accigliata. «Ah, grazie!»

«Stavo solo scherzando, Ana.»

Mmh… Dovrò sempre confrontarmi con questo? Con il sospetto di sposare Christian per i suoi soldi?

«Davvero, sto scherzando. Non sei mai stata quel tipo di ragazza.»

«L'omelette va bene per te?» chiedo cambiando argomento. Non voglio litigare.

«Certo.»

«Anche per me» dice Christian entrando nel salone. "Accidenti, indossa solo i pantaloni del pigiama, che gli cadono sui fianchi in quel modo così sexy."

«José.» Lo saluta con un cenno.

«Christian.» José contraccambia il cenno con solennità.

Christian si volta verso di me e fa un sorrisetto compiaciuto, mentre io lo fisso. L'ha fatto apposta. Stringo gli occhi, cercando disperatamente di recuperare l'equilibrio, e la sua espressione cambia sottilmente. Sa che io so cosa sta tramando, e non gli importa.

«Stavo per portarti la colazione a letto.»

Spavaldo, mi mette un braccio intorno alla vita, mi solleva il mento e mi pianta un sonoro bacio sulle labbra. Molto poco degno di Christian!

«Buongiorno, Anastasia» dice. Vorrei rimproverarlo e dirgli di comportarsi bene, ma è il suo compleanno. Arrossisco. Perché difende il suo territorio in questo modo?

«Buongiorno, Christian. Buon compleanno.» Gli sorrido, e lui mi risponde con un ghigno malizioso.

«Non vedo l'ora di ricevere l'altro mio regalo di compleanno» dice e io divento istantaneamente del colore della Stanza Rossa delle Torture. Sbircio nervosamente José, che ha l'aria di aver appena ingoiato qualcosa di veramente sgradevole. Mi volto e inizio a preparare la colazione.

«Allora, quali sono i tuoi programmi per oggi, José?» chiede Christian, con apparente noncuranza, mentre si siede su uno sgabello.

«Proseguirò il mio viaggio per andare a trovare mio padre e Ray, il padre di Ana.»

Christian aggrotta la fronte.

«Si conoscono?»

«Sì, sono stati insieme nell'esercito. Avevano perso i contatti, finché Ana e io ci siamo trovati al college. È piuttosto singolare. Ora sono inseparabili. Andremo a pescare.»

«Pescare?» Christian sembra genuinamente interessato.

«Sì. Ci sono belle prede in quelle acque costiere. Le trote di mare possono essere molto grosse.»

«È vero. Mio fratello Elliot e io una volta abbiamo preso una trota di quindici chili.»

Stanno parlando di pesca? Che cosa ci troveranno nella pesca? Non l'ho mai capito.

«Quindici chili? Niente male. Il padre di Ana sostiene di detenere il record. Venti chili.»

«Stai scherzando! Non me l'ha mai detto.»

«A proposito, buon compleanno.»

«Grazie. Allora, dove ti piace andare a pescare?»

Smetto di ascoltare. Non sono cose che ho bisogno di sapere. Ma, al tempo stesso, mi sento sollevata. "Hai visto, Christian? José non è poi così male."

Quando arriva il momento della partenza di José, entrambi sembrano molto più rilassati. Christian va a infilarsi una maglietta e i jeans e, a piedi scalzi, accompagna l'ospite nell'atrio insieme a me.

«Grazie per avermi ospitato» gli dice José, stringendogli la mano.

«Quando vuoi…» Christian gli sorride.

José mi abbraccia velocemente. «Abbi cura di te, Ana.»

«Certo. È stato bello vederti. La prossima volta passeremo una vera serata fuori.»

«Ci conto.» Ci saluta con la mano dall'interno dell'ascensore, prima che le porte si chiudano.

«Vedi, non è tanto male.»

«Vuole ancora entrarti nelle mutandine, Ana. Ma non posso dire di biasimarlo.»

«Christian, questo non è vero!»

«Non te ne accorgi?» Mi sorride malizioso. «Ti vuole. Alla grande.»

Mi acciglio. «Christian, è solo un amico, un buon amico.» E all'improvviso mi rendo conto che sembro Christian quando mi parla di Mrs Robinson. Il pensiero mi mette a disagio.

Lui alza le mani fingendo di arrendersi.

«Non voglio litigare» dice dolcemente.

"Oh! Non stiamo litigando... vero?" «Nemmeno io.»

«Non gli hai detto che ci sposeremo.»

«No. Ho pensato che dovrei dirlo prima a mia madre e a Ray.» "Merda." È la prima volta che ci penso da quando ho detto sì. Accidenti, che cosa diranno i miei genitori?

Christian fa un cenno con la testa. «Sì, hai ragione. E io... ehm... dovrei chiedere la tua mano a tuo padre.»

Scoppio a ridere. «Oh, Christian... non siamo nell'Ottocento.»

"Porca miseria. Che cosa dirà Ray?" L'idea di questa conversazione mi riempie d'orrore.

«È un tradizionalista.» Christian si stringe nelle spalle.

«Parliamone più tardi. Voglio darti l'altro mio regalo.» Il mio scopo è quello di distrarlo. Il pensiero del regalo mi divora. Devo darglielo e vedere come reagisce.

Lui mi fa il suo sorriso timido, e il mio cuore manca un battito. Finché avrò vita, non mi stancherò mai di guardare quel sorriso.

«Ti stai mordendo il labbro» dice, e mi solleva il mento.

Un brivido mi percorre il corpo al contatto con le sue dita. Senza parlare, e mentre ho ancora un po' di coraggio, lo prendo per mano e lo conduco di nuovo in camera da letto. Lo lascio in piedi davanti al letto e, da sotto la mia parte, estraggo due pacchi dono.

«Due?» chiede, meravigliato.

Faccio un respiro profondo. «Questo l'ho comprato ieri prima del... ehm... dell'incidente. Non sono più così convinta della scelta, adesso.» Gli consegno in fretta uno dei pacchetti, prima di cambiare idea. Lui mi guarda, perplesso, percependo la mia insicurezza.

«Vuoi davvero che lo apra?»

Annuisco, ansiosa.

Christian strappa la carta e guarda sorpreso la scatola.

«*Charlie Tango*» sussurro.

Lui sorride. È il modellino di legno di un elicottero, con le pale che si azionano a energia solare. Lo apre.

«Energia solare» mormora. «Wow.» E in men che non si dica, si siede sul letto e inizia a montarlo. Si assembla velocemente, e Christian me lo mostra sul palmo della mano. Un elicottero blu di legno. Mi guarda, con il suo sorriso spensierato, poi va alla finestra, in modo che la luce del sole colpisca il modellino. Il rotore si mette a girare.

«Guarda!» esclama, esaminandolo con attenzione. «Cosa possiamo già fare con questa tecnologia!» Lo solleva all'altezza degli occhi, osservando le pale che girano. È affascinato e affascinante, mentre si perde nei suoi pensieri, fissando il piccolo elicottero. A cosa starà pensando?

«Ti piace?»

«Ana, lo adoro. Grazie.» Mi afferra e mi bacia velocemente, per poi voltarsi di nuovo a osservare le pale che girano. «Lo metterò insieme all'aliante nel mio ufficio» dice distrattamente osservando il modellino. Poi alza la mano, in modo da oscurare il sole, e le pale rallentano fino a fermarsi.

Non riesco a trattenere un ampio sorriso e vorrei abbracciarmi. Lo adora. Certo, lui è fissato con le tecnologie alternative. Lo avevo dimenticato, nella fretta di comprare il regalo. Lo appoggia sul cassettone e si volta verso di me.

«Mi terrà compagnia mentre andiamo a recuperare *Charlie Tango*.»

«È recuperabile?»

«Non lo so. Lo spero. Mi mancherà, altrimenti.»

Sono sorpresa di scoprire in me una punta di gelosia per

un oggetto inanimato. La mia vocina sbotta in una fragorosa risata. La ignoro.

«Cosa c'è nell'altra scatola?» mi chiede, gli occhi grandi, come quelli di un bambino eccitato.

"Cavoli." «Non sono sicura di sapere se questo regalo sia per te o per me.»

«Davvero?» mi chiede, e adesso so di aver stuzzicato il suo interesse. Nervosa, gli passo il secondo pacco. Lui lo scuote piano ed entrambi sentiamo sbatacchiare qualcosa di grosso. Christian mi guarda.

«Perché sei così nervosa?» mi chiede, divertito. Io mi stringo nelle spalle, imbarazzata ed eccitata, mentre arrossisco. Lui alza un sopracciglio.

«Mi hai incuriosito, Miss Steele» sussurra, e la sua voce mi pervade. Il desiderio e l'attesa si diffondono dentro di me. «Devo dire che mi piace la tua reazione. Che cos'hai architettato?» Stringe gli occhi cercando di indovinare.

Io non dico nulla, e trattengo il fiato.

Lui toglie il coperchio della scatola e tira fuori un biglietto. Il resto del contenuto è avvolto nella carta. Apre il biglietto, e i suoi occhi saettano nei miei, dilatandosi per lo shock o la sorpresa, non saprei dire.

«Trattarti in modo rude?» mormora. Io annuisco e deglutisco. Lui piega la testa di lato, diffidente, valutando la mia reazione, e aggrotta la fronte. Poi riporta l'attenzione alla scatola. Strappa la carta azzurra ed estrae una mascherina per gli occhi, pinze per capezzoli, un dilatatore anale, il suo iPod, la sua cravatta argentea e, ultima ma non meno importante, la chiave della stanza dei giochi.

Mi osserva, la sua espressione è cupa, indecifrabile. "Oh, merda." È stata una mossa sbagliata?

«Vuoi giocare?» mi chiede piano.

«Sì» rispondo, a fior di labbra.

«Per il mio compleanno?»

«Sì.» Potrebbe essere più flebile la mia voce?

Una miriade di emozioni gli attraversa il volto, a nessuna delle quali riesco a dare un'interpretazione. Si fissa su un'espressione ansiosa. "Mmh…" Non è proprio la reazione che speravo.

«Sei sicura?» chiede.

«Non la frusta, o cose del genere.»

«Questo l'ho capito.»

«Sì, allora: sono sicura.»

Lui scuote la testa e guarda il contenuto della scatola. «Sesso folle e insaziabile. Bene, credo che possiamo fare qualcosa con tutto questo» mormora, quasi più a se stesso, poi rimette gli oggetti nella scatola. Quando mi guarda di nuovo, la sua espressione è completamente cambiata. Accidenti, i suoi occhi ardono, la sua bocca si solleva in un lento sorriso erotico. Mi porge la mano.

«Adesso» dice, e non è una richiesta. Il mio ventre si tende, forte e duro, in profondità.

Metto la mia mano nella sua.

«Vieni» mi ordina, e lo seguo fuori dalla camera da letto, con il cuore in gola. Il desiderio mi scorre ardente nel sangue, mentre dentro di me ogni muscolo si contrae in famelica attesa. Finalmente!

21

Christian si ferma fuori dalla stanza dei giochi.

«Sei sicura di volerlo fare?» mi chiede, il suo sguardo è ardente, ma ancora ansioso.

«Sì» mormoro, sorridendogli timidamente.

I suoi occhi si addolciscono. «C'è qualcosa che non vuoi fare?»

La domanda mi prende alla sprovvista, e la mia mente va in tilt. Un pensiero mi attraversa. «Non voglio che mi scatti fotografie.»

Lui si irrigidisce, e i suoi occhi si induriscono mentre piega la testa di lato e mi guarda cercando di capire.

"Oh, merda." Penso che stia per chiedermi perché, ma fortunatamente non lo fa.

«Okay» mormora. Aggrotta la fronte quando apre la porta, poi si fa da parte, per lasciarmi entrare. Sento i suoi occhi su di me mentre mi segue dentro e chiude a chiave.

Posa la scatola del regalo sul cassettone, ne estrae l'iPod, lo accende, quindi fa un gesto verso l'impianto stereo a parete, e le ante di vetro scuro scivolano aprendosi silenziosamente. Preme alcuni bottoni, e il rumore di un treno della metropolitana riecheggia nella stanza. Abbassa il volume, tanto che il lento e ipnotico ritmo elettronico che segue diventa musica d'ambiente. Una donna inizia a cantare, non so chi sia, ma la sua voce è dolce e anche roca e il ritmo è misurato, deliberatamente... erotico. "Oddio." Questa è musica per fare l'amore.

Christian si volta per guardarmi. Sono in piedi al centro della stanza, con il cuore che martella, il sangue che pulsa nelle vene al ritmo di quella musica seducente, o almeno così mi sembra. Viene verso di me con passi misurati e mi tira il mento in modo che io smetta di mordermi il labbro.

«Che cosa vuoi fare, Anastasia?» mormora posandomi un bacio dolce e casto all'angolo della bocca.

«È il tuo compleanno. Qualsiasi cosa tu voglia» sussurro. Lui mi accarezza il labbro inferiore con il pollice, e aggrotta la fronte.

«Siamo qui perché pensi che io voglia essere qui?» Il tono è dolce, ma lo sguardo è attento.

«No» sussurro. «Anch'io voglio essere qui.»

Il suo sguardo si fa più cupo, più audace, mentre lui valuta la mia risposta. Dopo quella che mi sembra un'eternità, parla di nuovo.

«Oh, ci sono tante possibilità, Miss Steele.» La sua voce è bassa, eccitata. «Iniziamo con lo spogliarti.» Tira la cintura della mia vestaglia, in modo che si apra e riveli la camicia da notte di seta. Poi fa un passo indietro e si siede con noncuranza sul bracciolo del divano Chesterfield.

«Svestiti. Lentamente.» Mi rivolge uno sguardo sensuale e di sfida.

Deglutisco più volte, stringendo le cosce. Sono già bagnata in mezzo alle gambe. La mia dea interiore è nuda e sull'attenti, pronta e in attesa, e mi prega di stare al passo. Mi sfilo la vestaglia dalle spalle, senza mai staccare gli occhi da quelli di lui, e me la lascio scivolare lungo il corpo, finché non cade a terra. I suoi ipnotici occhi grigi ardono. Lui si passa l'indice sulle labbra, mentre mi contempla.

Scosto appena le spalline sottili della camicia da notte, e lo guardo per un istante, poi le lascio cadere del tutto. La

camicia mi scorre addosso in morbide onde, raccogliendo-
si ai miei piedi. Sono nuda, ansimante e… talmente pronta.

Christian mi fissa per un momento, e io mi meraviglio
dell'apprezzamento carnale nella sua espressione. Si alza e
raggiunge il cassettone, dove prende la sua cravatta argentea, la mia preferita. La tende tra le dita, mentre mi si avvicina lentamente, con un sorriso che gli danza sulle labbra.
Quando mi è di fronte, mi aspetto che mi chieda di porger-
gli le mani, ma non lo fa.

«Credo che tu sia poco vestita, Miss Steele» mormora.
Mi mette la cravatta intorno al collo e lentamente, ma con
abilità, la lega in quello che presumo sia un perfetto nodo
Windsor. Mentre la stringe, le sue dita mi sfiorano la base
del collo e una corrente elettrica mi attraversa, facendomi
sussultare. Lascia lunga l'estremità più larga della cravatta, cosicché la punta accarezzi il mio pube.

«Stai molto bene, Miss Steele» dice e si china per baciarmi delicatamente sulle labbra. È un bacio leggero e io voglio di più, il desiderio si propaga in tutto il mio corpo in
una lussuriosa spirale.

«Che cosa ne facciamo di te, adesso?» chiede. Poi prende
l'estremità della cravatta e dà un brusco strattone, tanto che
devo per forza fare un passo avanti e mi ritrovo tra le sue
braccia. Una delle sue mani si infila tra i miei capelli e mi
tira indietro la testa. Adesso mi bacia sul serio, con violenza, la sua lingua inclemente e implacabile. La sua mano libera mi percorre la schiena fino a stringermi i glutei. Quando si scosta da me, sta ansimando e mi fissa, con i suoi occhi
dello stesso colore del metallo fuso. Mi lascia insoddisfat-
ta, boccheggiante, con la mente offuscata. Sono sicura che
le mie labbra si gonfieranno dopo questo assalto sensuale.

«Girati» mi ordina e io obbedisco. Libera i miei capelli imprigionati nella cravatta, li intreccia rapidamente e li lega.
Poi dà uno strattone alla treccia, facendomi sollevare la testa.

«Hai dei capelli bellissimi, Anastasia» mormora e mi bacia la gola, mandandomi un brivido lungo tutta la spina dorsale. «Devi solo dirmi di fermarmi. Lo sai, vero?» sussurra contro il mio collo.

Annuisco, i miei occhi sono chiusi, e mi godo la sensazione delle sue labbra su di me. Mi fa girare un'altra volta e afferra l'estremità della cravatta.

«Vieni» dice, tirando leggermente e conducendomi vicino al cassettone dove ci sono gli altri oggetti a nostra disposizione.

«Anastasia, questi oggetti.» Solleva il dilatatore anale. «Questo è di una misura troppo grande. Come vergine anale, non vuoi iniziare con questo. Vogliamo iniziare con questo.» Solleva il mignolo e io sussulto, sconcertata. Dita... *lì*? Lui mi sorride complice, e mi ritorna in mente lo spiacevole pensiero del fisting anale citato nel contratto.

«Solo un dito...» dice, con la sua inquietante capacità di leggermi nella mente. I miei occhi saettano nei suoi. Come ci riesce?

«Queste sono troppo strette.» Mi mostra le pinze per i capezzoli. «Useremo queste.» Mette un paio di pinze diverse sul cassettone. Hanno l'aspetto di gigantesche forcine nere per capelli, ma con un piccolo becco che pende. «Si possono regolare» spiega Christian, la sua voce è gentile e vagamente preoccupata.

Lo guardo incredula e con gli occhi sgranati. Christian, il mio mentore sessuale. Conosce molte più cose di me riguardo a tutto questo. Non riuscirò mai a stare al passo. Mi rabbuio. Sa molte più cose di me in generale... cucina a parte.

«Chiaro?» mi chiede.

«Sì» sussurro, deglutendo a fatica. «Mi dirai che cosa intendi farmi?»

«No. Me lo inventerò via via. Non è una recita, Ana.»

«Come devo comportarmi?»

Lui aggrotta la fronte. «Come vuoi.»

"Ah!"

«Ti aspettavi il mio alter ego, Anastasia?» mi chiede, il suo tono è vagamente divertito e canzonatorio. Lo guardo perplessa.

«Be', sì. Mi piace» mormoro. Lui mi fa il suo sorriso segreto e alza una mano per accarezzarmi una guancia.

Sospira e mi fa scorrere il suo pollice sul labbro inferiore. «Sono il tuo amante, Anastasia, non il tuo Dominatore. Amo sentirti ridere e ridacchiare come una bambina. Mi piace quando sei rilassata e felice, come nelle foto di José. Questa è la ragazza che è capitata nel mio ufficio. La ragazza di cui mi sono innamorato.»

Rimango a bocca aperta, mentre un calore piacevole si sprigiona nel mio cuore. È gioia... pura gioia.

«Ma, detto questo, mi piace anche essere duro con te, Miss Steele, e il mio alter ego conosce un paio di trucchetti. Dunque, fa' come ti viene detto e voltati.» I suoi occhi luccicano diabolicamente, e la gioia si sposta bruscamente verso il basso, stringendo ogni muscolo al di sotto della mia cintura. Obbedisco. Alle mie spalle, lui apre uno dei cassetti e, un attimo dopo, è di nuovo di fronte a me.

«Vieni» mi ordina e tira la cravatta, guidandomi verso il tavolo. Mentre oltrepassiamo il divano, noto per la prima volta che tutte le verghe sono sparite. La cosa mi distrae. "C'erano ieri quando sono entrata? È stato Christian a toglierle? Mrs Jones?" Lui interrompe il flusso dei miei pensieri.

«Voglio che tu ti metta in ginocchio qui sopra» dice quando siamo accanto al tavolo.

"Ah, okay." Che cos'ha in mente? La mia dea interiore non vede l'ora di scoprirlo... e già sgambetta sforbiciando le gambe sul tavolo, mentre lo osserva adorante.

Lui mi solleva con delicatezza sul tavolo e io mi metto in ginocchio, di fronte a lui, sorpresa della mia stessa grazia. Ora siamo occhi negli occhi. Lui fa scorrere le sue mani sulle mie cosce, mi afferra le ginocchia, le divarica e rimane in piedi davanti a me. Sembra molto serio, i suoi occhi sono scuri, socchiusi... pieni di lussuria.

«Braccia dietro la schiena. Ti legherò i polsi.»

Estrae dalla tasca delle manette di cuoio e mi gira intorno. Ci siamo. Dove mi condurrà questa volta?

La sua vicinanza è eccitante. Quest'uomo sarà mio marito. È mai possibile desiderare così intensamente il proprio marito? Non ricordo di aver mai letto di niente del genere. Non posso resistergli, e faccio scorrere le mie labbra schiuse sul suo mento, sentendo l'accenno di barba, morbida e pungente, una combinazione inebriante, sotto la lingua. Lui rimane immobile e chiude gli occhi. Smette di respirare e si tira indietro.

«Smettila. Oppure tutto questo finirà molto più in fretta di quanto entrambi desideriamo» mi avverte. Per un momento, penso che sia arrabbiato, ma poi sorride, e i suoi occhi ardenti brillano divertiti.

«Sei irresistibile» dico, imbronciata.

«Lo sono adesso?» ribatte lui secco.

Annuisco.

«Bene. Non distrarmi, oppure ti imbavaglierò.»

«Mi piace distrarti» sussurro, guardandolo ostinata, e lui solleva un sopracciglio.

«Oppure ti sculaccerò.»

"Oh!" Cerco di nascondere un sorriso. Non molto tempo fa, le sue minacce mi avrebbero impaurita. Non avrei mai avuto il coraggio di baciarlo di mia iniziativa in questa stanza. Lo capisco adesso. Non sono più intimorita da lui. È una rivelazione. Sorrido maliziosamente e lui mi risponde con lo stesso sorriso.

«Comportati bene» brontola e fa un passo indietro, guardandomi mentre si percuote il palmo della mano con le manette di cuoio. E l'avvertimento è lì, implicito nella sua azione. Cerco di assumere un'aria contrita, e credo di riuscirci. Si avvicina di nuovo.

«Così va meglio» dice piano e si protende dietro di me, con le manette. Resisto e non lo tocco, ma inspiro il suo meraviglioso profumo, ancora fresco dopo la doccia di stanotte. "Mmh..."

Mi aspetto che mi leghi i polsi, ma lui assicura ciascuna delle manette al di sopra dei miei gomiti. Questo mi fa inarcare la schiena e spingere in avanti il seno, anche se i miei gomiti non sono affatto vicini. Quando ha finito, indietreggia di un passo per ammirarmi.

«Ti senti bene?» mi chiede. Non è la posizione più comoda del mondo, ma sono così eccitata dalla prospettiva di vedere cosa farà che annuisco, indebolita dal desiderio.

«Bene.» Tira fuori la mascherina per gli occhi dalla tasca posteriore dei pantaloni.

«Penso che tu abbia visto abbastanza» mormora. Mi fa scorrere la mascherina sulla testa, coprendomi gli occhi. Il mio respiro si blocca. "Wow!" Perché non vedere è così erotico? Sono qui, legata e in ginocchio su un tavolo, in attesa. Una dolce trepidazione, calda e pesante nel profondo del mio ventre. Posso ancora sentire, e il ritmo melodico e costante della musica continua. Riecheggia attraverso il mio corpo. Prima non lo avevo notato.

Christian si allontana di qualche passo. Che cosa sta facendo? Torna al cassettone, lo apre, e poi lo richiude. Un momento dopo lo percepisco di nuovo di fronte a me. C'è un odore di muschio, ricco e pungente, nell'aria. È delizioso, fa quasi venire l'acquolina.

«Non voglio rovinare la mia cravatta preferita» mormora. Scioglie il nodo e me la sfila lentamente.

Inspiro profondamente, mentre la cravatta scorre sul mio corpo, facendomi il solletico. Rovinare la sua cravatta? Ascolto attentamente per capire che cosa sta facendo. Si sta sfregando le mani. Improvvisamente le sue nocche sono sulle mie guance, giù per la mascella, seguendo il profilo del mento.

Il mio corpo si tende, mentre la sua carezza mi suscita un brivido delizioso. La sua mano mi avvolge il collo, ed è unta di olio deliziosamente profumato, per cui scivola morbida sulla gola, attraverso la clavicola e quindi sulla spalla, mentre le sue dita massaggiano delicatamente lungo tutto il percorso. Oh, questo massaggio non è quello che mi aspettavo.

Con l'altra mano Christian mi accarezza l'altra spalla, poi la clavicola. Gemo debolmente mentre scende verso i miei seni sempre più eccitati, bramosi della sua carezza. È provocante. Inarco il corpo per incontrare il suo tocco sapiente, ma le sue mani scivolano lungo il fianco, con un movimento lento, misurato, al ritmo con la musica, e studiatamente evitano il mio seno. Gemo, e non so se per il piacere o la frustrazione.

«Sei così bella, Ana» mormora, la sua voce è bassa e roca, la sua bocca è vicina al mio orecchio. Il suo naso segue la linea della mia guancia, mentre lui continua a massaggiarmi, sotto i seni, sul ventre, giù... Mi dà un bacio leggero sulle labbra, poi fa scorrere il naso lungo il mio collo, la mia gola. "Accidenti, sto andando a fuoco..." La sua vicinanza, le sue mani, le sue parole.

«E presto sarai mia moglie, una moglie da possedere e da curare» sussurra.

"Oddio."

«Da amare e da proteggere.»

"Accidenti."

«Con il mio corpo, io ti venero.»

Piego la testa all'indietro e gemo. Le sue dita scorrono tra i peli del mio pube e più in giù; lui muove il palmo della mano sul mio clitoride.

«Mrs Grey» sussurra e la sua mano complotta contro di me. Gemo.

«Sì» dice mentre continua a stuzzicarmi. «Apri la bocca.»

Sto ansimando, per cui ho già la bocca aperta. L'apro ancora di più e lui mi infila un oggetto di metallo grosso e freddo tra le labbra. Ha la forma di un grosso succhiotto per bambini, con piccole scanalature o intagli, e quella che sembra una catena alla fine. È grande.

«Succhia» mi ordina lui, dolcemente. «Te lo infilerò dentro.»

"Dentro? Dentro dove?" Il cuore mi balza in gola.

«Succhia» ripete e smette di massaggiarmi.

"No, non smettere!" Vorrei gridare, ma ho la bocca piena. Le sue mani oleose riprendono a scivolare sul mio corpo e finalmente circondano i miei seni a mo' di coppe.

«Non smettere di succhiare.»

Mi pizzica dolcemente i capezzoli stringendoli tra il pollice e l'indice, ed essi si induriscono e si allungano sotto il suo tocco esperto, inviando onde di piacere al mio inguine.

«Hai un seno così bello, Ana» mormora, e i miei capezzoli si induriscono ancora di più. Sussurra la sua approvazione e io gemo. Le sue labbra scorrono dal mio collo al seno, mordicchiando e succhiando, e tracciano un sentiero fino al capezzolo, dove all'improvviso sento il pizzico della pinza.

«Ahi!» Il lamento mi esce confuso, per via dell'oggetto che ho in bocca. Mio Dio, la sensazione è meravigliosa, viva, dolorosa, piacevole... oh... il pizzicotto. Delicatamente, lui bagna il capezzolo imbrigliato con la lingua, e mentre lo fa, applica l'altra pinza. Il suo morso è parimenti doloroso... ma anche piacevole. Gemo sonoramente.

«Sentilo» sussurra lui.

"Oh, sì. Sì. Sì."

«Dammi questo.» Tira leggermente il succhiotto di metallo che ho in bocca, e io lo lascio andare. Le sue mani scorrono di nuovo lungo il mio corpo verso l'inguine. Lui se le unge di nuovo e le fa scivolare intorno alle mie natiche.

Sussulto. Dove sta andando? Mi irrigidisco sulle ginocchia mentre lui fa scorrere le dita nella piega del mio sedere.

«Ssh, tranquilla» mi sussurra nell'orecchio e mi bacia il collo, mentre le sue mani mi accarezzano e mi provocano.

"Che cosa vuole fare?" Una mano scivola sul mio ventre,

e più sotto, massaggiandomi. Le sue dita mi entrano dentro e io gemo forte di piacere.

«Metterò questo dentro di te» mormora. «Non qui.» Le sue dita mi accarezzano tra i glutei, spalmandoli di olio. «Ma qui.» Muove le dita in circolo, ripetutamente, dentro e fuori, colpendo la parete anteriore della vagina. Gemo e i miei capezzoli imprigionati si gonfiano.

«Ah.»

«Zitta ora.» Christian toglie le dita e fa scivolare l'oggetto dentro di me. Mi prende il viso tra le mani e mi bacia, la sua bocca invade la mia, e sento un debole *clic*. Il dilatatore dentro la mia vagina inizia a vibrare. *"Lì!"* Sussulto. La sensazione è straordinaria, al di là di qualunque cosa abbia mai provato.

«Ah!»

«Tranquilla» mi calma Christian, soffocando i miei ansimi con la sua bocca. Le sue mani tirano delicatamente le pinze. Grido forte.

«Christian, per favore!»

«Ssh, piccola. Abbi pazienza.»

È troppo. Tutti questi stimoli, dappertutto. Il mio corpo si muove e reagisce, e io non sono in grado di controllarmi. *"Oddio…"* Sarò in grado di reggerlo?

«Brava bambina» mi rassicura.

«Christian» ansimo, sembrando disperata persino alle mie stesse orecchie.

«Ssh, sentilo, Ana. Non avere paura.» Le sue mani ora sono sui miei fianchi, e mi tengono, ma io non posso concentrarmi su quelle, su ciò che c'è dentro di me e anche sulle pinze. Il mio corpo è ormai prossimo a esplodere, grazie all'incessante vibrazione e alla dolce, dolcissima tortura sui capezzoli. *"Porca miseria."* È troppo intenso. Le sue mani si spostano dai miei fianchi, con movimenti circolari e verso il basso, rese scivolose dall'olio. Sfiorano, palpano, premono la mia pelle. Il mio sedere.

«Sei così bella» mormora e all'improvviso, delicatamente, spinge un dito unto dentro di me. "... *Lì!*" Nel mio sedere. "Accidenti." Sembra estraneo, corposo, proibito... ma oh... così... piacevole. Lo muove lentamente, dentro e fuori, mentre i suoi denti mordicchiano il mio mento sollevato.

«Sei così bella, Ana.»

Sono sospesa... in alto, sopra un vasto, vastissimo burrone, e sto salendo e poi cadendo vertiginosamente allo stesso tempo, in picchiata verso la terra. Non posso più trattenermi, e grido mentre il mio corpo è scosso dalle convulsioni e raggiunge l'orgasmo grazie a quella travolgente pienezza. Sono in preda alle sensazioni. Dappertutto. Christian mi toglie le pinze, una dopo l'altra, facendo vibrare i miei capezzoli di un fremito doloroso e dolcissimo, così... oh, così bello che prolunga il mio orgasmo. Il suo dito rimane dov'è, continuando a entrare e uscire dolcemente.

«Ah!» grido, e Christian mi stringe forte, mentre il mio corpo pulsa implacabile.

«No!» urlo, supplicandolo, e stavolta lui sfila il vibratore e anche il dito. Il mio corpo continua a essere scosso dagli spasmi.

Sgancia una delle manette e il mio braccio cade in avanti. La mia testa ciondola sulla sua spalla, e io sono perduta, perduta in questa sensazione travolgente. Sono tutta respiro mozzo, desiderio esausto e dolce e gradito oblio.

Mi accorgo appena che Christian mi solleva, mi porta sul letto, e mi distende sulle lenzuola di raso fresche. Dopo un momento le sue mani, ancora unte di olio, mi massaggiano dolcemente il retro delle cosce, le ginocchia, i polpacci, e le spalle. Sento il materasso piegarsi quando lui si stende al mio fianco.

Mi toglie la mascherina, ma non ho la forza di aprire gli occhi. Lui prende la mia treccia, mi scioglie i capelli e si protende per baciarmi dolcemente sulle labbra. Il silenzio della stanza è interrotto solo dal mio respiro irregolare, che si stabilizza a poco a poco, mentre io ritorno fluttuando sulla terra. La musica è cessata.

«Sei così bella» mormora.

Quando riesco a convincere un occhio ad aprirsi, lui mi sta osservando, con un sorriso dolce.

«Ciao» dice. Riesco a emettere un rantolo in risposta, e il suo sorriso si allarga. «È stato abbastanza rude per te?»

Annuisco e gli faccio un sorriso riluttante. Accidenti, più rude di così ci saremmo dovuti sculacciare a vicenda.

«Credo che tu abbia tentato di uccidermi» borbotto.

«Morte per orgasmo» sorride compiaciuto. «Ci sono modi peggiori per andarsene» osserva, ma poi a poco a poco si incupisce come se un pensiero spiacevole gli avesse attraversato la mente. Mi dispiace. Alzo una mano e gli accarezzo il volto.

«Puoi uccidermi così ogni volta che vuoi» sussurro. Noto che è meravigliosamente nudo e pronto all'azione. Quando mi prende la mano e mi bacia le nocche, mi protendo verso di lui e gli catturo il viso con le mani, attirando la sua bocca verso la mia. Lui mi bacia, ma poi si ferma.

«Questo è ciò che voglio fare» mormora e fruga sotto il cuscino per prendere il telecomando dello stereo. Preme un pulsante e le soavi note di una chitarra riecheggiano tra le pareti.

«Voglio fare l'amore con te» mi dice guardandomi, e i suoi occhi ardono di una sincerità luminosa e amorevole. Leggera, in sottofondo, una voce familiare canta *The First Time Ever I Saw Your Face*. E le sue labbra trovano le mie.

Mentre mi stringo a lui, esplodendo nuovamente in un orgasmo, Christian si inarca tra le mie braccia, la testa gettata all'indietro, e grida il mio nome. Mi stringe forte al suo petto mentre siamo seduti, uno di fronte all'altra, al centro del letto, io a cavalcioni su di lui. E in questo momento di gioia insieme a quest'uomo, immersi in questa musica, l'intensità dell'esperienza della mattinata passata con lui e di tutto quello che è successo durante la scorsa settimana mi travolge, non solo fisicamente ma emotivamente. Sono sopraffatta da tutti i sentimenti che provo. Sono disperatamente innamorata di lui. Per la prima volta riesco a intuire come si sente Christian quando pensa alla mia sicurezza.

Ricordando la brutta esperienza di ieri con *Charlie Tango*, rabbrividisco al pensiero e gli occhi mi si riempiono di lacrime. Se mai gli accadesse qualcosa... Lo amo così tanto. Le lacrime mi scorrono irrefrenabili lungo le guance. I tanti aspetti di Christian... quello dolce e gentile e quello duro, Dominatore da posso-fare-tutto-ciò-che-voglio-con-te-e-tu-verrai-come-un-treno... le sue cinquanta sfumature... tutto quello che è. Tutto spettacolare. Tutto mio. Sono consapevole del fatto che non ci conosciamo bene e che dovremo superare una montagna di problemi, ma so che ce la faremo. E avremo un'intera vita per riuscirci.

«Ehi» mi dice sottovoce, prendendomi la testa tra le mani e guardandomi negli occhi. È ancora dentro di me. «Perché stai piangendo?» La sua voce è piena di preoccupazione.

«Perché ti amo così tanto» sussurro. Lui socchiude gli occhi, come sotto l'effetto di una droga, assorbendo le mie parole. Quando li riapre, ardono del suo amore.

«E tu, Ana, mi fai sentire... intero.» Mi bacia dolcemente mentre Roberta Flack finisce la sua canzone.

Abbiamo parlato, parlato, parlato, seduti sul letto della stanza dei giochi, io sulle sue ginocchia, le nostre gambe intrecciate. Il lenzuolo di raso rosso è drappeggiato intorno a noi come un involucro regale, e non ho idea di quanto tempo sia passato. Christian sta ridendo della mia imitazione di Kate durante il servizio fotografico all'Heathman.

«E pensare che avrebbe potuto essere lei a venire a intervistarmi. Ringrazio Dio per quel banale raffreddore» mormora e mi dà un bacio sul naso.

«Credo che si trattasse di influenza, Christian» lo rimprovero, facendo scorrere pigramente il mio indice tra i peli del suo torace e meravigliandomi che tolleri così bene il mio tocco. «Le verghe sono scomparse» dico, ricordando ciò che mi aveva distratto poco fa. Lui mi sposta i capelli dietro l'orecchio.

«Pensavo che non avresti mai superato quel tuo limite assoluto.»

«No, penso che non ce la farò» sussurro con gli occhi sgranati, poi osservo le fruste, gli sculacciatori, i flagellatori allineati sulla parete opposta. Lui segue la direzione del mio sguardo.

«Vuoi che elimini anche quelli?» È divertito ma sincero.

«Non il frustino... quello marrone. O quel flagellatore con le frange di pelle scamosciata.» Arrossisco.

Lui mi sorride.

«Okay, il frustino marrone e il flagellatore. Oh, Miss Steele, sei piena di sorprese.»

«Come te, Mr Grey. È una delle cose che amo di te.»

Gli poso un bacio delicato all'angolo della bocca.

«Cos'altro ami di me?» mi chiede e i suoi occhi si dilatano.

So che per lui questa è una domanda difficile da fare. Sbatto le palpebre, intimidita. Amo tutto di lui. Anche le sue cinquanta sfumature. So che una vita con Christian non sarà mai noiosa.

«Questa.» Gli accarezzo la bocca con un dito. «Amo questa e quello che ne viene fuori, e quello che mi fai con lei. E poi ciò che c'è qui dentro.» Gli accarezzo una tempia. «Sei così brillante, arguto, preparato, competente in così tante cose. Ma più di tutto amo quello che c'è qui.» Premo il palmo della mia mano contro il suo petto, sentendo il battito regolare del suo cuore. «Sei l'uomo migliore che abbia mai incontrato. Quello che fai... come lavori... incute un timore reverenziale» sussurro.

«Un timore reverenziale?» È sconcertato, ma in fondo in

fondo divertito. Poi il suo volto si trasforma, e appare il suo sorriso timido, come se lui fosse imbarazzato. Vorrei lanciarmi su di lui. E lo faccio.

Sono appisolata, avvolta nel raso e in Christian. Lui strofina il naso su di me e mi sveglia.

«Hai fame?» sussurra.

«Mmh… molta.»

«Anch'io.»

Mi sollevo per guardarlo, mentre è sdraiato sul letto.

«È il tuo compleanno, Mr Grey. Ti cucino qualcosa. Cosa desideri?»

«Sorprendimi.»

Mi fa scorrere una mano sulla schiena, accarezzandomi lievemente. «Io dovrei dare un'occhiata al BlackBerry per controllare i messaggi che mi sono perso oggi.»

Sospira e si tira su a sedere. So che questo momento speciale è finito… per ora.

«Facciamo la doccia» mi dice.

Potrei mai rifiutarmi di esaudire un desiderio del festeggiato?

Christian è al telefono nel suo studio. Taylor è con lui: in jeans e T-shirt nera attillata ha un'aria seria, ma casual. Io sono in cucina, impegnata a organizzare il pranzo. Nel frigorifero ho trovato dei filetti di salmone, che sto facendo cuocere nel limone; nel frattempo preparo un'insalata e lesso qualche patata novella.

Adesso mi sento incredibilmente rilassata e felice. Sono al settimo cielo… letteralmente. Voltandomi verso la vetrata, guardo il magnifico cielo blu. "Tutto quel parlare… poi tutto quel sesso… mmh…" Una ragazza ci può anche fare l'abitudine.

Taylor emerge dallo studio, interrompendo le mie fantasticherie. Spengo l'iPod e mi tolgo un auricolare dall'orecchio.

«Salve, Taylor.»

«Ana.» Fa un cenno con il capo.

«Sua figlia sta bene?»

«Sì, grazie. La mia ex moglie pensava che avesse l'appendicite, ma stava esagerando come al solito.» Taylor alza gli occhi, sorprendendomi. «Sophie sta bene, anche se ha uno sgradevole virus intestinale.»

«Mi dispiace.»

Lui sorride.

«*Charlie Tango* è stato localizzato?»

«Sì, la squadra di recupero è per la strada. Dovrebbe rientrare al Boeing Field in nottata.»

«Oh, bene.»

Lui mi fa un rapido sorriso. «È tutto, signora?»

«Sì, sì, certo.» Arrossisco... Mi abituerò mai al fatto che Taylor mi chiami "signora"? Mi fa sentire vecchia, come se avessi almeno trent'anni.

Lui annuisce ed esce dal salone. Nel frattempo, Christian è ancora al telefono. Io sto aspettando che le patate finiscano di cuocersi.

Mi viene un'idea. Vado a prendere la borsa e tiro fuori il mio BlackBerry. C'è un SMS di Kate.

> C vediamo stasera. Non vedo l'ora di fare
> una luuuuuunga chiacchierata

Le rispondo.

> Concordo

Sarà bello parlare con Kate.

Entro nel programma delle mail e scrivo un messaggio veloce a Christian.

Da: Anastasia Steele
A: Christian Grey
Data: 18 giugno 2011 13.12
Oggetto: Pranzo

Caro Mr Grey,
ti sto mandando una mail per informarti
che il tuo pranzo è quasi pronto.
E che il sesso che ho fatto stamattina era
incredibile e perverso.
Il sesso perverso dovrebbe essere raccomandato
il giorno del compleanno.
E, un'altra cosa… ti amo.
A x
(la tua promessa sposa)

Tendo l'orecchio per cogliere la sua reazione, ma lui è ancora al telefono. Mi stringo nelle spalle. Forse è troppo occupato. Il mio BlackBerry si mette a vibrare.

Da: Christian Grey
A: Anastasia Steele
Data: 18 giugno 2011 13.15
Oggetto: Sesso perverso

Quale aspetto è stato più incredibile?
Sto prendendo appunti.

Christian Grey
Amministratore delegato, Affamato e Deperito dopo gli
Esercizi Mattutini, Grey Enterprises Holdings Inc.

PS: Adoro la tua firma.
PPS: Cos'è successo all'arte della conversazione?

Da: Anastasia Steele
A: Christian Grey
Data: 18 giugno 2011 13.18
Oggetto: Affamato?

Caro Mr Grey,
posso attrarre la tua attenzione sulla prima riga del mio precedente
messaggio, che ti informava che il tuo pranzo è praticamente
pronto…? Perciò basta con tutte queste sciocchezze su fame
e deperimento. Riguardo agli aspetti incredibili del sesso
perverso… francamente… tutti. Sarei interessata a leggere i
tuoi appunti. E anche a me piace la mia firma tra parentesi.
A x
(la tua promessa sposa)

PS: Da quando sei così loquace? E sei al telefono!

Premo il tasto INVIA e alzo lo sguardo, lui è di fronte a
me, e mi sorride compiaciuto. Prima che possa dire qualsiasi cosa, gira intorno al bancone della cucina, mi prende tra
le braccia e mi dà un sonoro bacio.

«Questo è tutto, Miss Steele» dice, e mi lascia andare. Dopodiché, in jeans, piedi scalzi e T-shirt fuori dai pantaloni,
torna nel suo studio, lasciandomi senza fiato.

Ho preparato una salsa a base di panna acida, crescione e coriandolo per accompagnare il salmone e ho apparecchiato il
bancone. Odio interrompere Christian quando sta lavorando, ma ora sono sulla soglia del suo studio. Lui è ancora
al telefono, con i capelli postcoito e gli occhi grigi brillanti: una visione notevole. Alza lo sguardo quando mi vede
e non mi toglie gli occhi di dosso. Aggrotta appena la fronte, e non capisco se è per me o per via della conversazione.

«Limitati a farli entrare e lasciali soli. Hai capito, Mia?»
sibila e alza gli occhi. «Bene.»

Mimo l'azione di mangiare, e lui mi sorride e annuisce.

«Ci vediamo dopo.» Riaggancia. «Un'altra telefonata?» mi chiede.

«Certo.»

«Quel vestito è molto corto» osserva.

«Ti piace?» Faccio una giravolta veloce davanti a lui. È uno degli acquisti di Caroline Acton: un prendisole di un tenue turchese, probabilmente più adatto a una spiaggia... Ma è una giornata talmente bella sotto così tanti punti di vista. Lui si acciglia e io lo guardo delusa.

«Sei fantastica, Ana. È solo che non voglio che nessun altro ti veda così.»

«Ah!» Lo guardo severa. «Siamo a casa, Christian. Non c'è nessuno a parte il tuo staff.»

Lui piega la bocca in una smorfia: o sta cercando di nascondere il suo divertimento o davvero non trova la cosa divertente. Ma alla fine annuisce, rassicurato. Io scuoto la testa... Farà sul serio? Ritorno in cucina.

Cinque minuti più tardi, è di nuovo davanti a me, con il telefono in mano.

«C'è Ray in linea per te» mormora, gli occhi guardinghi. Senza fiato, prendo il telefono e copro il microfono.

«Glielo hai detto?!» sibilo. Christian annuisce, e i suoi occhi si allargano davanti al mio sguardo angosciato.

"Merda!" Faccio un respiro profondo. «Ciao, papà.»

«Christian mi ha appena chiesto la tua mano» dice Ray. Silenzio. Penso disperatamente a qualcosa da dire. Ray, come al solito, non lascia trapelare la sua reazione alla notizia.

«Che cosa ne dici?» azzardo.

«Gli ho detto che volevo discuterne con te. È una cosa un po' improvvisa, non pensi, Annie? Non lo conosci da molto. Voglio dire, è un bravo ragazzo, sa pescare... ma così presto?» La sua voce è calma e misurata.

«Sì. È una cosa improvvisa... Rimani in linea.» Mi allontano dalla cucina, sottraendomi allo sguardo ansioso di Christian, e vado verso la vetrata. Le portefinestre del terrazzo sono aperte, ed esco nella luce. Non riesco ad arrivare fino alla ringhiera. Siamo troppo in alto.

«So che è una cosa improvvisa e tutto il resto... ma... be', io lo amo. Lui ama me. Mi vuole sposare, e non ci sarà mai nessun altro per me.» Arrossisco al pensiero che questa è probabilmente la conversazione più intima che io abbia mai avuto con il mio patrigno.

Ray rimane in silenzio.

«L'hai detto a tua madre?»

«No.»

«Annie... So che lui è ricco, è un buon partito eccetera, ma il matrimonio? È un passo così importante. Sei sicura?»

«Lui è il mio "e vissero per sempre felici e contenti"» sussurro.

«Wow» dice Ray dopo un attimo. Il suo tono è più dolce.

«Lui è tutto per me.»

«Annie, Annie, Annie. Sei una giovane donna così testarda. Spero che tu sappia quello che stai facendo. Passami di nuovo Christian, okay?»

«Certo, papà. Mi accompagnerai all'altare?» gli chiedo.

«Oh, tesoro.» Gli si spezza la voce, e rimane in silenzio per qualche istante, la sua emozione mi fa salire le lacrime agli occhi. «Niente mi farebbe più piacere» dice alla fine.

"Oh, Ray. Ti voglio così tanto bene..." Deglutisco per impedirmi di piangere. «Grazie, papà. Ti passo Christian. Sii gentile con lui. Lo amo» sussurro.

Penso che Ray stia sorridendo, ma è difficile dirlo. È sempre difficile capirlo, con lui.

«Certo, Annie. Vieni a trovare il tuo vecchio e porta quel Christian con te.»

Rientro nel salone, irritata con Christian per non avermi avvertito, e gli passo il telefono. La mia espressione lascia trasparire quanto sono contrariata. Lui è divertito, prende il telefono e torna nel suo studio.

Due minuti più tardi, ricompare.

«Ho la benedizione un po' riluttante di tuo padre» mi dice orgoglioso, così orgoglioso, in effetti, che mi fa ridere. Mi sorride. Si comporta come se avesse appena negoziato una nuova fusione, o un'acquisizione e, da un certo punto di vista, suppongo che sia così.

«Accidenti se cucini bene!» Christian finisce il suo ultimo boccone e alza il bicchiere di vino bianco verso di me. Io mi sento orgogliosa per i suoi complimenti, e mi viene in mente che cucinerò per lui soltanto nei weekend. Aggrotto la fronte. Mi piace cucinare. Forse dovrei fargli una torta per il compleanno. Controllo l'orologio. Sono ancora in tempo.

«Ana?» Christian interrompe i miei pensieri. «Perché mi hai chiesto di non farti delle foto?» La sua domanda mi coglie di sorpresa, soprattutto perché la sua voce è inganne-volmente dolce.

"Oh... merda. Le foto." Fisso il mio piatto vuoto, torcen-domi le dita in grembo. Cosa posso dire? Avevo giurato a me stessa di non accennare al fatto di aver trovato la sua versione di *Penthouse*.

«Ana» mi esorta. «Cosa c'è?» Mi fa sobbalzare, e la sua voce mi ordina di guardarlo. Quando ho pensato che non mi intimorisce più?

«Ho trovato le tue foto» sussurro.

Sbarra gli occhi per la sorpresa. «Hai guardato nella cas-saforte?» mi chiede incredulo.

«Cassaforte? No. Non sapevo che avessi una cassaforte.»

Lui si rabbuia. «Non capisco.»

«Nella cabina armadio. La scatola. Stavo cercando una tua cravatta, e la scatola era sotto i jeans... quelli che di so-lito indossi nella stanza dei giochi. A parte oggi.» Avvampo per la vergogna.

Lui mi guarda a bocca aperta, e nervosamente si passa una mano tra i capelli mentre prende atto di quest'informazione. Si gratta il mento, pensieroso, ma non riesce a dissimulare il fastidio che gli aleggia sul volto. Improvvisamente, scuote la testa, esasperato, ma anche divertito, e un debole sorriso di ammirazione gli solleva gli angoli della bocca. Unisce le mani di fronte a sé e continua a guardarmi.

«Non è come pensi. Mi ero del tutto dimenticato di quelle foto. La scatola è stata spostata. Quelle fotografie dovrebbero essere in cassaforte.»

«Chi le ha spostate?» sussurro.

Lui deglutisce. «C'è solo una persona che può averlo fatto.»

«Ah. Chi? E che cosa vuol dire "non è come pensi"?»

Lui sospira e piega la testa di lato. Credo che sia imbarazzato. "E dovrebbe esserlo!" esclama duramente la mia vocina.

«Ti sembrerà brutto, ma… sono una specie di polizza d'assicurazione» dice piano, armandosi di coraggio per rispondermi.

«Assicurazione?»

«Contro le denunce.»

Nella mia testa vuota, si accende la classica lampadina, e mi sento a disagio.

«Oh» mormoro, perché non riesco a pensare a nient'altro da dire. Chiudo gli occhi. Ci siamo. Questo è Mr Cinquanta Sfumature di tenebra. Qui, adesso. «Sì, hai ragione» mormoro. «Sembra davvero brutto.» Mi alzo e sparecchio. Non voglio sapere nient'altro.

«Ana.»

«Loro lo sapevano? Le ragazze… Le Sottomesse?»

Lui aggrotta la fronte. «Ovviamente sì.»

Oh, bene, è già qualcosa. Mi afferra e mi attira a sé.

«Quelle foto dovrebbero essere in cassaforte. Non sono state fatte per divertimento.» Si ferma. «Forse era così all'inizio. Ma…» Si ferma di nuovo, implorante. «Non significano nulla.»

«Chi le ha messe nella cabina armadio?»

«Può essere stata solo Leila.»

«Conosce la combinazione della tua cassaforte?»

Lui si stringe nelle spalle. «Non mi sorprenderebbe. È una combinazione molto lunga, e la uso di rado. È l'unico numero che ho scritto e che non ho mai cambiato.» Scuote la testa. «Mi domando cos'altro sappia e se abbia preso altre cose da lì.» Si rabbuia, poi torna a rivolgere a me la sua attenzione. «Senti, distruggerò quelle foto. Ora, se ti fa piacere.»

«Sono le tue foto, Christian. Fanne quello che vuoi» borbotto.

«Non fare così» dice, prendendomi la testa tra le mani e sollevandomi il viso, per guardarmi. «Non voglio quella vita. Voglio la nostra vita, insieme.»

"Porca miseria." Come fa a sapere che dietro il mio orrore per quelle foto c'è la mia paranoia?

«Ana, pensavo che avessimo esorcizzato tutti questi fantasmi stamattina. Avevo questa sensazione. Tu no?»

Lo guardo perplessa, ricordando la nostra mattinata molto piacevole, romantica e assolutamente lussuriosa nella stanza dei giochi.

«Sì.» Sorrido. «Sono d'accordo.»

«Bene.» Si china su di me e mi bacia, avvolgendomi tra le sue braccia. «Le distruggerò» mi dice. «E poi dovrò lavorare. Mi dispiace, piccola, ma ho una montagna di roba da fare oggi pomeriggio.»

«Va bene. Devo chiamare mia madre.» Faccio una smorfia. «Poi voglio andare a fare shopping e cucinare una torta.»

Lui sorride e i suoi occhi si illuminano come quelli di un bambino.

«Una torta?»

Annuisco.

«Una torta al cioccolato?»

«Vuoi una torta al cioccolato?» Il suo sorriso è contagioso.

Lui fa di sì con la testa.

«Vedrò cosa posso fare, Mr Grey.»

Mi bacia un'altra volta.

Mia madre è talmente scioccata da rimanere in silenzio.

«Mamma, di' qualcosa.»

«Non sarai incinta, vero, Ana?» sibila inorridita.

«No, no, niente del genere.» La delusione mi pugnala al cuore, e mi rende triste che lei possa credere questo di me. Ma poi penso, con il cuore pesante, che lei era incinta di me quando ha sposato mio padre.

«Mi dispiace, tesoro. È una cosa così improvvisa. Voglio dire, Christian è un buon partito, ma tu sei così giovane, e dovresti vedere un po' il mondo.»

«Mamma, non puoi essere felice per me e basta? Io lo amo.»

«Tesoro, devo solo abituarmi all'idea. È uno shock. Quando vi ho visti qui insieme, mi sono accorta che c'era qualcosa di speciale tra voi, ma il matrimonio…?»

In Georgia Christian voleva che diventassi la sua Sottomessa, ma questo non lo dirò a mia madre.

«Avete fissato una data?»

«No.»

«Vorrei che tuo padre fosse vivo» sussurra. Oh, no… non questo. Non questo, adesso.

«Lo so, mamma. Anche a me sarebbe piaciuto conoscerlo.»

«Ti ha tenuta in braccio solo una volta, ed era così orgoglioso. Pensava che fossi la bambina più bella del mondo.» La sua voce è pacatamente funerea, mentre racconta quell'aneddoto di famiglia… di nuovo. Ora si metterà a piangere.

«Lo so, mamma.»

«E poi è morto.» Tira su con il naso, e so che il racconto l'ha messa di malumore, come succede ogni volta.

«Mamma» sussurro desiderando raggiungerla all'altro capo del telefono e abbracciarla.

«Sono una vecchia sciocca» dice lei e tira su con il naso di nuovo. «Certo che sono contenta per te, tesoro. Ray lo sa?» aggiunge e sembra aver recuperato l'equilibrio.

«Christian gliel'ha appena chiesto.»

«Oh, che dolce. Bene.» Sembra malinconica, ma sta facendo uno sforzo.

«Sì» mormoro io.

«Ana, tesoro, ti voglio così tanto bene. Sono felice per te. E dovete venire a trovarmi entrambi.»

«Sì, mamma, ti voglio bene anch'io.»

«Bob mi sta chiamando, devo andare. Fammi sapere la data. Dobbiamo organizzarci... Farai un matrimonio in grande stile?»

"Un matrimonio in grande stile. Merda. Non ci ho neppure pensato." No. Non voglio un matrimonio in pompa magna.

«Non lo so ancora. Ti chiamo non appena lo decido.»

«Bene. Abbi cura di te adesso, e sta' attenta. Ora dovete divertirvi un po'... C'è tutto il tempo per pensare ai bambini più avanti.»

Bambini! "Mmh..." Ci risiamo. Un riferimento non troppo velato al fatto che lei mi ha avuta così presto.

«Mamma, non ti ho rovinato la vita, vero?»

Lei trasalisce. «Oh, no, Ana, non pensarlo mai. Sei stata la cosa migliore che sia mai successa a tuo padre e a me. Vorrei solo che lui fosse qui per vederti cresciuta e prossima alle nozze.» È di nuovo malinconica e sdolcinata.

«Lo vorrei anch'io.» Scuoto la testa, pensando al mio mitico padre. «Mamma, devo andare. Ti chiamo presto.»

«Ti voglio bene, tesoro.»

«Anch'io, mamma. Ciao.»

Lavorare nella cucina di Christian è un sogno. Per essere un uomo che non ne sa niente di cucina, sembra avere tutto. Sospetto che anche a Mrs Jones piaccia cucinare. L'unica cosa di cui ho bisogno è un po' di cioccolato di alta qualità per la glassa. Lascio le due metà della torta sulla griglia a raffreddare, prendo la borsa e faccio capolino nello studio di Christian. Lui è concentrato sullo schermo del suo computer. Alza la testa e mi sorride.

«Vado un attimo a comprare alcuni ingredienti.»

«Okay.» Mi guarda e aggrotta la fronte.

«Cosa c'è?»

«Ti metterai addosso dei jeans o qualcos'altro?»

"Oh, avanti." «Christian, sono solo delle gambe.»

Lui mi fissa, non è divertito. Finiremo per litigare. Ed è il suo compleanno. Alzo gli occhi al cielo, sentendomi un'adolescente colta in fallo.

«E se fossimo su una spiaggia?» Tento una tattica diversa.

«Non siamo su una spiaggia.»

«Avresti qualcosa da ridire se fossimo in spiaggia?»

Lui ci pensa su per un momento. «No» risponde semplicemente.

Alzo gli occhi al cielo di nuovo e gli faccio un sorrisetto compiaciuto. «Be', allora immagina che lo siamo. A più tardi.» Mi volto e mi dileguo verso l'atrio. Riesco a entrare nell'ascensore prima che lui mi raggiunga. Mentre le porte si chiudono, gli faccio ciao con la mano, sorridendogli dolcemente, mentre lui mi osserva, impotente, ma fortunatamente anche divertito, stringendo gli occhi. Scuote la testa esasperato, poi non lo vedo più.

Oh, è stato eccitante. L'adrenalina mi pompa nelle vene, ed è come se il cuore volesse schizzarmi via dal petto. Ma, insieme all'ascensore, scende anche il mio umore. "Merda, che cos'ho fatto?"

Ho tirato troppo la corda. Sarà furioso quando tornerò a casa. La mia vocina interiore, se potesse, mi prenderebbe a bastonate. Penso a quanta poca esperienza ho con gli uomini. Non ho mai vissuto con un uomo prima d'ora, be', a parte Ray, e per qualche ragione lui non conta. È mio padre... cioè, l'uomo che considero mio padre.

E ora sto con Christian. Nemmeno lui ha davvero mai vissuto con qualcuno, penso. Devo chiederglielo... Sempre che lui mi parli ancora.

Ma sono fermamente convinta di dover indossare quello che mi piace. Ricordo le sue regole. Sì, dev'essere dura per lui, ma è stato lui a comprare questo vestito, poco ma sicuro. Avrebbe dovuto dare istruzioni più precise: niente di troppo corto!

Questa gonna non è poi così corta, no? Controllo nello specchio enorme dell'atrio. Accidenti. Sì, è piuttosto corta, ma ormai ho preso una posizione. E non ho dubbi sul fatto che dovrò affrontarne le conseguenze. Mi domando che cosa farà Christian, ma prima devo prelevare dei soldi.

Fisso la ricevuta del bancomat. 51.689,16 dollari. Ci sono cinquantamila dollari di troppo! "Anastasia, imparerai anche tu a essere ricca, se dirai di sì." Ecco, si comincia. Prelevo cinquanta ridicoli dollari e mi dirigo al negozio.

Vado dritta in cucina, quando torno a casa, e non riesco a reprimere un brivido d'allarme. Christian è ancora nel suo studio. Accidenti, c'è rimasto per la gran parte del pomeriggio. Decido che la cosa migliore da fare è affrontarlo e accertarsi del danno che ho provocato. Faccio capolino nello studio. Lui è al telefono, e fissa fuori dalla finestra.

«E l'esperto dell'Eurocopter arriverà lunedì pomeriggio?... Bene. Tienimi informato. Di' loro che ho bisogno di avere le prime perizie lunedì sera o martedì mattina.» Riaggancia e gira la sedia, ma, quando mi vede, rimane impassibile.

«Ciao» sussurro. Lui non dice niente, e il mio cuore precipita. Cautamente, entro nella stanza e aggiro la scrivania, dov'è seduto. Continua a non dire niente, i suoi occhi non lasciano mai i miei. Rimango in piedi davanti a lui, sentendomi addosso cinquanta sfumature di stupidità.

«Sono tornata. Sei arrabbiato con me?»

Lui sospira, mi prende la mano e mi attira a sé, facendomi sedere sulle sue ginocchia. Avvolge le braccia intorno a me e nasconde il naso tra i miei capelli.

«Sì» dice.

«Mi dispiace. Non so cosa mi sia preso.» Mi raggomitolo contro di lui, inspirando il suo profumo divino, sentendomi al sicuro, al di là del fatto che è arrabbiato con me.

«Nemmeno io. Vestiti come vuoi» mormora. Fa scorrere la sua mano sulla mia coscia nuda. «D'altra parte, questo vestito presenta i suoi vantaggi.» Si china per baciarmi, e quando le nostre labbra si sfiorano, la passione o la lussuria, o il profondo bisogno di fare ammenda mi colpisce, e il desiderio mi infiamma il sangue. Gli prendo la testa tra le mani, infilando le dita nei capelli. Lui geme mentre il suo corpo risponde, e mi succhia avidamente il labbro inferiore... la gola, l'orecchio, la sua lingua mi invade la bocca, e prima che me ne renda conto, si sta slacciando i pantaloni, mi sta mettendo a cavalcioni, e si sta immergendo dentro di me. Io mi aggrappo allo schienale, i piedi che sfiorano appena il pavimento... E iniziamo a muoverci.

«Mi piace quando chiedi scusa» sospira tra i miei capelli.

«E a me piace quando lo fai tu.» Ridacchio, strofinandomi contro il suo petto. «Hai finito?»

«Cristo, Ana, ne vuoi ancora?»

«No! Il tuo lavoro.»

«Finisco tra mezz'ora. Ho sentito il tuo messaggio sulla segreteria telefonica.»

«Quello di ieri.»

«Sembravi preoccupata.»

Lo abbraccio forte.

«Lo ero. Non è da te non rispondere.»

Lui mi dà un bacio tra i capelli.

«La tua torta sarà pronta tra mezz'ora.» Gli sorrido e scendo dalle sue gambe.

«Non vedo l'ora. Il profumo era delizioso, addirittura evocativo, mentre si cuoceva.»

Gli sorrido timidamente, sentendomi un po' imbarazzata, e lui riflette la mia espressione. Accidenti, siamo davvero tanto diversi? Forse gli è venuta in mente la prima volta in cui ha sentito il profumo di un dolce nel forno. Mi chino su di lui e gli poso un bacio all'angolo della bocca, e ritorno in cucina.

Sono pronta e, quando lo sento uscire dallo studio, accendo l'unica candelina dorata sulla torta. Lui fa un sorriso da un orecchio all'altro e viene verso di me, mentre canto sottovoce *Tanti auguri a te*. Si china e spegne la candelina con un soffio, chiudendo gli occhi.

«Ho espresso il mio desiderio» dice mentre li riapre, e per qualche ragione il suo sguardo mi fa arrossire.

«La glassa è ancora morbida. Spero che ti piaccia.»

«Non vedo l'ora di assaggiarla, Anastasia» mormora, e lo fa sembrare così sexy. Taglio una fetta per ciascuno e ci affondiamo dentro la forchetta.

«Mmh…» geme in segno di apprezzamento. «Questo è il motivo per cui voglio sposarti.»

E io rido per il sollievo… Gli piace.

«Pronta per affrontare la mia famiglia?» Christian spegne il motore. Abbiamo parcheggiato davanti a casa dei suoi.

«Sì. Glielo dirai?»

«Certo. Non vedo l'ora di vedere le loro reazioni.» Mi sorride maliziosamente ed esce dalla macchina.

Sono le sette e mezzo e, anche se è stata una giornata calda, c'è una brezza fresca che soffia sulla baia. Mi avvolgo nello scialle mentre esco dall'auto. Indosso un abito da cocktail verde smeraldo, che ho trovato stamattina rovistando nella cabina armadio. Ha una grossa cintura abbinata. Christian mi prende per mano, e ci incamminiamo verso la porta d'ingresso. Carrick la spalanca prima che possiamo bussare.

«Christian, ciao. Buon compleanno, figliolo.» Stringe la mano che Christian gli porge e lo attira a sé per un rapido abbraccio, che lo coglie di sorpresa.

«Ehm… grazie, papà.»

«Ana, che bello vederti di nuovo.» Abbraccia anche me, e lo seguiamo dentro casa.

Prima che possiamo mettere piede in salotto, Kate ci viene incontro dal corridoio. Sembra furiosa. "Oh, no!"

«Voi due! Voglio parlare con voi» esclama con il suo tono da è-meglio-che-non-mi-racconti-cazzate. Lancio un'occhiata nervosa a Christian, che si stringe nelle spalle e decide di assecondarla mentre la seguiamo in sala da pranzo, lasciando un Carrick stupefatto sulla soglia del salotto. Lei chiude la porta e si volta verso di me.

«Che cazzo significa?» sibila e fa ondeggiare un pezzo di carta davanti ai miei occhi. Completamente persa, lo prendo e gli do una rapida occhiata. Deglutisco a fatica. "Accidenti." È la mia mail in risposta a Christian, quando discutevamo del contratto.

22

Il colore sparisce dal mio volto, mentre il sangue mi si gela nelle vene e la paura mi serpeggia nel corpo. D'istinto, faccio un passo frapponendomi tra Kate e Christian.

«Che cosa c'è?» chiede lui, guardingo.

Lo ignoro. Non posso credere che Kate stia facendo tutto questo.

«Kate! Questo non ha nulla a che vedere con te.» La fisso velenosa, mentre la rabbia si sostituisce alla paura. Come osa fare questo? Non ora, non oggi. Non nel giorno del compleanno di Christian. Sorpresa dalla mia risposta, lei sbatte le palpebre, i suoi occhi sono verdi e grandi.

«Ana, cosa succede?» chiede di nuovo Christian, il suo tono è più minaccioso.

«Christian, per favore, puoi lasciarci da sole?» gli chiedo.

«No. Fammi vedere.» Mi tende la mano, e so che non ho scelta. La sua voce è fredda e dura. Riluttante, gli consegno il foglio.

«Che cosa ti ha fatto?» chiede Kate, ignorando Christian. Sembra in apprensione. Io arrossisco mentre una miriade di immagini erotiche mi attraversa veloce la mente.

«Non sono affari tuoi, Kate.» Non riesco a trattenere l'esasperazione.

«Dove l'hai trovato?» chiede Christian, la testa piegata

570

di lato, il volto privo di espressione, ma la voce… così minacciosamente dolce. Kate arrossisce.

«Questo è irrilevante.» Di fronte al suo sguardo duro, lei si affretta ad aggiungere: «Era nella tasca di una giacca… che presumo sia tua… e che ho trovato appesa alla porta della camera da letto di Ana». Sotto lo sguardo grigio e ardente di Christian, il coraggio di Kate vacilla un po', ma poi sembra riprendersi e lo fissa con riprovazione.

Sprizza ostilità da tutti i pori nel suo abito rosso attillato. È bellissima. Ma perché mai è andata a frugare tra i miei vestiti? Di solito succede il contrario.

«L'hai detto a qualcuno?» La voce di Christian è un guanto di seta.

«No! Ovviamente no!» esclama Kate, offesa. Christian annuisce e sembra rilassarsi. Si volta e si avvicina al camino. Senza dire una parola, Kate e io lo osserviamo prendere l'accendino dalla mensola, dare fuoco alla mail, e lasciar cadere il foglio nel camino, finché non si è consumato del tutto. Il silenzio nella stanza è opprimente.

«Neanche a Elliot?» chiedo, rivolgendo di nuovo l'attenzione a Kate.

«A nessuno» ribadisce lei enfatica, e per la prima volta sembra sconcertata e ferita. «Voglio solo sapere che stai bene, Ana» sussurra.

«Sto bene, Kate. Più che bene. Per favore, Christian e io stiamo bene, davvero bene. Quella è una storia vecchia. Per favore, dimenticatene.»

«Dimenticarmene?» chiede lei. «Come posso dimenticarmene? Che cosa ti ha fatto?» E i suoi occhi verdi sono pieni di sincera preoccupazione.

«Non mi ha fatto niente, Kate. Davvero. Sto bene.»

Lei mi fissa perplessa.

«Davvero?» mi chiede.

Christian mi circonda le spalle con un braccio e mi attira a sé, senza distogliere gli occhi da Kate.

«Ana ha acconsentito a diventare mia moglie, Katherine» dice pacato.

«Moglie!» strilla Kate, gli occhi che si dilatano per l'incredulità.

«Ci sposeremo. Annunceremo il nostro fidanzamento stasera» prosegue lui.

«Oh!» Kate mi fissa a bocca aperta. È esterrefatta. «Ti lascio sola per sedici giorni e cosa succede? È una cosa così improvvisa. Quindi ieri, quando hai detto…?» Mi guarda persa. «Dove si colloca la mail in tutto questo?»

«Non si colloca, Kate. Dimenticatene, per favore. Io amo lui e lui ama me. Non fare così. Non rovinare la sua festa e la nostra serata» sussurro. Lei sbatte le palpebre e inaspettatamente i suoi occhi brillano di lacrime.

«No, certo che non lo farò. Tu stai bene?» Vuole una rassicurazione.

«Non sono mai stata più felice» le dico. Mi afferra la mano, senza curarsi del braccio di Christian intorno a me.

«Davvero stai bene?» mi chiede speranzosa.

«Sì.» Le sorrido, di nuovo piena di gioia. È tornata in sé. Mi sorride, e la mia felicità si riflette su di lei. Christian toglie il braccio dalle mie spalle, e lei di colpo mi abbraccia.

«Oh, Ana… Ero così preoccupata quando ho letto quella mail. Non sapevo cosa pensare. Me lo spiegherai?» sussurra.

«Un giorno, non ora.»

«Bene. Non lo dirò a nessuno. Ti voglio così tanto bene, Ana, come se fossi mia sorella. Pensavo solo… Non sapevo cosa pensare. Mi dispiace. Se sei felice, allora lo sono anch'io.» Guarda Christian negli occhi e ripete le sue scuse. Lui annuisce, il suo sguardo è di ghiaccio, e la sua espressione non cambia. È ancora arrabbiato.

«Mi dispiace davvero tanto. Hai ragione, non sono affari miei» mi dice.

Sentiamo bussare e Kate sussulta. Ci separiamo. Grace fa capolino.

«Tutto bene, tesoro?» chiede a Christian.

«Va tutto benissimo, Mrs Grey» dice subito Kate.

«Tutto bene, mamma» conferma Christian.

«Bene.» Grace entra. «Allora non vi dispiacerà se abbraccio mio figlio per il suo compleanno.» Ci sorride. Lui la stringe forte e si scioglie subito.

«Tanti auguri, tesoro» gli dice lei dolcemente, chiudendo gli occhi tra le sue braccia. «Sono così contenta che tu sia ancora con noi.»

«Mamma, sto bene.» Christian le sorride. Lei si fa indietro e lo scruta attentamente.

«Sono così felice per te» dice e gli accarezza il volto.

Lui le fa il suo sorriso da mille megawatt.

"Grace lo sa! Quando glielo ha detto?"

«Bene, ragazzi, se avete finito il vostro tête-à-tête, c'è un sacco di gente qui che vuole accertarsi che tu sia davvero tutto intero, Christian, e vuole augurarti buon compleanno.»

«Arrivo subito.»

Grace lancia un'occhiata ansiosa a me e a Kate e sembra rassicurata dai nostri sorrisi. Mi fa l'occhiolino mentre ci tiene aperta la porta. Christian mi porge la mano e io la prendo.

«Christian, mi scuso ancora, davvero» borbotta Kate, docilmente. Kate docile è una cosa incredibile. Christian le fa un cenno con la testa, e la seguiamo fuori.

Nel corridoio guardo Christian ansiosamente. «Tua madre sa di noi?»

«Sì.»

«Oh.» E pensare che la nostra serata avrebbe potuto essere rovinata dalla tenace Miss Kavanagh. Rabbrividisco al pensiero: le conseguenze dello stile di vita di Christian rivelate a tutti!

«Bene, è stato un interessante inizio di serata.» Gli sorrido dolcemente. Lui mi guarda... Ed eccolo di nuovo lì, il suo sguardo divertito. Meno male!

«Come sempre, Miss Steele, hai un dono per gli eufemismi.» Si porta la mia mano alle labbra e mi bacia le nocche mentre entriamo in salotto, accolti da un applauso improvviso, spontaneo e assordante.

"Merda." Quanta gente c'è qui?

Esamino velocemente la sala: ci sono i Grey, Ethan con Mia, il dottor Flynn e sua moglie, presumo. Ci sono Mac, il tizio della barca; un afroamericano alto e bello, che ricordo di aver visto nell'ufficio di Christian la prima volta che l'ho incontrato; quella stronzetta dell'amica di Mia, Lily; due donne che non riconosco e... "Oh, no." Il cuore mi sprofonda nel petto. *Quella* donna... Mrs Robinson.

Gretchen si materializza con un vassoio pieno di calici di champagne. Indossa un abito nero con la scollatura profonda, ha i capelli raccolti in uno chignon morbido, invece dei codini, e le ciglia lunghe e svolazzanti che sbatte all'indirizzo di Christian. L'applauso si estingue, e Christian mi stringe la mano, mentre gli occhi di tutti sono su di lui, in attesa.

«Grazie a tutti. A quanto pare, avrò bisogno di uno di questi.» Prende due calici dal vassoio di Gretchen e le fa un sorriso. Lei pare sul punto di esalare l'ultimo respiro o svenire. Christian mi passa un bicchiere.

Alza il suo calice verso il resto della sala, e subito tutti lo seguono. A guidare la carica è la diabolica donna in nero. Indossa mai un altro colore?

«Christian, ero così preoccupata.» Elena lo abbraccia velocemente e lo bacia su entrambe le guance. Lui non mi lascia andare, nonostante io cerchi di liberare la mia mano.

«Sto bene, Elena» mormora Christian, gelido.

«Perché non mi hai chiamata?» La sua supplica è disperata, i suoi occhi cercano quelli di lui.

«Sono stato occupato.»

«Non hai ricevuto i miei messaggi?»

Christian sembra a disagio e mi stringe a sé, mettendomi

un braccio intorno alla vita. Il suo volto rimane impassibile mentre fissa Elena. Lei non può continuare a ignorarmi, perciò fa un cenno gentile con la testa nella mia direzione.

«Ana» dice facendo le fusa. «Sei adorabile, cara.»

«Elena» faccio le fusa anch'io. «Grazie.»

Colgo lo sguardo di Grace. Osserva tutti e tre accigliata.

«Elena, devo fare un annuncio» dice Christian, fissandola imperturbabile.

Gli occhi azzurri di lei si oscurano. «Certo.» Finge di sorridere e fa un passo indietro.

«Ascoltate tutti» dice Christian. Aspetta un attimo, finché il brusio nella stanza non è cessato e gli occhi degli invitati sono di nuovo su di lui.

«Grazie per essere venuti qui oggi. Devo dire che mi aspettavo una tranquilla cena in famiglia, perciò questa è una piacevole sorpresa.» Fissa apertamente Mia, che sorride e gli fa un cenno di saluto con la mano. Christian scuote la testa, esasperato, e continua.

«Ros e io» fa un cenno di riconoscimento a una donna con i capelli rossi lì vicino, accanto a una bionda piccola e spumeggiante «ce la siamo vista brutta ieri.»

Oh, quella è la Ros che lavora con lui. La donna sorride e solleva il bicchiere. Lui le risponde con un altro cenno del capo.

«Perciò sono particolarmente contento di essere qui oggi per condividere con voi una notizia veramente speciale. Questa bellissima donna» si rivolge a me «Miss Anastasia Rose Steele, ha acconsentito a diventare mia moglie, e voglio che voi siate i primi a saperlo.»

Rimangono tutti senza fiato per lo sbalordimento, qualcuno fischia, poi l'applauso è generale! Accidenti... sta succedendo davvero. Credo di essere diventata del colore dell'abito di Kate. Christian mi afferra il mento, solleva il mio viso verso il suo e mi bacia.

«Presto sarai mia.»

«Lo sono di già» gli sussurro.

«Legalmente» mi dice muovendo solo le labbra e mi fa un sorriso malizioso.

Lily, accanto a Mia, ha l'aria desolata; Gretchen sembra aver mangiato qualcosa di disgustoso e amaro. Mentre osservo in ansia la folla riunita, vedo Elena. È a bocca aperta. Pietrificata... persino inorridita, e non riesco a non provare un'intensa soddisfazione nel vederla tanto esterrefatta. Che diavolo ci fa qui, comunque?

Carrick e Grace interrompono i miei pensieri poco gentili, e vengo abbracciata, baciata e passata da un Grey all'altro.

«Oh, Ana... sono così felice che tu entri a far parte della famiglia» dice Grace, esaltata. «Il cambiamento in Christian... Lui è... felice. Ti sono così riconoscente.» Io arrossisco imbarazzata di fronte alla sua esuberanza, ma segretamente ne sono anche compiaciuta.

«Dov'è l'anello?» esclama Mia abbracciandomi.

«Uhm...» "Un anello! Accidenti." Non ci avevo neppure pensato. Guardo Christian.

«Andremo a sceglierlo insieme.» Christian la guarda in cagnesco.

«Oh, non guardarmi così, Christian!» lo ammonisce lei, e poi gli getta le braccia al collo. «Sono così elettrizzata» dice. È l'unica persona che conosco che non è intimidita dallo sguardo inceneritore di Christian. A me fa tremare le ginocchia... Be', di certo me le faceva tremare una volta.

«Quando vi sposerete? Avete fissato la data?» Sorride raggiante a Christian.

Lui scuote la testa, la sua esasperazione è palpabile. «Non lo so. No, non abbiamo fissato la data. Ana e io dobbiamo ancora discutere tutto» le dice irritato.

«Spero che sia un matrimonio in grande stile... qui.» Sorride entusiasta, ignorando il suo tono caustico.

«Probabilmente voleremo a Las Vegas domani» ringhia verso di lei, e riceve in cambio una smorfia imbronciata.

Lui alza gli occhi al cielo, poi si gira verso Elliot, che gli dà il suo secondo abbraccio fraterno in pochi giorni.

«Vai così, fratello.» Gli dà una pacca sulla schiena.

La risposta della sala è sconvolgente, e passano alcuni minuti prima che mi ritrovi di nuovo accanto a Christian, con il dottor Flynn. Elena sembra scomparsa, e Gretchen rabbocca i calici di champagne con un'espressione funerea.

Accanto al dottor Flynn c'è una giovane donna mozzafiato con lunghi capelli scuri, quasi neri, una scollatura notevole e dolci occhi castani.

«Christian» dice Flynn, porgendogli la mano, che Christian stringe con gioia.

«John. Rhian.» Bacia la donna dai capelli neri sulla guancia. È minuta e molto bella.

«Sono contento che tu sia ancora tra noi, Christian. La mia vita sarebbe molto noiosa... e molto meno prospera... senza di te.»

Christian sorride.

«John!» lo rimprovera Rhian, con gran divertimento di Christian.

«Rhian, questa è Anastasia, la mia fidanzata. Ana, la moglie di John.»

«È un vero piacere conoscere la donna che finalmente ha catturato il cuore di Christian.» Rhian mi sorride affettuosamente.

«Grazie» mormoro, imbarazzata.

«Un bel lancio a effetto, Christian.» Il dottor Flynn scuote la testa, incredulo e divertito. Christian lo fissa perplesso.

«John, tu e le tue metafore sportive.» Rhian alza gli occhi al cielo. «Congratulazioni a tutti e due, e buon compleanno, Christian. Che magnifico regalo di compleanno.» Mi fa un ampio sorriso.

Non avevo idea che il dottor Flynn sarebbe stato qui, né che ci sarebbe stata Elena. È un colpo, e penso se ho ancora qualcosa da domandargli, ma una festa di compleanno non mi sembra il luogo più appropriato per una consulenza psichiatrica.

Chiacchieriamo per qualche minuto. Rhian è una mamma a tempo pieno, con due bimbi piccoli. Deduco che sia lei la ragione per cui il dottor Flynn esercita negli Stati Uniti.

«Lei sta bene, Christian, risponde bene alla terapia. Un altro paio di settimane e potremo prendere in considerazione di dimetterla e proseguire con un trattamento ambulatoriale.» Il dottor Flynn e Christian parlano a bassa voce, ma non posso fare a meno di sentire, distogliendo maleducatamente l'attenzione da Rhian.

«Perciò per ora sono tutta festicciole e pannolini…»

«Dev'essere impegnativo.» Arrossisco e riporto l'attenzione su Rhian e la sua dolce risata. So che Christian e Flynn stanno discutendo di Leila.

«Devi chiederle qualcosa per me» dice Christian.

«E tu cosa fai, Anastasia?»

«Ana, per favore. Lavoro nell'editoria.»

Christian e il dottor Flynn abbassano ancora di più la voce. È così frustrante. Ma smettono di parlare quando veniamo raggiunti da altre due donne che non conoscevo: Ros e una bionda frizzante che mi viene presentata come la sua compagna, Gwen.

Ros è adorabile, e presto scopro che abita praticamente di fronte all'Escala. Si profonde in complimenti sull'abilità di Christian come pilota. È stata la sua prima volta su *Charlie Tango*, e dice che non esiterebbe a salirci di nuovo. È una delle poche donne che conosco che non è abbagliata da lui… Be', la ragione è ovvia.

Gwen è una ragazza allegra, con un senso dell'umorismo pungente, e Christian sembra straordinariamente a suo agio con loro. Le conosce bene. Non parlano di lavoro, ma capisco che Ros è una donna intelligente, che sa come tenergli testa. Ha anche una bella risata gutturale, da fumatrice incallita.

Grace interrompe le nostre tranquille chiacchiere per informare tutti che la cena verrà servita a mo' di buffet in cucina. Lentamente, gli ospiti si avviano verso il retro della casa.

Mia mi blocca nel corridoio. Con il suo vaporoso vestito rosa pallido da bambolina e i tacchi vertiginosi torreggia su di me come una fata. Ha in mano due cocktail.

«Ana» sibila con l'aria della cospiratrice. Io guardo Christian, che mi lascia andare con uno sguardo che dice: "Buona fortuna, anch'io la trovo impossibile", e mi infilo di soppiatto in sala da pranzo con lei.

«Ecco» dice Mia con l'aria malandrina. «Questo è uno dei famosi Martini al limone di mio padre, molto meglio dello champagne.» Mi passa il bicchiere e mi guarda speranzosa mentre ne assaggio un sorso.

«Mmh... delizioso. Ma forte.» Che cosa vuole? Sta cercando di farmi ubriacare?

«Ana, ho bisogno di un consiglio. E non posso chiederlo a Lily... Lei non fa altro che sputare sentenze su tutto.» Alza gli occhi al cielo e poi sogghigna. «È così gelosa di te. Credo che sperasse di mettersi con Christian, un giorno.» Scoppia in una risata di fronte a quell'assurdità, e io rabbrividisco.

Questa è una cosa con cui dovrò fare i conti per un bel po' di tempo: altre donne che smaniano per il mio uomo. Allontano il pensiero e mi distraggo con l'argomento della nostra conversazione. Bevo un altro sorso di Martini.

«Cercherò di aiutarti. Spara.»

«Come sai, Ethan e io ci siamo conosciuti di recente, grazie a te.» Mi fa un sorriso smagliante.

«Sì.» Dove diavolo vuole arrivare?

«Ana... Lui non vuole uscire con me.» Increspa le labbra in una smorfia.

«Oh.» Sbatto le palpebre, stupita, e penso: "Forse non gli piaci abbastanza".

«Senti, è tutto sbagliato. Non vuole uscire con me perché sua sorella esce con mio fratello. Pensa che sia una specie di incesto. Ma io so di piacergli. Cosa posso fare?»

«Oh, capisco» mormoro cercando di prendere tempo. Che cosa posso dire? «Potresti proporgli di essere amici e dargli un po' di tempo? In fondo, l'hai appena conosciuto.»

Lei alza un sopracciglio.

«Senti, so bene di non conoscere Christian da molto, ma...» Aggrotto la fronte, e non sono più sicura di ciò che voglio dire. «Mia, questo è qualcosa che dovete risolvere tu e Ethan insieme. Io proverei la strada dell'amicizia.»

Mia sorride.

«Hai imparato a fare quello sguardo da Christian.»

Io arrossisco. «Se vuoi un consiglio, chiedilo a Kate. Potrebbe avere un'idea di quello che suo fratello prova.»

«Dici?» chiede Mia.

«Sì.» Le sorrido incoraggiante.

«Forte. Grazie, Ana.» Mi abbraccia e corre eccitata verso la porta, cosa che mi sorprende, visti i tacchi alti che indossa. Di sicuro sta andando a molestare Kate. Bevo un altro sorso di Martini, e sto per seguirla quando vengo fermata.

Elena entra con disinvoltura nella stanza, il volto teso, atteggiato a una cupa e irata determinazione. Chiude piano la porta dietro di sé e mi guarda accigliata.

"Oh, merda."

«Ana» dice sarcastica.

Faccio appello a tutto il mio autocontrollo, leggermente brilla dopo due calici di champagne e il cocktail letale che tengo in mano. Penso di essere impallidita, ma chiamo a raccolta il mio subconscio e la mia dea interiore per sembrare calma e imperturbabile.

«Elena.» La mia voce è ridotta a un filo, ma è ferma, nonostante la bocca secca. Perché questa donna mi fa sempre andare su tutte le furie? E cosa vuole da me?

«Vorrei farti le mie più sentite congratulazioni, ma credo che sarebbero fuori luogo.» I suoi occhi azzurri, penetranti e freddi fissano i miei, pieni d'odio.

«Non ho bisogno delle tue congratulazioni, né le desidero, Elena. Sono sorpresa e rammaricata di vederti qui.»

Lei inarca un sopracciglio. Credo di averla impressionata.

«Non pensavo che saresti stata una degna avversaria, Anastasia. Ma mi sorprendi ogni volta.»

«Io non pensavo affatto a te» mento, gelida. Christian sarebbe orgoglioso di me. «Ora, se vuoi scusarmi, ho molto di meglio da fare che perdere il mio tempo con te.»

«Non così in fretta, signorina» sibila lei, appoggiandosi alla porta e bloccandomi. «Che diavolo pensi di fare accettando di sposare Christian? Se pensi anche solo per un minuto di poterlo rendere felice, allora ti sbagli di grosso.»

«Quello che accetto di fare con Christian non è affare tuo.» Le sorrido con sarcastica dolcezza. Lei mi ignora.

«Lui ha dei bisogni... Bisogni che tu non puoi neanche iniziare a soddisfare» gongola.

«Cosa ne sai tu dei suoi bisogni?» sbotto io. L'indignazione brucia dentro di me, mentre l'adrenalina mi invade il corpo. Come osa questa stronza venire a fare la predica a me? «Non sei che una pervertita, molestatrice di bambini e, se fosse per me, ti butterei all'inferno e me ne andrei via ridendo. Ora, togliti di mezzo. Oppure devo pensarci io?»

«Stai commettendo un grosso errore, signorina.» Fa ondeggiare il suo lungo e ossuto indice perfettamente curato davanti a me. «Come osi giudicare il nostro stile di vita? Non sai niente, e non hai idea di quello in cui ti stai cacciando. E se pensi che lui possa essere felice con una piccola e scialba arrampicatrice sociale come te...»

"Adesso basta!" Le getto in faccia quello che rimane del mio Martini, inzuppandola tutta.

«Non osare venirmi a dire che non so in cosa mi sto cacciando!» le grido. «Quando imparerai? Fatti i dannatissimi affari tuoi!»

Lei mi guarda a bocca aperta, pietrificata dall'orrore, cercando di togliersi il liquido appiccicoso dalla faccia. Penso che sia sul punto di scagliarsi su di me, ma improvvisamente viene sbalzata in avanti, quando la porta viene aperta.

Christian è in piedi sulla soglia. Gli ci vuole un istante per capire la situazione. Io sono cinerea e tremante, lei fradicia e livida. Il suo bel viso si incupisce. È stravolto dalla rabbia mentre si frappone tra noi.

«Che cazzo stai facendo, Elena?» dice, la sua voce è glaciale e minacciosa.

Elena lo guarda sbalordita. «Lei non va bene per te, Christian» sussurra.

«Che cosa?» grida, facendoci sobbalzare entrambe. Non lo vedo in volto, ma tutto il suo corpo si tende ed emana ostilità.

«Come cazzo fai a sapere che cosa va bene per me?»

«Hai dei bisogni, Christian» dice, e la sua voce è più dolce.

«Te l'ho già detto... questi non sono affari tuoi» ruggisce. "Oh, cazzo, un Christian Molto Arrabbiato ha alzato la sua deliziosa testa." Gli altri ospiti ci sentiranno.

«Cosa significa?» Si ferma, fissandola truce. «Pensi di essere tu? Tu? Sei tu quella giusta per me?» La sua voce si è ammorbidita, ma gronda disprezzo, e improvvisamente non voglio stare qui. Non voglio assistere a questo scontro così intimo. Sono un'intrusa. Ma sono bloccata, i miei arti non rispondono.

Elena deglutisce e sembra raddrizzare la schiena. La sua posa cambia impercettibilmente, diventando più autoritaria. Fa un passo verso di lui.

«Io sono la cosa migliore che ti sia mai capitata» sibila arrogante. «Guardati adesso. Sei uno degli imprenditori più ricchi e di successo degli Stati Uniti. Controllato. Motivato. Non hai bisogno di niente. Sei il signore del tuo universo.»

Lui fa un passo indietro, come se fosse stato colpito, e la fissa a bocca aperta, offeso e incredulo.

«Ti piaceva, Christian, non prenderti in giro. Eri sulla strada dell'autodistruzione, e io ti ho salvato, ti ho salvato da una vita dietro le sbarre. Credimi, piccolo, è così che sarebbe finita. Ti ho insegnato tutto quello che conoscevo, tutto quello di cui avevi bisogno.»

Christian impallidisce e la fissa inorridito. Quando parla, la sua voce è bassa e incredula.

«Mi hai insegnato a scopare, Elena. Ma era qualcosa di vuoto, come te. Non mi meraviglia che Linc ti abbia lasciata.»

La bile mi sale alla bocca. Non dovrei essere qui. Ma sono pietrificata e morbosamente affascinata, mentre loro due si scannano a vicenda.

«Non mi hai mai avuto per te» sussurra Christian. «Non hai detto una sola volta di amarmi.»

Lei stringe gli occhi. «L'amore è per gli sciocchi, Christian.»

«Esci da casa mia.» La voce furiosa e implacabile di Grace ci impaurisce tutti. Tre teste si voltano all'unisono verso la soglia della stanza, dove lei si trova. Grace fissa truce Elena, che impallidisce sotto la sua abbronzatura stile Saint-Tropez.

Il tempo sembra sospeso, mentre tutti e tre facciamo un respiro profondo e Grace entra con decisione nella stanza. Ha gli occhi ardenti di rabbia e non li distoglie da Elena, finché non le arriva di fronte. Elena la guarda allarmata, e Grace la colpisce forte con uno schiaffo, il cui suono riecheggia tra le pareti della sala da pranzo.

«Tieni i tuoi schifosi artigli lontani da mio figlio, puttana, e vattene da casa mia. Adesso!» sibila tra i denti.

Elena si massaggia la guancia arrossata e la fissa per un momento inorridita e scioccata. Poi corre via, senza darsi la pena di chiudere la porta dietro di sé.

Grace si volta lentamente verso Christian e un silenzio teso cala su di noi come una coperta pesante. Christian e Grace si guardano. Dopo un momento, è lei a parlare.

«Ana, prima che io te lo restituisca, ti dispiacerebbe lasciarmi un paio di minuti da sola con mio figlio?» La sua voce è tranquilla, roca, ma forte.

«Certo» sussurro, ed esco il più in fretta possibile, lanciando uno sguardo carico d'ansia al di sopra della mia spalla. Ma nessuno di loro due mi sta guardando mentre me ne vado. Continuano a fissarsi, e la loro comunicazione silenziosa risuona a tutto volume.

Nel corridoio, per un attimo, mi sento spaesata. Il mio cuore martella e il sangue scorre all'impazzata nelle vene... Sono in preda al panico e fuori di me. "Merda, è stato pesante, e ora Grace lo sa." Non so cosa dirà a Christian e, pur sapendo che è sbagliato, mi appoggio alla porta e provo a origliare.

«Per quanto tempo, Christian?» Grace parla piano. Quasi non riesco a sentirla.

Non sento la risposta di Christian.

«Quanti anni avevi?» La sua voce è più insistente. «Dimmelo. Quanti anni avevi quando tutto questo è iniziato?» Ancora non riesco a sentire Christian.

«Tutto bene, Ana?» Ros mi interrompe.

«Sì. Bene. Grazie. Io...»

Ros sorride. «Stavo andando a prendere la borsetta. Ho bisogno di una sigaretta.»

Per un istante prendo in considerazione la possibilità di andare con lei.

«Io sto andando in bagno.» Ho bisogno di raccogliere le idee e i pensieri, per assimilare quello di cui sono appena stata testimone. Il piano di sopra mi sembra il posto migliore in cui poter stare un po' da sola. Osservo Ros dirigersi verso il salotto e poi, due scalini alla volta, salgo al primo e quindi al secondo piano. C'è solo un posto dove voglio andare.

Apro la porta della camera da ragazzo di Christian e la richiudo dietro di me, inspirando forte. Mi dirigo verso il letto e mi ci lascio cadere sopra, fissando il soffitto bianco.

"Merda." È stato, senza dubbio, uno dei confronti più penosi che abbia mai dovuto sostenere, e ora mi sento svuotata. Il mio promesso sposo e la sua ex amante... Nessuna futura sposa dovrebbe mai assistere a niente del genere. Ma devo dirlo, una parte di me è contenta che Elena abbia rivelato la sua vera natura e che io fossi lì a gustarmi la scena.

Il mio pensiero corre a Grace. Poveretta... Sentire tutte quelle cose. Mi stringo addosso uno dei cuscini di Christian. Deve aver capito che Christian ed Elena avevano una storia, ma non di che natura fosse. Grazie a Dio. Sospiro.

Che cosa faccio ora? Forse quella strega malefica aveva ragione.

No, mi rifiuto di crederle. È così fredda e crudele. Scuoto la testa. Si sbaglia. Io sono la persona giusta per Christian. Sono quello di cui ha bisogno. E in un momento di sbalorditiva lucidità mi domando non *come* lui abbia vissuto la sua vita fino a questo momento, ma *perché*. Mi domando quali siano state le sue ragioni per fare quello che ha fatto a innumerevoli ragazze, non voglio neppure sapere quante. Il come non è sbagliato. Erano tutti adulti. Erano coinvolti... come ha detto Flynn?... in una relazione sicura, sana, tra persone consenzienti. È il perché a essere sbagliato. Il perché veniva dalle sue tenebre.

Chiudo gli occhi, appoggiandovi sopra un braccio. Ora però lui è andato avanti, si è lasciato tutto alle spalle, ed entrambi siamo nella luce. Io sono abbagliata da lui e lui da me. Possiamo guidarci a vicenda. Un pensiero mi colpisce. "Merda!" Un pensiero divorante e insidioso. E io sono nel posto giusto per cacciare via questo fantasma. Mi tiro su a sedere. Sì, lo devo fare.

Tremante, mi rimetto in piedi, scalcio via le scarpe, raggiungo la sua scrivania ed esamino la bacheca sopra di essa. Le foto del giovane Christian sono ancora lì, più toccanti che mai, quando penso allo spettacolo di cui sono appena stata spettatrice, tra lui e Mrs Robinson. E là, nell'angolo, c'è la piccola foto in bianco e nero... Sua madre, la puttana drogata.

Accendo la lampada sulla scrivania e la dirigo verso

la foto. Non so neppure il suo nome. Gli assomiglia molto, ma è più giovane e più triste, e tutto quello che provo, osservando il suo volto addolorato, è compassione. Cerco di individuare le somiglianze tra il suo viso e il mio. Stringo gli occhi, avvicinandomi sempre di più alla foto, ma non vedo niente. Eccetto forse i capelli, ma credo che i suoi fossero più chiari dei miei. Non le assomiglio affatto. È un sollievo.

La mia vocina è decisamente contrariata. Ancora, la penso con le braccia incrociate sul petto. "Perché ti stai torturando? Hai detto di sì. Ti sei scavata la fossa da sola." Sì, l'ho fatto, e ne sono contenta. Voglio passare il resto della mia vita con Christian. La mia dea interiore, seduta nella posizione del loto, mi sorride serena. Sì. Ho preso la decisione giusta.

Devo trovarlo. Christian sarà preoccupato. Non ho idea del tempo che ho passato in questa stanza. Penserà che me ne sono andata. Alzo gli occhi al cielo, immaginando la sua reazione esagerata. Spero che lui e Grace abbiano finito. Rabbrividisco al pensiero di cos'altro lei potrebbe avergli detto.

Incontro Christian mentre sale le scale del primo piano. Mi sta cercando. Ha il volto tirato e stanco. Non è lo spensierato Christian con cui sono arrivata. Lo aspetto sul ballatoio e lui si ferma in cima alle scale. Ci troviamo occhi negli occhi.

«Ciao» mi dice guardingo.

«Ciao» rispondo con circospezione.

«Temevo...»

«Lo so...» Lo interrompo. «Mi dispiace... Non sopportavo i festeggiamenti. Dovevo allontanarmi un po', lo sai. Per pensare.» Mi protendo e gli accarezzo il viso. Lui chiude gli occhi e appoggia la guancia alla mia mano.

«E hai pensato di poterlo fare nella mia stanza?»

«Sì.»

Mi prende la mano e mi attira in un abbraccio, e io mi lascio andare contro di lui, il posto che preferisco al mondo. Sa di bucato, di bagnoschiuma, e di Christian... il profumo più lenitivo ed eccitante del mondo. Lui annusa avidamente i miei capelli.

«Mi dispiace che tu abbia dovuto sopportare tutto questo.»

«Non è colpa tua, Christian. Perché lei è venuta?» Lui mi guarda, e la sua bocca si piega a mo' di scuse.

«È un'amica di famiglia.»

Cerco di non reagire. «Adesso non più. Come sta tua madre?»

«È decisamente fuori di sé dalla rabbia. Sono davvero contento che tu sia qui, e che siamo nel mezzo di una festa. Altrimenti avrei potuto lasciarci le penne.»

«Terribile, eh?»

Lui annuisce, il suo sguardo è serio, e percepisco il suo sconcerto di fronte alla reazione di Grace.

«Puoi biasimarla?» La mia voce è calma, persuasiva.

Lui mi stringe a sé e sembra incerto, come se elaborasse i suoi pensieri.

Alla fine risponde. «No.»

"Wow! Facciamo progressi." «Possiamo sederci?» gli chiedo.

«Certo. Qui?»

Annuisco e ci sediamo in cima alle scale.

«Allora, come ti senti?» gli chiedo, stringendogli ansiosamente la mano e fissando il suo viso triste e serio.

Lui sospira.

«Mi sento liberato.» Si stringe nelle spalle, poi sorride... È un sorriso stupendo, spensierato. La stanchezza e la tensione di pochi momenti prima sono svanite.

«Davvero?» Gli sorrido di rimando. Wow, sarei andata carponi sui vetri rotti per quel sorriso.

«Il nostro rapporto d'affari è finito. Basta.»

Lo guardo perplessa. «Liquiderai il business dei saloni di bellezza?»

Lui sbuffa. «Non sono così vendicativo, Anastasia» mi avverte. «No. Le regalerò la mia parte. Andrò dal mio avvocato lunedì. Glielo devo.»

Inarco un sopracciglio. «Niente più Mrs Robinson?» Piega le labbra in una smorfia divertita e scuote la testa.

«È finita.»

Sorrido.

«Mi dispiace che tu abbia perso un'amica.»

Lui scrolla le spalle e mi sorride malizioso. «Davvero?»

«No» gli confesso, arrossendo.

«Vieni.» Si alza e mi offre la sua mano. «Torniamo alla festa in nostro onore. Potrei persino ubriacarmi.»

«Ti ubriachi?» gli chiedo, mentre prendo la sua mano.

«Non lo faccio più da quando ero un ragazzino scapestrato.» Scendiamo le scale.

«Hai mangiato?» mi chiede.

"Oh, merda."

«No.»

«Dovresti. Dall'aspetto e dall'odore che aveva Elena, quello che le hai tirato addosso doveva essere uno dei cocktail letali di mio padre.» Mi guarda e cerca di restare serio, ma non riesce a trattenere un sorriso divertito.

«Christian, io…»

Alza la mano.

«Non litighiamo, Anastasia. Se vuoi bere… e buttare alcol in faccia alle mie ex, allora hai bisogno di mangiare. È la regola numero uno. Credo che abbiamo già avuto questa discussione dopo la nostra prima notte insieme.»

"Oh, sì. All'Heathman."

Tornati nel corridoio, lui si ferma e mi fa una carezza, le sue dita mi sfiorano il mento.

«Sono rimasto sveglio per ore a guardarti dormire» mormora. «Devo averti amata da allora.»

"Oh."

Si china su di me e mi bacia dolcemente, e io mi sento

sciogliere. Tutta la tensione dell'ultima ora se ne va, languidamente, dal mio corpo.

«Mangia» mi sussurra lui.

«Okay» acconsento. In questo momento probabilmente
farei qualsiasi cosa per lui. Mi prende per mano e mi guida
verso la cucina, dove la festa è in pieno svolgimento.

«Buonanotte, John, Rhian.»

«Ancora congratulazioni, Ana. Starete bene, vedrai.» Il
dottor Flynn ci sorride gentile, mentre Christian e io siamo
a braccetto nel corridoio e lui e Rhian si stanno congedando.

«Buonanotte.»

Christian chiude la porta e scuote la testa. Mi guarda,
e i suoi occhi sono improvvisamente luminosi ed eccitati.

"Cosa succede?"

«È rimasta solo la famiglia. Penso che mia madre abbia
bevuto troppo.» Grace sta facendo il karaoke. Kate e Mia
le stanno dando del filo da torcere.

«Puoi biasimarla?» Gli sorrido maliziosamente, cercando
di mantenere leggera l'atmosfera tra noi. Ci riesco.

«Mi stai sorridendo maliziosamente, Miss Steele?»

«Sì.»

«Che giornata è stata!»

«Christian, ultimamente è sempre una giornata così.» La
mia voce è sarcastica.

Lui scuote la testa. «Un punto per te, Miss Steele. Vieni…
Voglio mostrarti qualcosa.» Mi prende per mano e mi conduce in cucina, dove Carrick, Ethan e Elliot stanno parlando dei Mariners, bevendo l'ultimo cocktail e mangiando
avanzi.

«Uscite per una passeggiata?» Elliot ci stuzzica maliziosamente mentre oltrepassiamo la soglia. Christian lo ignora.
Carrick lo guarda accigliato, scuotendo la testa in un rimprovero silenzioso.

Mentre scendiamo i gradini che conducono al prato, mi

tolgo le scarpe. Uno spicchio di luna splende sopra la baia. Il suo bagliore getta su tutto una miriade di sfumature grigie, mentre Seattle scintilla in lontananza. Le luci della rimessa delle barche sono accese, un faro brilla nel freddo chiarore della luna.

«Christian, mi piacerebbe andare in chiesa domani.»

«Eh?»

«Ho pregato perché tu tornassi sano e salvo, ed è stato così. È il minimo che io possa fare.»

«Va bene.»

Vaghiamo mano nella mano in un silenzio rilassato per qualche momento. Poi mi viene in mente una cosa.

«Dove metterai le foto che mi ha fatto José?»

«Pensavo che potremmo metterle nella casa nuova.»

«L'hai comprata?»

Lui si ferma e mi guarda. La sua voce è piena di preoccupazione. «Sì. Pensavo che ti piacesse.»

«Sì, mi piace. Quando l'hai comprata?»

«Ieri mattina. Ora dobbiamo decidere cosa farne» mormora, sollevato.

«Non farla demolire. Per favore. È una casa così bella. Ha solo bisogno di cure amorevoli.»

Christian mi guarda e sorride. «Okay. Ne parlerò con Elliot. Conosce un buon architetto. Ha già fatto qualche lavoro per me ad Aspen. Potrà occuparsi della ristrutturazione.»

Sbuffo, ricordandomi all'improvviso dell'ultima volta in cui abbiamo attraversato questo prato al chiaro di luna, per raggiungere la rimessa. "Ah, forse è lì che stiamo andando adesso." Sorrido.

«Cosa c'è?»

«Ricordo l'ultima volta in cui mi hai portata alla rimessa delle barche.»

Christian ride sommessamente. «È stato divertente. In effetti…» All'improvviso si ferma e mi carica sulla sua spalla, io strillo, anche se il percorso non è lungo.

«Eri davvero arrabbiato, se ricordo bene» ansimo.

«Anastasia, io sono sempre davvero arrabbiato.»

«No, non è vero.»

Mi dà una sculacciata. Mi fa scivolare giù, lungo il suo corpo, fino a terra, e mi prende il viso tra le mani.

«No, non più.» Si china su di me e mi bacia con passione. Quando si stacca, sono senza fiato e il desiderio mi percorre tutto il corpo.

Mi guarda, e nel bagliore della striscia di luce che proviene dalla rimessa capisco che è in ansia. Il mio uomo ansioso, non un cavaliere bianco o un cavaliere nero, ma un uomo, un uomo bellissimo e neppure tanto tenebroso, che io amo. Lo accarezzo, facendo scorrere le dita tra le sue basette, poi lungo la mandibola e il mento, per lasciare il mio indice sulle sue labbra. Lui si rilassa.

«C'è qualcosa che voglio mostrarti qui dentro» dice e poi apre la porta.

La luce cruda delle lampade fluorescenti illumina l'impressionante lancia a motore nella darsena, che ondeggia gentilmente sull'acqua scura. C'è una barca a remi, di fianco.

«Vieni.» Christian mi prende per mano e mi guida su per le scale di legno. Apre la porta in cima e si fa da parte, per lasciarmi passare.

Rimango a bocca aperta. La soffitta è irriconoscibile. È piena di fiori... Fiori dappertutto. Qualcuno ha creato un salottino magico di bellissimi fiori di campo, mescolandoli a lucine natalizie e a piccole lanterne che lanciano bagliori tenui e delicati per la stanza.

Mi giro di scatto per guardare Christian. Lui mi sta osservando, la sua espressione imperscrutabile. Si stringe nelle spalle.

«Volevi cuori e fiori» mormora.

Sbatto le palpebre, ancora incredula di fronte a ciò che sto vedendo.

«Hai il mio cuore.» Poi indica la stanza con un gesto.

«E qui ci sono i fiori» mormoro, completando la frase. «Christian, è delizioso.» Non so cos'altro dire. Ho il cuore in gola, e le lacrime mi pungono gli occhi.

Lui mi prende la mano e mi fa entrare nella stanza, e prima che me ne renda conto, si inginocchia davanti a me. "Accidenti... Non mi aspettavo una cosa del genere!" Smetto di respirare.

Dalla tasca interna della giacca tira fuori un anello e alza su di me gli occhi... brillanti, grigi e sinceri, pieni d'emozione.

«Anastasia Steele. Ti amo. Voglio amarti, curarti e proteggerti per il resto della mia vita. Sii mia. Sempre. Condividi la tua vita con me. Sposami.»

Sbatto le palpebre e le lacrime iniziano a scorrere. Il mio Christian, il mio uomo. Lo amo così tanto, e tutto quello che riesco a dire mentre l'ondata di emozioni mi travolge è semplicemente «Sì».

Lui sorride, sollevato, e lentamente mi infila l'anello al dito. È bellissimo, un diamante ovale in una montatura di platino. "Wow... È grande..." Grande, eppure strabiliante per la sua semplicità.

«Oh, Christian» singhiozzo, improvvisamente travolta dalla gioia, e mi inginocchio di fronte a lui, le mie dita si immergono nei suoi capelli, mentre lo bacio, con tutto il mio cuore e tutta la mia anima. Bacio quest'uomo bellissimo, che mi ama e che io amo. Lui mi avvolge tra le braccia, le sue mani tra i miei capelli, la sua bocca sulla mia. So, nel profondo di me stessa, che sarò sempre sua, e che lui sarà sempre mio. Siamo arrivati fin qui insieme, ma siamo fatti l'uno per l'altra. Siamo destinati a stare insieme.

La punta della sigaretta brilla nell'oscurità, mentre lui ne tira una boccata. Soffia fuori il fumo in un lungo sospiro, finendo con due anelli che si dissolvono pallidi ed evanescenti nel chiaro di luna. Si muove sul sedile, annoiato, e beve una sorsata di bourbon a buon mercato da una bottiglia avvolta in squallida carta marrone, che poi rimette tra le sue gambe.

Non riesce a credere di essere ancora in caccia. La sua bocca si piega in un ghigno sardonico. L'elicottero è stato una mossa avventata e audace. Una delle cose più esaltanti che abbia mai fatto nella sua vita. Ma inutile. Alza ironicamente gli occhi al cielo. "E chi se lo aspettava che quel figlio di puttana avrebbe saputo far atterrare quel coso?"

Sbuffa.

Lo hanno sottovalutato. Se Grey ha pensato anche solo per un minuto che lui si sarebbe ritirato a piagnucolare tranquillamente nell'ombra, quel coglione non ha capito un cazzo.

È sempre stato così per tutta la sua vita. La gente lo ha costantemente sottovalutato... solo un uomo che legge libri. Che si fottano! Un uomo che legge libri e con una memoria fotografica. Oh, le cose che ha imparato, le cose che sa. Sbuffa di nuovo. "Sì, su di te, Grey. Le cose che so su di te."

Niente male per un ragazzo dei bassifondi di Detroit.

Niente male per il ragazzo che ha vinto una borsa di studio a Princeton.

Niente male per il ragazzo che si è fatto un culo così per tutta la durata del college e che è entrato nell'editoria.

E ora tutto è andato a farsi fottere, per colpa di quel Grey e della sua puttanella. Fissa torvo la casa come se rappresentasse tutto ciò che odia. Ma non c'è niente da fare. L'unico colpo di teatro è stato quando la tettona, una bionda con un abito nero, è uscita in lacrime, barcollando lungo il vialetto, prima di salire sulla sua Mercedes CLK bianca e andarsene.

Fa una risata sforzata, poi strizza gli occhi. 'Fanculo, le costole. Gli fanno ancora male per i calci che lo scagnozzo di Grey gli ha dato.

Rivede la scena nella sua mente. "Se oserai toccare ancora Miss Steele con un fottutissimo solo dito, giuro che ti ammazzo."

Anche quel figlio di puttana la capirà. Sì... Avrà quello che si merita.

Si sistema sul sedile. "A quanto pare sarà una lunga nottata." Rimarrà lì, a osservare, e aspettare. Tira un'altra boccata dalla sua Marlboro rossa. La sua occasione arriverà. La sua occasione arriverà molto presto.